T'es branché? 3

Author
Toni Theisen

With the collaboration of
Jacques Pécheur

Contributing Writers

Stephen R. Adamson
Rogers, AR

Caroline Busse
Pasadena, CA

Nathalie E. Gaillot
Lyon, France

Lynne I. Lipkind
West Hartford, CT

Diana I. Moen
St. Paul, MN

Annie-Claude Motron
Paris, France

Virginie Pied
Salt Lake City, UT

Emily Wentworth
Branford, CT

Pamela M. Wesely
Iowa City, IA

EMC Publishing

ST. PAUL

Developmental Editor: Diana Moen
Associate Editor: Nathalie Gaillot
Assistant Editor: Kristina Merrick
Production Editor: Bob Dreas
Cover Designer: Leslie Anderson
Text Designers: Diane Beasley Design, Leslie Anderson

Illustrators: TSI Graphics
Production Specialists: Leslie Anderson, Julie Johnston
Copy Editor/Proofreader: Jamie Bryant, B-books Ltd.
Reviewers: Sébastien De Clerck, Mary Lindquist, Gretchen Petrie, Anne Marie Plante

Care has been taken to verify the accuracy of information presented in this book. However, the authors, editors, and publisher cannot accept responsibility for Web, email, newsgroup, or chat room subject matter or content, or for consequences from application of the information in this book, and make no warranty, expressed or implied, with respect to its content.

Trademarks: Some of the product names and company names included in this book have been used for identification purposes only and may be trademarks or registered trade names of their respective manufacturers and sellers. The authors, editors, and publisher disclaim any affiliation, association, or connection with, or sponsorship or endorsement by, such owners.

Credits: Photo Credits, Reading Credits, Art Credits, and Realia Credits follow the Index.

We have made every effort to trace the ownership of all copyrighted material and to secure permission from copyright holders. In the event of any question arising as to the use of any material, we will be pleased to make the necessary corrections in future printings. Thanks are due to the aforementioned authors, publishers, and agents for permission to use the materials indicated.

ISBN 978-0-82195-999-2
© 2014 by EMC Publishing, LLC
875 Montreal Way
St. Paul, MN 55102
Email: educate@emcp.com
Website: www.emcp.com

Printed in the United States of America

22 21 20 19 18 17 16   6 7 8 9 10

To the Student

Pensez-vous à votre avenir?

Ms. Brown used her knowledge of French to become a conference interpreter for the UN Development Program.

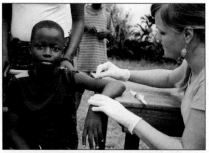

Médecins sans Frontières recruits medical professionals who speak French to help African countries such as the Ivory Coast.

A career using French may be in your future. Combining your French skills with training in a profession of your choice may open doors when entering the workforce. With a degree in law, medicine, or political science you could work as a lawyer in international law or as a paralegal, be a doctor or nurse working for **Médecins Sans Frontières**, or work for a Non-Governmental Organization (NGO) in a francophone country. You might choose to teach English in a francophone country, or apply for a Fulbright Teacher Exchange in a francophone location. French speakers are in high demand for all Peace Corps assignment sectors right now including: environment, agriculture, health, business, education, and community/youth development. There are also jobs in the foreign service, a branch of the government that offers diplomatic services overseas in embassies and consulates.

Universities such as Thunderbird in Arizona prepare students for jobs in business and French. You could work for an American company with a presence in France like 3M, Bank of America, or Hewlett-Packard, or for a French company with a presence in the United States such as Air France (air travel), Accor (hotels), or L'Oréal (cosmetics). According to Bloomberg Rankings, French is the second most useful language in the world for business, after English. You might want to apply for **un stage**, or apprenticeship, at a company while in college or right after you've earned your degree. You might consider working as an insurance agent, banker, financial services provider, public relations specialist, or marketing director using your French.

If you're interested in communications, there are jobs as reporters, production assistants, news anchors, book editors, translators, or editors and proofreaders. The areas of hospitality and recreation offer jobs such as tour guides, sales coordinators, and museum tour guides. Whatever job you're interested in pursuing, think about positioning yourself in a company, agency, or NGO with your bilingual skills.

This year you will learn about French history, more francophone travel destinations, French companies and luxury products, famous French singer-songwriters, and much more! **Bonne continuation** as you continue your learning about French language and francophone cultures!

 Search words: **careers in french, thunderbird, state department, careerinsider/ vault, concordia language villages, gale's public relations career directory**

Table of Contents

Unité 9

Récits de la vie contemporaine 505

Le monde francophone

La ville de Chamonix dans les Alpes françaises.

Vieille maison de Québec.

Ville de Basta, Corse.

Des Sénégalaises attendant le retour des pêcheurs.

Le Parlement Européen à Bruxelles, en Belgique.

Plage à Saint-Martin, Antilles françaises.

Dans les rues d'Alger, en Afrique du Nord.

Le port de Monaco, de nuit.

Map of France

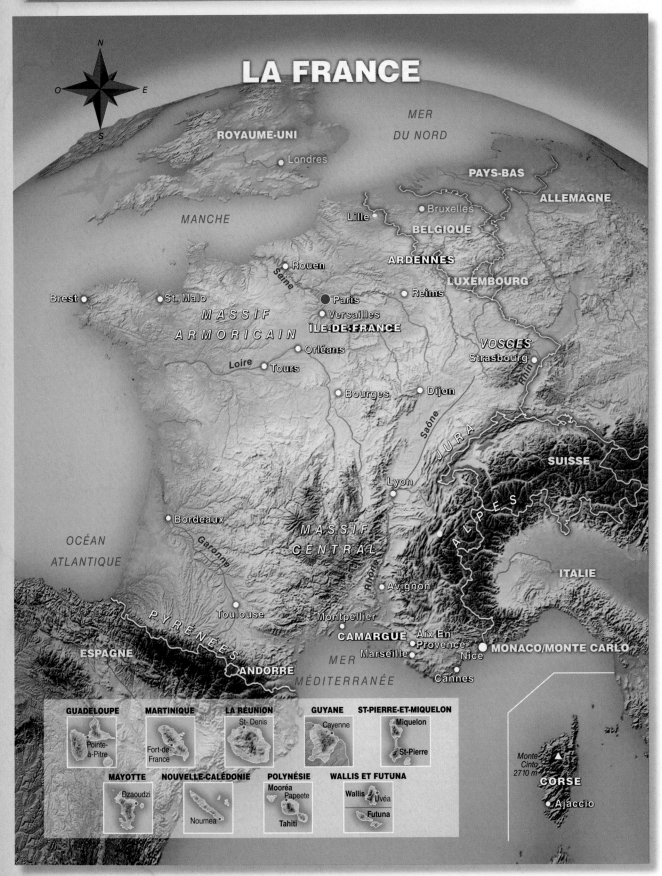

LA FRANCE

ROYAUME-UNI

Londres

MER DU NORD

PAYS-BAS

ALLEMAGNE

Bruxelles

Lille

BELGIQUE

ARDENNES

LUXEMBOURG

MANCHE

Rouen

Seine

Reims

Brest

St. Malo

Paris

Versailles

ÎLE-DE-FRANCE

VOSGES

Strasbourg

Rhin

MASSIF ARMORICAIN

Orléans

Loire

Tours

Bourges

Dijon

Saône

JURA

SUISSE

Lyon

ALPES

Bordeaux

Garonne

MASSIF CENTRAL

Rhône

ITALIE

OCÉAN ATLANTIQUE

Avignon

Toulouse

PYRÉNÉES

Montpellier

CAMARGUE

Aix En Provence

Marseille

Nice

MONACO/MONTE CARLO

ESPAGNE

ANDORRE

MER MÉDITERRANÉE

Cannes

GUADELOUPE	MARTINIQUE	LA RÉUNION	GUYANE	ST-PIERRE-ET-MIQUELON
Pointe-à-Pitre	Fort-de-France	St- Denis	Cayenne	Miquelon / St-Pierre

MAYOTTE	NOUVELLE-CALÉDONIE	POLYNÉSIE	WALLIS ET FUTUNA
Dzaoudzi	Nouméa	Mooréa / Papeete / Tahiti	Wallis / Uvéa / Futuna

Monte Cinto 2710 m

CORSE

Ajaccio

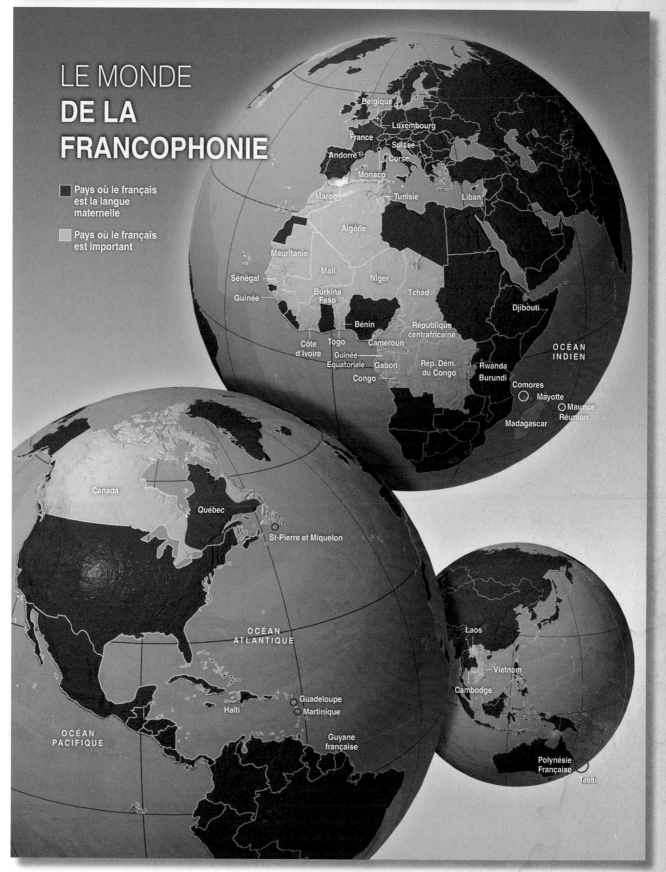

LE MONDE
**DE LA
FRANCOPHONIE**

■ Pays où le français
est la langue
maternelle

■ Pays où le français
est important

Belgique
Luxembourg
France
Suisse
Andorre
Corse
Monaco
Maroc
Tunisie
Liban
Algérie
Mauritanie
Mali
Niger
Sénégal
Burkina
Tchad
Guinée
Faso
Djibouti
Bénin
Togo
République
Côte
Cameroun
centrafricaine
d'Ivoire
Guinée
OCÉAN
Equatoriale
Gabon
Rép. Dém.
Rwanda
INDIEN
Congo
du Congo
Burundi
Comores
Mayotte
Maurice
Réunion
Madagascar

Canada
Québec
St-Pierre et Miquelon
Laos
Vietnam
OCÉAN
Cambodge
ATLANTIQUE
Guadeloupe
Martinique
Haïti
OCÉAN
Guyane
PACIFIQUE
française
Polynésie
Française
Tahiti

Map of Paris

CLICHY

LEVALLOIS-
PERRET

Arche de la Défense

Bd Bessières

Av. de Clichy

Av. de St-Ouen

Boulevard Berthier

Bvd

Malesherbes

17e

Avenue Charles de Gaulle

Bd G. St-Cyr

Bd des Batignolles

NEUILLY-SUR-SEINE

Av. de la
Grande Armée

Pl. Charles
de Gaulle

Arc de Triomphe

Av. Foch

Gare Saint-
Lazare

Rue d'Amsterdam

Bd Malesherbes

Bd

Haussmann

8e

l'Opé

Avenue des Champs-Élysées

Place de la
Concorde

R. Royale

Bd Lannes

Av. Victor Hugo

Av. Kléber

Jar
Tu

la Seine

16e

Tour
Eiffel

Av. Bosquet

Invalides

7e

Bois de
Boulogne

Bd Suchet

Champ
de Mars

Bvd St-

German

Bvd Raspail

Statue de la liberté

la Seine

Bvd
de Grenelle

Bd. Garibaldi

P
Luxe

Bd du Montparna

Av. Émile Zola

Bd Exelmans

Avenue de Versailles

Rue de la Convention

15e

Bd
Pasteur

Gare
Montparnasse

Rue de Vaugirard

Av. du Maine

14

Bvd

Victor

R. de Vouillé

BOULOGNE-
BILLANCOURT

Bd Lefèbvre

Boulevard

Rue

ISSY-LES-
MOULINEAUX

VANVES

Brune

MALAKOFF

MONTROUGE

0   1 Mile

0   1 Kilometer

xiv

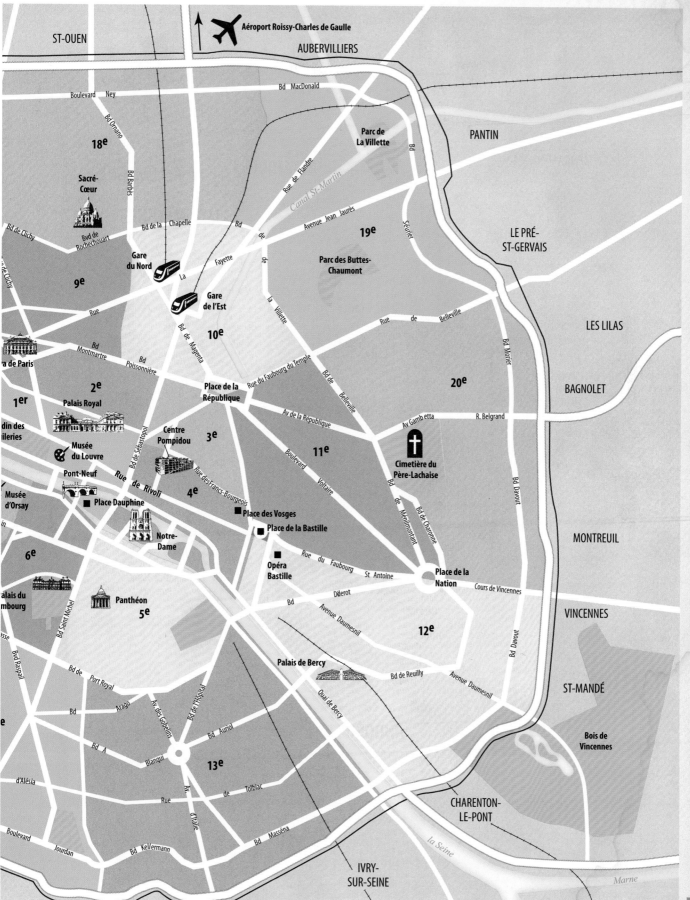

ST-OUEN

AUBERVILLIERS

Aéroport Roissy-Charles de Gaulle

Boulevard Ney

Bd MacDonald

Bd Ornano

Parc de La Villette

PANTIN

18e

Sacré-Cœur

Bd Barbes

Rue de Flandre

LE PRÉ-ST-GERVAIS

Bvd de Rochechouart

Bd de la Chapelle

Canal St-Martin

Bd de Clichy

Avenue Jean Jaurès

19e

Sémer

LES LILAS

Gare du Nord

Fayette

Parc des Buttes-Chaumont

9e

Rue

Gare de l'Est

la Villette

Rue de Belleville

ra de Paris

Bd Montmartre

Bd de Magenta

10e

Bd Morier

BAGNOLET

2e

Bd Poissonnière

Place de la République

Rue du Faubourg du Temple

Bd de Belleville

20e

1er

Palais Royal

Av Gambetta

R. Belgrand

din des ileries

Musée du Louvre

Centre Pompidou

Bd de Sébastopol

3e

Av de la République

Cimetière du Père-Lachaise

Pont-Neuf

Rue de Rivoli

Rue des Francs-Bourgeois

Boulevard

11e

Bd Davout

Musée d'Orsay

Place Dauphine

4e

Voltaire

Place des Vosges

MONTREUIL

6e

Notre-Dame

Place de la Bastille

Bd de Charonne

alais du mbourg

Panthéon

Opéra Bastille

Rue du Faubourg

St Antoine

Place de la Nation

VINCENNES

Bd Saint Michel

5e

Bd de Ménilmontant

Cours de Vincennes

Bd Davout

Bvd Raspail

Bd de Port Royal

Diderot

ST-MANDÉ

Bd

Avenue Daumesnil

12e

Arago

Av des Gobelins

Palais de Bercy

Bd de Reuilly

Avenue Daumesnil

Bd de l'Hôpital

Bois de Vincennes

Bd A

Bd Auriol

Quai de Bercy

d'Alésia

Blanqui

13e

Boulevard

Rue

de Tolbiac

CHARENTON-LE-PONT

Jourdan

Bd Kellermann

Bd Masséna

la Seine

Marne

IVRY-SUR-SEINE

Administrative Map of France

ROYAUME-UNI

BELGIQUE

ALLEMAGNE

LUXEMBOURG

Pas-de-Calais

Nord-Pas-de-Calais

Nord

Somme

Picardie

Aine

Ardennes

Moselle

Seine-Maritime
Haute-Normandie

Oise

Lorraine

Bas-Rhin
Strasbourg

Manche

Calvados
Basse-Normandie

Eure

Val d'oise
Yvelines

Seine-et-Marne
Île-de-France

Marne
Champagne-Ardennes

Meuse

Meurthe-et-Moselle

Alsace

Finistère

Côtes-d'Armor
Bretagne

Ille-et-Vilaine

Mayenne

Sarthe

Orne

Eure-et-Loir

Essonne

Aube

Haute-Marne

Vosges

Haute-Saône

Haut-Rhin

Morbihan

Pays-de-la-Loire

Maine-et-Loire

Loir-et-cher

Loiret

Yonne

Côte-d'Or
Bourgogne

Franche-Comté

Doubs

SUISSE

Loire-Atlantique

Centre

Nièvre

Jura

Vendée

Deux-Sèvres

Vienne

Indre-et-Loire

Indre

Cher

Saône-et-Loire

Ain

Haute-Savoie

Poitou-Charente

Haute-Vienne

Creuse

Pays-de-Drôme
Auvergne

Allier

Rhône
Rhône-Alpes

Savoie

ITALIE

Charente-Maritime

Charente

Limousin

Loire

Isère

la Guyane

Corrèze

Cantal

Haute-Loire

Hautes-Alpes

la Guadeloupe

Dordogne

Drôme

la Martinique

Gironde

Lot

Lozère

Ardèche

Alpes-de-Haute-Provence

Alpes-Maritimes

Aquitaine

Lot-et-Garonne

Midi-Pyrénées

Aveyron

Gard

Vaucluse

Provence Alpes-Côte-d'Azur

Landes

Tarn-et-Garonne

Tarn

Hérault

Bouches-du-Rhône

Var

la Réunion

Gers
Toulouse

Languedoc-Roussillon

Pyrénées
Atlantiques

Hautes-Pyrénées

Haute-Garonne

Ariège

Aude

Mayotte

ESPAGNE

ANDORRE

Pyrénées
Orientales

Haute-Corse
Corse
Corse-du-Sud

Unité 1
Les moments de la vie

À savoir

Un Français sur cinq a moins de 15 ans.

Les moments de la vie

?

Comment la vie des Francophones évolue-t-elle avec le temps?

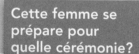

Cette femme se prépare pour quelle cérémonie?

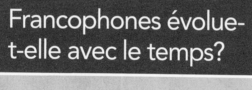

Comment s'appelle ce village?

Contrat de l'élève

Leçon A **I will be able to:**

» say where I met someone and how someone looks; advise someone; and tell someone not to worry.

» talk about French young people and the **Maisons des Jeunes et de la Culture** that they frequent.

» review the present tense of regular and irregular verbs and **depuis** + present tense.

Leçon B **I will be able to:**

» explain how something happened, say what I discovered, and ask for a suggestion.

» talk about childhood and the composition of French families and the **département Provence-Alpes-Côte d'Azur.**

» use the verb **courir** and use the **passé composé** and imperfect.

Leçon C **I will be able to:**

» say I don't care and where I'd like to work.

» talk about college preparatory classes, elite universities, and weddings.

» use the conditional, including sentences with **si**; and the future.

Vocabulaire actif

emcl.com
WB 1–3
LA 1
Games

Quand je sors….

avoir l'air de (d')….

détester quelque chose	être fâché(e)	être affolé(e)	réfléchir

Je fréquente….

le ciné-club

la discothèque

le festival

le skatepark

la MJC

l'aquaparc (m.)

le cours particulier

la soirée

le complexe sportif

emcl.com
WB 4

Pour la conversation

How do I say where I met someone?

> **Je l'ai rencontré** au ciné-club.

I met him/her at the film club.

How do I advise someone?

> **Tu ferais bien de** l'inviter à la maison.

You would do well to invite him to the house.

How do I tell someone not to worry?

> **Ce n'est pas la peine de t'inquiéter.**

It's not worth worrying about.

How do I describe how someone looks?

> **Tu as l'air de** bien l'aimer.

It looks like you really like him.

Et si je voulais dire...?

l'auto-école (f.)	*driving school*
l'école (f.) de conduite	*driving school*
la bibliothèque	*library*
la fête foraine	*funfair*
la salle de jeux vidéo	*video arcade*
la patinoire	*ice rink*
Tu as l'air crevé(e).	*You look exhausted.*
Ça n'a pas l'air d'aller.	*You don't seem so well.*
Ils ont l'air de bien s'entendre.	*They look like they get along well.*
Tu as l'air d'être déprimé(e).	*You look depressed.*

---

1 Vendredi soir

Certains élèves du lycée Victor Hugo ne sont pas restés à la maison ce soir. Lisez le paragraphe ci-dessous. Puis, répondez à la question qui suit.

Pierre a bien réfléchi, puis il a choisi d'aller au ciné-club à la MJC. Marie-Alix a décidé de jouer au foot au complexe sportif. Maxime s'est rendu à la soirée de Chantal. Julien est allé au skatepark. Julianne voulait voir un film gratuit. Monique voulait fêter l'anniversaire de sa copine Chantal. Marc et Annie se sont rencontrés à la discothèque. Chloé voulait voir ses copains à la MJC.

Qui a vu un(e) autre camarade de classe ce soir?

2 Avoir l'air de....

*Regardez les illustrations, puis utilisez **avoir l'air de (d')** et choisissez les expressions de la liste ci-dessous.*

être triste   détester (quelque chose)   s'amuser

être affolé(e)   réfléchir   être content(e)

MODÈLE

Martine
Martine a l'air de réfléchir.

1. les ados

2. Simon

3. Alex et Claire

4. Éric et Sébastien

5. Les garçons

3 Je l'ai rencontré(e)....

Dites où chaque ado a rencontré son/sa meilleur(e) ami(e). Choisissez un endroit de la liste.

> le ciné-club   la discothèque   la MJC   le complexe sportif
> l'aquaparc   le festival de musique   le skatepark   la soirée de Yasmine

MODÈLE   Jérémy aime les activités avec d'autres ados. Où a-t-il rencontré Amadou?
Il l'a rencontré à la MJC.

Maylis aime les concerts en plein air. Où a-t-elle rencontré Camille?
Elle l'a rencontrée au festival de musique.

1. Géraldine aime les films chinois. Où a-t-elle rencontré Florence?
2. Sophie aime danser. Où a-t-elle rencontré Julie?
3. Karim aime s'amuser dans l'eau. Où a-t-il rencontré Théo?
4. Sarah aime faire du sport et regarder les matchs de basket. Où a-t-elle rencontré Marianne?
5. Marco aime faire du skate. Où a-t-il rencontré Antoine?
6. Béatrice aime faire la fête. Où a-t-elle rencontré Fatima?

4 Où sont-ils allés?

Écrivez les numéros 1–8 sur votre papier. Dites pour chaque conversation où les personnes sont allées en écrivant la bonne lettre.

A. la discothèque	B. le complexe sportif	C. la soirée
D. le festival de musique	E. le cours particulier	F. le skatepark
G. la MJC	H. le ciné-club	

5 Questions personnelles

Répondez aux questions suivantes.

1. Qu'est-ce que tu fais quand un(e) ami(e) a l'air triste?
2. Quels genres de films est-ce que tu détestes?
3. Est-ce que tu réfléchis bien avant de prendre une décision?
4. Où as-tu rencontré tes meilleur(e)s ami(e)s?
5. Y a-t-il un complexe sportif sympa dans ta ville ou ta région?
   Quels sports peut-on y pratiquer?

emcl.com
WB 5

Comment tu le trouves?

Élodie montre à Léo des photos de ses amis sur son portable.

Élodie: On fait une super bande... je n'avais jamais connu ça avant.

Léo: Et lui? Tu as l'air de bien l'aimer.

Élodie: Pourquoi tu dis ça?

Léo: Comme ça... il te regarde, il te sourit... ça s'appelle de la complicité....

Élodie: Comment tu le trouves?

Léo: Karim? C'est le frère d'un copain, je l'aime bien: il réussit à ses examens; il adore le cinéma.... Tu le connais depuis quand?

Élodie: Je l'ai rencontré au ciné-club: ce soir-là, on n'était absolument pas d'accord sur le film....

Léo: Et maintenant il te fait de beaux sourires; il t'attend après les cours; et vous ne vous quittez plus... tu ferais bien de l'inviter à la maison....

Élodie: Mais que va dire maman?

Léo: Ce n'est pas la peine de t'inquiéter, elle est déjà au courant!

> **Mots-clé** **Bande.** (provençal XVème siècle, *banda*: "la troupe," la "compagnie des gens"). Une bande se définit comme un groupe de personnes ayant des activités et des intérêts en commun. Par exemple: Je vais toujours au ciné avec la même *bande de* copains. L'expression "bande de..." est une insulte qui s'adresse à un groupe.

6 Comment tu le trouves?

Identifiez la personne décrite.

1. Cette personne aime bien Karim.
2. Cette personne connaît le frère de Karim.
3. Cette personne sait qu'Élodie aime bien Karim.
4. Cette personne a rencontré Karim au ciné-club.
5. Cette personne passe beaucoup de temps avec Karim.
6. Cette personne a une super bande.

Extension **Le profil d'une lycéenne**

Un journaliste interviewe une lycéenne pour faire un profil de l'ado typique.

Journaliste:	Tu as beaucoup de copains et copines au lycée?
Julie:	On est toute une bande: on se retrouve tout le temps à la fin des cours, pour sortir, pour aller prendre un verre au café, on organise des soirées....
Journaliste:	Ton petit ami fait partie du groupe?
Julie:	Ben, oui.
Journaliste:	Mais ce n'est pas gênant de ne pas avoir de temps à toi?
Julie:	Au contraire! On a tous notre profil sur Facebook; comme ça on sait toujours ce que tout le monde fait. Même les copains des copains!
Journaliste:	Alors, tu es toujours connectée avec tes amis?
Julie:	Notre génération est toujours connectée!

Extension Qu'est-ce que le reporter apprend sur la vie des lycéens?

Question centrale

?

Comment la vie des Francophones évolue-t-elle avec le temps?

Modes de vie des adolescents

Les jeunes français se retrouvent dans la pratique de sports individuels (judo, natation, tennis) ou de sports collectifs* (football, rugby, basket). Ils partagent leurs intérêts pour tout ce qui a trait* à l'audiovisuel (télévision, cinéma, jeux vidéo). À cela il faut ajouter* qu'ils sont de gros consommateurs de tout ce qui est numérique*. Les modes d'échanges instantanés (blogs, twitters, textos) favorisent ainsi la création de communautés. Les réseaux sociaux* tels que* Facebook participent au développement de communautés virtuelles selon les goûts*, les intérêts, ou les pratiques* sociales des ados.

Autour* de la mode, de la musique, du sport, ou de la vidéo se rassemblent* des groupes qui partagent les mêmes styles de vêtements, se reconnaissent* dans les mêmes héros de séries télé, écoutent le même style de musique, ou encore sont fans des mêmes sportifs. Ils s'inventent aussi un vocabulaire, des gestes (souvent empruntés à leurs "idoles"), et parfois une façon* de parler. Les jeunes ont surtout un goût commun pour faire la fête, et la musique y occupe une place importante: c'est un moment pour "s'éclater*."

Pascal passe deux heures par jour sur Internet.

 Search words: club de sport (+ nom de la ville), allociné, télé 7 jours

---

sport collectif *team sport;* **a trait** *is linked;* **ajouter** *to add;* **numérique** *digital;* **réseaux sociaux** *social networks;* **tels que** *such as;* **goûts** *tastes;* **pratiques** *practices;* **Autour** *Around;* **se rassemblent** *gather;* **se reconnaissent** *identify with;* **façon** *manner;* **s'éclater** *to have a ball*

Produits

Les jeunes français aiment se servir des **blogues** pour parler de leurs vies et leurs intérêts, comme Skyrock France et MSN. Il y a plus de blogueurs en France que dans n'importe quel autre pays européen.

COMPARAISONS

Comparez les modes de vie des jeunes français avec les vôtres.

Les MJC

Les Maisons des Jeunes et de la Culture (MJC) sont des lieux de rencontre pour les jeunes; elles existent dans pratiquement toutes les villes de France. Ce sont des centres sportifs, éducatifs, culturels, et artistiques fréquentés premièrement par les enfants, les ados, et les jeunes de moins de 25 ans, mais aussi par les adultes. Les MJC offrent des activités éducatives et récréatives, telles que

La MJC organise toujours des sorties pour les jeunes.

le sport, la peinture, la musique, des séances de cinéma. Les MJC sont de vrais centres d'information et d'échange*, où l'on peut voir ou participer à des expositions, et prendre part* à des projets de bénévolat*.

Ce sont aussi des centres d'accueil où l'on peut se renseigner pour obtenir des aides. Elles représentent donc un espace de relations sociales, d'informations, et d'aide sociale pour les habitants d'une commune. On peut s'inscrire à la MJC de sa ville et participer aux événements régulièrement, ou y aller de temps en temps pour participer à des activités, des forums d'échange, etc. Les tarifs d'adhésion* ou de participation sont toujours raisonnables, car les MJC sont partenaires de fédérations régionales et reçoivent des aides de l'état.

 Search words: mjc (+ nom de la ville)

échange *exchange*; **prendre part** *participate*; **bénévolat** *volunteer*; **adhésion** *subscription*

L'argot des ados

Les expressions argotiques utilisées par les ados évoluent. Voici quelques-unes de cette génération:

Ça kiffe. / Ça déchire.	C'est génial.
faire la teuf	faire la fête
un reuf	un frère
un mec	un garçon
Il est grave.	Il est bizarre.
J'hallucine.	Je n'y crois pas.

COMPARAISONS

Y a-t-il un endroit où vous passez du temps avec d'autres ados? Si non, où allez-vous quand vous avez du temps libre? Qu'est-ce que vous y faites?

7 Activités culturelles

Complétez les activités suivantes.

1. Recherchez des clubs où les ados français peuvent pratiquer les sports mentionnés à la page 10.
2. Allez sur le site Web d'une MJC d'une ville française. Évaluez cette MJC en termes et de la variété des activités, du tarif de participation, des heures et jours d'ouverture, etc. Dites à quelles activités vous participeriez. Vous pouvez travailler en groupes.
3. Trouvez deux projets de bénévolat dans les MJC. Citez les villes.
4. Écrivez un dialogue avec un partenaire dans lequel vous utilisez deux ou trois expressions argotiques. Présentez-le à la classe.

 Search words: judo, natation, tennis, football, rugby, basket (+ club ou association)

À discuter

Comment est-ce que l'Internet change les rapports entre ados?

Du côté des médias

Interpretive Communication

Lisez le courrier du cœur de Métrofrance.

Métrofrance - Courrier du cœur

1. RER A ingénieur travaillant à la banque Je te cherche depuis un bon moment mais impossible de trouver... toi que j'ai rencontré un mercredi ensoleillé. On s'est rencontré à Nanterre préfecture, à auber tu voulais me...
2. un grand merci à la jeune femme, qui, Mardi 26 Mai m'a rattrapé dans l'escalator du RER E à Magenta vers Haussmann.à 7h 15. Plus de peur que de mal...
3. le 25 mai RER A direction poissy 16h15 Sympa ce petit bonjour furtif dans le RER A direction poissy je suis decendu a houilles et toi tu as continué .... moi bermuda et pull à bientôt peut être...
4. Belle brune à la Pena Festayre Tu m'as souri dans les escaliers, je tai embrassé. On a dansé. Cétait bien! Je voudrais te revoir. A bientôt jespère. Erwan...
5. amour trahi je croyais t'aimé heureusement que non, tu m'as trahi, abandonné comme un chien, tu es ignoble, horrible, et j'ai vu ton vrai visage croyant que tu étais bien sur...
6. A toi la belle brune de la ligne 8 lundi 02 mai vers 19h00, je tai demandé si tu descends à la station république, hélas tu mas répondus que tu...
7. Place d'Italie, hier. Pourquoi ne nous sommes nous pas arrêtés? Sur ce quai où nous nous sommes croisés, timidement souris, puis franchement souris, avant que je ne tourne et ne prenne ce fichu...
8. La Demoiselle au vélo pliant et le RER. Chère Demoiselle au vélo pliant, Je nai jamais eu de regret plus grand que cet acte manqué le jour où nous nous sommes croisés. Vous en souvenez-vous ? Cétait un...
9. A vous qui portiez un Tee-shirt "Enercoop", jeudi 7 avril en direction de Montreuil. Bonjour, Je madresse à vous que jai rencontré il y a une semaine, sur la ligne 9 en direction de Montreuil. Nous avons discuté (de ce fournisseur dénergie écologique et...

8 Le courrier du cœur de Métrofrance

Retrouvez dans le courrier du cœur....

- une salutation
- une conversation
- une interaction
- une remarque politique
- une trahison (*betrayal*)
- un remerciement
- un regret

emcl.com
WB 8–11
LA 2
Games

Révision: Present Tense of Regular Verbs Ending in *–er, –ir,* and *–re*

Do you remember the endings to regular verbs in the present tense? See if you can match the endings below to the correct pattern for regular verbs.

1. **–s, –s, –, –ons, –ez, –ent**
2. **–e, –es, –e, –ons, –ez, –ent**
3. **–is, –is, –it, –issons, –issez, –issent**

A. regular **–er** verbs
B. regular **–ir** verbs
C. regular **–re** verbs

If you got one or more wrong, then read the summary below.

To form the present tense of a regular **–er** verb, add the endings **–e, –es, –e, –ons, –ez,** and **–ent** to the stem of the verb depending on the corresponding subject pronouns.

trouver			
je	**trouve**	nous	**trouvons**
tu	**trouves**	vous	**trouvez**
il/elle/on	**trouve**	ils/elles	**trouvent**

Comment tu **trouves** le garçon?
Je le **trouve** génial!

What do you think of the boy?
I think he is fantastic!

To form the present tense of a regular **–ir** verb, add the endings **–is, –is, –it, –issons, –issez,** and **–issent** to the stem of the verb depending on the corresponding subject pronouns.

réussir			
je	**réussis**	nous	**réussissons**
tu	**réussis**	vous	**réussissez**
il/elle/on	**réussit**	ils/elles	**réussissent**

Réussissez-vous à vos contrôles?
Oui, nous y **réussissons**.

Are you passing your tests?
Yes, we are passing.

PRESENT TENSE OF REGULAR VERBS:
The answers are: 1. C; 2. A; 3. B

To form the present tense of a regular **–re** verb, add the endings **–s**, **–s**, **–**, **–ons**, **–ez**, and **–ent** to the stem of the verb depending on the corresponding subject pronouns.

attendre			
je	**attends**	nous	**attendons**
tu	**attends**	vous	**attendez**
il/elle/on	**attend**	ils/elles	**attendent**

Qui **attends-tu?**   *Who are you waiting for?*
J'**attends** mon copain.   *I'm waiting for my friend.*

COMPARAISONS

Are "to find," "to succeed," and "to wait for" regular verbs in the present tense in English?

9 **Un après-midi au parc**

Dites ce que ces jeunes font au parc. Utilisez un verbe de la liste.

apporter des boissons   jouer de la guitare   arriver au parc

manger des sandwichs   aider   jouer au foot   préparer des hamburgers

Leïla et Karim   Mathis et moi   Julie et Claire

Amadou

Léa

Océane   Philippe

Salim et toi

COMPARAISONS: Yes, all three verbs are also regular in the present tense in English:

I find, You find, He finds, We find, They find

I succeed, You succeed, She succeeds, We succeed, They succeed

I wait, You wait, He waits, We wait, They wait

10 La rentrée

Complétez chaque phrase pour indiquer ce que Marine et sa sœur font pour se préparer pour la rentrée.

1. Marine... une nouvelle jupe dans son magasin préféré. (*chercher*)
2. Elle... une belle jupe grise qui... 25 €. (*choisir, coûter*)
3. Elle... un pull à sa meilleure amie Amélie pour le premier jour de classe. (*emprunter*)
4. Le jour de la rentrée, Marine et sa sœur... des sandwiches parce qu'elles n'aiment pas ce qu'il y a à la cantine. (*préparer*)
5. Il est 7h45 quand elles... de nettoyer la cuisine. (*finir*)
6. Marine... son sac à dos avec ses cahiers, son dictionnaire anglais-français, et sa trousse. (*remplir*)
7. Marine... sa sœur au collège. (*accompagner*)
8. Elle... que sa sœur.... (*remarquer, grandir*)
9. Marine... à sa sœur de bien étudier. (*conseiller*)
10. Ensuite, Marine... Amélie devant le lycée. (*attendre*)

11 Qu'est-ce qu'on fait pendant les vacances?

*Choisissez un élément de chaque colonne (A, B, et C), puis formez des phrases logiques. Attention à la conjugaison des verbes en **-er**, **-ir**, et **-re**.*

A	B	C
mes copains et moi	écouter un concert de jazz	au parc
tu	finir ses devoirs	à la discothèque
je	dessiner nos familles	au festival de musique
Marco	attendre tes amis	à la soirée
ton cousin et toi	danser la salsa	au cours particulier
les ados	regarder un documentaire	au ciné-club de la MJC
Sophie et Ahmed	nourrir les chevaux	à la ferme

Révision: Present Tense of Irregular Verbs

emcl.com
WB 12–13
Games

See if you can figure out the meanings of the verbs below. You will find the answers at the bottom of the page. If you have any trouble, then read the grammar summary that follows.

1. **ils ont**   A. you do, you make
2. **vous faites**   B. you are
3. **ils vont**   C. they have
4. **tu es**   D. they are going

Many French verbs are considered irregular because they do not follow a regular pattern like **–er**, **–ir**, and **–re** verbs. Here are the present tense forms of the "building block" irregular verbs **aller**, **être**, **avoir**, and **faire**.

	aller	avoir	être	faire
je	vais	ai	suis	fais
tu	vas	as	es	fais
il/elle/on	va	a	est	fait
nous	allons	avons	sommes	faisons
vous	allez	avez	êtes	faites
ils/elles	vont	ont	sont	font

Vous **allez** au ciné-club?   *Are you going to the film club?*
Non, nous n'**avons** pas envie d'y aller. *No, we don't feel like going there.*

Qu'est-ce que vous **faites**?   *What are you doing?*
Je **suis** au skatepark et   *I am at the skate park and*
    Djamel **est** au cinéma.   *Djamel is at the movies.*

On the next page you will find the **je** form of the other irregular verbs that you have already learned. An example sentence is included containing one of the other forms of the verb. Do you remember what these verbs mean? To review them, turn to the Grammar Summary at the back of the book.

PRESENT TENSE OF REGULAR VERBS:
The answers are: 1. C; 2. A; 3. D; 4. B

Verb	Present	Example
s'asseoir	je **m'assieds**	Élodie **s'assied** devant moi.
boire	je **bois**	Que **buvez**-vous au café?
conduire	je **conduis**	Ils **conduisent** mal!
connaître	je **connais**	Nous ne **connaissons** pas cette fille.
croire	je **crois**	Elle ne le **croit** pas.
devenir	je **deviens**	Vous **devenez** un pro des blogues?
devoir	je **dois**	Elles **doivent** travailler.
dire	je **dis**	Le prof me **dit** de faire mes devoirs.
dormir	je **dors**	Tu **dors** beaucoup pendant le weekend!
écrire	j'**écris**	Elle **écrit** une composition.
falloir	il **faut**	Il **faut** étudier pour le contrôle.
lire	je **lis**	Qu'est-ce que tu **lis**?
mettre	je **mets**	Elle **met** toujours la table.
offrir	j'**offre**	Qu'**offrez**-vous à vos parents?
ouvrir	j'**ouvre**	N'**ouvrez** pas le cadeau avant Noël!
partir	je **pars**	L'autobus **part** à huit heures.
pouvoir	je **peux**	Nous **pouvons** aller à l'aquaparc.
prendre	je **prends**	Tu **prends** des notes?
recevoir	je **reçois**	Qu'est-ce qu'il **reçoit** pour son anniversaire?
revenir	je **reviens**	Quand **revenez**-vous?
savoir	je **sais**	Elle **sait** faire du roller?
sortir	je **sors**	Nous **sortons** avec notre bande de copains.
suivre	je **suis**	Quel cours **suivent**-elles à 10h00?
venir	je **viens**	D'où **viens**-tu?
vivre	je **vis**	Nous ne **vivons** pas à Nice.
voir	je **vois**	Elle ne **voit** personne à la plage.
vouloir	je **veux**	Raoul **veut** devenir infirmier.

12 Un weekend chargé

Dites où on est et ce qu'on fait ce weekend.

MODÈLE

les ados/faire une randonnée à pied
Les ados sont dans la forêt. Ils font une randonnée à pied.

1. tu/faire du sport

2. Luc et moi/faire du camping

3. je/faire des hamburgers

4. Alima/faire la vaisselle

5. Les Castinot/faire une excursion

6. vous/faire du shopping

13 On a envie de....

Selon ce qu'on a envie de faire, dites où on va.

MODÈLE Julien/lire *Pariscope*
Julien a envie de lire *Pariscope*. Il va au kiosque à journaux.

> à la FNAC   au parc d'attractions   au restaurant   au supermarché
> à la ferme   à la banque   au kiosque à journaux   à la discothèque   au ciné-club

1. ma famille et moi/manger des pâtes
2. mon meilleur ami/acheter des billets de concert
3. tu/faire du cheval
4. mon oncle/acheter une voiture
5. je/faire la cuisine
6. Nathan et toi/faire un tour de grande roue
7. Jean et Clara/voir un film
8. Awa/danser

14 On étudie ou pas?

*Écrivez les numéros 1–8 sur votre papier. Écoutez les dialogues et décidez si la personne étudie. Si oui, écrivez **oui**. Si non, écrivez **non**.*

Communiquez!

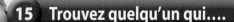

15 Trouvez quelqu'un qui....

Interpersonal Communication

Préparez des questions pour vos camarades de classe. Trouvez quelqu'un dans la classe qui répond oui à votre question. Chaque personne qui répond affirmativement doit signer votre grille.

Questions	Prénom	Signature
1. Tu as un chat ou un chien?		
2. Tu dois faire la vaisselle après le dîner?		

1. avoir un chat ou un chien
2. devoir faire la vaisselle après le dîner
3. aller souvent au skatepark
4. faire du jogging tous les jours
5. conduire une décapotable
6. vouloir devenir homme ou femme d'affaires
7. pouvoir sortir avec tes amis pendant la semaine
8. connaître un homme ou une femme politique
9. écrire des poèmes ou des chansons
10. lire des blogues chaque jour
11. suivre un cours d'art
12. dormir jusqu'à midi samedi matin
13. offrir des cartes pour la Saint-Valentin
14. savoir faire de la plongée sous-marine
15. vivre à la campagne

16 Le réseau social de Zach

Zach passe l'année en France avec une famille française. Aidez-le à finir sa lettre pour son réseau social.

Mon réseau social

Accueil Profil Compte

Zach

Mur	Infos	Photos
Exprimez-vous...		

Nouvelle
Messages
31 Événements
Amis

Partager

Me voici à Marseille chez les Simenon. Je (être) un vrai membre de la famille. Je (mettre) le couvert et (faire) la vaisselle tous les soirs. Les Simenon (recevoir) beaucoup d'amis qui viennent le weekend. M. Simenon (travailler) pour la ville et il (connaître) le maire. À leurs soirées, il (falloir) parler français.

Au lycée je (suivre) un cours d'informatique super! Ça va m'aider quand je vais (devenir) graphiste.

Avec mes copains, on (aller) au café après les cours où on (boire) un coca et (prendre) un goûter. Mon meilleur ami, David, (savoir) parler trois langues— le français, l'anglais, et l'italien. Nous (aller) souvent à la MJC pour le ciné-club et au cours de musique. Nous (vouloir) commencer un groupe de rock, mais nous (avoir) besoin d'un guitariste. Moi, je (jouer) de la batterie et David (chanter).

Les Simenon et moi, nous (partir) vendredi soir pour Nice. Nous (pouvoir) nager dans la mer parce qu'ils (avoir) une villa près de la plage. Nous (revenir) dimanche soir. Je (aller) prendre beaucoup de photos, c'est sûr!

Qu'est-ce que vous (voir) au cinéma? Qu'est-ce que vous (lire)? Vous (venir) me voir en France?

Zach

samedi le 10 septembre

Révision: *Depuis* + Present Tense

emcl.com
WB 14
Games

See if you can select the correct question for each answer below.

A. Depuis quand...?   **B. Depuis combien de temps...?**

1. J'étudie le français depuis trois ans.
2. Nous sommes en cours depuis hier.

If you couldn't match the questions and answers correctly, then read the grammar review below to review how to use **depuis**.

Depuis quand followed by a verb in the present tense is used to ask when an action began in the past that is still going on in the present. To answer this question in a complete sentence, use a present tense verb form, **depuis**, and an expression of time.

Depuis quand est-ce que Léo travaille à la MJC?	*Since when has Leo been working at the youth center?*
Il y **travaille depuis mars**.	*He has been working there since March.*

Depuis combien de temps (*how long*) followed by a verb in the present tense is used to ask how long an action has been going on. To answer this question in a complete sentence, use a present tense verb form, **depuis** (*for*), and an expression of time.

Depuis combien de temps êtes-vous au complexe sportif?	*How long have you been at the sports complex?*
Nous y sommes **depuis deux heures**.	*We have been here for two hours.*

17 Complétez!

*Complétez chaque dialogue avec **depuis quand** ou **depuis combien de temps**, selon les réponses.*

MODÈLES

... regardes-tu le match?
Je le regarde depuis 14h00.
Depuis quand

... vit-il en France?
Il y vit depuis cinq ans.
Depuis combien de temps

1. ... est-ce qu'elle travaille à la ferme?
   Elle y travaille depuis le 10 juin.

2. Désolé! ... m'attends-tu?
   Je t'attends depuis dix minutes.

3. Vous vivez à Lyon...?
   Nous y vivons depuis l'année 2010.

4. ... est-ce que tu écris cette composition?
   Je l'écris depuis ce matin.

5. Tu lis les bandes dessinées d'*Astérix*...?
   Je lis *Astérix* depuis l'âge de sept ans.

6. Vous cherchez une nouvelle voiture...?
   J'en cherche une depuis un mois.

7. Tu es fâché...?
   Depuis ce matin.

8. ... suis-tu ce cours particulier?
   Depuis six mois.

DEPUIS: The answers are: 1. B.; 2. A

À vous la parole

Communiquez!

Question centrale

?

Comment la vie des Francophones évolue-t-elle avec le temps?

18 On a hâte de passer de bonnes vacances.

Interpersonal Communication

C'est presque la fin de l'année scolaire. Avec votre partenaire, vous planifiez vos vacances et parlez d'où vous voulez aller cet été. Vous devez choisir des endroits (à la campagne, au bord de la mer, etc.) et conseiller votre partenaire sur ce qu'on peut y faire, par exemple:

A: **Je voudrais passer les vacances en ville.**
B: **Tu peux suivre un cours à la MJC et aller à la discothèque tous les weekends.**

Communiquez!

19 Ma vie d'ado

Presentational Communication

Vous avez décidé de créer un blogue pour un site d'ados en France. Vous voulez partager votre vie d'ado américain... ce que vous aimez, où vous allez, ce que vous y faites, ce que vous pensez. Parce que vous avez lu des blogues français, comparez votre vie avec celles des ados français que vous avez rencontrés en ligne, et faites une présentation.

Communiquez!

20 Un sondage

Interpersonal/Presentational Communication

Pour le site Web de votre classe, vous devez préparer un sondage pour la classe d'ados français avec qui vous communiquez. Vous voulez connaître leurs préférences et leurs habitudes. Préparez dix questions au minimum. Cherchez un thème avant de commencer, comme les passe-temps, le sport, les communautés, les expressions argotiques, les soirées. Ensuite, envoyez votre sondage à dix ados français que vous connaissez en ligne. Finalement, faites un résumé des résultats pour vos camarades de classe, et postez votre sondage sur le site de votre classe.

Prononciation

Accentuation in Phrases

- Only the last word or syllable in a phrase is accentuated. The rest of the words in the group are not accentuated.

 Le mariage

Répétez les phrases suivantes sur le mariage. Accentuez uniquement la syllabe en caractère gras (bold).

1. la bague de fian**çailles**
2. une demoiselle d'ho**nneur**
3. un garçon d'ho**nneur**
4. le gâteau de ma**riage**
5. la lune de **miel**
6. le voyage de **noces**

B **Les objets technologiques**

Répétez les noms à gauche; faites attention à les accentuer correctement. Les caractères gras indiquent les syllabes qu'il faut accentuer. Ensuite, répétez en ajoutant (adding) le deuxième mot. N'accentuez que les syllabes en caractères gras!

1. un mi**cro** ... ordinateur (un micro-ordina**teur**)
2. un télé**phone** ... portable (un téléphone por**table**)
3. une impri**mante** ... laser (une imprimante la**ser**)

The Vowels /y/ - /u/ - /ø/ - /o/

- These four vowels are pronounced with the mouth closed and the lips pursed. Place your tongue as far forward as possible for **/y/**, far back for **/u/**, and in the middle for **/ø/** and **/o/**.

 Quelle vue!

Répétez les phrases suivantes, en faisant attention aux sons /y/ et /o/.

1. Quelle vue des roses!
2. Quelle vue des eaux!
3. Quelle vue des autos!
4. Quelle vue des beaux bureaux!

D **Deux euros ou douze euros?**

*Répétez les phrases suivantes, en faisant attention au son /ø/ comme dans **deux**, et au son /u/ comme dans **douze**.*

1. Tu as dit deux‿euros ou dou|ze euros?
2. Qu'est-ce que tu veux, deux‿euros ou dou|ze euros?
3. Excusez-moi, ça coûte deux‿euros ou dou|ze euros?

 Distinguez!

*Écrivez /ø/ si vous entendez le son /ø/ de **deux**, ou /u/ si vous entendez le son /u/ de **douze**.*

Leçon B

Vocabulaire actif

emcl.com
WB 1–3
LA 1
Games

La famille et les activités enfantines

Les types (m.) de familles

une famille nucléaire

une famille monoparentale

une famille recomposée

Les activités enfantines

jouer à cache-cache

collectionner des coquillages/timbres...

faire semblant d'être une princesse/

un super-héros

jouer à la poupée

jouer à la marelle

sauter à la corde

jouer aux petites voitures/billes

faire des châteaux de sable

courir

Pour la conversation

How do I explain how something happened?

> **C'est comme ça que** l'on est arrivé à Nice.

That's how we arrived in Nice.

How do I say what I discovered?

> **J'ai découvert** la vie des supermarchés ici.

I discovered (the experience of) shopping in supermarkets here.

How do I ask for a suggestion?

> **Tu proposes** quoi?

What are you suggesting?

Et si je voulais dire...?

la famille éloignée	*extended family*
un enfant mixte	*biracial child*
un enfant adopté	*adopted child*
une mère/un père célibataire	*single parent*
un animal en peluche	*stuffed animal*
un jouet à piles	*battery-operated toy*
un jouet mécanique	*wind-up toy*

---

1 **Martin s'ennuie?**

Lisez le paragraphe sur Martin. Ensuite, répondez à la question qui suit.

Martin habite sur la côte Atlantique en France. Il n'a pas de frère ou sœur. Ses parents sont en ville cet après-midi. Martin n'aime pas sa baby-sitter. Elle ne joue pas avec lui. Elle lui propose d'aller à sa chambre, mais lui, il n'est pas d'accord. D'abord, il est fâché, mais il a des idées pour passer le temps. Il s'amuse à faire un château de sable avec quatre tours. Il met des timbres dans son album; il aime collectionner les timbres des pays différents. Il fait semblant d'être un super-héros dans le jardin, mais il fait peur au chien. Ensuite, il joue aux petites voitures. Enfin, il saute à la corde et joue aux billes.

Comment est-ce que Martin passe l'après-midi?

2 Les familles

Décrivez chaque famille.

MODÈLE  **C'est une famille monoparentale.**

1.

2.

3.

4.

3 Les découvertes

Dites ce que vous avez découvert quand vous étiez petit(e).

MODÈLE  **J'ai découvert les châteaux de sable.**

1.

2.

3.

4.

5.

Dites ce que Louis et Lola faisaient quand ils étaient petits.

MODÈLE  **Louis et Lola faisaient semblant d'être des super-héros.**

1.

2.

3.

4.

5.

5 Ce que j'aime faire.

*Écrivez les numéros 1–8 sur votre papier. Écoutez la petite Marie parler de sa vie. Écrivez **V** si les phrases sont vraies ou **F** si elles sont fausses.*

1. Marie vient d'une famille monoparentale.
2. Marie n'a pas d'amis.
3. Marie, Karim, et Julie jouent à cache-cache.
4. Marie joue à la poupée chez elle.
5. Marie aime courir avec Karim.
6. Julie adore jouer à la marelle et à la corde à sauter.
7. Karim gagne toujours aux billes.
8. Julie et Marie aiment jouer aux petites voitures.

6 Chère Mamy

Lisez le mail que Cédric, qui a neuf ans, a écrit à sa grand-mère. Puis, répondez aux questions.

À:	Mamy
Cc:	
Sujet:	Halloween

Chère Mamy,

C'est bientôt Halloween. Je vais mettre un costume de Superman. Cécile fait toujours semblant d'être une princesse. Donc, elle va mettre son costume de Cendrillon. Samedi, j'ai joué avec mes copains aux petites voitures. J'ai gagné. Papa a dit que j'avais l'air d'être très content! Je continue de collectionner les timbres. Tu peux m'apporter des timbres de ton voyage? Cécile collectionne les coquillages maintenant. Quand est-ce que tu viens nous voir à Nice?

Bisous,

Cédric

1. C'est bientôt quelle fête?
2. Cédric et sa sœur vont faire semblant d'être qui?
3. À quoi est-ce que Cédric a gagné?
4. Il avait l'air d'être triste?
5. Qu'est-ce que Cédric voudrait savoir?
6. Qu'est-ce que sa sœur collectionne?

7 Questions personnelles

Je faisais semblant d'être une princesse quand j'avais sept ans.

Répondez aux questions suivantes.

1. Est-ce que tu fais partie d'une famille nucléaire, monoparentale, ou recomposée?
2. Est-ce que tu collectionnes quelque chose? Si oui, quoi?
3. Que faisais-tu quand tu étais petit(e)?
4. Quand tu étais petit(e), est-ce que tu faisais semblant d'être une princesse ou un super-héros?
5. Aimes-tu courir en plein air?
6. Qu'est-ce que tu as découvert pendant tes dernières vacances?
7. Tu proposes quoi à tes amis pour le weekend?

Rencontres culturelles

L'enfance de Karim

Karim et Léo se promènent à Nice.

Karim: C'était plus possible... un jour ma mère est partie...
nous, on a suivi... c'est comme ça que l'on est arrivé à
Nice.

Léo: Et tu n'as pas eu de regrets?

Karim: Si, le village où on habitait... tout le monde se
connaissait. Il n'y avait qu'une école dans le village;
les commerçants nous appelaient par notre prénom;
on se retrouvait tous au foot, on y jouait le mercredi
après-midi.... Et puis on avait une grande maison avec
une piscine....

Léo: En fait, tu n'avais jamais vécu en ville?

Karim: Non, jamais! J'ai découvert la vie des supermarchés
ici. Dans l'immeuble, à l'étage où on habitait,
personne ne nous parlait au début... et puis le
foot aussi ça a été fini... je n'y ai jamais plus joué.
Heureusement, il y a eu le cinéma....

Léo: Et c'est comme ça qu'on s'est connu....

Karim: Au fait, on va voir quoi ce soir?

Léo: Élodie, elle propose quoi?

> **Mots-clé** **Connaître.** Le verbe *connaître*
> vient de l'infinitif latin
> *cognoscere*. Le latin est la base
> de plusieurs langues européennes, dites *langues
> romanes*. *Connaître* est la racine des verbes
> *reconnaître* ("to recognize") et *méconnaître* ("to
> misread / to be un aware of").

8 L'enfance de Karim

Remettez les phrases en ordre chronologique.

1. Karim a arrêté de jouer au foot.
2. La mère de Karim est arrivée à Nice.
3. Léo a fait la connaissance de Karim au ciné-club.
4. Karim a découvert les supermarchés.
5. Les gens de l'immeuble à Nice n'ont pas parlé à Karim et à sa famille.
6. Karim a déménagé (*moved*) à Nice.

Les enfants vont bien?

Au café, deux femmes parlent de leurs nouvelles vies.

Mme Duhamel: Avec Pierre, nous nous sommes arrangés. J'ai les enfants une semaine, et il les prend la
semaine suivante, et ainsi de suite. C'est plus simple.

Mme Laforge: Mon ex-mari ne prend les enfants qu'un weekend sur deux. Je lui ai dit que ce n'était
pas bon pour les enfants. Ils veulent le voir plus. Mais, non!

Mme Duhamel: Je vois: la règle, c'est la règle. Et les enfants, ils le vivent comment?

Mme Laforge: Pas très bien. Ils ont été très déstabilisés au début. Avec Sandrine, la compagne de
Julien, ça se passe moyennement bien. Ils sont très nostalgiques de notre vie d'avant.
Toi, tu as de la chance.

Mme Duhamel: Pierre n'a pas de compagne fixe pour le moment, il est très attentif aux enfants et puis
il s'entend bien avec Marc. Il passe souvent à la maison.

Extension Qu'est-ce qui a changé dans les vies de Mme Duhamel, de Mme Laforge, et de leurs
enfants?

? Question centrale

Comment la vie des Francophones évolue-t-elle avec le temps?

L'enfance en France

En France, le nombre de naissances* augmente de 2,02 enfants par mère, mais plus de 50% des naissances ont lieu hors* du mariage. En plus, cinquante pourcent de parents sont divorcés. Pour répondre à ces changements sociaux, l'État subventionne* fortement* les "assistantes maternelles" et les "nounous*" à domicile* pour les enfants de 0 à 2 ans, et les villes multiplient les crèches, des lieux d'accueil pour garder les enfants pendant que les mères travaillent. À partir de trois ans, tous les enfants vont à l'école. Depuis 1980, six fois plus d'enfants de plus de cinq ans sont obèses* aujourd'hui. Pour les enfants de huit à dix ans, plus de 70 % font du sport, mais souvent individuel. Ils passent plus de temps devant la télé qu'en classe et entrent plus tôt dans l'adolescence.

Voici quelques expressions françaises qui sont liées* à l'enfance:

C'est le berceau de son enfance. *C'est là qu'il a grandi.*

C'est l'enfance de l'art. *C'est très simple.*

C'est un jeu d'enfant. *C'est facile à faire.*

Il a replongé dans l'enfance. *Il régresse.*

---

naissances *births*; **hors** *outside of*; **subventionne fortement** *strongly subsidizes*; **nounous** *nannies*; **à domicile** *at home*; **obèses** *gros*; **liés** *tied*

L'argot des ados

La famille	
le vieux:	le père
la vieille:	la mère
les vieux:	les parents
le frangin:	le frère
la frangine:	la sœur
la reusse:	la sœur
tonton:	l'oncle
tatie/tata:	la tante
mon zinc:	mon cousin

La famille

Si les Français restent très attachés à la famille, les modèles familiaux ont considérablement évolué. Environ 80% des adultes qui vivent en couples sont mariés: on enregistre environ 270.000 mariages par an.

Face au mariage on trouve l'union libre qui concerne plus de trois millions de couples. Aujourd'hui, un couple sur cinq n'est pas marié, et l'arrivée d'un premier enfant se fait dans la moitié des cas hors mariage. Institué en 1999, le PACS* (Pacte civil de solidarité) est une forme d'union civile contractuelle* entre deux personnes, du même sexe ou de sexe différent. Aujourd'hui, on compte un PACS pour deux mariages.

Le nombre de familles monoparentales avec un ou plusieurs enfants (20% des enfants vivent dans une famille monoparentale) ne cesse* d'augmenter*: on compte 1,8 million de familles monoparentales apparues le plus souvent à la suite d'une séparation ou d'un divorce.

En effet un mariage sur deux se termine par un divorce. Les remariages donnent naissance aux familles recomposées où cohabitent souvent demi-frères et demi-sœurs.

PACS *civil pact of union between two adults*; **contractuelle** *contractual*; **ne cesse d'** *does not cease*; **augmenter** *to increase*

Reste les personnes qui vivent seules. On compte aujourd'hui plus de huit millions de célibataires*. Une vie en solitaire par choix tend à devenir un véritable phénomène de société.

 Search words: statistiques sur les familles françaises, enquête familles françaises, familles de france, repas de famille

---

un(e) célibataire *single person*

COMPARAISONS

Quel est le taux de mariage aux États-Unis? De divorce?

La Francophonie

✻ *Les familles en Afrique*

Dans la plupart des pays d'Afrique, la structure familiale est déterminée par des valeurs traditionnelles. Le père a le statut de chef de famille: il lui incombe* de travailler pour faire vivre sa famille. La mère est responsable des tâches* domestiques, et surtout d'élever les enfants et de leur inculquer* les valeurs de leur culture. Toutefois, contrairement à la notion de famille nucléaire occidentale, les familles africaines sont souvent des familles élargies*; souvent, les grands-parents, et quelques fois, les oncles, les tantes, et les cousins, etc. vivent sous un même toit. Aussi, la notion de la famille a un sens communautaire où des groupes ethniques, ou même les habitants d'un village, constituent un macrocosme familial solidaire. La polygamie est aussi pratiquée par certaines ethnies et communautés religieuses, plus ou moins acceptée par les jeunes générations.

Mais il faut aussi reconnaître que les valeurs familiales sont différentes selon la situation économique, religieuse, et culturelle des pays et des peuples d'Afrique. Aussi, les plus jeunes générations, hommes ou femmes, ont tendance à privilégier* l'éducation et la réussite économique. Ces générations transforment les valeurs traditionnelles. On peut dire que les familles africaines connaissent aussi le divorce, les familles monoparentales, et les familles recomposées.

---

il lui incombe *it's up to him;* **tâches** *corvées;* **inculquer** *to implant;* **élargies** *extended;* **privilégier** *to favor*

Un jeune couple africain.

Provence-Alpes-Côte d'Azur (la région PACA)

St-Paul de Vence.

Comme le dit si bien la chanson, "Il y a le ciel, le soleil, et la mer." Il y a aussi des paysages immortalisés par Van Gogh et Cézanne, et des villes mythiques telles que Cannes, Nice, et Saint-Tropez. Marseille, deuxième plus grande ville de France, est l'un des plus vieux ports d'Europe (fondée en 600 av. J-C). C'est une ville cosmopolite et le symbole du lien de la France avec le monde méditerranéen, maghrébin, africain, ou proche oriental*. La région PACA, c'est aussi un accent inimitable popularisé par le cinéma et des acteurs de légende (Raimu, Fernandel, ou Daniel Auteuil). La région a été popularisée par des écrivains comme Marcel Pagnol qui en ont fait une légende, par des artistes français et étrangers qui ont associé leur nom à ces lieux (Picasso, Matisse, Colette, F. Scott Fitzgerald, Françoise Sagan, Brigitte Bardot, Alfred Hitchcock, Winston Churchill). Et bien entendu, la côte d'Azur est aussi l'un des lieux de rendez-vous favoris des vedettes* internationales du cinéma et des célébrités d'aujourd'hui.

Au-delà* de la légende, la région Provence-Alpes-Côte d'Azur est la troisième région la plus dynamique de France: pôle scientifique (Nice) et universitaire (Aix-Marseille); industries chimiques et pétrochimiques (Marseille); industries du numérique* (Nice); industries aéronautiques dans la Vallée du Rhône; industries du luxe (parfums de Grasse); et, agriculture (vignoble, fruits). Et sans oublier le tourisme avec la mer et les paysages (Alpes de haute Provence, Montagne de la Sainte Victoire, du Lubéron), la beauté des villages (Saint-Paul de Vence, Saint-Tropez), et aussi le tourisme de luxe (Cannes, Nice, Antibes).

 Search words: région provence-alpes-côte d'azur, tourisme provence-alpes-côte d'azur

---

proche oriental *Near East*; **vedettes** *stars*; **Au-delà** *Beyond*; **numérique** *digital*

Produits

Grasse est une ville située dans l'arrière-pays niçois connue pour sa production de fleurs. Elle est célébrée comme **la capitale des parfums**. Grasse envoie ses parfums partout dans le monde. Au Musée International de la Parfumerie de Grasse, on apprend comment un parfum se fait et on peut aussi y découvrir l'histoire de l'industrie.

Des paniers pleins de jasmin dont on fera du parfum.

9 | Activités culturelles

Faites les activités suivantes.

1. Retrouvez à quoi correspondent ces chiffres qui concernent la famille française:
   - 270.000   • 3 millions   • 1,8 millions
2. Faites une liste des genres de couples éventuels (*potential*) qui peuvent former un PACS.
3. Faites un graphique en barres (*bar graph*) qui montre le nombre de divorces en France en 1980, 1990, et 2000.
4. Choisissez une personne célèbre liée à la région Provence-Alpes-Côte d'Azur et faites une recherche sur Internet de ce qui la lie à la région. Présentez ce que vous avez découvert à la classe.
5. Choisissez une de ces villes: Saint-Tropez, Cannes, ou Saint-Paul de Vence, et recherchez ce qui les rend célèbres. Préparez un album de photos avec une carte et un texte.

Perspectives

Selon le romancier Honoré de Balzac, "La famille sera toujours la base des sociétés." Êtes-vous d'accord? Pourquoi, ou pourquoi pas?

Du côté des médias

Interpretive Communication
Saint-Paul de Vence

Lisez les informations suivantes sur les visites à faire à Saint-Paul de Vence. Préparez huit questions. Puis, échangez votre liste de questions avec celle de votre partenaire.

Histoire et Patrimoine

A Saint-Paul, chaque pierre raconte quelque chose : la venue de François 1er, les inspections de Vauban, le destin des grandes familles telles les Alziary et les Bernardi qui ont chacune laissé leur empreinte au village. Les façades, les remparts, les maisons et les tours racontent à qui sait les regarder le riche passé du village.

Durée de la visite : 1 heure + entrée au Musée d'Histoire Locale et à la chapelle Folon
Visite en français, anglais, italien, allemand et espagnol

Sur les pas de Marc Chagall

Marc Chagall vécut à Saint-Paul pendant près de 20 ans. Admirez les mêmes paysages que l'artiste contempla avant de les reproduire sur la toile. Découvrez les liens étroits qui l'ont uni à Saint-Paul de 1966 à 1985 à travers 3 œuvres reproduites sur lutrins, la mosaïque de l'école et la sépulture de l'artiste.

Durée de la visite : 1 h 30
Visite en français et anglais

La Pétanque

Sous les platanes de la plus célèbre place en sable dur du monde, l'Office de Tourisme vous propose une initiation au célèbre jeu de boules provençal. Se tenir "pieds tanqués" ? Faire Fanny ? La pétanque n'aura plus de secret pour vous. Yves Montand pointait, Lino Ventura tirait...et vous ?

Durée du jeu : 1 heure
Animation en français, anglais, allemand et espagnol

A Saint-Paul de Vence avec Jacques Prévert

Pour Jacques Prévert, Saint-Paul était un refuge loin de l'agitation de la capitale. C'est au village qu'il a cultivé son amitié avec Picasso et Verdet, qu'il a exercé ses talents de scénariste, qu'il a écrit ses plus belles pages...

Durée de la visite : 1 heure
Visite en français - sur réservation

Structure de la langue

Present Tense of the Irregular Verb *courir*

The verb **courir** (*to run*) is irregular.

courir			
j'	**cours**	nous	**courons**
tu	**cours**	vous	**courez**
il/elle/on	**court**	ils/elles	**courent**

Alain court le plus vite dans le marathon.

Est-ce que tu **cours** quand tu es au complexe sportif?
Non, je ne **cours** jamais là-bas.

Do you run when you are at the sports complex?
No, I never run there.

The irregular past participle of **courir** is **couru**.

J'ai **couru** jusqu'à la maison.

I ran home.

10 Le marathon

Les personnes ci-dessous s'entraînent (are training) pour le marathon. Il est 13h30. Dites depuis combien de temps elles courent aujourd'hui.

MODÈLE Julien/9h30
Julien court depuis quatre heures.

1. Aimée/9h00
2. toi/13h15
3. Marion et Théo/10h30
4. M. Dupont/13h00
5. Chloé et moi/11h15
6. M. Roger et toi/12h00
7. Thomas/11h50
8. moi/11h15

Jeanne et Thibault aiment courir.

COMPARAISONS

What are the three ways to express **Je cours** in English?

Révision: *Passé composé* with *avoir*

Do you remember how to form the **passé composé** with **avoir**? What follows the conjugated form of **avoir**? Are most verbs in the **passé composé** conjugated with **avoir** or **être**? If you can't answer these questions, then read the summary below.

The **passé composé** tells what happened in the past. For most verbs the **passé composé** consists of the appropriate present tense form of **avoir** and the past participle of the main verb.

subject	+	present tense of **avoir**	+	past participle
(**–er** verbs) Lise		**a**		**joué** à cache-cache.
Lise played hide and seek.				
(**–ir** verbs) Nous		**avons**		**choisi** des cartes de foot.
We chose soccer trading cards.				
(**–re** verbs) Elles		**ont**		**perdu** leurs poupées.
They lost their dolls.				

Here are the verbs you've already studied that have irregular past participles in the **passé composé** formed with **avoir**. Note the position of negative expressions in the **passé composé** and how to form questions using inversion. Remember that the past participle agrees in number and in gender with a preceding direct object pronoun. Note how to use negation and form questions.

Verb	Past Participle	*Passé Composé*
avoir	eu	Elle n'**a** pas **eu** la grippe.
boire	bu	**As**-tu **bu** toute la limonade?
conduire	conduit	J'**ai conduit** une voiture de sport.
connaître	connu	Où les **avez**-vous **connus**?
courir	couru	Après l'accident, il n'**a** plus **couru**.
croire	cru	La voyante? Nous ne l'**avons** pas **crue**.
devoir	dû	Tu **as dû** faire la vaisselle après le dîner.
dire	dit	Ils **ont dit** oui.
écrire	écrit	Ces lettres? Thomas me les **a écrites**.
être	été	Nous **avons été** contents.
faire	fait	Tu n'**as** jamais **fait** des châteaux-forts?
falloir	fallu	Il n'**a** pas **fallu** partir!
lire	lu	**Avez**-vous **lu** le blogue d'Alima?
mettre	mis	Tes chemises? Mamy les **a mises** dans ta chambre.
offrir	offert	Il n'**a** rien **offert** comme cadeau.
ouvrir	ouvert	La porte? Richard l'**a ouverte**.
pleuvoir	plu	Il n'**a** pas **plu** hier, mais il a neigé.
pouvoir	pu	On **a pu** profiter de la neige.
prendre	pris	J'**ai pris** le petit déjeuner chez moi.
recevoir	reçu	Djamel n'**a** pas **reçu** mes textos.
savoir	su	L'**ont**-elles **su**?
suivre	suivi	J'**ai suivi** un cours de chimie.
vivre	vécu	Nous n'**avons** jamais **vécu** au Canada.
voir	vu	Non, je n'**ai vu** personne.
vouloir	voulu	Notre bande **a voulu** partir après le film.

PASSÉ COMPOSÉ WITH AVOIR:
After the conjugated form of **avoir**, which agrees with the subject, there is a past participle, which may be regular or irregular. Most verbs in the passé composé are conjugated with **avoir**.

What is the past participle in these English sentences?

Djamel **has** not **received** my texts.

They **have said** yes.

Have you **drunk** all the lemon-lime soda?

11 Les sciences

Les élèves suivants ont suivi un cours de sciences. Pour réussir au premier contrôle, il fallait avoir 12 ou plus. Dites quelle matière chaque ado a étudié, combien de points il/elle a reçu, et s'il/elle a réussi.

Élève	Cours	Contrôle
Sandrine	chimie	11
Djamel	biologie	19
Léo	biologie	17
Karim	physique	15
moi	chimie	10
Rania	physique	16
toi	biologie	18
Nadia	physique	17
Yasmine	chimie	16

MODÈLE Sandrine
Sandrine a étudié la chimie. Elle a eu 11 sur 20 au contrôle. Elle n'a pas réussi.

1. Djamel et toi
2. Nadia
3. Karim et Rania
4. Léo et Djamel
5. Sandrine et moi
6. toi
7. Yasmine

COMPARAISONS: The past participles are "received," "said," and "drunk."

12 Dans quel ordre?

Composez deux phrases grâce aux indices qui vous sont donnés, et mettez-les dans l'ordre. Suivez le modèle.

Romain est venu chez Alex. Puis, il l'a aidé à faire ses devoirs.

> **MODÈLE**   Jacques/vivre à Lyon/grandir à Marseille
> **Jacques a grandi à Marseille.**
> **Puis, il a vécu à Lyon.**

1. ma famille et moi/choisir un terrain de camping/pêcher
2. toi/atterrir en Côte-d'Ivoire/décoller de Paris
3. les Lambert/faire les magasins/finir leurs corvées
4. je/emprunter une tondeuse/tondre la pelouse
5. Alex/composter son billet/acheter son billet de train
6. Luc et toi/mettre le couvert/dîner en famille avec vos grands-parents

13 Au parc d'attractions

Pendant l'été, tes copains sont allés dans un parc d'attractions. Écrivez les questions que vous voulez leur poser. Utilisez le passé composé.

> **MODÈLE**   avec qui/tu/faire un tour de montagnes russes
> **Avec qui as-tu fait un tour de montagnes russes?**

1. pourquoi/Alexandre/faire un tour de grande roue
2. avec qui/Julie/essayer des jeux d'adresse
3. pourquoi/Cécile et Eva/avoir une consultation avec la voyante
4. comment/vous/conduire les autos tamponneuses
5. que/on/boire au parc d'attractions
6. quand/vous/devoir partir

Révision: *Passé composé* with *être*

emcl.com
WB 12–13
LA 2
Games

Do you remember how to make past tense sentences using the verb **être**? What two parts make up a sentence in the **passé composé**? What is different with past participles used with **être**? See if you can complete the sentences below correctly.

1. Océane est allé_ à Paris.   A. **–s**
2. Lucas et Léo sont parti_ à 13h30.   B. **–es**
3. Martine et Amélie sont rentré_ tôt.   C. **–e**

If you couldn't answer the questions or do the activity, then read the summary below.

Certain verbs form their **passé composé** with the helping verb **être**. Most verbs that use **être** in the **passé composé** *express motion or movement* of the subject from one place to another. Note that the ending of the past participle of the verb agrees in gender and in number with the subject.

Elles **sont arrivées** à huit heures.   *They arrived at 8:00.*

Here are the verbs you've already learned that use the helping verb **être**, along with their past participles. In addition to the agreement of the past participles, note the position of negative expressions and how to form questions using inversion.

Verb	Past Participle	Passé Composé
aller	**allé**	Ils ne **sont** jamais **allés** à Cannes.
arriver	**arrivé**	J'y **suis arrivé(e)** il y a deux heures.
descendre	**descendu**	**Est**-elle **descendue** à Nice de Paris?
devenir	**devenu**	Marame **est devenue** médecin.
entrer	**entré**	Nous **sommes entrés** dans la discothèque.
monter	**monté**	Elle **est** déjà **montée** dans sa chambre?
partir	**parti**	Florianne, à quelle heure **es**-tu **partie**?
rentrer	**rentré**	**Êtes**-vous **rentrés** avant minuit?
rester	**resté**	Nous n'y **sommes** pas **restés**.
retourner	**retourné**	Anne **est retournée** en France.
revenir	**revenu**	Je ne **suis** plus **revenu(e)**.
sortir	**sorti**	Kate, **es**-tu **sortie** avec tes amis?
venir	**venu**	Éric n'**est** pas **venu** à la soirée.

PASSÉ COMPOSÉ WITH ÊTRE:
The answers are: 1. C; 2. A; 3. B

14 Complétez!

*Lisez l'histoire de la classe de Mlle Merrick qui est allée à Paris. Complétez les phrases avec la forme convenable d'**être** et le participe passé du verbe entre parenthèses.*

1. Le premier jour à Paris, le groupe… tôt parce qu'il y avait beaucoup à voir et à faire à Paris. *(partir)*
2. Tous les élèves… en haut de la tour Eiffel pour prendre de belles photos de Paris et des monuments. *(monter)*
3. La prof, Mlle Merrick, … voir une amie française à midi. *(aller)*
4. Sonia et moi, nous… dans le Louvre pour voir la *Joconde*. *(entrer)*
5. Benoît… avec nous. *(venir)*
6. Vers 20h00, Sonia et moi, … à la recherche d'un bon restaurant pas cher. *(sortir)*
7. Morgane et toi, vous… à l'hôtel, mais pourquoi? *(rester)*

15 Samedi!

Dites où tout le monde est allé samedi. Choisissez une expression de la liste.

| la discothèque | le festival | l'aquaparc | le complexe sportif | la MJC | la soirée |

1. les copains et moi

2. tu

3. Sylvaine et Guillaume

4. Fatima

5. les ados

6. je

16 La vie de Karim

Complétez l'histoire de Karim en mettant les verbes au passé composé. Attention à utiliser le bon auxiliaire (avoir ou être).

1. Karim... dans un petit village. (*grandir*)
2. Il y... au football avec des amis. (*jouer*)
3. Mais à Nice, il.... (*arrêter*)
4. Un jour la mère de Karim... du village. (*partir*)
5. Sa mère... à Nice avant les autres membres de sa famille. (*aller*)
6. Ils... leur maison avec la piscine. (*quitter*)
7. À Nice, Karim... les supermarchés. (*découvrir*)
8. D'abord, il... de Léo. (*faire la connaissance*)
9. Ensuite, il... Élodie au ciné-club. (*voir*)
10. Ce soir, il... chez Léo et Élodie. (*arriver*)
11. Lui et ses amis... voir un film. (*aller*)

17 Les jumeaux

Audrey aime les activités en plein air et son frère, Romain, préfère les activités à l'intérieur. Dites qui a fait chaque activité pendant les vacances. Attention si le verbe prend "avoir" ou "être."

MODÈLES   sortir avec des copines
Audrey est sortie avec des copines.

passer des heures à la médiathèque
Romain a passé des heures à la médiathèque.

1. rester souvent à la maison
2. découvrir un festival de jazz dans la rue Malherbe
3. aller au zoo voir les gorilles et les pandas
4. partir faire du ski à la montagne
5. visiter le musée d'histoire
6. courir dans le parc
7. monter dans la grande roue
8. aller au ciné-club

Révision: Imperfect Tense

emcl.com
WB 14–16
Games

When do you use the imperfect tense rather than the **passé composé**? Can you figure out which verbs in the paragraph below would be in the imperfect?

Julie put a novel and her MP3 player in her bag and changed into her swimsuit. She got in the car and drove for 15 minutes. It was a sunny day at the beach. Many people were sunbathing. Others swam.

If you need help, read the summary below.

The **imparfait** is another tense used to talk about the past. You use the **imparfait** to describe how people or things were and to describe what used to happen or what people used to do in the past.

Karim **collectionnait** des cartes de football.   *Karim collected soccer cards.*

To form the imperfect, add the endings **–ais, –ais, –ait, –ions, –iez,** and **–aient** to the stem of the present tense **nous** form.

	faire Imperfect stem: *fais* (from *nous faisons*)		
je	**fais**ais	nous	**fais**ions
tu	**fais**ais	vous	**fais**iez
il/elle/on	**fais**ait	ils/elles	**fais**aient

À quoi **jouais**-tu à l'âge de cinq ans?   *What did you play at the age of five?*
Je **faisais** semblant d'être un super-héros.   *I pretended to be a superhero.*

The verb **être** has an irregular stem in the imperfect: **ét–**.

Vivianne **était** une princesse pour Mardi Gras.   *Vivianne was a princess for Mardi Gras.*

IMPERFECT TENSE: The imperfect tense is used to describe people, things, or conditions as they were or used to be, or habitual repeated actions. In the English paragraph, these verbs would be in the imperfect: **Il faisait du soleil. Beaucoup de gens bronzaient. D'autres nageaient.**

The imperfect is used to describe:

Use	Example	
People or things as they were or used to be	Mon grand-père **était** médecin.	*My grand-father was a doctor.*
Conditions as they were or used to be	Il n'y **avait** pas d'arbres.	*There were no trees.*
Actions that took place repeatedly, regulary, or habitually in the past	Nous **allions** souvent à l'aquaparc.	*We often used to go to the waterpark.*

18 **Les activités enfantines**

Dites ce que tout le monde faisait quand ils étaient petits.

MODÈLE  Marame
Quand Marame était petite, elle sautait à la corde.

1. Fatoumata et Hélène

2. Diane et moi

3. Myriam

4. toi

5. Richard

6. moi

7. Sophie et toi

COMPARAISONS

What is an example of a past tense verb formed with one word in English? Does it express a past tense completed action (like **passé composé**) or a habitual or repeated action (like the imperfect)?

COMPARAISONS: "I saw the movie Saturday," and "I read the blog this morning" are examples that have one verb form in the past; however, in these two examples these verbs are more like the **passé composé** than the imperfect. Both "I saw" and "I read" in this instance describe something that happened once in the past. To make the sentence express an idea like the imperfect, you could say, "I saw the movie every Christmas," and "I read the blog every day last year."

Un accident de voiture a eu lieu. Le conducteur responsable est parti. Vous êtes le seul témoin (witness). Téléphonez à la police et répondez à leurs questions.

1. Où étiez-vous quand vous avez vu cet accident?
2. Quelle heure était-il?
3. Est-ce qu'il pleuvait?
4. Il y avait combien de voitures, de conducteurs et de passagers?
5. Les deux conducteurs sont-ils partis?
6. Comment est arrivé l'accident?
7. Quel âge a le conducteur?
8. Qu'est-ce qu'il faisait quand l'accident est arrivé?
9. La conductrice a-t-elle eu mal?
10. Son fils va bien?

Révision: The Imperfect and the *passé composé*

emcl.com
WB 17–18
Games

If you wrote a sentence that used both the imperfect and the **passé composé**, do you remember which one you would use to interrupt a continuous action? If you don't remember, read the summary below.

You have learned two past tenses in French, the imperfect and the **passé composé**. These two tenses are not used in the same way.

The imperfect describes how people or things were in the past, what happened regularly, or a condition that existed at some time in the past.

En été, Laure et Awa **couraient** au bord de la mer.	*During the summer, Laure and Awa ran on the seashore.*
Moi, je **préférais** rester à la maison.	*Me, I preferred staying home.*

The **passé composé** indicates a single, completed action.

Un jour, nous **sommes allés** à la plage.	*One day, we went to the beach.*
Mamy **a ramassé** des coquillages avec nous.	*Grandma picked up sea shells with us.*

IMPERFECT TENSE AND THE PASSÉ COMPOSÉ: If you are describing a continuous action, that part of the sentence would be in the imperfect; anything that interrupted that action would be in the **passé composé**.

To tell a story, use the imperfect to give background information and to describe circumstances in the past. The imperfect answers the question, "How were things?" Use the **passé composé** to express what events took place only once in the past. The **passé composé** answers the question, "What happened?"

> Tu **étais** en ville.
> Un accident de voiture **a eu** lieu.

> *You were in town.*
> *A car accident happened.*

The imperfect and the **passé composé** are often used in the same sentence to describe an ongoing action that was interrupted by another action. Use the imperfect to express the background condition or ongoing action and the **passé composé** to describe the completed action.

> Vous **aviez** peur pour la conductrice;
> donc, vous **avez téléphoné** à la police.

> *You were afraid for the driver;*
> *therefore, you called the police.*

COMPARAISONS

Which English sentence shows
an interrupted action?
Kyle **was reading** when his mom **came home**.
We **were jumping up** and **raising** our arms
when the song **was playing**.

---

20 La vie de Pablo Picasso

Pablo Picasso était, selon beaucoup de critiques, l'artiste le plus important du XXème siècle. Utilisez les notes suivantes pour raconter les événements importants de sa vie.

1901: Pablo Picasso/être déjà artiste quand/venir à Paris
1907: il/faire la connaissance de Georges Braques
    les deux artistes/inventer le Cubisme
    ils/décomposer leurs sujets en formes géométriques
1910: Picasso/aller en Provence où il/travailler dans un grand atelier
1936: il/être révolté contre le fascisme en Espagne quand il/faire
    son chef-d'œuvre *Guernica*
    le tableau/devenir un symbole de la Résistance pendant la
    Deuxième Guerre Mondiale
1948: il/commencer à travailler avec la céramique
1957: le musée de l'art moderne à New York/organiser une
    exposition de son œuvre
    plus de 100.000 visiteurs/venir admirer ses tableaux, ses
    objets d'art, et ses céramiques

Le Château de Vauvenargues,
résidence de Picasso.

COMPARAISONS: The first sentence shows an interrupted action. All the verbs in the second sentence would be put in the **imparfait** in French sentences.

21 La journée de Mme Aknouch

*Écrivez les numéros 1–6 sur votre papier. Écoutez l'histoire. Ensuite, dites si chaque phrase est vraie (**V**) ou fausse (**F**).*

1. Mme Aknouch n'a pas d'enfants.
2. Elle a travaillé aujourd'hui.
3. Elle a fait du footing au complexe sportif.
4. Elle a fait les courses.

5. À l'école sa fille jouait à cache-cache avec ses copains.
6. Amina et sa mère ont pris le métro pour rentrer.

22 La soirée

Dites ce que tout le monde faisait quand l'actrice est arrivée à la soirée. Choisissez une expression de la liste.

| danser | jouer du piano | discuter du film | toucher un tableau |
| manger des hors-d'œuvres | chanter | profiter du buffet |

MODÈLE Pierre
Pierre mangeait des hors-d'œuvre quand l'actrice est arrivée.

1. Mlle Duchamp
2. M. et Mme Laforêt
3. Serge et moi
4. M. Dumont
5. tu
6. Mme Declerc
7. Pierre

23 Un super-héros

Complétez l'histoire suivante en utilisant le passé composé et l'imparfait. Puis devinez le nom du super-héros.

Il y (avoir) un homme qui (venir) d'une autre planète. Il (avoir) les cheveux noirs et il (être) beau. Il (trouver) un travail de reporter dans une grande ville. Il (porter) des lunettes et un costume quand il (travailler) au bureau. Quand il y (avoir) un crime, il (mettre) vite un costume rouge et bleu. Il (être) très fort, mais il (devenir) moins fort quand il (être) près d'une pierre (*stone*) verte. Il (aimer) Loïs Lane. Un jour, Loïs (tomber) des chutes du Niagara, et il l' (aider). Elle (découvrir) son identité. Ils (s'aimer) beaucoup et ils (se marier).

À vous la parole

Communiquez !

? Question centrale

Comment la vie des Francophones évolue-t-elle avec le temps?

24 Quand j'avais dix ans....

Interpersonal/Presentational Communication

Faites un sondage auprès de vos camarades de classe pour déterminer leurs passe-temps préférés quand ils avaient dix ans. Faites une grille comme celle de dessous et écrivez les réponses de dix élèves. Ensuite, partagez vos résultats avec la classe en expliquant quelles étaient les activités les plus populaires.

MODÈLE   A: Qu'est-ce que tu faisais quand tu avais dix ans?
B: Je jouais aux jeux vidéo.

Nom	Activité
Abdou	Il jouait aux jeux vidéo.
Manon	Elle jouait à la poupée.

Résumé possible:

À l'âge de dix ans, quatre garçons jouaient aux jeux vidéo. Une fille jouait à la poupée....

Communiquez !

25 Une famille francophone

Interpretive/Presentational Communication

Faites des recherches sur une famille francophone. Ça peut être la famille de votre correspondant(e), la famille royale belge, la famille Rainier de Monaco, ou une famille en ligne qui partage ses photos ou vidéos. Créez un document qui décrit cette famille (les membres, âges, passe-temps, professions, vacances, etc.). Ensuite, chaque personne dans la classe va présenter oralement la famille sur laquelle il ou elle a fait des recherches. Finalement, vous allez discuter de ce que vous avez appris des familles francophones.

Communiquez !

26 À la découverte de Nice

Interpretive/Presentational Communication

Avec vos camarades de classe, préparez un site web dédié à Nice et au tourisme. Tout le monde va choisir un rôle et travailler en équipe pour: créer la page d'accueil, trouver des photos, écrire les adresses de sites intéressants, écrire une critique de restaurant, etc. Incluez dans les documents: les plages de Nice, la vieille ville, le musée Matisse, le musée Chagall, l'arrière-pays niçois, le Carnaval, les monuments, une liste de bons restaurants, une liste de bons hôtels.

Stratégie communicative

Personal Narrative

Un récit personnel est un essai écrit, en général, à la première personne (**je**). L'auteur raconte un moment particulier de sa vie, et expose souvent ses sentiments, ses découvertes, ou ses expériences intimes. Lisez le récit ci-dessous et dites si ce récit personnel (1) décrit un événement, (2) explore des sentiments sur quelque chose qui s'est passé, ou (3) mène à une découverte personnelle.

Il y a des évènements et des rencontres qui changent toute une vie. Ma vie a changé l'année de mes dix-huit ans. J'étais encore au lycée, en terminale, et j'allais passer mon bac. J'étudiais la langue de Shakespeare depuis maintenant six ans. L'anglais me fascinait. Je regardais tous les films possibles et imaginables anglais et américains en version originale, je lisais le dictionnaire français-anglais, je tenais un journal en anglais où j'écrivais tous les mots que j'apprenais dans mes lectures. Je n'étais pas encore allée en Angleterre ou en Amérique mais j'en rêvais secrètement. L'année de mon bac j'ai eu l'opportunité d'aller avec ma classe deux semaines dans une famille d'accueil en Angleterre. Ma famille était une famille nucléaire avec six enfants. Le père était professeur de français et de religion et la mère prof d'anglais. Chaque jour nous parlions tous ensemble, parents et enfants, de la langue et de la culture anglaise dans le salon, dans la cuisine, et à table. J'ai trouvé ces conversations fascinantes. Un jour, le père de ma famille d'accueil m'a invitée à son lycée où il m'a demandé de parler de la France et surtout de répondre aux nombreuses questions de ses élèves et c'est comme ça que j'ai découvert ma vocation pour l'enseignement. Aujourd'hui, je fais le plus beau métier du monde: je suis prof et tous les jours je partage avec les autres ma langue et ma culture, et c'est un grand bonheur.

27 Le passé composé ou l'imparfait?

En écrivant un récit, vous devez choisir correctement le temps des verbes. Dans ces phrases écrites par d'autres élèves, conjuguez les verbes en choisissant le bon temps (tense).

1. Je/J'... mon meilleur ami au skatepark. (faire la connaissance de)
2. Après cela, je... mes camarades de classe. (ne... plus insulter)
3. Pour mon neuvième anniversaire, ma grand-mère... un gâteau en forme d'un terrain de foot. (me servir)
4. Enfin, je/j'... que j'... plus sportive que mes cousins. (réaliser, être)
5. Alors, j'... que le prof... m'aider. (apprendre, vouloir)

28 Je choisis un thème.

Pour trouver un sujet pour votre récit personnel, remplissez un organigramme avec des idées. Pour trouver des idées, vous pouvez regarder des photos, faire une liste d'objets personnels qui sont importants, ou lire d'autres récits personnels en ligne. Quand vous avez un thème intéressant, écrivez votre récit personnel.

 Search words: souvenirs d'enfance, souvenirs d'adolescence

Vocabulaire actif

emcl.com
WB 1–3
LA 1
Games

Le mariage et le travail

Emma se marie avec Théo.

les invités

le marié

la mariée

la réception

la demoiselle d'honneur

le garçon d'honneur

la bague de fiançailles

les alliances (f.)

le gâteau de mariage

le voyage de noces

Vous voulez travailler....

Avocats Laterne

pour un cabinet d'avocat

Boiron

dans un laboratoire de recherches

Agrifruits

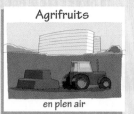

en plen air

Voyages Plus

pour une PME (Petite et Moyenne Enterprise)

Itech Europa

dans le domaine de la haute technologie

chez Airbus

Le journal électronique
LE CHÔMAGE EN FRANCE

15%
12%
9%
6%
3%
0%

2004 2006 2008 2010 2012 2014

à JDN Économie

Pour la conversation

How do I say I don't care?

> **Je m'en fiche.**

I don't care.

How do I say where I'd like to work?

> **J'aimerais bien travailler** dans un laboratoire de recherches.

I'd like to work in a research laboratory.

Et si je voulais dire...?

la lune de miel	*honeymoon*
la pièce montée	*wedding cake*
le témoin	*witness to the ceremony*
le vin d'honneur	*reception*
se fiancer	*to get engaged*
une entreprise	*company*
monter une enterprise	*to set up a company*
un entretien	*job interview*

1 Jean-Pierre et Marie-France vont se marier.

Lisez l'histoire du mariage de Jean-Pierre et Marie-France. Puis, répondez à la question qui suit.

Jean-Pierre était amoureux de Marie-France. Il lui a demandé de se marier avec lui. Elle a accepté la bague de fiançailles que Jean-Pierre lui a offert. Ils ont décidé de se marier à la mairie. Ils y sont allés avec la demoiselle d'honneur, la sœur de Marie France, et le garçon d'honneur, le cousin de Jean-Pierre. Ils ont invité 89 amis et membres de leur famille à la réception, qui a eu lieu dans un restaurant. On a servi les invités du saumon et du steak. Le gâteau de mariage était violet et rose. Le lendemain, Jean-Pierre et Marie-France sont partis en voyage de noces, destination Tahiti!

Est-ce que Jean-Pierre et Marie-France ont respecté les traditions françaises? Justifiez votre réponse.

2 Le mariage de Chloé et Pierre

Regardez la scène et répondez aux questions.

1. Où est tout le monde?
2. Qui vient de se marier?
3. Que porte la mariée?
4. Elle a quels bijoux?
5. Où sont assis la demoiselle d'honneur et le garçon d'honneur?
6. Que font les invités?
7. Qu'est-ce qu'ils vont manger à la fin du repas?

3 Le mariage de Claudia et Philippe

*Écrivez les numéros 1–7 sur votre papier. Écrivez **E** si la phrase décrit la cérémonie à l'église ou **R** si la phrase décrit la réception.*

4 Où on aimerait travailler

Dites où tout le monde aimerait travailler en choisissant une expression de la colonne.

MODÈLE Jacques a besoin d'argent de poche (*pocket money*) et son oncle a une petite entreprise de construction.
Jacques aimerait travailler pour une PME.

1. Inès est secrétaire et cherche un nouveau travail.
2. Maxime finit ses études à la faculté des sciences pharmaceutiques.
3. Mathilde a des idées pour créer la nouvelle génération de smartphones.
4. Julien aime le droit.
5. Julianne a de l'expérience comme designer d'avions.
6. Nicolas a étudié le marché international.

une PME
chez Airbus
un cabinet d'avocats
JDN Économie
un laboratoire de recherches
le domaine de la haute technologie

5 Au téléphone

Lisez la conversation entre Mme Garnier et sa sœur Gabriella, qui habite en Australie, et qui n'a pas pu venir pour le mariage de sa nièce.

Mme Garnier: Je t'envoie des photos. Clara était très belle dans sa robe de mariée.
Gabriella: Tu lui as prêté des bijoux?
Mme Garnier: Le collier de perles de maman et le bracelet de diamants qu'Hervé m'a donné pour notre anniversaire de mariage l'année dernière.
Gabriella: Il y avait combien d'invités à la réception?
Mme Garnier: Presque cent.
Gabriella: Ils sont partis où pour leur voyage de noces, Clara et Lucas?
Mme Garnier: Ils voulaient aller à la Guadeloupe.
Gabriella: Ils reviennent quand?
Mme Garnier: Le 15 septembre. Clara commence à travailler pour un journal en ligne le 17.

1. Comment s'appelle la mariée?
2. Elle avait quels bijoux de sa mère?
3. Comment s'appelle le mari de Mme Garnier?
4. Il y avait combien d'invités à la réception?
5. Où le couple va-t-il en voyage de noces?
6. Pourquoi est-ce que le couple revient le 15 septembre?

Élodie va assister à un mariage.

Élodie parle à son cousin, Mathieu, qui va bientôt se marier.

Mathieu: Crois-moi, Élodie! Le mariage c'est une vraie entreprise: la réception, la liste des invités, le choix du garçon et de la demoiselle d'honneur. Et mettre d'accord ma mère et ma belle-mère, ça demande beaucoup de diplomatie.

Élodie: Et Sophie?

Mathieu: Elle s'en fiche! Il n'y a qu'une chose qui l'intéresse: notre voyage de noces en Italie! Ombrie et Toscane... je ne te raconte pas le nombre de châteaux et d'églises que nous devrons visiter!

Élodie: Et après?

Mathieu: Je finis cette année à Centrale et après j'aimerais bien travailler dans un laboratoire de recherches sur les nanotechnologies. J'ai une piste à Grenoble, j'y ai déjà fait un stage... ils sont intéressés.

Élodie: Et si on t'offrait le poste, vous déménageriez?

Mathieu: Oui, il faudrait aussi que Sophie change de travail ou qu'elle se fasse muter dans la région....

Élodie: Et le bébé?

Mathieu: On aimerait en avoir un très vite.

Élodie: Eh bien, j'aurai le rôle de ma vie: marraine!

Mots-clé **Noce** (du latin *nuptiae*, "mariage"). Au début du XIIème siècle, "la noce" signifiait l'union spirituelle d'un homme avec le Christ. Au XIIIème siècle, "la noce" représentait l'heureuse célébration qui suit un mariage, avec par exemple un festin (gros dîner), de la musique, et une danse.

6 Élodie va assister à un mariage.

Répondez aux questions.

1. Élodie va assister au mariage de qui?
2. Comment s'appelle la mariée?
3. Où vont-ils en voyage de noces?
4. Où Matthieu aimerait-il travailler?
5. Élodie sera la marraine de qui?

Extension **Quand on vous dit "mariage," vous pensez à quoi?**

Un journaliste interviewe un couple dans une joaillerie où ils achètent leurs alliances.

Journaliste: Quand on vous dit "mariage," vous pensez à quoi?

Elle: La robe, la bague de fiançailles, les alliances, la cérémonie à l'Église... ce qui fait rêver quoi!

Lui: La réception, le voyage de noces....

Elle: À la joie de ma mère, à mon père la larme à l'œil....

Lui: Mettre d'accord ma mère et ma belle-mère, bonjour l'ambiance! Si c'était à refaire, je me pacserais... plus vite fait, moins de cérémonial, et donc moins de problèmes....

Extension Comparez l'attitude de la femme et de l'homme vis-à-vis du mariage.

Question centrale

?

Comment la vie des Francophones évolue-t-elle avec le temps?

L'enseignement supérieur en France

L'enseignement supérieur français est un système qui comprend les grandes écoles*, les universités, et des écoles spécialisées privées*. Tout étudiant ayant obtenu son bac peut s'inscrire à l'université. Cependant, l'accès aux grandes écoles se fait sur concours*. Les établissements d'enseignement supérieur privés possèdent chacun leurs propres* conditions d'entrée: concours, dossier*, obtention préalable* d'une licence* ou d'un master universitaire.

Les classes préparatoires* préparent aux concours. Ces classes proposent deux années d'un enseignement général intensif, soit à dominante littéraire, soit à dominante mathématique et scientifique.

Tous les grands secteurs d'activités ont leur école: l'administration a l'ENA (École nationale d'administration); les finances ont HEC (École des hautes études commerciales); pour les sciences, l'École Polytechnique; l'éducation, les Écoles Normales supérieures; l'armée, l'École Spéciale militaire de Saint-Cyr. Toutes ces écoles supérieures sont rattachées à différents ministères*, par exemple Polytechnique est rattachée au ministère de la Défense.

Search words: **classes préparatoires aux grandes écoles, ena, hec, école polytechnique, écoles normales supérieures, école spéciale militaire**

grande école *elite school;* **privé(e)** *private;* **concours** *competitive exam;* **propres** *own;* **dossier** *selection on merit;* **préalable** *prerequisite;* **licence** *B.A.;* **soit... soit** *either... or;* **préparatoires** *preparatory;* **ministères** *cabinets/departments*

COMPARAISONS

Quelles universités américaines ressemblent aux grandes écoles?

L'École des beaux-arts à Paris prépare des carrières dans la création photo, le design, ou le graphisme.

Mon dico des grandes écoles

Hypokhâgne: *première année de classe préparatoire (du grec* hypo *qui veut dire "en-dessous")*
Khâgne: *deuxième année ou lettres supérieures*
Taupins: *surnom donné à ceux qui vivent enfermés dans les bibliothèques, au milieu des livres.*
X: *désigne à la fois les élèves et l'École Polytechnique elle-même*

Mots-clé

Étudiant (apparaît en 1260). Il est en concurrence avec *escolier* (aujourd'hui *écolier*) jusqu'à la fin du XVIIème. **Étudiante** n'apparaît dans son sens actuel qu'à la fin du XIXème siècle; auparavant, elle désignait la petite amie de l'étudiant.

Le mariage: fête civile et fête religieuse

Aujourd'hui, en France, 240.000 couples se marient et 140.000 se pacsent chaque année. Le mariage est une cérémonie qui doit d'abord être civile. Ensuite, les mariés peuvent décider d'avoir une cérémonie religieuse ou non.

La cérémonie civile se passe à la mairie devant un officier d'État civil qui enregistre l'échange de consentement entre le futur époux et la future épouse. Si c'est l'unique cérémonie, on y échange les anneaux qui symbolisent l'union et l'autorité civile remet aux époux le livret de famille* qu'ils signent et qu'ils doivent conserver*. Les naissances des enfants et les décès* seront par la suite inscrits au livret de famille.

Le marié signe le registre d'état civil à la mairie.

Dans un pays majoritairement catholique, la cérémonie religieuse a lieu à l'église. Elle peut donner lieu à une simple bénédiction ou à une messe. Les jeunes mariés cherchent aujourd'hui à personnaliser la cérémonie: décoration florale de l'église, choix des textes, et surtout choix des chants et des musiques.

La cérémonie du mariage est généralement suivie d'un réception. En soirée, un repas de mariage est servi aux invités. Le repas, assis, peut comprendre: une entrée, un poisson, une viande, un plat d'accompagnement, du fromage, et des desserts, dont notamment* le gâteau de mariage. On y boit aussi des vins excellents et du champagne. Le dîner est souvent suivi d'une animation musicale qui permet de danser. C'est le moment où les mariés reçoivent des cadeaux généralement choisis sur une liste de mariage.

 Search words: mairie mariage civil (+ nom de la ville), cérémonie de mariage vidéo

---

livret de famille *family record book;* **conserver** *to keep;* **décès** *death;* **notamment** *notably*

La Francophonie

✳ *Les mariages au Maghreb*

En Afrique du nord, le mariage est une cérémonie culturelle et religieuse, qui comporte* plusieurs rituels. La cérémonie du henné* est une façon de préparer une jeune femme musulmane à sa vie de femme mariée, et aux responsabilités qu'elle comporte. Cette fête se déroule* sept jours avant le mariage, chez les parents de la future mariée, en soirée et uniquement entre femmes. On teint le corps de la future mariée de henné, dans le but de lui porter chance dans son mariage.

La future mariée teintée de henné.

---

comporte *entails;* **henné** *henna;* **se déroule** *takes place*

Produits

Le gâteau de mariage est traditionnellement une pièce montée (*tiered cake*) faite de choux à la crème (*cream puffs*).

COMPARAISONS

Êtes-vous déjà allé(e) à un mariage civil ou religieux aux États-Unis? Comparez-le aux mariages français.

7 Activités culturelles

Complétez les activités suivantes.

1. Faites des recherches pour montrer où se trouvent les grandes écoles mentionnées.
2. Si je veux faire carrière dans..., quelle école dois-je choisir?
   - l'armée
   - le commerce
   - les sciences et techniques
   - l'éducation
   - l'administration
3. Faites une liste de choses à planifier pour une fête de mariage religieuse.
4. Composez un menu de dîner de mariage en vous aidant d'Internet. Choisissez:
   - une entrée
   - un poisson
   - une viande
   - un plateau de fromages
   - des desserts

À discuter

Comment est-ce que le mariage représente un rite de passage?

Du côté des médias

Interpretive Communication

Lisez le faire-part de mariage ci-dessous.

Mme Albert et M. et Madame Lucas
sont très heureux
de vous annoncer le mariage de leurs enfants :

Laetitia et Sébastien

qui, après 5 ans de réflexion, se décident enfin !

Ils vous attendent avec impatience
le samedi 16 juin 2012 pour fêter cet événement.

Célébration à 15h30
Mairie de Fontenay aux Roses
75 rue Boucicaut
92260 Fontenay aux Roses

Réception à partir de 18 heures
Restaurant la Forestière
1 avenue du Président Kennedy
78100 Saint-Germain en Laye

Laetitia Brochant et Sébastien Lacroix
9 rue Victor Hugo
92260 Fontenay aux Roses
Tel : 01 53 50 60 82
lbrochant@orange.fr

8 | Le faire-part de mariage de Laetitia et Sébastien

Répondez aux questions.

1. Comment s'appelle la future mariée? Le futur mari?
2. Où est-ce que le couple va se marier?
3. Dans quelle ville a lieu la réception?
4. Quelle est la date du mariage?

La culture sur place

Question centrale

? Comment la vie des Francophones évolue-t-elle avec le temps?

La culture ado
Introduction et Interrogations

Est-ce que la culture est surtout une idée nationale (la culture française)? Y-a-t-il aussi une culture des enfants, une culture des adolescents? Dans cette **Culture sur place**, vous allez examiner la culture des ados.

---

9 **Première Étape: Réfléchir**

Recopiez cet organigramme sur une feuille de papier. Dans la première colonne, écrivez ce que vous savez déjà des adolescents en France. Ces connaissances (knowledge) peuvent venir de vos expériences personnelles ainsi que de ce programme. Dans la deuxième colonne, écrivez ce que vous voulez savoir des ados français, sous forme de questions. N'écrivez rien dans la troisième colonne pour l'instant.

Ce que je SAIS	Ce que je VOUDRAIS SAVOIR	Ce què J'AI APPRIS

---

10 **Deuxième Étape: Rechercher**

Même s'il faut se souvenir que les blogues ne représentent qu'un point de vue, rechercher les intérêts des adolescents dans un autre pays francophone est facile aujourd'hui grâce à (thanks to) ces ressources en ligne.

1. Accédez à une liste de blogues d'ados (jeunes âgés de 16 à 20 ans) francophones, par exemple, vous pouvez voir des profils sur skyrock.
2. Identifiez trois blogues intéressants.
3. Sur chaque blogue, examinez les photos, les liens, et les détails de la vie de l'auteur. Écrivez ce que vous apprenez de ces ados français sur votre organigramme dans la troisième colonne.

---

11 **Faire l'inventaire!**

Avec votre partenaire ou avec toute la classe, répondez à ces questions.

1. Qu'est-ce que vous avez en commun avec les ados dont vous avez lu les blogues? Qu'est-ce que vous n'avez pas en commun? (Vous pouvez faire un diagramme Venn.)
2. Y avait-il beaucoup de différences parmi les trois blogues que vous avez lus? Beaucoup de similarités? Par exemple?
3. Est-ce que l'on peut vraiment identifier une culture à laquelle tous les ados français appartiennent? Pourquoi, ou pourquoi pas?
4. Vous pensez qu'il y a une "culture des adolescents" qui traverse les frontières nationales? Quels sont quelques aspects de cette culture, si elle existe?

Structure de la langue

Révision: Conditional Tense

> Do you remember how to say "I would like a ticket"? What tense is that? Does this tense describe reality? What are the endings of this tense that are added to the stem? How do you get the stem? If you can't answer these questions, read the summary below.

The **conditionnel** is a tense used to tell what people *would* do or what *would* happen.

Caro **aimerait** travailler dans un laboratoire de recherches.

Caro would like to work in a research laboratory.

To form the conditional of regular **–er** and **–ir** verbs, add to the infinitive the endings of the imperfect tense: **–ais, –ais, –ait, –ions, –iez, –aient**. For regular **–re** verbs, drop the final **e** from the infinitive before adding the imperfect endings.

Vendriez-vous votre bague de fiançailles?

Would you sell your engagement ring?

Je **choisirais** Paris pour mon voyage de noces.

I would choose Paris for my honeymoon.

Some irregular French verbs have an irregular stem in the conditional, but their endings are regular.

Infinitive	Irregular Stem	Conditional	Examples
aller	ir-	j'**irais**	Tu **irais** à Saint-Paul de Vence?
s'asseoir	assiér-	je m'**assiérais**	Papa **s'assiérait** dans son fauteuil.
avoir	aur-	j'**aurais**	Nous **aurions** une décapotable.
courir	courr-	je **courrais**	Marc **courrait**-il dans le marathon?
devoir	devr-	je **devrais**	Vous **devriez** étudier pour l'interro.
être	ser-	je **serais**	**Serais**-tu un comptable?
faire	fer-	je **ferais**	Ils ne **feraient** pas du ski alpin.
falloir	faudr-	il **faudrait**	Il **faudrait** faire le ménage.
pleuvoir	pleuvr-	il **pleuvrait**	Il **pleuvrait** avant notre arrivée.
pouvoir	pourr-	je **pourrais**	On **pourrait** faire une soupe?
recevoir	recevr-	je **recevrais**	Les Cheval **recevrait** l'Italienne.
savoir	saur-	je **saurais**	Tu **saurais** les solutions.
venir	viendr-	je **viendrais**	**Viendrais**-tu au concert avec moi?
voir	verr-	je **verrais**	Marie **verrait** toute l'Europe.
vouloir	voudr-	je **voudrais**	Nous **voudrions** nous habiller bien.

CONDITIONAL TENSE: The French sentence would be: "Je voudrais un ticket." It is an example of the conditional tense, which doesn't describe reality, rather what "might" happen. To form this tense, add the endings –ais, –ais, –ait, –ions, –iez, or –aient to the infinitive for regular verbs.

The conditional is often used to make suggestions or to make a request more polite.

À ta place, j'**irais** à la réception avec
le garçon d'honneur.

*If I were you, I would go with the best
man to the reception.*

Tu **devrais** lui téléphoner. Tu
voudrais le faire maintenant?

*You should call him. Would you like
to do it now?*

12 Un nouveau poste

*Les personnes ci-dessous cherchent un nouvel emploi. Que pourraient-elles acheter pour aller à
leur entretien avec l'argent qu'elles ont?*

MODÈLE   Jeanne: 165€
Jeanne pourrait acheter une jupe bleue et une chemise blanche.

1. Noah: 274€   4. toi: 511€
2. Khaled et moi: 432€   5. vous: 312€
3. Laure et Milo: 143€   6. Quentin: 616€

89,50€   34,99€   12,90€   59,99€   85€   130€

62€   110€   79€   45€   84€   89,99€

COMPARAISONS

Which sentence would not be in
the conditional in French?
When I was a child, I **would go** to
my grandma's after school.
Jeremy **would like** to order now.

Communiquez!

13 Le mariage

> Où aimerais-tu aller pour ta lune de miel?

> À Tahiti, et toi?

Interpersonal Communication

Posez des questions à votre partenaire au sujet de son mariage idéal. Puis, changez de rôles.

MODÈLE à quel âge/se marier

A: **À quel âge est-ce que tu te marierais?**

B: **Je me marierais à 28 ans.**

1. combien de personnes/inviter
2. que/porter
3. qui/choisir comme demoiselle d'honneur ou garçon d'honneur
4. que/offrir comme alliance
5. où/avoir lieu la réception
6. où/aller pour ton voyage de noces

14 Les conseils

Vos amis ont beaucoup de problèmes. Donnez-leur des conseils en accord avec la situation de chacun. Utilisez le conditionnel dans vos réponses.

MODÈLE A: J'ai perdu le portable de mon frère.

B: **À ta place, je lui achèterais un nouveau portable.**

1. J'ai eu 7 sur 20 à mon contrôle d'anglais.
2. Je suis toujours en retard pour mon premier cours.
3. J'ai très faim et soif.
4. J'ai besoin d'argent pour aller au concert.
5. Je me dispute avec mes parents parce que j'oublie de faire mes corvées.
6. Je suis fâché(e) quand je fais le plein parce que l'essence coûte chère.
7. Je vais faire du camping, et je n'ai pas de sac de couchage.
8. C'est l'anniversaire de Colette le 4 octobre, et je ne sais pas ce que je peux lui offrir.

Révision: Conditional Tense in Sentences with *si*

WB 9
Games

"If I were president, I would build homes for the homeless and working poor." What tense is used in the first clause in the French equivalent? What tense is used in the second clause?

If you don't remember, read the summary below.

Use the conditional tense along with **si** and the imperfect tense to tell what would happen if something else happened or *if* some condition contrary to reality were met.

si	+	imperfect	conditional

S'il ne **pleuvait** pas, tu **pourrais** nager.   *If it wasn't raining, you could go swimming.*

Nous **aurions** plus d'argent   *We would have more money*
si nous étions avocats.   *if we were lawyers.*

The phrase with **si** and the imperfect can either begin or end the sentence.

15 Des changements

Dites comment la vie des personnes suivantes serait différente si elles faisaient les changements indiqués.

MODÈLE   Je ne suis pas en forme. (*faire des promenades au parc*)
Si tu faisais des promenades au parc, tu serais en forme.

1. Je suis fatigué(e). (*dormir*)
2. Virginie ne connaît pas la vie des rois et reines français. (*aller à Versailles*)
3. Tu ne peux pas trouver ta tablette dans ta chambre. (*ranger tes vêtements*)
4. Mohammed et Lucie ne peuvent plus conduire. (*faire le plein*)
5. Marina et moi, nous ne pouvons pas former un groupe de rock. (*suivre des leçons de guitare*)
6. Les ados ont faim. (*préparer une choucroute garnie*)
7. Je ne sais pas faire ce problème de maths. (*suivre un cours particulier*)

CONDITIONAL TENSE WITH *SI*: In the "if" clause the imperfect tense is used; it is followed by the conditional tense. However, the order of clauses is interchangeable.

Communiquez!

Si je gagnais à la lotterie, je ferais le tour du monde!

16 **Avec un partenaire**

Interpersonal Communication

Que feriez-vous dans les situations suivantes?
À tour de rôle, posez des questions à votre partenaire.

MODÈLE gagner à la loterie
A: **Si tu gagnais à la loterie, que ferais-tu?**
B: **Si je gagnais à la loterie, j'achèterais une voiture de sport.**

1. aller à la MJC
2. voir un accident de voiture
3. perdre ton smartphone
4. faire la connaissance de ton acteur préféré
5. recevoir un billet d'avion gratuit
6. visiter un parc d'attractions
7. faire les courses au marché

Révision: Future Tense
Future Tense after *quand*

emcl.com
WB 10–13
LA 2
Games

The future tense consists of only one word. To form the future tense, use the same stem as that of the conditional tense (the infinitive for **–er** and **–ir** verbs or the infinitive minus the **–e** for **–re** verbs). The future endings are **–ai**, **–as**, **–a**, **–ons**, **–ez**, and **–ont**.

assister			
j'	**assisterai**	nous	**assisterons**
tu	**assisteras**	vous	**assisterez**
il/elle/on	**assistera**	ils/elles	**assisteront**

Vous **assisterez** au mariage de Manon?   *Will you attend Manon's wedding?*

Non, nous **voyagerons** au Maroc.   *No, we'll be traveling to Morocco.*

As with the conditional, some irregular French verbs have an irregular stem in the future, but their endings are regular. Note that for all verbs, the future stem ends in **–r**.

C'est elle qui **fera** un stage
à JDN Économie?   *Is she the one who will do an internship at
JDN Économie?*

Another use of the future tense is to tell what will happen *when* something else happens in the future. Here is the order of tenses in these sentences with **quand**:

Quand Anne **dira** oui, Salim **se mariera** avec elle.
When Anne says yes, Salim will marry her.

quand + future	future
lorsque (*when*) + future	future
aussitôt que (*as soon as*) + future	future
dès que (*as soon as*) + future	future

Lorsque Salim **achètera** sa bague de fiançailles, Anne **cherchera** sa robe de mariée.
When Salim buys the engagement ring, Anne will look for a wedding dress.

Aussitôt que Salim **sera** ingénieur, il **travaillera** chez Airbus.
As soon as Salim is an engineer, he'll work for Airbus.

Dès que Salim et Anne **se marieront**, ils **déménageront** à Toulouse.
As soon as Salim and Anne marry, they will move to Toulouse.

17 Le mariage d'Anne et Salim

Voici la liste des invités au mariage de Salim et Anne à Saint-Paul de Vence. La deuxième liste indique qui ira à la réception. Dites qui assistera au mariage et à la réception.

Le mariage		La réception	
Zohra	✔	Zohra	✔
toi		toi	✔
Nadine		Nadine	
Paul	✔	Paul	✔
Hervé	✔	Hervé	
moi	✔	moi	✔
Jérémy		Jérémy	✔

MODÈLE **Hervé assistera au mariage, mais il n'ira pas à la réception.**

1. Jérémy
2. moi
3. Paul et Zohra
4. Jérémy et toi
5. Nadine
6. Zohra et moi
7. toi

18 Le conditionnel ou le futur?

*Écrivez les numéros 1–8 sur votre papier. Écoutez les phrases suivantes. Écrivez **C** si la phrase est au conditionnel et **F** si la phrase est au futur.*

COMPARAISONS

In what way is the future tense in English different from the future tense in French? What tense is used in each clause of the following sentence? When I'm in Paris, I will visit the Louvre.

COMPARAISONS: The future tense in English is a compound tense ("You will succeed in college"), whereas the future tense in French is expressed in one word. In the example sentence, the "when" clause is in the present in English (unlike in French), even though the second clause is in the future tense.

Communiquez!

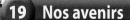

19 **Nos avenirs**

> Quand j'aurai 25 ans, je me marierai avec toi!

Interpersonal Communication

Que ferez-vous quand vous aurez 25 ans? À tour de rôle, posez des questions à votre partenaire.

> **MODÈLE** que/faire le weekend
> A: **Quand tu auras 25 ans, qu'est-ce que tu feras le weekend?**
> B: **Quand j'aurai 25 ans, j'irai au complexe sportif pour faire du sport.**

1. où/habiter (dans un appartement ou une maison)
2. dans quelle ville/habiter
3. où/travailler
4. que/faire comme passe-temps
5. où/aller pendant les vacances

Communiquez!

20 **Qu'est-ce que tu feras demain?**

À tour de rôle, posez des questions à votre partenaire.

> J'appellerai Tom dès que je recevrai son SMS.

> **MODÈLE** se lever
> A: **Dès que tu te lèveras, qu'est-ce que tu feras?**
> B: **Dès que je me lèverai, je m'habillerai.**

1. prendre ton petit déjeuner
2. arriver au lycée
3. entrer dans la cantine
4. quitter l'école
5. rentrer chez toi
6. dîner
7. faire tes devoirs

À vous la parole

Communiquez!

Comment la vie des Francophones évolue-t-elle avec le temps?

21 Les mariages français et américains

Interpretive/Presentational Communication

Avez-vous déjà assisté à un mariage américain? Si non, trouvez une vidéo d'un mariage américain sur Internet. Ensuite, regardez une vidéo d'un mariage français sur Dailymotion.fr, Vimeo, ou YouTube. Expliquez ce qui se passe sur la vidéo du mariage français à votre partenaire. Puis, remplissez un diagramme Venn comme celui de droite.

Les mariages américains · Les mariages dans les deux pays · Les mariages français

 Search words: dailymotion, vimeo

Communiquez!

22 Où est-ce qu'ils vont travailler?

Interpretive Communication

Lisez les profiles des jeunes gens suivants. Ensuite, dites où chacun d'entre eux va probablement travailler.

Alec

Salut! Je m'appelle Alec et, j'ai 26 ans. Je suis en deuxième année d'études de pharmacologie à l'université Blaise Pascal. J'ai fait des études de biologie à l'université pendant 5 ans avant de commencer mon Master. Je devrais obtenir mon diplôme à la fin de l'année.

Angèle

Bonjour à tous! Moi, c'est Angèle. J'ai 23 ans. J'ai passé mon bac GEA (gestion des entreprises et des administrations), puis j'ai commencé une formation en Économie et Gestion à l'université. Je ne voulais pas vraiment travailler dans une entreprise, alors j'ai commencé une Prépa (école préparatoire) en journalisme pour joindre l'école de journalisme de Toulouse. Dans deux ans, je veux rejoindre le Journal du Net Économie, car je connais des personnes qui y travaillent.

Saloua

Salut les potes! Je m'appelle Saloua, et j'ai 21 ans. Je viens de commencer une formation technique en électricité à CFORPRO. Je ne veux pas joindre une entreprise et travailler dans un bureau. Je voudrais faire des études sur le terrain, c'est-à-dire à l'extérieur, comme installer des panneaux solaires.

Lecture thématique

Les petits enfants du siècle

Rencontre avec l'auteur

Christiane Rochefort (1917–1998) a publié son premier roman à succès à l'âge de 41 ans, *Le repos du guerrier* (1958), qui est devenu un film. C'est en 1961 que *Les petits enfants du siècle* a été publié. Ce roman raconte la vie d'une petite fille, Josyane, qui grandit (*grows up*) dans la banlieue de Paris dans les années d'après-guerre (*post-war years*). Souvent poétique, son écriture (*writing*) traite (*deals with*) souvent de l'exploitation des enfants et des femmes. Rochefort a reçu deux prix littéraires prestigieux. De quelle façon *Les petits enfants du siècle* est-il une étude psychologique d'une enfant maltraitée (*mistreated*)?

Pré-lecture

À quel âge avez-vous commencé à faire des corvées à la maison pour aider vos parents?

Stratégie de lecture

Setting

Dans la fiction, le cadre spatio-temporel regroupe tous les détails qui déterminent le lieu et l'époque où se situe l'action. Mais il y a aussi le milieu (*setting*) social, politique, moral, et psychologique que les personnages (*characters*) traversent. Alors que vous lisez le texte ci-dessous, recherchez tous les éléments qui déterminent le milieu dans lequel (*in which*) le personnage de Josyane évolue (*evolves*), et remplissez l'organigramme ci-dessous.

où Josyane habite

Elle habite la banlieue de Paris.

la classe sociale

Elle vient de la classe ouvrière.

le milieu

les membres de la famille

Elle a un père.

le portrait psychologique de Josyane

Elle se sent différente des autres filles de l'école.

les responsabilités de Josyane

Elle met la table.

Outils de lecture

Reading in Context

Vous allez sans doute trouver des mots et expressions que vous ne connaissez pas quand vous lisez en français. C'est une bonne idée de les analyser en contexte, c'est-à-dire (*that is to say*), de trouver le sens (*meaning*) des autres mots d'une phrase et de considérer la progression des idées. Comme ça, vous pouvez mieux deviner (*guess*) le sens des nouveaux mots. Essayez de lire cet extrait (*selection*) sans utiliser le glossaire du dessous.

C'était un dimanche au début de l'hiver. Mes parents... étaient heureux, mais ils avaient besoin d'argent. Les Allocations Familiales* arriveraient donc au bon moment.

Je naquis*... le 2 août. C'était ma date correcte, mais je faisais rater les vacances à mes parents, en les retenant* à Paris tout le mois d'août, alors que l'usine, où travaillait mon père, était fermée. Je ne faisais pas les choses comme il faut.

J'étais pourtant* en avance pour mon âge: Patrick avait à peine* pris ma place dans mon berceau* que je me montrais capable, en m'accrochant* aux meubles, de quitter la pièce dès qu'il se mettait à pleurer. Au fond je peux bien dire que c'est Patrick qui m'a appris à marcher.

Quand les jumeaux* firent leur arrivée* à la maison, je m'habillais déjà toute seule et je savais poser sur la table les couverts et le pain, en me mettant sur la pointe des pieds.

—Et dépêche-toi de grandir*, disait ma mère, pour que tu puisses m'aider un peu.

Elle était déjà malade quand je la connus. Elle ne pouvait pas aller à l'usine plus d'une semaine de services, aller acheter le pain, pousser les jumeaux dans leur double landau*, le long des blocs, pour qu'ils prennent l'air, et surveiller* Patrick, qui était en avance lui aussi, malheureusement. Il n'avait même pas trois ans quand il mit un petit chat dans la machine à laver. Cette fois-là, quand même, papa lui donna une bonne gifle*: on n'avait même pas fini de payer la machine.

Je commençais à aller à l'école. Le matin je préparais le déjeuner pour les garçons, je les emmenais à la maternelle, et j'allais à l'école. À midi, on restait à la cantine. J'aimais la cantine, on s'assoit* et les assiettes arrivent toutes remplies. C'est toujours bon ce qu'il y a dans des assiettes qui arrivent toutes remplies. Les autres filles en général n'aimaient pas la cantine, elles trouvaient que c'était mauvais. Je me demande ce qu'elles avaient à la maison.

> **Pendant la lecture**
> 1. Qu'est-ce que les parents de Josyane ont dit à leur fille?

> **Pendant la lecture**
> 2. Il y a combien d'enfants dans cette famille?

> **Pendant la lecture**
> 3. Pourquoi est-ce que Josyane aimait la cantine de l'école?

Allocations familiales *welfare*; **naquis** *was born*; **retenant** *holding them back*; **pourtant** *though*; **à peine** *barely/hardly*; **berceau** *cradle*; **m'accrochant** *holding on*; **jumeaux** *twins*; **firent leur arrivée** *made their appearance*; **grandir** *grow up*; **landau** *baby stroller*; **surveiller** *look after*; **gifle** *slap*; **s'assoit** *s'assied*

Le soir, je ramenais* les garçons et je les laissais* dans la cour, à jouer avec les autres. Je montais prendre les sous* et je redescendais aux commissions*. Maman faisait le dîner, papa rentrait et ouvrait la télé, maman et moi nous faisions la vaisselle, et ils allaient se coucher. Moi, je restais dans la cuisine, à faire mes devoirs.

Maintenant, notre appartement était bien. Avant, on habitait dans le treizième*, une sale* chambre avec l'eau sur le palier*. Quand le quartier avait été démoli, on nous avait mis ici, dans cette Cité. On avait reçu le nombre de pièces auquel nous avions droit selon le nombre d'enfants. Les parents avaient une chambre, les garçons une autre. Moi, je couchais avec les bébés dans la troisième. On avait une salle de bains, où on avait mis la machine à laver, et une cuisine-salle de séjour, où on mangeait. C'est sur la table de la cuisine que je faisais mes devoirs. C'était mon bon moment: quel bonheur* quand ils étaient tous couchés, et que je me retrouvais seule dans la nuit et le silence! Le jour, je n'entendais pas le bruit*, je ne faisais pas attention; mais le soir j'entendais le silence. Le silence commençait à dix heures: les fenêtres s'éteignaient*, les radios se taisaient*, les bruits, les voix*, et, à dix heures et demie, c'était fini. Plus rien. Le désert. J'étais seule, en paix*. Je me suis mise à aimer mes devoirs peu à peu. J'aurais bien passé ma vie à ne faire que des choses qui ne servaient à rien.

Pendant la lecture
4. Quels services est-ce que Josyane rendait à sa mère?

Pendant la lecture
5. Comment était le vieil appartement de Josyane? Combien de pièces y avait-il dans le nouvel appartement?

Pendant la lecture
6. Que représentaient les devoirs, le soir, pour Josyane?

Pendant la lecture
7. Quel est l'opinion de Josyane à propos des devoirs?

---

ramenais *walked back;* **laissait** *would leave;* **sous** *l'argent;* **commissions** *errands;* **treizième** *thirteenth district of Paris;* **sale** *dirty;* **palier** *landing;* **bonheur** *happiness;* **bruit** *noise;* **s'éteignaient** *turned off;* **se taisaient** *would turn quiet;* **la voix** *voice;* **en paix** *at peace*

Post-lecture

D'où vient l'attitude de Josyane envers elle-même?

23 Activités d'expansion

Complétez les activités suivantes.

1. Utilisez les informations de votre organigramme pour écrire un paragraphe qui décrit le milieu du roman *Les petits enfants du siècle* et ce qu'il révèle de Josyane.
2. Mettez les événements du roman en ordre chronologique. Écrivez "1" pour la première phrase, "2" pour la deuxième phrase, etc.
3. Vous êtes la concierge (*superintendent*) de l'immeuble où habite Josyane. Vous vous inquiétez parce qu'elle a trop de responsabilités pour son âge. Écrivez une lettre à l'assistante sociale qui s'occupe de votre HLM.

Le monde visuel

Immeuble, rue Croulebarbe, Paris, c. 1957. Albert Édouard. Musée national d'Art moderne, Centre Georges Pompidou. Don de Famille Albert en 2009.

Projets finaux

A Connexions par Internet: La sociologie

Presentational Communication

Écrivez une petite composition sur la famille, l'enfance, ou le mariage dans un pays francophone. Vous devriez d'abord faire des recherches sur votre sujet en ligne. Parlez des traditions. Puis, notez les changements dans les familles, l'enfance, ou le mariage dans la société contemporaine. À quelles influences est-ce que vous attribuez ces changements? Commencez votre composition avec une définition de la sociologie et une phrase d'introduction.

B Communautés en ligne

Étudier à l'étranger pour perfectionner votre français/Interpersonal Communication

Vous voulez devenir un citoyen du monde, alors vous avez pris la décision d'étudier à l'étranger pour perfectionner votre français. Si vous voulez faire un programme d'échange pendant que vous êtes au lycée, cherchez un programme comme AFS ou un autre programme d'immersion. Si vous préférez participer à un tel programme à l'université, cherchez le *Junior Year Abroad Program* d'une université. Ensuite, écrivez 6-10 questions pour un(e) élève ou étudiant(e) qui est revenu(e) après un séjour à l'étranger via le programme que vous avez choisi. Vous pouvez trouver cette personne en ligne ou écrire un mail au programme qui vous mettra en contact avec quelqu'un. Finalement, discutez de ce que vous avez appris en petits groupes.

C Passez à l'action!

Une MJC chez nous/Presentational Communication

Le gouvernement français a décidé d'aider votre ville à établir une MJC parce que les élèves de votre communauté ont montré un fort intérêt dans la langue et la culture françaises. Comme ça vous aurez un programme d'immersion: vous parlerez français pendant toutes les activités comme le ciné-club, les sports, les leçons de musique, etc. Votre MJC aura comme modèle une vraie MJC française.

Votre groupe va faire des recherches et trouver une MJC en France qui servira de modèle. Les autres équipes vont:

- choisir les activités
- faire de la publicité
- prendre des photos des ados en train de faire les activités
- créer une page d'accueil sur Internet
- écrire une lettre pour inviter tous les Francophones de votre région

D Faisons le point!

Faites un diagramme comme celui de dessous et remplissez-le pour montrer vos connaissances concernant la question suivante: Comment la vie des Francophones évolue-t-elle avec le temps? Un exemple a été fait pour vous.

Question centrale

?

Comment la vie des Francophones évolue-t-elle avec le temps?

Leçon A
Rencontres culturelles: Qu'est-ce qui est nouveau dans la vie d'Élodie?

➡ Élodie commence à participer à la culture adolescente. Elle fait partie d'une bande de copains et elle a un nouveau petit ami.

Leçon A
Extension: Comment est-ce que Julie communique avec ses amis?

➡

Leçon A
Points de départ: Modes de vie…: Qu'est-ce que les jeunes français ont en commun?

➡

Leçon A
Points de départ: Les MJC: Que sont les MJC?

➡

Leçon A
L'argot des ados: Quel est un exemple du langage des adolescents?

➡

Leçon A
Du côté des médias: Comment est-ce que les jeunes Français se rencontrent?

➡

Leçon B
Rencontres culturelles: Qu'est-ce que Karim a arrêté de faire quand il a déménagé à Nice? Qu'est-ce qui était nouveau pour lui à Nice?

➡

Leçon B
Extension: Qu'est-ce qui est nouveau dans les vies de Mme Duhamel et Mme Laforge?

➡

Leçon B
Points de départs: La famille: De quelle manière les familles françaises ont-elles changé?

➡

Leçon B
Points de départ: La Francophonie: Comment est-ce que les valeurs des jeunes gens en Afrique changent leurs pays?

➡

A Évaluation de compréhension auditive

Interpretive Communication

Les vacances

Écrivez les numéros 1–7 sur votre papier. Ensuite, écoutez l'histoire, et écrivez la lettre qui correspond à l'endroit où les personnes feront les activités suivantes pendant les vacances.

1. Caroline		A.	le ciné-club
2. Serge		B.	le skatepark
3. Amélie et Amadou		C.	le festival de musique
4. Jacques		D.	la discothèque
5. Martine		E.	le complexe sportif
6. Yasmine et Julien		F.	le cours particulier
7. Chloé		G.	la MJC

B Évaluation orale

Interpersonal Communication

Avec un partenaire, jouez les rôles de deux ados qui sont à la MJC.

Vous voulez savoir si votre copine a fait la connaissance d'un nouveau copain.	⟶ Dites que c'est vrai.
Demandez son prénom.	⟶ Dites comment votre copain s'appelle.
Demandez où votre copine l'a rencontré.	⟶ Dites où vous avez rencontré votre copain.
Demandez comment il est.	⟶ Décrivez votre copain. Dites ce que vous avez découvert de lui. (Peut-être qu'il aime quelque chose que vous aimez aussi.)
Dites que ce serait bien de le présenter à votre bande de copains.	⟶ Dites que vous proposez d'organiser une soirée pour le présenter à vos copains.
Dites que vous aimeriez le connaître.	⟶ Demandez ce que votre ami(e) aimerait faire ce soir.
Proposez une activité pour ce soir.	⟶ Acceptez ou refusez.

C Évaluation culturelle

Vous allez comparez les cultures francophones à votre culture aux États-Unis. Vous aurez peut-être besoin de faire des recherches sur la culture américaine.

1. **Les modes de vie des adolescents**

   Comparez les modes de vie des adolescents francophones et américains. Quelles sont les similarités et les différences des deux groupes? Est-ce qu'il y a une "culture ado" qui rassemble (*gathers*) ces deux groupes?

2. **Les MJC**

   Où est-ce que vous vous retrouvez avec vos amis? Aimeriez-vous avoir une MJC avec des activités pour les ados? Ça existe déjà dans votre communauté? Qu'est-ce que les MJC françaises offrent? Qu'est-ce qu'une MJC américaine devrait offrir pour plaire (*please*) aux ados américains?

3. **Les familles**

   Faites un sondage auprès de vos camarade de classe pour savoir au sein de quel type de famille (nucléaire, monoparentale...) vos amis vivent. Comparez les pourcentages à ceux des familles françaises.

4. **Classes préparatoires et grandes écoles**

   Si un ado voulait travailler pour la Banque de France un jour, qu'est-ce que vous lui conseilleriez? Si vous vouliez vous inscrire à ou Duke, qu'est-ce que vous devriez faire?

5. **Le mariage**

   Quels genres de cérémonies de mariage existent en France? Laquelle est la plus populaire en France? Et aux États-Unis? Comparez aussi les réceptions de mariage en France et aux États-Unis.

D Évaluation écrite

*Écrivez un faire-part de mariage pour un couple français à Nice. N'oubliez pas d'inclure (*include*):*

- le nom du couple et de leurs parents
- la date et l' endroit de la cérémonie et de la réception
- l'adresse de l'église et du restaurant où la réception aura lieu
- l'adresse où on envoie son RSVP

E Évaluation visuelle

*Écrivez un paragraphe qui décrit le mariage d'Albert et Claudette. Décrivez ce que vous voyez à la cérémonie et imaginez ce qui se passera après, pendant la réception. Dites depuis combien de temps Albert connaît Claudette et où ils travaillent. Parlez de leurs rêves pour l'avenir (*future*).*

F Évaluation compréhensive

Créez une histoire avec six illustrations: dessinez une famille en vacances sur la Côte d'Azur. Montrez les activités de cette famille. Vous devrez décider quelle sorte de famille c'est. Les enfants ont moins de dix ans et aiment les jeux d'enfants.

absolument absolutely *A*

les **alliances (f.)** wedding rings *C*

l' **aquaparc (m.)** water park *A*

assister (à) to attend *C*

aussitôt que as soon as *C*

la **bague: bague de fiançailles** engagement ring *C*

une **bande** group of friends *A*

le **bébé** baby *C*

un **cabinet: cabinet d'avocats** law firm *C*

le **ciné-club** film club *A*

collectionner to collect *B*

un **coquillage** seashell *B*

comme: c'est comme ça que.... that's how.... *B*

le **complexe: complexe sportif** sports center *A*

la **complicité** complicity *A*

courir to run *B*

le **cours: cours particulier** private class *A*

déménager to move *C*

la **demoiselle d'honneur** bridesmaid *C*

détester to detest *A*

la **discothèque** nightclub *A*

l' **enfance (f.)** childhood *B*

enfantin(e) childish *B*

une **entreprise** business, company *C*

être: être affolé(e) to panic *A*; **être fâché(e)** to be angry *A*

une **famille: famille monoparentale** single-parent family *B*; **famille nucléaire** nuclear family *B*; **famille recomposée** blended family *B*

faire: faire semblant (de) to pretend (to) *B*; **Tu ferais bien de.....** You would do well to.... *A*

se **faire: se faire muter** to get reassigned *C*

fiche: elle s'en fiche she doesn't care *C*

le **festival** festival *A*

le **garçon: garçon d'honneur** best man *C*

s' **inquiéter** to worry *A*

intéressé(e) interested *C*

jouer: jouer à cache-cache to play hide-and-seek *B*; **jouer à la marelle** to play hopscotch *B*; **jouer à la poupée** to play with dolls *B*; **jouer aux billes** to play marbles *B*; **jouer aux petites voitures** to play with toy cars *B*

un **laboratoire: laboratoire de recherches** research laboratory *C*

lorsque when *C*

une **marraine** godmother *C*

mettre: mettre d'accord to get people to agree *C*

la **MJC** community center *A*

les **nanotechnologies (f.)** nanotechnology *C*

la **peine: ce n'est pas la peine** it's not worth it *A*

une **piste** lead *C*

un **poste** job position *C*

une **PME (petite et moyenne entreprise)** small business *C*

une **princesse** princess *B*

se **quitter** to leave one another *A*

ramasser to pick up *B*

la **réception** reception *C*

un **regret** regret *B*

le **sable** sand *B*

sauter to jump *B*; **sauter à la corde** to jump rope *B*

le **skatepark** skateboard park *A*

la **soirée** evening out *A*

sourire to smile *A*

un **sourire** smile *A*

un **super-héros** superhero *B*

un **timbre** stamp *B*

le **voyage: voyage de noces** honeymoon *C*

Unité
2 Les rapports personnels

Les rapports personnels

Question centrale

?

Qu'y a-t-il d'universel dans les rapports entre les gens?

Pour quelle fête sert-on ce plat?

Comment s'appelle ce dessert?

Contrat de l'élève

Leçon A   I will be able to:

>> talk on the phone, invite someone, and respond affirmatively to an invitation.

>> talk about Christmas Eve in France and **l'Aïd el-Fitr** in North Africa.

>> use interrogative pronouns and direct object pronouns.

Leçon B   I will be able to:

>> ask for help, respond to a request for help, and ask someone to pass me something.

>> talk about French cuisine and a famous cooking school.

>> use indirect object pronouns and **C'est** vs. **il/elle est**.

Leçon C   I will be able to:

>> express what I can't keep myself from doing, say someone is right, and ask what someone is talking about.

>> talk about dining etiquette in France.

>> use the relative pronouns **qui** and **que** and the relative pronouns **ce qui** and **ce que**.

Vocabulaire actif

emcl.com
WB 1–3
LA 1
Games

Le réveillon de Noël

Le menu

—en apéritif—

toasts aux œufs de lump

—en hors-d'œuvre—

des huîtres (f.)　du foie gras　du saumon fumé

—en plat principal—

de la dinde aux marrons　des côtes de chevreuil　un magret de canard

—en dessert—

des mandarines　une bûche de Noël　une boule de neige

Noël Chez les Lombard

Les Lombard accueillent leurs invités.

M. Lombard range leurs manteaux.

Il les emmène au salon.

Chloé embête son frère dans la cuisine.

Mme Lombard sert le repas.

Les Lombard mettent les cadeaux pour leurs enfants sous le sapin de Noël.

Pour la conversation 🎧

What do I say when I phone someone?

> **Je ne te dérange pas?**
>
> *I'm not bothering you?*

How do I invite someone?

> **Vous aimeriez** la soirée du réveillon avec nous?
>
> *Would you like to come spend Christmas Eve with us?*

How do I respond affirmatively to an invitation?

> **Pourquoi pas? On n'a rien de prévu.**
>
> *Why not? We don't have anything planned.*

How do I say a proposal works for me?

> **Ça tombe bien.**
>
> *That works out well.*

Et si je voulais dire...? 🎧

une truffe	*truffle*
un plateau de fruits de mer	*seafood platter*
un homard	*lobster*
une langouste	*rock lobster*
une fougasse	*lattice-shaped bread popular in Provence*
une brioche	*slightly sweet bread*

Lisez le mail de Léa à sa grande sœur, qui n'habite plus à la maison. Puis répondez aux questions suivantes.

À: Élodie @ orange.fr
Cc:

Sujet: Noël – tu me manques!

Salut, Élodie!

Je sais que tu as beaucoup à faire à l'université à New York. C'est dommage que tu n'aies pas été là pour Noël. Maman et Papa ont préparé un bon repas pour le réveillon de Noël— des toasts aux œufs de lump, des huîtres, une salade verte, du canard. Et comme dessert il y avait des mandarines et une bûche, bien sûr! Pour une fois je ne les ai pas embêtés pendant qu'ils préparaient tout. En fait, je les ai aidés. J'avais beaucoup de responsabilités. J'ai accueilli papi et mamie, j'ai rangé leurs manteaux, je les ai emmenés au salon, et je leur ai servi l'apéritif. Heureusement, ils ont mis des cadeaux pour moi sous le sapin de Noël! Je vais les ouvrir demain matin. Et toi, tu as bien mangé chez ton ami? Téléphone-nous bientôt!

Je t'embrasse,
Léa

1. Qu'est-ce que les parents de Léa ont servi pour le réveillon de Noël?
2. Comment Léa a-t-elle aidé ses parents?
3. Pourquoi est-ce qu'Élodie n'est pas venue?
4. Est-ce que la famille de Léa a passé la fête en famille?
5. Qu'est-ce que les invités ont fait?
6. Quand est-ce que Léa va ouvrir ses cadeaux?

Mettez les événements pour le réveillon de Noël en ordre chronologique.

1. M. et Mme Gaillot mettent les cadeaux pour leurs enfants sous le sapin de Noël.
2. M. Gaillot range les manteaux des invités.
3. La belle-mère de Mme Gaillot l'aide dans la cuisine.
4. M. Gaillot invite ses parents et son oncle.
5. M. et Mme Gaillot emmènent leurs invités au salon.
6. Mme Gaillot sert le repas.
7. Les Gaillot les accueillent à la porte le soir du réveillon.

Communiquez!

3 Invitations

Interpersonal Communication

À tour de rôle, invitez votre partenaire qui va dire s'il ou elle a quelque chose de prévu ou pas.

> Tu voudrais venir au concert ce soir?

> Oui, je n'ai rien de prévu.

MODÈLE   le ciné-club jeudi soir

A: **Tu voudrais m'accompagner au ciné-club jeudi soir?**

B: **Oui, je n'ai rien de prévu.**

ou

Non, désolé(e), j'ai quelque chose de prévu.

1. l'aquaparc cet été
2. le complexe sportif mercredi après-midi
3. la MJC mardi soir
4. le festival de musique le 14 décembre
5. la discothèque samedi soir
6. la soirée de Léo le 31 décembre

4 À table!

Dites ce que Mme Gaillot a servi comme....

1. apéritif
2. hors-d'œuvre
3. plat principal
4. dessert

Écrivez les numéros 1–6 sur votre papier. Écoutez la description du réveillon de Noël chez les Dupont. Ensuite, écrivez un mot ou une expression pour répondre aux questions que vous entendez.

6 **Questions personnelles**

Répondez aux questions.

1. Quand est-ce qu'on sert la dinde chez toi?
2. As-tu déjà mangé du canard? des côtes de chevreuil? des mandarines? des huîtres?
3. Qu'est-ce que tu mets sur les toasts?
4. Qu'est-ce que tu fais pour accueillir tes amis quand ils te rendent visite?
5. Quels cadeaux est-ce que tu vas offrir à ta famille cette année?
6. Est-ce que tu as quelque chose de prévu pour samedi soir?

Une assiette d'huîtres.

J'ai goûté au magret de canard, mais je n'aime pas.

Une invitation

Les parents d'Élodie et de Léo prennent un café au salon et discutent à propos du réveillon de Noël.

Mère: Bon, tu es d'accord, mais qui est-ce qu'on invite pour le réveillon?

Père: Appelle les Martin... je suis sûr qu'ils n'ont rien de prévu.

Mère: C'est un peu tard, non? On est quand même à cinq jours du réveillon.

Père: Écoute, tu leur dis qu'on improvise quelque chose....

Mère: Et s'ils disent qu'ils ont déjà accepté une invitation?

Père: Eh bien, on passera le réveillon en famille... vas-y, appelle, je te dis!

(La mère d'Élodie et de Léo téléphone à Amélie Martin.)

Mère: Allô? Amélie, je ne te dérange pas? C'est pour le réveillon de Noël, vous faites quelque chose?

Amélie: Non....

Mère: Vous aimeriez venir passer la soirée du réveillon avec nous?

Amélie: Pourquoi pas? On n'a rien de prévu... mais vous, vous n'avez rien accepté de votre côté?

Mère: Non... puisque je vous invite... on avait envie d'une soirée un peu tranquille, en petit comité.

Amélie: Ça tombe bien, alors! C'est moi qui fais les toasts. J'insiste!

Mère: C'est gentil. Au 24, alors!

---

7 Une invitation

Répondez aux questions.

1. Pourquoi est-ce que la mère d'Élodie et de Léo téléphone à Amélie?
2. Qui a l'idée de téléphoner aux Martin?
3. Si les Martin n'acceptent pas l'invitation, que va-t-il se passer?
4. La mère d'Élodie et de Léo prévoit (*foresees*) quelle sorte de soirée?
5. Qu'est-ce que Mme Martin offre de préparer?
6. La soirée, c'est pour fêter quelle fête?

Une autre fête: Le réveillon de la Saint-Sylvestre

Le 27 décembre, M. et Mme Laurent parlent d'une fête qui s'approche.

M. Laurent:	Tiens regarde, j'ai préparé un carton d'invitations pour le réveillon.
Mme Laurent:	Très joli... tu le tires sur papier ou tu l'envoies aux Roland par Internet?
M. Laurent:	Par Internet, chérie... Comme dit ton fils "pensez à économiser la planète." Et qu'est-ce que tu vas servir?
Mme Laurent:	Tu sais, les Roland sont difficiles: pas trop gras pour lui, pas de viande pour elle, pas trop de sucre pour les deux...
M. Laurent:	À ce rythme-là, ce n'est pas un menu de réveillon qu'il faut préparer mais leur proposer le menu minceur de leur cure de thermalisme.

Extension De quoi est-ce que la mère se plaint? Pourquoi? Son mari est-il du même avis?

Le réveillon de Noël

En France, le réveillon de Noël du 24 décembre est aussi important, sinon* plus, que le jour de Noël lui-même. La soirée se passe* généralement en famille, contrairement au réveillon du nouvel an (nuit de la Saint-Sylvestre), qui réunit plutôt les amis. Le soir du réveillon, on dîne en famille, contrairement au jour de Noël, où toute la famille (grands-parents, oncles, tantes, etc.) se réunit pour le déjeuner. Le repas du réveillon est un vrai festin*. On mange souvent des toasts aux œufs de lump, des huîtres, du saumon fumé, et de la dinde aux marrons. En dessert, on sert un gâteau spécial, une bûche de Noël.

Le réveillon est un vrai moment de fête.

La France étant un pays de tradition catholique, certaines familles assistent à la messe de minuit. Les enfants mettent leurs chaussons* sous le sapin de Noël avant d'aller se coucher. Selon leur âge, ils pensent que le père Noël y déposera des cadeaux, qu'ils trouveront à leur réveil*, le 25 décembre.

 Search words: noël en france

___

sinon *if not*; **se passe** *is spent*; **festin** *feast*; **chaussons** *slippers*; **à leur réveil** *upon waking*

Produits

La bûche de Noël est un gâteau en forme de bûche (*log*). Traditionnellement, elle est à base de crème au beurre (*butter cream*), mais depuis plusieurs années on peut trouver une version glacée (*iced*). La bûche de Noël existe en plusieurs parfums: vanille, praliné, chocolat, ou café. Le pâtissier la décore avec des Pères Noël, des haches (*axes*), des scies (*saws*), des lutins (*elves*), etc. en sucre. Cette tradition existe dans de nombreux pays francophones comme en France et en Belgique.

COMPARAISONS

Quelles sont vos traditions familiales pour les fêtes?

La Francophonie

Les dattes et le thé commencent le repas de la fête de l'Aïd.

✳ Les fêtes au Maghreb

À la fin du mois sacré du Ramadan, on fête la rupture (la *id al-fItr* en arabe, "fête de la rupture") du jeûne*. C'est la fête de l'Aïd. Elle s'accompagne de tout un cérémonial: il y a le don* de rupture du jeûne (la *Zakat el-Fitr*), la prière, le repas avec les dattes, la présentation des vœux* à la famille et aux amis.

Au Maghreb, c'est la tradition de préparer des gâteaux aux amandes ou à la pistache. Les enfants et les maris aident les femmes en amenant les immenses plateaux* remplis de pâtes dans les boulangeries de quartier qui louent leurs fours. L'acte le plus important de la fête est le don aux pauvres de la communauté. Les enfants reçoivent de l'argent et des cadeaux.

En France, avec cinq millions de Musulmans, cette fête devient importante. Dans les grandes villes (Paris, Lyon, Lille, Marseille, par exemple), elle donne lieu à de grands rassemblements* (parfois plus de 10.000 personnes). À Paris, la Mairie de Paris ouvre l'Hôtel de Ville de Paris aux Musulmans et à tous ceux et celles qui veulent partager cette fête. La fête de l'Aïd a pris une dimension nationale. C'est aussi une occasion de lutter contre l'islamophobie.

 Search words: ramadan, aïd el-fitr

---

jeûne *fasting;* **don** *cadeau;* **vœux** *wishes;* **plateaux** *trays;* **rassemblements** *gatherings*

 Mots-clé | **Fête** (du latin *festa*, 1050). Le mot renvoie d'abord à un contexte religieux avant de désigner une rupture avec la vie quotidienne (XIIème), puis une commémoration (XIVème). Il désigne toute occasion de débauche surtout dans **faire la fête** (1880); il apparaît dans les années 1960 dans une expression où il désigne une menace: **ça va être ta fête**.

8 Activités culturelles

Faites les activités suivantes.

1. Comparez les plats servis pour le réveillon de Noël en France et en Amérique. Servez-vous d'un organigramme Venn.
2. Faites un dessin qui montre la tradition du jour de Noël pour les enfants en France et dans votre pays.
3. Trouvez la date de l'Aïd el-Fitr cette année.
4. Consultez l'Internet sur les événements en France pour voir comment est célébrée l'Aïd el-Fitr cette année.
5. Trouvez en ligne une recette pour un couscous ou un gâteau d'Aïd el-Fitr. Cochez les ingrédients que vous avez à la maison et faites une liste des ingrédients qu'il vous faut acheter. Vous allez servir 12 personnes.

Ce dessert est une bûche de Noël.

Perspectives

"Avant d'aller faire la prière rituelle à la mosquée, nous distribuons la *Zakat el-Fitr*, l'aumône donnée aux pauvres par acte de générosité et de compassion. Ce don purificateur permet aux personnes pauvres de ne pas avoir faim et représente une libération de la mendicité (*begging*) en ce jour sacré." Selon ce Musulman, quel est le but de la *Zakat el-Fitr*?

Du côté des médias

Interpretive Communication

Lisez l'introduction et la liste des jours fériés en France.

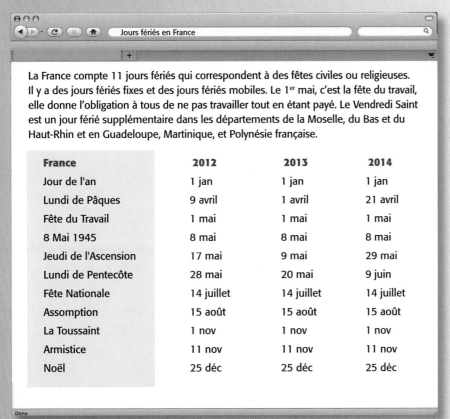

La France compte 11 jours fériés qui correspondent à des fêtes civiles ou religieuses. Il y a des jours fériés fixes et des jours fériés mobiles. Le 1er mai, c'est la fête du travail, elle donne l'obligation à tous de ne pas travailler tout en étant payé. Le Vendredi Saint est un jour férié supplémentaire dans les départements de la Moselle, du Bas et du Haut-Rhin et en Guadeloupe, Martinique, et Polynésie française.

France	2012	2013	2014
Jour de l'an	1 jan	1 jan	1 jan
Lundi de Pâques	9 avril	1 avril	21 avril
Fête du Travail	1 mai	1 mai	1 mai
8 Mai 1945	8 mai	8 mai	8 mai
Jeudi de l'Ascension	17 mai	9 mai	29 mai
Lundi de Pentecôte	28 mai	20 mai	9 juin
Fête Nationale	14 juillet	14 juillet	14 juillet
Assomption	15 août	15 août	15 août
La Toussaint	1 nov	1 nov	1 nov
Armistice	11 nov	11 nov	11 nov
Noël	25 déc	25 déc	25 déc

9   Les jours fériés en France

Faites les activités suivantes.

1. Comptez les fêtes civiles.
2. Comptez les fêtes religieuses.
3. Comptez les jours fériés fixes.

4. Choisissez un jour férié et faites des recherches sur Internet; puis, faites une présentation en classe.

Révision: Interrogative Pronouns

See if you can write a question for each answer below, using interrogative pronouns.

1. Amélie est la personne qui a invité des amis à dîner.
2. Il y a un bouquet sur la table.
3. Elle a invité M. et Mme Dumont.
4. Amélie a fait la cuisine avec sa fille.
5. Elles se sont servies des recettes de la mère d'Amélie.

If you were unable to come up with some of the questions, then read the grammar summary below to review.

Interrogative pronouns are used to ask for information. The pronoun you use depends on whether you are referring to a person or a thing and on whether the pronoun is the subject, direct object, or object of a preposition.

	Subject	**Direct Object**	**Object of Preposition**
People	{ qui { qui est-ce qui	{ qui (+ inversion) { qui est-ce que	qui
Things	qu'est-ce qui	{ que (+ inversion) { qu'est-ce que	quoi

Use **qui**, **qui est-ce qui**, or **qu'est-ce qui** as the subject of the verb.

Qui mange les huîtres?	*Who is eating oysters?*
Qui est-ce qui mange les huîtres?	*Who is eating oysters?*
Qu'est-ce qui est sous le sapin de Noël?	*What's under the Christmas tree?*

Use **qui**, **qui est-ce que**, **que**, or **qu'est-ce que** as the direct object of the verb.

Qui invites-tu?	*Whom are you inviting?*
Qui est-ce que tu invites?	*Whom are you inviting?*
Qu'achètent-ils?	*What are they buying?*
Qu'est-ce qu'ils achètent?	*What are they buying?*

Use **qui** or **quoi** as the object of a preposition.

| **À qui** est-ce que tu téléphones? | *Whom are you calling?* |
| **De quoi** as-tu envie comme cadeaux? | *What do you want for presents?* |

INTERROGATIVE PRONOUNS:

1. Qui a invité des amis à dîner?
2. Qu'est-ce qu'il y a sur la table?
3. Qui est-ce qu'elle a invité?
4. Avec qui Amélie a-t-elle fait la cuisine?
   Avec qui est-ce qu'Amélie a fait la cuisine?
5. De quoi se sont-elles servies?
   De quoi est-ce qu'elles se sont servies?

Complétez la phrase avec l'expression interrogative convenable.

1. ... fête le Ramadan? Les Musulmans fêtent le Ramadan.
2. ... est-ce qu'on fête le Ramadan? On fête le Ramadan avec sa famille et ses amis.
3. ... les enfants reçoivent? Ils reçoivent des cadeaux et de l'argent.
4. ... les Musulmans aident pendant le Ramadan? Ils aident les gens pauvres.
5. ... on prépare à la fin du Ramadan? On prépare de délicieux gâteaux à la fin du Ramadan.
6. ... il y a dans les gâteaux? Il y a souvent des amandes.
7. ... prépare les gâteaux? Les mères préparent tous les gâteaux, mais les autres membres de la famille les aident.
8. ... est-ce qu'on parle le jour de *l'Aïd-el-Fitr?* On parle du délicieux repas.

11 Le réveillon de Noël chez les Lagarde

Votre ami vous a envoyé des photos du réveillon sur son smartphone. Utilisez une des expressions interrogatives ci-dessous pour poser des questions. Votre partenaire va jouer le rôle de votre ami et vous répondre.

| qu'est-ce qui | qui | de quoi | qu'est-ce que | à qui | qui est-ce que |

MODÈLE

accueillir les invités
Qui accueille les invités?

1. ranger les manteaux

2. emmener les grands-parents au salon

3. embêter

4. être sur la table

5. servir

6. téléphoner

7. parler

12 Qui et quoi à Noël?

Écoutez les réponses suivantes. Ensuite, choisissez la question correspondante.

1. A. Qu'est-ce que tu vas manger en hors-d'œuvre?
   B. Qui est-ce que tu vas manger en hors-d'œuvre?
2. A. Que va-t-il mettre dans les assiettes?
   B. Qui va-t-il mettre dans les assiettes?
3. A. Qu'est-ce qui va offrir des cadeaux?
   B. Qui est-ce qui va offrir des cadeaux?
4. A. De quoi vas-tu préparer?
   B. Que vas-tu préparer?

5. A. De quoi ta mère va-t-elle avoir besoin?
   B. Qu'est-ce que ta mère va servir?
6. A. Qu'est-ce qui va être invité?
   B. Qui est-ce qu'on va inviter?
7. A. Pour qui vas-tu préparer la bûche de Noël?
   B. De qui vas-tu parler?
8. A. Qui va accueillir ta famille?
   B. Que va accueillir ta famille?

Révision: Direct Object Pronouns: *me, te, le, la, nous, vous, les*

emcl.com
WB 9–10
Games

Do you remember where to place direct object pronouns in a sentence? Why is there an **–e** on the past participle in the exchange below?

-**Marie, tu as bu la limonade?**
-**Oui, je l'ai bue.**

If you weren't able to answer the questions above, then read the grammar summary to review direct object pronouns.

Direct object pronouns answer the question "who" or "what" and replace direct objects. **Le**, **la**, and **les** may refer to either people or things; **me**, **te**, **nous**, and **vous** refer only to people.

	Masculine	Feminine	Before a Vowel Sound
Singular	me te le	me te la	m' t' l'
Plural	nous vous les	nous vous les	nous vous les

DIRECT OBJECT PRONOUNS: Direct object pronouns are placed in front of the verb of which they are the object. In the **passé composé**, the past participle agrees with the preceding direct object, here **la limonade**, so an **–e** has to be added to show that the word is feminine.

These pronouns come right before the verb of which they are the object. The sentence may be affirmative, interrogative, negative, or have an infinitive.

Désolé! Vous **m'**attendez?

Non, nous ne **t'**attendons pas,
   mais Camille t'attend.

I'm sorry! Are you waiting for me?

*No, we aren't waiting for you,
   but Camille is.*

Les cadeaux? Où **les** mets-tu?

Je vais **les** mettre sous le sapin de Noël.

The presents? Where are you putting them?

I'm going to put them under the Christmas tree.

In the **passé composé**, the past participle agrees in number and in gender with the preceding direct object pronoun.

Les huîtres? Tu **les** as achetées?

Non, mais le foie gras, je **l'**ai acheté.

The oysters? Did you buy them?

No, but the goose liver pâté, I bought it.

---

13 | **Sandrine met le couvert pour la fête.**

*Sandrine met la table pour le réveillon de Noël. Utilisez les pronoms d'objet direct et les expressions **à gauche de**, **à droite de**, **entre**, **sur**, **au-dessus de**, etc. pour dire où elle met chaque chose.*

> **MODÈLE**   les assiettes
> **Elle les met entre les fourchettes et les couteaux.**

1. la nappe
2. les fourchettes
3. les cuillers
4. le verre de Diane
5. le couteau d'Éric
6. les serviettes
7. le poivre
8. la tasse de Diane
9. le bol d'Éric

Communiquez!

14 Tic-Tac-Toe

Interpersonal Communication

Faites une grille comme celle de droite.
À tour de rôle, posez des questions à
votre partenaire. Il ou elle va répondre
avec une phrase qui emploie un pronom
d'objet direct. Essayez de gagner le jeu.
Attention au temps!

m'attendre après les cours	bien comprendre la chimie	voir la prof en ville vendredi soir
mettre la table hier soir	appeler ton ami(e) le soir	savoir les noms de tous les états des États-Unis
aller acheter des tennis ce weekend	nous inviter à ta soirée (Léo et moi)	écouter toujours ta mère

15 Allô!

Dites qui Yasmine a appelé (x) et qui l'a appelée (T).

MODÈLE Noah
Yasmine ne l'a pas appelé, mais Noah
l'a appelée à neuf heures huit.

1. Simone
2. Bruno et toi
3. Thomas
4. Manon
5. Noah et moi
6. Khaled et Simone
7. moi
8. Bruno

Appels		
Thomas	17h30	x
Bruno	12h00	T
Khaled	11h11	x
Noah	9h08	T
moi	9h00	T
Simone	8h55	x
toi	8h32	T
Manon	7h00	T

À vous la parole

Communiquez!

16 Une carte de vœux

Presentational Communication

Envoyez une carte de vœux par Internet à un(e) ami(e), un parent, ou à votre prof à l'occasion d'une fête qui approche. Écrivez un message. Envoyez la carte en suivant les instructions du site web.

🔍 **Search words: dromadaire, cybercartes, cartes de vœux virtuelles**

Communiquez!

17 L'abécédaire des pays maghrébins

Presentational Communication

Pour chaque lettre de l'alphabet, écrivez un mot ou une expression sur le thème du Maghreb. Considérez ces thèmes: l'Islam, la cuisine, la géographie, les gens célèbres, les passe-temps. Pour chaque mot ou expression, donnez une définition. Vous pouvez commencer avec les exemples ci-dessous.

A: *Aïd-el-Fitr:* fête à la fin du Ramadan quand les musulmans offrent un don aux gens pauvres et font un festin

B: **Bourguiba**, Habib: élu président de la république de la Tunisie en 1957

C: **Couscous:** un plat typique servi avec de la viande et des légumes

Communiquez!

18 Viens à la fête!

Interpersonal Communication

Avec un partenaire, jouez les rôles d'un hôte ou d'une hôtesse qui invite des amis pour célébrer la Saint-Sylvestre.

Prononciation

Emphasis within a Sentence

• Within a sentence, a clause, or another word group, only the last word is accentuated, with the last vowel slightly longer than the others.

MODÈLES   Je suis fatigu**é**.
Je suis fatigu**é** d'attendre mon am**i**.

 A   **Une invitation pour le réveillon**

Dans les phrases suivantes, accentuez la dernière syllabe du dernier mot de chaque proposition (clause).

1. Voilà l'invita**tion** que je pro**pose**.   (2 exemples)
2. Comme tu **vois**, c'est tout **simple**.   (2 exemples)
3. On va l'envo**yer** par Inter**net**.   (2 exemples)
4. Je peux en faire une **autre** pour le me**nu**, si tu **veux**.   (3 exemples)
5. Pas du **tout**, la même serait très **bien**, à mon a**vis**.   (3 exemples)

B   **Des dialogues dans la cuisine**

Vous allez entendre les dialogues suivants deux fois. La deuxième fois, vous entendrez uniquement la question. Répondez.

1. Tu pour**rais** me donner un coup de **main**?   Te donner un coup de **main**? Avec plai**sir**!
2. Tu pour**rais** me passer le poi**vre**?   Te passer le poi**vre**? Avec plai**sir**!
3. Tu pour**rais** ouvrir cette **boîte**?   Ouvrir cette **boîte**? Avec plai**sir**!

The Semi-Consonants /ɥ/ et /w/

• The sound /w/ appears in **oui**. The sound /ɥ/ appears in **nuit**.

 C   **Louis, demande-lui!**

Répétez les phrases en faisant attention aux sons /w/ (oui) et /ɥ/ (nuit).

1. (standard) Louis, et la soirée? Je ne sais pas, moi, demande-lui!
2. (familier) Louis, et la soirée? Je ne sais pas, moi, demande-lui!

D   **Écoutons les sons /ɥ/ et /w/**

*Écrivez /w/ si vous entendez un son comme dans **oui**, et /ɥ/ si vous entendez un son comme dans **nuit**.*

Leçon B

Vocabulaire actif

emcl.com
WB 1–3
LA 1–2
Games

Les ustensiles (m.) et les formes (f.)

Donnez-moi le machin....

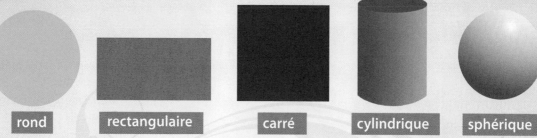

rond | rectangulaire | carré | cylindrique | sphérique

conique | cubique | en forme de poire

C'est   H   comme ça.   C'est en....

haut

long

large

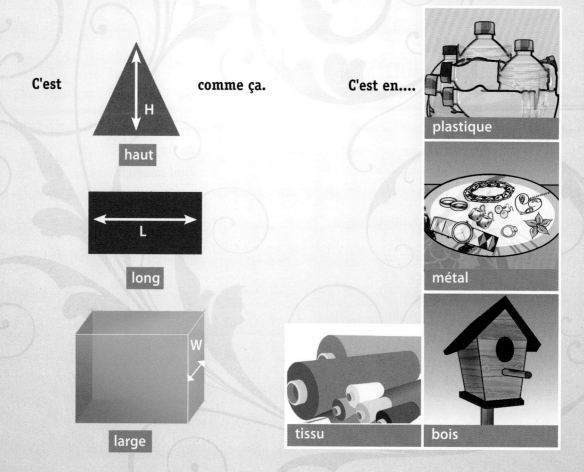

plastique

métal

tissu | bois

Une cuisine bien équipée

emcl.com
WB 4

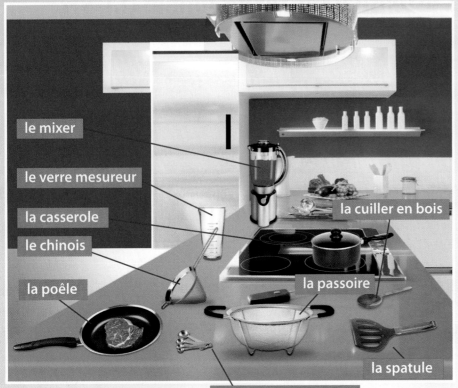

le mixer

le verre mesureur

la casserole

le chinois

la poêle

la cuiller en bois

la passoire

la spatule

une cuiller à mesurer

le mixer: Ça sert à **mélanger** les ingrédients.

la cuiller en bois: Ça sert à **remuer** la sauce.

la casserole: Ça sert à **chauffer** la soupe.

la poêle: Ça sert à **cuire** les steaks.

le verre mesureur: Ça sert à **mesurer** l'eau.

le chinois: Ça sert à **filtrer** les herbes.

la spatule: Ça sert à **racler** la sauce.

Pour la conversation

How do I ask for help?

> **Tu pourrais me donner un coup de main?**

Could you give me a hand?

How do I accept a request for help?

> **Avec plaisir.**

With pleasure.

How do I refuse a request for help?

> **Je crains que non.**

I'm afraid I can't.

How do I hesitate to a request for help?

> **Ça dépend.**

That depends.

How do I ask someone to pass me something?

> **Tu peux me passer** la passoire?

Can you pass me the strainer?

Et si je voulais dire...?

une marmite	*cooking pot*
un moule	*baking pan*
un rouleau à pâtisserie	*rolling pin*
griller	*to grill*
refroidir	*to chill*
rôtir	*to roast*

1 On fait un gâteau.

Pour son club de scouts, Amélie doit trouver les objets suivants dans la cuisine. Faites une liste des ustensiles. Puis, devinez ce qu'elle va préparer.

Trouvez d'abord six fruits rouges dans votre frigo. Coupez-les. Faites fondre (*melt*) cinq grammes de beurre dans une poêle. Ajoutez les fruits. Faites cuire pendant dix minutes en remuant de temps en temps. Pour faire la pâte (*crust*), mettez 300 grammes de farine (*flour*) dans un machin conique en métal; avec un machin en forme d'une grande tasse, ajoutez 50 grammes de sucre. Ajoutez 150 grammes de beurre. Mettez la vanille dans un objet en forme d'une petite cuiller et ajoutez. Vous aurez besoin d'un objet cylindrique pour étaler (*spread out*) la pâte. Faites chauffer le four. Mettez les fruits dessus la pâte. Faites cuire au four à 180°C pendant 35 minutes.

2 Donnez-moi....

Demandez l'objet illustré.

MODÈLE **Donnez-moi le machin cubique en plastique!**

1.

2.

3.

4.

5.

6.

7.

3 Passez-moi l'objet....

Demandez qu'on vous passe l'objet en décrivant de quoi il est fait.

bois   velours   métal   coton   plastique   soie   laine

MODÈLE    **Passe-moi l'objet en velours.**

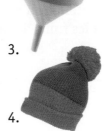

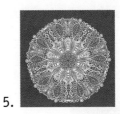

1.   2.   3.   4.   5.   6.

4 Ça sert à quoi?

Dites à quoi l'ustensile sert et comment il s'appelle.

mélanger les ingrédients   chauffer la sauce   cuire les steaks   mesurer les liquides
remuer les ingrédients   rinser les légumes   racler la sauce

MODÈLE   **Ça sert à remuer les ingrédients. C'est une cuiller en bois.**

1.   2.   3.

4.   5.   6.

5 À quoi ça sert?

Écrivez les numéros 1–6 sur votre papier. Écoutez les descriptions suivantes. Ensuite, choisissez l'objet qui correspond à la définition.

A. le chinois   B. le mixer   C. la spatule

D. la passoire   E. la casserole   F. le verre mesureur

6 Questions personnelles

Répondez aux questions.

1. De quels ustensiles est-ce que tu te sers pour préparer ton plat préféré? C'est quoi?
2. Quand tu fais la cuisine, te sers-tu d'un verre mesureur ou est-ce que tu préfères deviner combien d'ingrédients il faut ajouter (*add*)?
3. En quoi est ton verre mesureur, en plastique ou en verre?
4. À qui est-ce que tu donnes un coup de main dans la cuisine en général?
5. Quelle forme a ton clavier? Ton CD? Ton écran de portable?

Moi, je me sers de deux spatules pour les grillades!

Comment ta cuisine est-elle différente?

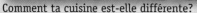

On fait la cuisine.

Le père d'Élodie et de Léo prépare le dîner avec l'aide de son fils.

Léo: Hum... ça sent bon ici!

Père: Bon ben, pas touche... tu vas me faire rater la sauce.

Léo: Ah bon eh bien, je m'en vais alors....

Père: Non, non, reste là... tu pourrais me donner un coup de main?

Léo: Mais avec plaisir.

Père: Tu peux me passer la passoire?

Léo: Tiens!

Père: Non, ce n'est pas ça.

Léo: C'est quoi alors?

Père: Tu sais bien, elle est ronde et conique, un peu plus étroite que celle-là, en métal et haute comme ça. Ça sert à filtrer les herbes.

Léo: Il n'y a rien qui ressemble à ça....

Père: Mais si tu vois bien ce que je veux dire.... Oh, ça s'appelle comment déjà?

(La mère de Léo entre dans la cuisine.)

Mère: Un chinois! Il est devant toi... posé sur la casserole dans laquelle tu vas verser la sauce.

Père: Toujours la même chose: rien n'est jamais à sa place.

Mère: Moi qui l'avais posé là pour t'avancer....

---

7 **On fait la cuisine.**

Identifiez la personne.

1. Cette personne fait la cuisine parce qu'on invite des amis pour le réveillon de Noël.
2. Cette personne a besoin d'un chinois.
3. Cette personne a du mal à trouver un ustensile.
4. Cette personne décrit l'ustensile.
5. Cette personne a voulu avancer la préparation du repas.

Extension **Leïla rend un service à son frère.**

Leïla et son frère Khaled sont dans la kitchenette.

Khaled: Tu pourrais me donner un coup de main? Il faut juste que tu ouvres ces boîtes.

Leïla: Oui, comment?

Khaled: Avec un... j'oublie le nom. C'est un machin en métal, avec deux poignées recouvertes de plastique blanc, une petite molette avec des dents qui mord le métal.

Leïla: Il faut acheter un ouvre-boîte électrique pour Maman pour Noël. C'est le Moyen Âge ici!

Extension De quoi est-ce que Khaled a besoin? Comment est la cuisine de sa mère?

La cuisine française

Longtemps la cuisine a occupé une part importante du budget des familles françaises et aussi une part importante de leur temps. Mais, vous pouvez voir dans les graphiques ci-dessous que cela a changé. Même si les femmes restent majoritairement celles qui font la cuisine (75%), les hommes participent de plus en plus à la préparation des repas (44%).

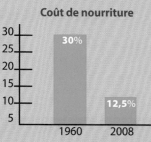

Coût de nourriture

30% (1960)
12,5% (2008)

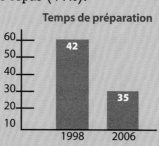

Temps de préparation

42 (1998)
35 (2006)

La paëlla est un bon plat espagnol à servir à ses invités.

Dans la majorité des familles, la préparation des repas a beaucoup changé. On ne cuisine plus, on "assemble" les ingrédients déjà préparés: des pâtes, des viandes, de la volaille* avec des sauces et des assaisonnements* souvent pré-cuisinées. Et la gastronomie traditionnelle à base de plats mijotés*, ou de plats au four, est en forte diminution, par manque de temps. Désormais*, la cuisine est rapide (steak, poisson grillé, pâtes) et plus diététique (légumes cuits à la vapeur*, salades composées sucrées-salées, salades de fruits au lieu des desserts traditionnels).

La cuisine du plat unique est aussi de plus en plus populaire: ici ce sont les influences italienne (la pizza), espagnole (la paëlla), maghrébine (couscous), et asiatique (cuisine au wok) qui ont modifié les habitudes gastronomiques des Français.

Ce qui domine dans la pratique gastronomique des Français, c'est une grande liberté: on mélange des ingrédients d'origines différentes, on détourne* les techniques de cuisson venues d'ailleurs, on associe des genres culinaires variés.

 Search words: recettes, faire les courses en ligne, cuisine française

---

volaille *poultry*; **assaisonnements** *seasonings*; **mijotés** *simmered*; **Désormais** *From now on*; **cuits à la vapeur** *steamed*; **détourne** *diverts*

 Mots-clé | **Cuisine** vient du bas-latin: *cocina*, 1155. Dès son origine, il a le sens du lieu où l'on cuisine et l'art de cuisiner. Il désigne surtout un espace spécifique dans les milieux nobles et bourgeois; il est inconnu du monde paysan et ouvrier jusqu'à la fin du XIXème siècle.

COMPARAISONS

Dans votre famille, est-ce que vous "assemblez" les ingrédients la plupart du temps ou est-ce que vous prenez le temps de cuisiner? Qu'est-ce que vous mangez qui n'est pas considéré "américain"?

Produits

Pour la formation (*professional preparation*) culinaire, une destination prestigieuse est **Le Cordon Bleu**, avec ses 30 écoles à travers (*throughout*) le monde. Son but est de partager et répandre (*to spread*) la culture et l'art de vivre à la française qui remontent (*dates back*) au moyen âge. Ses enseignants sont des chefs de la gastronomie de niveau international. Les étudiants acquièrent (*acquire*) des connaissances théoriques et une expérience pratique. Une fois nommés chefs, ils travaillent dans les meilleurs restaurants et hôtels du pays et du monde.

Les apprentis chefs du Cordon Bleu apprennent à faire de la haute cuisine.

 Search words: cordon bleu paris

---

8 Activités culturelles

Faites les activités suivantes.

1. Écrivez un paragraphe dans lequel vous expliquez les deux graphiques.
2. Voici ce qui caractérise aujourd'hui la cuisine française; illustrez chaque phrase par un exemple de repas.
   - On ne cuisine plus, on assemble.
   - On fait une cuisine à base de cuisson rapide.
   - On fait une cuisine avec un plat unique.
   - On mélange les ingrédients d'origine géographique différentes.
3. Faites une carte qui montre où se trouvent les 30 écoles Cordon Bleu.
4. Écrivez un dialogue qui emploie une expression du dico gastronomique. Vous devriez montrer que vous comprenez le sens de l'expression.

Perspectives

"La cuisine est devenue ludique, mais elle est aussi une pratique multiculturelle et traduit un esprit d'accueil et d'ouverture." Pourquoi ce chef est-il pour les changements récents de la cuisine française?

Mon dico gastronomique

Il a mangé du lion. *Il a une énergie incroyable.*
Il s'est mis à table. *Il a avoué.*
Je ne suis pas dans mon assiette. *Je ne me sens pas bien.*
Ne me raconte pas de salades. *N'essaie pas de m'embrouiller avec des mensonges.*

Du côté des médias

Lisez l'article du site du Cordon Bleu à Paris.

Le Cordon Bleu est fier de vous annoncer la sortie en France du film *Julie & Julia* inspiré de l'ouvrage du même nom.

Le livre, qui était à l'origine un blog, retrace l'histoire de Julie Powell, secrétaire trentenaire, qui décide de prendre une année sabbatique pour réaliser en 365 jours les 524 recettes du livre *Mastering the Art of French Cooking* de la célèbre chef américaine Julia Child, diplômée de l'école Le Cordon Bleu Paris en 1951.

Julia Child a été l'une des premières femmes à mettre en valeur les techniques culinaires françaises enseignées à l'école Le Cordon Bleu Paris auprès du grand public américain par le biais d'émissions de télévision et de nombreux ouvrages. Julia Child a reçu la Légion d'Honneur en 2000 et la Médaille Présidentielle de la Liberté en 2003. Le projet de Julie Powell présente Julia Child comme un modèle à suivre pour les nouvelles générations de chefs et d'amateurs culinaires enthousiastes.

Devant le succès rencontré par le livre *Julie & Julia*, Columbia Pictures a produit le film avec en tête d'affiche, Meryl Streep dans le rôle de Julia Child, Amy Adams dans le rôle de Julie Powell et Stanley Tucci dans le rôle de Paul Child. Le succès du film aux États-Unis a permis au livre de Julia Child, *Mastering the Art of French Cooking,* de devenir un best-seller près de 50 ans après sa parution originale.

9 | Le Cordon Bleu présente *Julie et Julia.*

*Indiquez si chaque phrase est vraie (**V**) ou fausse (**F**). Corrigez les phrases fausses.*

1. *Julie & Julia* est d'abord un blogue, puis un livre, finalement un film.
2. Le but de Julie est de préparer 250 recettes du Cordon Bleu.
3. Julia Child est connue seulement pour les recettes de ses livres.
4. Amy Adams joue le rôle de Julia Child dans le film.
5. *Mastering the Art of French Cooking* est devenu un best-seller après la sortie du film.

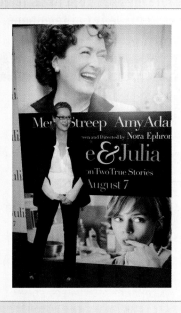

Structure de la langue

emcl.com
WB 7–9
Games

Révision: Indirect Object Pronouns: *me, te, lui, nous, vous, leur*

Do you remember how indirect object pronouns different from direct object pronouns? Are they placed differently too? What are some verbs that take indirect object pronouns?

If you can't answer the questions above, then read the grammar summary below to review.

	Masculine or Feminine	Before a Vowel Sound
Singular	me te lui	m' t' lui
Plural	nous vous leur	nous vous leur

These pronouns come right before the verb of which they are the object. The sentence may be affirmative, interrogative, negative, or have an infinitive.

Tu peux **me** donner un coup de main?	*Can you give me a hand?*
Non, je ne **te** donnerai pas un coup de main.	*No, I won't give you a hand.*
Vous offre-t-il un cadeau?	*Is he offering you a gift?*
Oui, il **nous** offre des machins en bois.	*Yes, he is offering us some things made of wood.*

Unlike direct objects, indirect objects do not agree in number and gender with the past participle in the **passé composé**.

Laure et Lise? Tu **leur** as téléphoné?	*Laure and Lise? Did you phone them?*
Lise, oui. Je **lui** ai téléphoné.	*Lise, yes. I phoned her.*

10 Invitation et préparatifs

*Répondez aux questions sur les deux premiers dialogues en utilisant **lui** ou **leur**.*

1. Pourquoi est-ce que la mère d'Élodie et de Léo téléphone à Amélie Martin?
2. Qu'est-ce que le père propose de dire aux Martins?
3. Qu'est-ce qu'Amélie offre à son amie?
4. Qui donne un coup de main à son père dans la cuisine?
5. Est-ce que le machin que le père cherche ressemble à une passoire?
6. Qui montre au père où se trouve le chinois?

INDIRECT OBJECT PRONOUNS: Indirect object pronouns are saying "to me,""to you,""to her," for example. No, like direct object pronouns, indirect object pronouns are also placed before the verb of which they are the object. Some verbs that take indirect object pronouns include **donner, parler, montrer, téléphoner, ressembler à.**

11 Les cadeaux de mariage

L'année dernière beaucoup d'amis et de couples qu'Isabelle connaît se sont mariés. Voici la liste des cadeaux qu'elle leur a offert. Dites ce qu'elle a offert à chaque personne ou couple.

MODÈLE

Sabrina et Édouard
Isabelle leur a offert une passoire et un chinois.

   Olivier

1.

   Fred et Julie

2.

   Bruno et toi

3.

   Assia

4.

   Djamel et Leïla

5.

   Mamadou et Lamina

6.

   Éric et moi

7.

   toi

8.

   Chloé

9.

   moi

10.

   Jamila et Théo

11.

   Abdel-Cader

12.

Complétez chaque dialogue avec un pronom indirect.

1. -Qu'est-ce que tu vas offrir à ta mère pour la Fête des mères?
   -Je vais... offrir un foulard en soie.
2. -Vous allez remercier vos grands-parents pour vos cadeaux de Noël?
   -Nous... avons déjà écrit.
3. -Tu nous montres tes photos de Noël?
   -Non, je ne... montre pas mes photos de Noël.
4. -C'est mon anniversaire dimanche.
   -Je... dis "Bon anniversaire" alors.
5. -Qu'est-ce que ton père t'a envoyé de Québec pour ta fête?
   -Il... a envoyé un CD québécois et un blouson en cuir.
6. -Vous allez... téléphoner pour nous dire quand aura lieu votre soirée?
   -Je peux vous dire maintenant même que c'est le 14 février.

Révision: *C'est* vs. *il/elle est*

emcl.com
WB 10–11
Games

Which expression above do you use with a proper or modified noun? Which one do you use with an adjective or stress pronoun?

If you can't answer the questions above, then read the grammar summary below to review.

Both **c'est** and **il/elle est** can mean "it is" as well as "he/she is." The expression that you use depends on what follows the verb **être**.

C'est Kenji Tanaka.
C'est un ado.
Il est japonais.
C'est un élève diligent?
Oui, c'est lui!

C'EST vs IL/ELLE EST; C'est takes both a proper or modified noun. Il/Elle est... is followed by an adjective or stress pronoun.

C'est....		
+ proper noun	**C'est** Christiane Rochefort?	*Is it Christiane Rochefort?*
+ modified noun	**C'est** un écrivain français.	*She's a French writer.*
+ stress pronoun	Oui, **c'est** elle.	*Yes, it is she.*
+ adjective referring to previous idea	Et son roman, **ce n'est pas** difficile.	*And her novel, it isn't difficult.*
Il/Elle est....		
+ adjective	**Il n'est pas** bon marché.	*It isn't cheap.*
+ profession	**Elle est** metteur en scène.	*She is a director.*
+ nationality	**Il est** sénégalais.	*He is Senegalese.*
+ previously mentioned person or thing	Où est le magasin? **Il est** là-bas.	*Where is the store? It is over there.*
Il est....		
+ main idea of a sentence	**Il est** nécessaire d'étudier pour le bac.	*It is necessary to study for the bac.*

13 C'est qui?

Écrivez les numéros 1–6 sur votre papier. Écoutez les descriptions. Puis, choisissez la personne décrite.

A. Kristen Stewart   B. Hillary Rodham Clinton   C. Dany Boon
D. Donald Trump   E. Claude Monet   F. Natasha St-Pier

14 Des Francophones célèbres

*Choisissez **C'**, **Il**, ou **Elle** pour compléter les descriptions. Finalement, devinez à qui correspond chaque description en choisissant un nom de la liste.*

> Natasha St-Pier   Toulouse-Lautrec   Audrey Tautou   Tahar Ben Jelloun
> Marie-Antoinette   Jeanne d'Arc

1. ... est une actrice. ... est française. ... est attachante dans le rôle d'Amélie Poulain, la serveuse de Montmartre.
2. ... est un homme marocain. ... est un écrivain célèbre qui parle du racisme. ... est lui qui a écrit un livre pour sa fille.
3. ... est une chanteuse canadienne. ... est elle qui chante des chansons romantiques. ... est jolie femme.
4. ... est un artiste petit. ... est lui qui habitait à Montmartre. ... est nécessaire de connaître ses affiches des cabarets et des théâtres de son quartier.
5. ... est une jeune femme courageuse. ... est elle qui a combattu contre les Anglais pendant la guerre de Cent ans.
6. ... est une reine de l'histoire de France. ... était une belle femme riche.

À vous la parole

Communiquez!

15 Devinettes

Interpersonal Communication

À tour de rôle avec votre partenaire, pensez à un objet, par exemple, quelque chose qu'on a typiquement dans la cuisine, à l'école, ou dans votre chambre. Donnez des indices à votre partenaire, mais seulement un à la fois. Si votre partenaire devine après avoir reçu le premier indice, il ou elle marque trois points; après le deuxième indice, il ou elle marque deux points; après le troisième indice, il ou elle marque un point. Le premier à marquer dix points gagne. Suivez le modèle.

MODÈLE	
Vous:	Je pense à un objet dans la cuisine. Il est long comme ça.
Partenaire:	C'est une casserole?
Vous:	Non. C'est un objet en métal.
Partenaire:	C'est un mixer?
Vous:	Non. Ça sert à faire cuire les steaks.
Partenaire:	C'est une poêle?
Vous:	Oui. Tu marques un point.

Communiquez!

16 J'enrichis mon vocabulaire.

Il y a beaucoup d'expressions françaises dans le dictionnaire anglais. Certaines sont utilisées dans le contexte de la cuisine et de la restauration. Faites huit phrases en anglais qui utilisent des mots de la liste ci-dessous. Vous devez montrer que vous comprenez bien le sens du mot ou de l'expression.

Pas acceptable: I ordered à la carte.
Acceptable: I paid more ordering à la carte—first, a plate of snails for 12 euros, then a spinach soufflé that cost 15.

à la carte	crème de la	au gratin
à votre santé	crème	haute cuisine
charcuterie	hors-d'œuvre	chef
(food, not place)	entremets	maître d'hôtel
connoisseur	gourmand	RSVP
cordon bleu	gourmet	

Communiquez!

17 Chef du Cordon Bleu

Presentational Communication

D'abord, trouvez une recette simple en ligne. Ça peut être une recette française, martiniquaise, maghrébine, etc. Vous allez filmer votre préparation comme pour une émission de cuisine. Montrez les ingrédients à vos spectateurs, puis chaque étape de la préparation. Montrez votre vidéo à la classe. Apportez votre plat en classe pour vos camarades de classe.

 Search words: recettes + nationalité, par exemple, recettes marocaines

Using Circumlocution

Vous voulez dire quelque chose en français mais vous ne connaissez pas le mot exact. La meilleure solution est de définir le mot en faisant des phrases avec des mots que vous connaissez déjà. Cette technique s'appelle la circonlocution; elle vient de deux mots latins et signifie "parler autour". Il est important de pratiquer la circonlocution lorsque nous apprenons une langue étrangère. Elle vous permet d'enrichir vos conversations en français. Voici un petit truc très utile pour parler d'un object dont vous ne connaissez pas le nom; identifiez sa forme, de quoi il est fait, et quand et où il est utilisé, par exemple: **S'il vous plaît, je cherche un objet conique en métal pour la cuisine qui sert à filtrer les herbes. (un chinois)**

18 Vous pouvez m'aider?

Imaginez que vous venez de vous installer en France. Vous avez besoin de beaucoup de choses pour votre nouvel appartement. Le problème c'est que vous ne connaissez pas le nom de tous ces objects. Essayez de décrire les objets ci-dessous selon le modèle. Utilisez le vocabulaire de la Leçon B.

1. (un vase)

2. (une louche)

MODÈLE

(un porte-stylos)

C'est un objet cylindrique en métal. Ça sert à ranger les stylos.

3. (un entonnoir)

4. (une boîte à mouchoirs)

5. (un grille-pain)

6. (un couvercle)

19 Devinez!

*Utilisez des gestes (**Il est haut/long/large comme ça.**) pour commencer un jeu avec votre partenaire. Votre partenaire doit identifier l'objet dont vous faites la description. S'il ou elle ne peut pas le deviner tout de suite, donnez plus de détails, par exemple, **On s'en sert à l'école.** Vous pouvez également préciser sa forme et en quoi il est fait. Voici quelques suggestions:*

| une trousse | une calculatrice | un sac à dos | une raquette de tennis | un gant de toilette |

MODÈLE **C'est un objet rond ou carré que l'on porte au bras gauche en général. Il (une montre) indique l'heure. Il permet de ne pas être en retard.**

Vocabulaire actif

emcl.com
WB 1–4
LA 1–2
Games

L'art de la conversation

la politique

C'est bientôt **les élections présidentielles**. Les Français vont-ils **voter** pour **le candidat** du **parti politique socialiste** cette année?

la mode

Pour le **prêt-à-porter** femmes, on remarquera la **longueur des jupes** cette saison.
Le **look tradi** sera à la page.

le cinéma

On passe une comédie **dramatique** au Gaumont. **Réalisé** par Noémie Lvovsky, le film *Camille redouble* a été **tourné** en France et a reçu deux **récompenses**.

les médias

On **passe** le nouveau **hit** de Faudel à la radio.
Ce **blogueur** suit les manifestations à Paris.

le sport

Sylvain **s'est entraîné** au **club** pour le **championnat d'athlétisme**.
Il a gagné **une médaille**.

l'économie

À cause de l'**endettement** des pays, le **PNB** de l'Europe a **baissé**.
La hausse du **taux d'inflation** réduit la **valeur** des **revenus**.

Pour la conversation 🎧

How do I express I can't stop myself from doing something?

> **Je ne peux pas m'empêcher de** penser aux gens qui souffrent dans le monde.

I can't help but think about the people who are suffering in the world.

How do I say that someone is right?

> Élodie **a raison**.

Elodie is right.

How do I ask about dinner table topics?

> Et à votre table, **vous parlez de quoi**?

And at your dinner table, what do you talk about?

Et si je voulais dire...? 🎧

le scrutin, le bulletin	*ballot*
un électeur, une électrice	*voter*
le dirigeant	*leader*
un programme électoral	*political platform*
une crise économique	*economic crisis*
un défilé de mode	*fashion show*
une station de radio	*radio station*

1 Thèmes de conversation

Indiquez le thème des conversations suivantes.

> la politique   l'économie   la mode   le sport   le cinéma   les médias

1. -C'est une co-production franco-canadienne.
   -De vrais serveurs jouent les rôles principaux, pas des vedettes.
2. -Tu as remarqué la longueur des manteaux cette saison?
   -Oui, ça me fait penser aux années 1950.
3. -Tu suis les manifestations à Paris?
   -Oui, je lis le blogue d'un blogueur qui y participe.
4. -Tes parents soutien le parti socialiste?
   -Oui, ils tendent à le soutienir cette fois-ci.
5. -L'endettement change notre mode de vivre.
   -Le gouvernement va augmenter les impôts (*taxes*), c'est sûr!
6. -Il a gagné ses deux courses (*races*) au championnat de France indoor.
   -Il se prépare pour ça depuis des mois.

En politique européenne, on se rénit au Parlement pour prendre de nouvelles mesures écologiques.

2 Complétez!

Complétez les phrases en choisissant un mot ou une expression de la liste.

> endettement   PNB   médailles   revenu   voter   look
> prêt-à-porter   passe   sortie   candidat   inflation

1. L'... diminue la valeur du dollar ou de l'euro.
2. Quand une personne doit (*owes*) beaucoup d'argent à une banque ou quand un pays doit de l'argent à un ou plusieurs autres pays, ça s'appelle l'....
3. Pour les élections présidentielles américaines, il y généralement un... républicain et démocrate.
4. À l'âge de 18 ans, on peut....
5. La valeur de toute l'activité économique d'un pays s'appelle le....
6. L'argent qu'on gagne (*earn*) quand on travaille s'appelle le....
7. Connais-tu quelqu'un qui a un... BCBG?
8. Dans les défilés de mode (*fashion shows*), les mannequins portent des vêtements haute couture (*high fashion*) et non de....
9. On... le nouveau hit d'Adèle à la radio.
10. Aux Jeux Olympiques, Shaun White a gagné deux... d'or.
11. J'attends la... du film *Tintin*, basé sur la BD belge.

3 La politique et l'économie

Lisez la lettre que Gabriel écrit à sa tante à propos de son cours d'économie, puis répondez aux questions.

Salut Tata!

J'espère que tu pourras m'aider avec mes difficultés au lycée en ce moment parce que tu es forte en politique et en économie. Comment peut-on savoir si l'endettement dans les pays occidentaux en ce moment va causer une crise? Moi, je ne comprends même pas ce qu'est le PNB, ou comment les revenus d'un pays changent la situation globale. Je veux vraiment dire à mon prof: "Vous parlez de quoi, exactement?" Mais certains de mes camarades entrent dans la discussion, alors je me sens vraiment bête. Quels livres ou magazines ou blogues me proposes-tu? Je voudrais mieux comprendre la politique et l'économie, et je dois le faire vite!

Grosses bises à tous,
Gabriel

1. Pourquoi est-ce que Gabriel écrit à sa tante?
2. Qu'est-ce qui se passe dans les pays occidentaux (*Western*) en ce moment?
3. Qu'est-ce que Gabriel ne comprend pas?
4. Quelle est la compréhension des autres élèves?
5. Qu'est-ce que Gabriel demande à sa tante?

4 Je ne peux pas m'empêcher de....

Dites que vous pouvez ou que vous ne pouvez pas vous empêcher de faire chaque chose.

MODÈLE manger de la glace
Je ne peux pas m'empêcher de manger de la glace.

ou

Je peux parfois m'empêcher de manger de la glace.

1. manger du chocolat
2. faire du shopping
3. jouer aux jeux vidéo
4. surfer sur Internet
5. envoyer des textos
6. prendre de la pizza
7. regarder des films
8. téléphoner à mes copains

Ma sœur ne peut pas s'empêcher de rater la dinde!

5 De quoi parle-t-on?

Écrivez les numéros 1–6 sur votre papier. Écoutez les histoires et les descriptions. Ensuite, choisissez la catégorie à laquelle chacune correspond.

A. le cinéma   B. la mode   C. la politique   D. l'économie   E. les médias   F. le sport

6 Questions personnelles

Absolument, je suis un blogueur en semaine et le weekend!

Répondez aux questions suivantes.

1. Chez toi, on parle de quoi à table? Est-ce qu'il y a certains sujets que tu évites?
2. Est-ce que tu suis la politique intérieure? Et la politique internationale? À ton avis, est-ce que les hommes et femmes politiques ont souvent raison?
3. On passe souvent les chansons de tes musiciens préférés à la radio?
4. As-tu déjà gagné une médaille? Dans quel sport?
5. Es-tu un blogueur ou une blogueuse? Si oui, quels sont tes thèmes?
6. Quels films est-ce qu'on passe au cinéma ce weekend?

Rencontres culturelles

emcl.com
WB 5

On ne parle pas politique à table!

Le soir du réveillon de Noël, Léo, Élodie, leurs parents, et les Martin sont à table.

Mère: J'ai déjà dit: on ne parle pas politique à table le jour du réveillon quand même! Pensez à nos invités....

Léo: Mais la politique, maman, elle, ne fait jamais grève.

Élodie: Et pendant que nous réveillonnons, moi je ne peux pas m'empêcher de penser aux gens qui souffrent dans le monde.

Léo: Élodie a raison. Les dictatures tuent, des territoires sont envahis, même les démocraties emprisonnent et usurpent les droits des hommes.

Élodie: Ce qui me donne le plus de soucis, ce sont les sans-abris....

Léo: N'oublie pas les prisonniers politiques et les nations en guerre.

Mère: Oh là là! Oui, c'est vrai que tout le monde n'a pas la chance de se retrouver autour d'un bon repas comme nous, dans la paix. Qu'en penses-tu, mon chéri?

Père: Ah, nos enfants ont récupéré notre idéalisme de jeunesse! Il faut les encourager!

(Il s'adresse aux Martin.)

Et à votre table, vous parlez de quoi?

M. Martin: Plutôt du sport ou du cinéma, mais pas si passionnément!

---

7 On ne parle pas politique à table!

Répondez aux questions.

1. Qui veut parler politique à table?
2. Pourquoi est-ce que la mère de Léo et d'Élodie ne veut pas qu'on parle politique à table?
3. Qui parle le plus passionnément?
4. Comment étaient les parents d'Élodie et de Léo quand ils étaient jeunes?
5. Quels sont les sujets de conversation chez les Martin?

Les Gagnon sont à table pour le dîner.

Papa: Qu'est-ce qu'on entend, c'est la radio ou ton lecteur MP3?

David: C'est une émission qui passe à la radio, sur mon lecteur MP3.

Papa: Ah, la radio à diffusion numérique! On peut dire au revoir aux émissions de qualité!

David: Mais qu'est-ce que tu dis? Au contraire, la qualité de la réception est inouïe, on peut l'écouter à toute heure où qu'on se trouve!

Papa: Tout dépend, la diffusion sur même fréquence empêche l'accès aux petites radios indépendantes. Donc, comme je l'ai dit, la fin des meilleures stations de radio!

Maman: En tout cas, numérique ou non, mangez au lieu de discuter, ça refroidit!

Extension Selon le père de David, quels sont les inconvénients de la diffusion numérique?

Manières de table

Quand vous êtes invité à 20h30, vous pouvez arriver dans la demi-heure qui suit l'heure d'invitation. Si vous apportez un petit cadeau, ça peut être des fleurs, du vin, ou des chocolats. Si vous invitez et vous recevez ces cadeaux, les fleurs doivent être mises dans un vase, le vin offert aux invités, les chocolats proposés au moment du café. Si vous recevez un livre ou un autre cadeau, vous devez l'ouvrir et le laisser visible.

On commence toujours à servir par le couvert le plus éloigné*. Dans la tradition française, la lame* du couteau regarde toujours vers l'intérieur. Les couverts qui ne sont pas plats se placent les dents vers le haut pour les fourchettes, et côté bombé* pour les cuillers.

Un beau couvert donne de l'appétit.

La France produit beaucoup de vin pour consommation à l'intérieur et à l'extérieur du pays. Le vin fait partie des repas au quotidien et en particulier lorsqu'il y a des invités. Chaque vin est alors choisi avec attention pour accompagner chaque plat. Il existe plus de 40 verres à vin différents suivant les vins et leur origine.

Le devoir de l'hôte est de mettre à l'aise* ses invités. Les Français adorent débattre*, mais il y a des sujets dont on ne parle pas, comme l'argent. La politique peut enflammer* la soirée, et elle n'est pas toujours soulevée*. La conversation sur le dernier film qu'on a vu le dernier livre qu'on a lu, la musique qu'on écoute, la série télé qu'on regarde, le sport qu'on pratique ou dont on est fan est toujours appréciée. Elle permet d'opposer les jugements. Toute conversation est un affrontement*, un débat d'idées. La France est le pays qui a inventé la polémique*. Il faut savoir aussi que tout ça est un jeu.

 Search words: chocolatier paris, fleuriste paris

éloigné *far away*; **lame** *blade*; **bombé** *rounded*; **mettre à l'aise** *make (guests) comfortable*; **débattre** *to debate*; **enflammer** *to fuel*; **soulevé(e)** *raised*; **affrontement** *clash*; **polémique** *controversy*

Mots-clé — **Manière** (de l'ancien adjectif français *manier* (1119), "que l'on fait fonctionner à la main" (1140), mais aussi "habile,"(1155), et "bien dressé" (d'un faucon, vers 1175). Il s'est séparé de *main* pour ne retenir que habile pour désigner la façon d'être, d'agir, et de se comporter. C'est cette acceptation liée au comportement en société sous la forme plurielle (les bonnes et mauvaises manières, 1662) qui est la plus courante.

COMPARAISONS

Quels sont les sujets de conversation chez vous à table quand vous avez des invités? Sont-ils différents des sujets de conversation quotidiens? Y-a-t-il des sujets dont les Américains évitent de parler pendant les repas?

Produits

On produit du **vin** en France depuis l'ère de la Grèce antique. La France est le premier producteur mondial de vin, produisant 20 pourcent du vin de la planète, et on l'appelle souvent "le pays du vin." Il y a plus de 3,400 vins en France.

8 Activités culturelles

Complétez les activités suivantes.

1. Vous voulez impressionner votre hôte parisien avec une boîte de bons chocolats. Cherchez un bon chocolatier à Paris. Expliquez votre choix et le prix à votre partenaire.
2. Le père de votre correspondant français a invité un collègue à dîner. Sa femme veut le servir d'abord.
3. Faites une liste de sujets que vous pouvez soulever au dîner avec un collègue.
4. Faites la liste des manières de table américaines et comparez-les aux manières françaises avec un organigramme venn.

À discuter

Avec vos copains, vous parlez de quels sujets à table?

Une boîte de chocolats est toujours un bon cadeau à offrir à ses hôtes.

Du côté des médias

Interpretive Communication

*Lisez la page d'accueil du site **Judo Club Sorquais**. Faites quatre phrases pour montrer votre compréhension des valeurs mentionnées ou dessinez un tee-shirt.*

Code moral du judo

Le Judo véhicule des valeurs fondamentales qui s'imbriquent les unes dans les autres pour édifier une formation morale.

Le respect de ce code est la condition première, la base de la pratique du Judo.

L'amitié
C'est le plus pur
des sentiments humains.

Le courage
C'est faire ce qui est juste.

L'honneur
C'est être fidèle à la parole donnée.

La modestie
C'est parler de soi-même sans orgueil.

Le respect
Sans respect
aucune confiance ne peut naître.

Le contrôle de soi
C'est savoir se taire
lorsque monte la colère.

La politesse
C'est le respect d'autrui.

La sincérité
C'est s'exprimer
sans déguiser sa pensée.

La culture sur place

Les préférences culinaires
Introduction et Interrogations

Dans cette unité vous allez penser à votre expérience personnelle en matière de cuisine et aussi élargir vos connaissances.

9 | **Première Étape: Réfléchir**

Répondez par écrit aux questions suivantes.

Mon cousin adore la viande de chevreuil.

1. Quel est votre repas préféré?
2. Quel est le repas préféré des adultes avec qui vous habitez (vos parents ou vos gardiens)? Y a-t-il des différences entre vos préférences, vos goûts, et les leurs?
3. Parlez avec deux membres de votre famille qui n'habitent pas avec vous: un [...] un de votre âge (comme un cousin) et un plus âgé (comme un grand-parent). Qu'est-ce qu'ils préfèrent manger?

Formulez quelques hypothèses—pourquoi est-ce que ces différences ou similarités existent?

10 | **Deuxième Étape: Rechercher**

Interviewer un(e) Francophone, individuellement ou en groupe. Le sujet de votre interview concerne les repas et les générations.

1. Faites une liste de questions à lui poser.
2. Préparez une présentation orale qui récapitule (*summarizes*) votre interview. Comparez les réponses de votre participant avec vos propres préférences vis-à-vis des repas.

11 | **Faire l'inventaire!**

Discutez des questions suivantes en classe.

1. Est-ce qu'il y avait des thèmes à travers les différentes présentations? Par exemple?
2. Comment est-ce que les descriptions de la cuisine recueillies lors des interviews individuelles sont-elles similaires ou différentes des descriptions générales de l'unité?
3. Est-ce que vous pensez que les généralisations sont nécessaires pour comprendre une culture? Pourquoi, ou pourquoi pas? Et les expériences individuelles?
4. Est-ce que vous préférez étudier des généralisations ou "vivre la culture"?

Structure de la langue

emcl.com
WB 8–9
Games

Révision: The Relative Pronouns *qui* and *que*

The relative pronouns **qui** and **que** connect two clauses in a complex sentence. The pronouns **qui** and **que** introduce a dependent clause that describes a preceding person or thing, called the antecedent.

Qui is used as the subject of the dependent clause. The verb that follows **qui** agrees with the antecedent.

J'ai voté pour François Hollande, **qui** était le meilleur candidat, à mon avis.

I voted for François Hollande, who was the best candidate, in my opinion.

Le parti politique les Verts, **qui** veut protéger l'environnement, manifeste à Paris.

The Green political party, which wants to protect the environment, is demonstrating in Paris.

Que is used as the direct object of the dependent clause.

L'athlète **que** j'admire le plus a gagné une médaille aux Jeux Olympiques.

The athlete whom I admire the most won a medal in the Olympics.

Le championnat **qu'**on regarde est aussi à la télé.

The championship that we are watching is also on TV.

When the dependent clause is in the **passé composé**, the past participle of the verb agrees in gender and in number with the antecedent of **que**.

Les robes **qu'**on a vu**es** à Paris étaient longues.

The dresses we saw in Paris were long.

12 Dans les médias

*Choisissez **qui** ou **que** pour compléter les phrases suivantes.*

1. Les élections présidentielles,... ont eu lieu cette année, ont coûté cher.
2. Le candidat... était socialiste a gagné.
3. Le problème... je vois pour l'Europe, c'est l'endettement.
4. Le PNB de la Chine,... tout le monde regarde, n'a pas baissé.
5. Le look tradi... les mannequins portent cette année est dans tous les magazines de mode.
6. L'athlète... s'est entraîné le plus a gagné le championnat d'athlétisme.
7. La médaille... il a gagné est dans sa chambre.
8. On passe une nouvelle comédie... est une co-production franco-américaine.
9. Le blogueur,... aime bien Audrey Tautou, dit qu'elle est très bien dans ce rôle.

Le président de la compagnie, qui est parti le mois dernier, s'est installé à New York.

Écrivez les numéros 1–8 sur votre papier. Écoutez les deux phrases. Puis, écrivez le pronom relatif **qui** *ou* **que** *que vous utiliseriez pour faire une seule phrase.*

emcl.com
WB 10–11
Games

The Relative Pronouns *ce qui* and *ce que*

You just reviewed that the relative pronouns **qui** and **que** always have a definite antecedent. But if the antecedent is not specific or if it is unknown, use **ce qui** or **ce que**.

Ce qui (*what*) is used as the subject of the dependent clause.

Ce qui est un problème, c'est l'endettement.	*What is a problem is the debt.*
Le candidat sait **ce qui** est important.	*The candidate knows what is important.*

Ce que (*what*) is used as the direct object of the dependent clause.

Ce que nous voulons, c'est un nouveau look.	*What we want is a new look.*
Ce qu'on remarquera cette année, c'est la longueur des jupes.	*What we'll notice this year is the length of skirts.*

> **COMPARAISONS**
>
> How would you express these linking words in English?
> Montre-moi **ce que** tu as dessiné.
> Le gouvernement ne réduit pas son endettement, **ce qui** sera un problème.

COMPARAISONS: **Ce que** is best translated with "what," and **ce qui** with "which":
"Show me what you drew."
"The government is not reducing its debt, which will be a problem."

14 Le réveillon d'Élodie et Léo

*Complétez les phrases suivantes avec **ce qui** ou **ce que**.*

1. ... la mère d'Élodie et Léo connaît bien, c'est les manières à table.
2. ... elle dit à ses enfants est direct: "On ne parle pas politique à table."
3. Elle n'aime pas... ses enfants disent devant les Martin.
4. ... Élodie n'aime pas, c'est voir les sans-abris.
5. Léo n'aime pas... se passe dans beaucoup de pays.
6. ... les enfants cherchent, ce sont des solutions aux problèmes contemporains.
7. ... le père des ados pense, c'est que ses enfants ont hérité de son idéalisme et celui (*that*) de sa femme quand ils étaient jeunes.
8. ... les Martin aiment, c'est la passion de la discussion.

15 La politique

Dites ce qui est le plus important pour chaque personne et ce qu'il ou elle trouve le moins important selon les informations données dans la grille. Le plus grand chiffre indique le problème le plus important pour la personne.

	l'endettement	la pollution	le chômage	l'inflation
Noah	3	2	1	4
Anne	2	1	4	3
Nicole	3	1	4	2
Max	1	3	2	4
Thomas	4	2	3	1
Abdel	1	4	2	3
Claire	2	3	1	4

MODÈLE Noah
Ce qui est le plus important pour Noah, c'est le problème de l'endettement. Ce qu'il trouve le moins important, c'est le problème du chômage.

1. Max
2. Claire
3. Nicole
4. Thomas
5. Abdel
6. Anne

Ce que je ne comprends pas, c'est ton désintérêt de la politique!

À vous la parole

Communiquez!

16 Vous parlez de quoi?

Presentational Communication

Pour vous préparer à jouer ce jeu, faites une liste de vocabulaire pour chaque thème indiqué dans l'activité "On discute à table." Il y a deux équipes. Le premier joueur de l'Équipe 1 et le premier joueur de l'Équipe 2 vont au tableau. Quand le prof propose un thème, les joueurs ont une minute pour écrire tous les mots et expressions de vocabulaire qu'ils savent sur ce thème. Le joueur avec la liste la plus longue gagne un point pour son équipe.

Communiquez!

17 On discute à table!

Interpersonal Communication

Imaginez que "On discute à table!" est une nouvelle émission de télé-réalité. L'objectif est de parler le plus longtemps possible sur un thème proposé par l'animateur (le professeur). L'animateur va donner un thème de la liste ci-dessous à votre groupe. Vous allez pratiquer avec vos camarades de classe. Ensuite, discutez autour d'une table devant la classe sur ce même thème. Pendant votre présentation, vous pouvez vous servir d'une liste de vocabulaire. Le groupe qui parle le plus longtemps gagne le jeu.

Thèmes possible:

l'art	la politique
le cinéma	le sport
l'économie	la technologie
l'environnement	la mode
les fêtes francophones	
les médias (livres, musique, etc.)	

Communiquez!

18 Mon dîner chez....

Presentational Communication

Imaginez que vous venez de dîner chez une famille française. Quand vous rentrez, vous écrivez à propos de votre expérience dans votre journal intime. Mentionnez le cadeau que vous avez offert et la réaction de la famille. Parlez du repas: Qu'est-ce qu'on vous a servi, et dans quel ordre? De quoi avez-vous parlé? Pour terminer, évaluez votre hôte ou hôtesse.

Lecture thématique

Deux couverts

Rencontre avec l'auteur 🎧

Sacha Guitry (1885–1957) est un homme de théâtre et de cinéma. Il a écrit 124 pièces de théâtre qui sont encore souvent jouées en France. Son style est basé sur le dialogue et il crée des mondes avec un langage original. Ses pièces sont souvent centrées sur les problèmes quotidiens. Dans *Deux couverts*, une comédie en un acte, un père voudrait dîner avec son fils. Qu'est-ce qu'il veut fêter?

Pré-lecture

Préférez-vous dîner en famille ou avec vos amis?

Stratégie de lecture

Generational Conflict

Dans un texte littéraire, un conflit, ou une crise, est une lutte entre deux forces opposées. Un type de conflit est la lutte entre deux personnages de générations différentes, par exemple, une mère et une fille, ou un grand-père et son petit-fils. Lisez l'extrait (*excerpt*) de la pièce de théâtre et trouvez dans le dialogue quels sont les conflits qui existent entre le père et son fils. Un exemple a été fait pour vous.

Fils	Père	Description du conflit
"J'ai été avec des camarades...."	"Et tu n'as pas pensé à moi... tu ne t'es pas souvenu que j'attendais ici le résultat."	La perte de temps que le fils a occasionnée à son père, et son impolitesse
"En géographie, il m'a demandé quels étaient les principaux fleuves de l'Australie!!! Comment veux-tu savoir ça!"	"À plusieurs reprises, cet hiver, mon petit, je t'ai proposé de t'appliquer davantage...."	
"Oui... je ne connais rien de plus bête que ce truc-là!"	"Oui, seulement, moi, je ne m'en fiche pas du baccalauréat!"	
"...et tu crois que je vais rester de seize à vingt-trois ans sans profiter de la vie?..."	"Tu me laisseras le soin, je te prie, de diriger ton instruction et ton éducation jusqu'à ta majorité."	

Outils de lecture

Irony

L'ironie fait la différence entre l'apparence et la réalité. L'ironie dramatique révèle une information dont le lecteur ou les spectateurs sont conscients, mais pas les personnages. À la fin de la pièce, pourquoi est-ce ironique quand le père dit "…tu vas voir que je ne dîne pas seul! D'ailleurs… regarde… deux couverts…"? Quel personnage ignore que Pelletier va dîner seul?

Le Valet:	Monsieur, Marie voudrait savoir pour quelle heure est le dîner.
Pelletier:	Je me le demande!… Sept heures!… Est-il possible de faire attendre ainsi des enfants… et des parents!… Que voulez-vous, nous dînerons sitôt que monsieur Jacques sera là!…
Le Valet:	C'est à cause des perdreaux*…
	(On sonne)
Pelletier:	Elle peut les mettre!… Allez ouvrir… enfin!… C'est toi?…
	(Jacques entre.)
Jacques:	Oui, Papa!
Pelletier:	Eh! Bien?
Jacques:	Recalé*!
Pelletier:	Oh!… Embrasse-moi tout de même!
	(Jacques embrasse son père.)
Pelletier:	Mon pauvre petit!… Oh!… Et… quand l'as-tu su?
Jacques:	Que j'étais recalé?
Pelletier:	Oui…
Jacques:	À… cinq heures et demie.
Pelletier:	À cinq heures et demie?
Jacques:	Oui, Papa…
Pelletier:	Oh! Ce n'est pas possible?
Jacques:	Mais si, Papa, pourquoi?
Pelletier:	Oh!… Tu sais l'heure qu'il est?
Jacques:	Oui, il doit être six heures…
Pelletier:	Non, mon petit, non… il est sept heures cinq!… Et j'attends depuis quatre heures!
Jacques:	Je te demande pardon, Papa.
Pelletier:	D'où viens-tu?
Jacques:	Je… j'ai été… heu…
Pelletier:	Où as-tu été?
Jacques:	J'ai été avec des camarades…
Pelletier:	Oui, mais, où… où as-tu été?

Pendant la lecture
1. Qui est-ce que le père attend?

Pendant la lecture
2. Jacques a-t-il réussi au bac?

Pendant la lecture
3. Le père attend depuis quand?

---

perdreaux *partridges;* **Recalé** *Held back (educ.)*

Jacques:	Nous avons été prendre quelque chose....
Pelletier:	Vous avez été prendre quelque chose!!! C'est superbe! Et tu n'as pas pensé à moi... tu ne t'es pas souvenu que j'attendais ici le résultat....
Jacques:	Si, Papa... mais le temps a passé si vite!
Pelletier:	Je ne trouve pas! *(Un temps.)* Assieds-toi, ne reste pas debout*. Et, pourquoi as-tu été recalé?
Jacques:	Ils m'ont posé des questions stupides!
Pelletier:	Ça m'étonne*! Peut-être t'ont-elles semblées stupides parce que tu les ignorais! Quelles sont les questions auxquelles tu as mal répondu?
Jacques:	D'abord, il m'a posé en histoire une question que je n'avais jamais étudiée....
Pelletier:	À qui la faute*?
Jacques:	Alors, comme je n'ai pas su répondre... il a fait le malin*, et il m'a demandé sur un ton vexant si je savais au moins quel avait été le héros de la bataille d'Arc....
Pelletier:	Et tu as répondu?
Jacques:	J'ai répondu en rigolant: Jeanne d'Arc!
Pelletier:	Oui, eh bien, je trouve la réponse plus stupide que la question! En géographie?
Jacques:	En géographie, il m'a demandé quels étaient les principaux fleuves de l'Australie!!! Comment veux-tu savoir ça!
Pelletier:	En l'apprenant*! Je ne vois pas d'autre moyen! À plusieurs reprise, cet hiver, mon petit, je t'ai proposé de t'appliquer davantage... tu ne me semblais pas au point... mais, chaque fois que je t'en ai fait l'observation, tu m'as juré* que tout "allait très bien..." et ma foi, tu avais fini par me donner ta confiance!... Enfin, c'est fait, c'est fait! Je ne m'exagère pas la gravité de cette aventure, bien sûr... ce n'est pas un désastre, mais c'est un avertissement*, et je te conseille de donner un bon coup de collier* cet été afin d'être prêt, afin d'être complètement prêt en octobre prochain. C'est bien en octobre, n'est-ce pas, que tu repasses*?
Jacques:	Oui, on peut se représenter en octobre.
Pelletier:	Comment, on peut? Qu'est-ce que ça veut dire?
Jacques:	Heu... ben....
Pelletier:	Parle....
Jacques:	Ben, ça veut dire que j'aimerais autant ne pas repasser....
Pelletier:	Qu'est-ce que tu dis?

Pendant la lecture
4. Jacques a-t-il déjà mangé? Avec qui?

Pendant la lecture
5. Quelle était l'attitude du fils quand on l'a interrogé?

Pendant la lecture
6. Quel conseil le père a-t-il donné au fils?

Pendant la lecture
7. Le fils veut-il repasser le bac?

---

debout *standing;* **Ça m'étonne.** *I'm astonished.;* **faute** *fault;* **faire le malin** *was a smart alec;* **En l'apprenant.** *By learning it.;* **as juré** *swore;* **avertissement** *warning;* **bon coup de collier** *good effort;* **repasses** passes un examen pour la deuxième fois

Jacques:	Oui, quoi... j'aimerais mieux en rester là. Moi, je m'en fiche du baccalauréat!
Pelletier:	Ah! Oui?
Jacques:	Oui... je ne connais rien de plus bête que ce truc-là!
Pelletier:	Allons donc?
Jacques:	Ah! La, la!
Pelletier:	Oui, seulement, moi, je ne m'en fiche pas du baccalauréat!
Jacques:	Ça, c'est autre chose!
Pelletier:	Oui, et c'est même une chose qui a son importance! Mais tout de même, je ne serais pas fâché de savoir pourquoi tu te fiches du baccalauréat!
Jacques:	Oh! C'est bien simple... je me suis aperçu* aujourd'hui que tous les idiots avaient été reçus!
Pelletier:	Vraiment?
Jacques:	Oui!
Pelletier:	Et les élèves intelligents ont tous été refusés?
Jacques:	Oui!
Pelletier:	Exemple: toi!
Jacques:	Oui.
Pelletier:	C'est admirable!
Jacques:	Moi, je les connais, Papa, les camarades de ma classe! Il y en a deux, tiens... Rondel et Debacker, ils ont eu le maximum de points... eh! Bien, je n'ai jamais rencontré deux types plus bêtes! Il n'y a pas moyen de causer* avec eux cinq minutes!
Pelletier:	Mais, mon enfant, la vie ne se passe pas en conversations! Tu as d'étranges idées sur l'intelligence.... Les deux camarades dont tu parles n'ont peut-être pas ton toupet*, ton bagout et ton exubérance... ce sont sans doute des enfants réfléchis et sérieux....
Jacques:	Ils sont abrutis*, tout simplement! Quand on pense qu'ils ont refusé Mareuil!
Pelletier:	Mareuil? Qui est Mareuil?
Jacques:	Mareuil, tu sais bien, que je t'ai amené un matin, à déjeuner....
Pelletier:	Oui, oui, parfaitement. C'est ce jeune homme qui a inventé un aéroplane.
Jacques:	C'est ça! Eh! Bien, ils l'ont recalé parce qu'il ne savait pas qui avait succédé à Pépin-le-Bref! Je me demande un peu à quoi ça peut servir de savoir qui a succédé à Pépin-le-Bref, pour un type qui veut être aviateur! Veux-tu que je te dise, Papa... je suis sûr que Mareuil a du génie*!

> **Pendant la lecture**
> 8. Selon Jacques, qui a réussi au bac?

> **Pendant la lecture**
> 9. Pourquoi a-t-on recalé Mareuil?

---

je me suis aperçu j'ai réalisé; **causer** parler; **toupet** *nerve*; **abrutis** *dazed, dumb*; **génie** *genius*

Pelletier:	Je n'ai jamais dit le contraire!... D'ailleurs, il ne s'agit pas de ton ami Mareuil en ce moment, il s'agit uniquement de toi!... Il est possible que ton camarade ait du génie... mais, sans vouloir te désobliger*, comme jusqu'à présent, toi, tu ne me sembles avoir de dispositions géniales pour aucune branche, tu me laisseras le soin*, je te prie, de diriger ton instruction et ton éducation jusqu'à ta majorité.
Jacques:	Ah! Non!
Pelletier:	Comment "Ah! Non!"? Est-ce que tu perds la tête?... Je ne discute pas avec toi, en ce moment... je te renseigne simplement!
Jacques:	Je peux tout de même te répondre!
Pelletier:	Parle-moi autrement, je te prie! Vas-y... réponds... je t'écoute!
Jacques:	J'ai seize ans, n'est-ce pas... or à vingt ans, il faudra que je fasse mon service militaire... et tu crois que je vais rester de seize à vingt-trois ans sans profiter de la vie?
Pelletier:	Ne crie pas, c'est inutile! Je n'ai pas l'intention de t'empêcher de profiter de la vie!
Jacques:	Est-ce qu'on peut profiter de la vie, quand on travaille!
Pelletier:	Oh! Oui, petit malheureux!
Jacques:	Mon intention est d'interrompre dès aujourd'hui, mes études!
Pelletier:	Ton intention!!!
Jacques:	Oui!
Pelletier:	Oui, eh! bien, ma volonté à moi est que tu les termines comme je l'entendrai!
Jacques:	Mais, Papa, laisse-moi t'expliquer...
Pelletier:	Non, assez! À moi, de parler maintenant! J'ai vu le fond de ta pensée, et tu m'as fait connaître ton intention! Tu n'as rien à m'expliquer. Tu vas maintenant connaître ma pensée et ma décision! Si tu dois avoir un jour du génie, mon enfant, ton baccalauréat n'en empêchera pas l'éclosion*... mais si toute ta vie tu dois rester un cancre*, tu auras du moins la possibilité d'entrer aux Postes et Télégraphes, étant bachelier! *(Temps.)* Si par malheur, tu refusais d'obéir, je me séparerais de toi! *(Un temps.)* Ainsi, j'ai passé quinze années de ma vie à me priver de bien des choses pour te donner une éducation aussi forte que ma tendresse, et voilà le fruit de mes peines! Est-ce que tu te rends compte de ce que j'ai fait pour toi?
Jacques:	Oui, quoi... tu as....

> **Pendant la lecture**
> 10. Quel âge a le fils?

> **Pendant la lecture**
> 11. Pourquoi le père veut-il que son fils repasse son bac?

désobliger to offend; **soin** care; **n'en empêchera pas l'éclosion** won't prevent the birth (of your genius); **cancre** dunce (educ.)

Pelletier:	Oh! Non, ne me dis pas que j'ai fait ce qu'ont fait les autres pères.
Jacques:	Tu t'es privé?
Pelletier:	Oui... mais tu ne t'en es jamais aperçu! Nous ne sommes pas si riches que tu crois! Nous ne sommes pas riches. Tu es très élégant... tu t'habilles très bien... moi, c'est tout fait! Je ne me plains pas... je l'ai voulu... et je ne le regrette pas encore.... Ah! Mon petit bonhomme, tu ne t'es rendu compte de rien! Ta mère est morte deux ans après ta naissance... il y a quatorze ans de cela, comprends-tu?
Jacques:	Quoi?
Pelletier:	Quoi? J'avais trente-six ans, mon petit, et j'en ai cinquante, à présent! J'étais jeune... je ne le suis plus! J'ai vieilli* pour toi... je me suis consacré* entièrement* à toi! Écoute bien... deux fois j'ai dû me remarier... la première fois, tu étais trop petit... la seconde fois, tu étais trop grand... Penses-y de temps en temps! *(Un temps.)*
Jacques:	*(regarde la pendule et se lève.)* Au revoir, Papa....
Pelletier:	Quoi?
Jacques:	Au revoir, Papa!
Pelletier:	Où vas-tu?
Jacques:	Je dîne chez Mareuil... et il est sept heures et demie....
Pelletier:	Ah! Tu dînes chez Mareuil....
Jacques:	Oui, Papa... ça t'ennuie*?
Pelletier:	Du tout, mon enfant, du tout... c'est tout naturel... ça doit être sûrement naturel!
Jacques:	Et toi?
Pelletier:	Moi? Oh! Mon petit, ça se trouve bien... je ne dîne pas seul!
Jacques:	Ah!
Pelletier:	Oui... regarde toi-même! *(Il ouvre la porte de la salle à manger.)* Tu vois! Tu peux lire le menu... tu vas voir que je ne dîne pas seul! D'ailleurs... regarde... deux couverts!
Jacques:	*(vexé.)* Au revoir, Papa... à demain....
Pelletier:	À demain, mon petit.... *(Jacques embrasse son père et sort.)* Et il me fait la tête! *(Et après avoir pensé qu'il pourrait peut-être téléphoner à Madame Blandin—et, après y avoir renoncé, Pelletier entre dans la salle à manger, en disant:)* Émile, vous pouvez servir!

Pendant la lecture
12. Qu'est-ce que le père a fait pour son fils?

Pendant la lecture
13. Pourquoi le père ment-il?

J'ai vieilli *I've gotten old*; **je me suis consacré** j'ai sacrifié; **entièrement** complètement; **ça t'ennuies** *do you mind*

Post-lecture

Pelletier est-il un bon ou mauvais père? Pourquoi?

Le monde visuel

Dans ce tableau, Jules Ernest Renoux (1863–1932) a peint un petit garçon de manière réaliste, sur un arrière-plan de style différent. L'interprétation artistique des paysages d'arrière-plan en peinture a changé à travers l'histoire de l'art. Au XVIᵉᵐᵉ siècle, on peut voir derrière la *Joconde*, de Léonard de Vinci, un arrière-plan qui annonce la peinture de paysage. Au XVIIIᵉᵐᵉ siècle, Claude Lorrain a essayé de peindre ses paysages d'arrière-plan de manière plus réaliste que les peintres de son époque. Mais au XIXᵉᵐᵉ siècle, les peintres voulaient plutôt montrer des impressions de paysage. Quel est le style dans lequel est peint le paysage d'arrière-plan dans ce portrait du fils de Renoux? Qu'est-ce qui frappe l'œil en premier, le sujet ou le paysage? Selon vous, pourquoi une telle juxtaposition du portrait réaliste et d'un paysage de style différent?

Portrait de Marcel Renoux vers 13 ou 14 ans, c. 1912. Jules Ernest Renoux. Collection privée.

19 Activités d'expansion

Complétez les activités suivantes.

1. Écrivez un paragraphe dans lequel vous expliquez les conflits entre le père et son fils dans cette pièce. Servez-vous des informations de votre grille.
2. Jouez le rôle du père et écrivez une lettre que vous allez glisser (*slip*) sous la porte de la chambre de votre fils qui explique ce que vous voulez pour lui et pourquoi.
3. Imaginez que le père et le fils dînent ensemble et discutent de l'avenir du fils. Écrivez le dialogue pour cette scène entre le père et le fils.

Projets finaux

A Connexions par Internet: L'éducation civique

Presentational Communication

Allez faire des recherches en ligne sur un sujet politique qui vous intéresse.

1. Préparez une liste de quatre partis politiques en France. Pour chacun, dites ce qu'ils sont pour et contre.
2. Écrivez une petite biographie d'un homme ou d'une femme politique. Référez-vous aux quelques suggestions ci-dessous.

 Search words: **charles de gaulle, georges pompidou, françois mitterand, jacques chirac, nicolas sarkozy, françois hollande, christine lagarde**

B Communautés en ligne

Dans les médias/Presentational Communication

Faites un profil du paysage médiatiques des États-Unis. Vous pouvez parler des best-sellers, des émissions de télé et des films populaires, et des blogueurs célèbres. Préparez des commentaires qui montrent votre compréhension des médias actuels et ce que vous pensez de ces médias. Ensuite, envoyez votre document à une classe francophone, une autre classe de français américaine, ou postez votre document en ligne. Demandez à vos lecteurs de préparer un document semblable avec leurs réactions sur les médias là où ils habitent. Finalement, comparez les deux documents.

C Passez à l'action!

Un livre de recettes/Presentational Communication

Avec votre classe, préparez un livre de recettes francophones. Chaque groupe choisit des pays ou régions qui l'intéressent le plus, et cherche par exemple des recettes de provinces française, des recettes maghrébines, québécoises, belges, ou antillaises. Cherchez des recettes en ligne sur des sites francophones. Puis, écrivez ces recettes en anglais.

Le cari créole se prépare avec de la viande ou du poisson, des lentilles, du thym, du curcuma, du gingembre, et des oignons.

Question centrale

?

Qu'ya-t-il
d'universel dans les
rapports entre
les gens?

*Remplissez l'organigramme pour montrer vos connaissances de
cette unité.*

Je comprends	Je ne comprends pas encore	Mes connexions

What did I do well to learn and use the content of this unit?	What should I do in the next unit to better learn and use the content?
How can I effectively communicate to others what I have learned?	What was the most important concept I learned in this unit?

Évaluation

A Évaluation de compréhension auditive

Interpretive Communication

Une fête

*Écrivez les numéros 1–6 sur votre papier. Écoutez Laure parler d'une fête dans sa famille. Puis, écrivez **V** si la phrase est vraie et **F** si la phrase est fausse.*

B Évaluation orale

Interpersonal Communication

*Téléphonez à votre partenaire. Demandez si vous le/la dérangez et s'il ou elle peut vous donner un coup de main dans la cuisine pour préparer la soirée du nouvel an que vous organisez. Votre partenaire va vous dire ce qu'il ou elle est en train de faire, et s'il ou elle peut venir. Utilisez quelques expressions de la section "**Pour la conversation.**"*

C Évaluation culturelle

Vous allez comparer les cultures francophones à la culture américaine. Vous aurez peut-être besoin de faire des recherches sur la culture américaine.

1. **Les grandes fêtes**
   Comment est-ce que les Français passent le réveillon de Noël? Qu'est-ce qu'ils mangent? Qui est-ce qu'ils invitent? Qu'est-ce qui se passe le lendemain pour les enfants? Dites comment les Américains fêtent Noël. Si vous et votre famille fêtez Noël, vous pouvez parler de vos expériences personnelles. Si vous ne célébrez pas Noël mais une autre fête (Ramadan, Hanoukka, Kwanza, etc.), expliquez ce que vous faites.

2. **La cuisine française**
   Expliquez comment la cuisine française a changé. Comment est-ce que les Français préparent leurs repas maintenant? Quelles influences internationales est-ce qu'on remarque dans la cuisine française? Comment est-ce que la cuisine américaine ressemble à la cuisine française? Où est-ce qu'on peut apprendre l'art de la cuisine française traditionnelle en France et chez vous?

3. **Les expressions gastronomiques**
   Si un Français ou une Française vous dit, "Je ne suis pas dans mon assiette" et "Ne me raconte pas de salades," qu'est-ce qu'il ou elle veut dire? Faites une liste d'expressions gastronomiques en anglais, par exemple," "You're full of beans" and "You're just buttering me up."

4. **Les bonnes manières à table**
   Comparez les bonnes manières à table en France avec celles (*the ones*) que vos parents vous ont apprises.

5. **Le vin**
   Quel pays est le premier producteur mondial de vin? Est-ce que l'on produit du vin dans votre région? Combien de vins différents produit-on aux États-Unis? Quel est le rang (*ranking*) des vins américains?

6. **L'art de la conversation à table**
   De quoi est-ce qu'on évite de parler à table en France? Et chez vous?

Vous êtes un journaliste américain à Paris. Un collègue français vous a invité chez ses parents pour le réveillon de Noël. Écrivez un article dans lequel vous parlez:

- de ce que vous avez offert à votre hôte
- de ce qu'on vous a servi
- des bonnes manières à table que vous avez observées (En France, on....)
- des sujets de conversation

Écrivez un paragraphe en français sur la fête illustrée ci-dessous en répondant aux questions.

1. Quelle est la date?
2. C'est quelle fête?
3. Qu'est-ce qui s'est passé ce soir-là chez les Roussin? Imaginez!
4. Qui a mis ses chaussons sous le sapin de Noël?
5. Qu'est-ce que les enfants vont ouvrir demain matin?

Créez une histoire avec six illustrations: dessinez une famille et leurs invités à table. Montrez un conflit.

Vocabulaire de l'Unité 2

à: **à cause de** because of *C*; **à la page** in fashion *C*; **à propos de** about *A*; **à sa place** in its place *B*; **à table** at the (dinner) table *C*

accueillir to welcome *A*

s' **adresser (à)** to address (someone) *C*

un **apéritif** drink and food offered before the meal *A*

l' **athlétisme (m.)** athletics *C*

autour de around *C*

avoir: avoir la chance (de) to have the opportunity (to) *C*

baisser to decrease *C*

un **blogueur, une blogueuse** blogger *C*

une **bûche de Noël** yule log *A*

ça: ça tombe bien that works out well *A*

le **candidat** candidate *C*

le **championnat** championship *C*

chauffer to heat (up) *B*

le **club** club *C*

un **côté: de votre côté** as for you *A*

des **côtes (f.) de chevreuil** venison chops *A*

un **coup de main** (helping) hand *B*

craindre: Je crains que non. I'm afraid not. *B*

cuire to cook *B*

les **démocraties (f.)** democracies *C*

dependre (de) to depend (on) *B*

déranger to bother *A*

les **dictatures (f.)** dictatorships *C*

la **dinde aux marrons** turkey with chestnuts *A*

dramatique dramatic *C*

les **droits (m.) de l'homme** human rights *C*

l' **économie (f.)** economy *C*

écouter: écoute… listen… *A*

les **élections (f.) présidentielles** presidential elections *C*

embêter to annoy *A*

emprisonner to imprison *C*

en: **en bois** wooden *B*; **en guerre** at war *C*; **en métal** made of metal *B*; **en petit comité** with a few friends *A*; **je m'en vais** I'm going *B*

encourager to encourage *C*

l' **endettement (m.)** debt *C*

s' **entraîner** to practice (sports) *C*

envahi(e) invaded *C*

étroit(e) narrow *B*

faire: faire grève to go on strike *C*

filtrer to filter *B*

le **foie gras** goose liver pâté *A*

les **formes (f.)** shapes *B*

la **hausse** increase *C*

les **herbes (f.)** herbs *B*

le **hit** hit *[inform.]* *C*

un **hors-d'œuvre** appetizer *A*

des **huîtres (f.)** oysters *A*

l' **idéalisme (m.)** idealism *C*

improviser to improvise *A*

une **invitation** invitation *A*

la **jeunesse** youth *C*

large wide *B*

la **longueur** length *C*

le **look tradi** traditional look *C*

le **machin** thing *B*

un **magret de canard** duck breast *A*

des **mandarines (f.)** mandarin oranges *A*

une **médaille** medal *C*

les **médias (m.)** media *C*

mélanger to mix *B*

mesurer to measure *B*

la **mode** fashion *C*

les **nations (f.)** nations *C*

les **œufs de lump (m.)** lumpfish roe *A*

la **paix** peace *C*

le **parti politique socialiste** socialist political party *C*

passer: passer à la radio to play on the radio *C*; **on passe…** … is playing (at the movies) *B*

passionnément passionately *C*

personnel, personnelle personal *A*

le **PNB (Produit National Brut)** GNP (Gross National Product) *C*

la **politique** politics *C*

posé(e) set down *B*

poser to put down *B*

pour: pour t'avancer to help you *B*

pouvoir: ne pas pouvoir s'empêcher (de) cannot help (but) *C*

le **prêt-à-porter** ready-to-wear *C*

prévu(e) planned *A*

un **prisonnier, une prisonnière** prisoner *C*

puisque since *A*

quand: quand même after all *A*; regardless *C*

que whom *C*

racler to scrape, to scrub *B*

les **rapports (m.)** relationships *A*

rater to mess up *B*

réalisé(e) (par) directed (by) *C*

une **récompense** award *C*

récupérer to recapture *C*

réduire to reduce *C*

remuer to stir, to toss *B*

le **réveillon de Noël** Christmas Eve celebration *A*

réveillonner to celebrate Christmas/New Year's Eve *C*

des **revenus (m.)** income *C*

le **sapin de Noel** Christmas tree *A*

la **sauce** sauce *B*

le **saumon: saumon fumé** smoked salmon *A*

servir (à) to be used (for) *B*

si so *C*

le **souci** worry *C*

souffrir to suffer *C*

le **taux d'inflation** inflation rate *C*

des **territoires (m.)** territories *C*

le **tissue** fabric *A*

des **toasts (m.)** canapés *A*

tomber: tomber bien to fall well *A*

tourné filmed *C*

tranquille calm, quiet *A*

tuer to kill *C*

universel, universelle universal *A*

les **ustensiles (m.)** utensils *B*

usurper to usurp *C*

la **valeur** worth *C*

verser to pour *B*

voter to vote *C*

Shapes… see p. 93
Utensils… see p. 94

Unité 2 Bilan cumulatif

I. Interpretive Communication: Print texts

Lisez ce reportage sur les activités des familles d'aujourd'hui, puis répondez à la question.

La MJC près de chez vous

Dans la société actuelle où les familles sont si occupées entre le travail, l'école, et la vie à la maison, il est bon de savoir qu'il y a des endroits dans sa communauté pour les enfants. En France, l'engagement à la promotion de la vie active et familiale est clair par le grand nombre de Maison des Jeunes et de la Culture. Cette association populaire, financée par le gouvernement, sert de lieu d'accueil pour tous et propose une variété d'activités sportives et de loisir qui rendent les ados heureux.

On peut tout faire à la MJC. Par exemple, à ma MJC, on organise du sport; des clubs, par exemple, le ciné-club, tout dans un cadre rassurant. Les adolescents peuvent participer au cours de théâtre ou aux sorties en ville. On peut faire de la danse, de la musique, ou peindre. On peut suivre des cours individuellement ou en groupes.

1. Cette MJC n'offre pas....
   A. d'activités pour les ados
   B. de cours des finances personnelles pour adultes
   C. de ciné-club
   D. de cours de théâtre

II. Interpretive Communication: Audio texts

Écoutez le dialogue suivant deux fois, puis complétez les phrases.

1. Cette conversation a lieu entre....
   A. deux amies
   B. une femme et sa mère
   C. une Française et sa demoiselle d'honneur
   D. une fiancée américaine et une organisatrice de mariage française
2. L'objectif principal de cette entrevue est de/d'....
   A. aider Victoria à choisir sa demoiselle et son garçon d'honneur
   B. permettre à Victoria de comprendre son futur mari
   C. prendre connaissance des traditions françaises sur le mariage
   D. sélectionner un gâteau de mariage bien français
3. Dans le contexte de l'interview, Victoria aurait tendance à poser une question prochainement sur....
   A. le travail en France
   B. le rôle du garçon d'honneur
   C. la cathédrale de Chartres
   D. des destinations pour un voyage de noces spécial

III. Interpersonal Writing: E-mail Reply

Vous allez écrire une réponse à un message électronique. Il faut répondre à toutes les questions et donner des détails à propos du sujet du message. Écrivez formellement. N'oubliez pas d'écrire une salutation au début et une formule de politesse (closing) à la fin de votre message.

C'est un message électronique du propriétaire de la boutique Espace Cuisine à Montréal. Vous lui avez écrit parce que vous préparez une grande réunion de famille pour célébrer les 90 ans de votre grand-mère. Donc, vous avez besoin d'acheter du matériel de cuisine et de louer de la vaisselle.

De: Philippe Bourdon
Objet: Organisation d'une fête et matériel nécessaire

Monsieur ou Madame,

Merci de votre demande de renseignements. Nous sommes en effet spécialistes du matériel de cuisine. Nous vendons toutes les grandes marques de la profession et aux meilleurs prix. Nous louons aussi de la vaisselle et du matériel. Vous pouvez commander chez nous tout ce que vous désirez pour compléter votre batterie de cuisine et faire que votre projet soit un franc succès. Mais pour mieux vous conseiller, dites-nous quels outils de préparation et ustensiles vous manquent et si vous envisagez de faire de la pâtisserie. Vous devriez aussi préciser le nombre de couverts, et les plats et boissons que vous comptez servir. Nous sommes prêts à vous aider à bien fêter les 90 ans de votre grand-mère.

Dans l'attente de vous lire, veuillez agréer, chère Madame, /cher Monsieur l'expression de nos sentiments distingués.

Philippe Bourdon
Espace Cuisine
3640 avenue St-Denis
Montréal

IV. Presentational Writing: Persuasive Essay

Expliquez les manières de table en France et aux États-Unis et dites pourquoi elles sont importantes ou pas importantes dans la vie contemporaine.

V. Presentational Writing: Cultural Comparison

Vous êtes étudiant américain en France. Pendant la fête de Noël, vous vous trouvez loin de votre propre famille. Alors, votre meilleure amie française vous a invité à passer cette fête chez elle près de Lyon. C'est le 26 décembre et vous venez de passer la fête avec trois générations de sa famille. Vous avez même aidé la famille à préparer le repas du réveillon. Parlez de votre expérience: tout ce que vous avez fait et ce que vous avez mangé, et comparez les traditions françaises avec les traditions de chez vous ou de votre communauté.

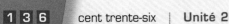

Unité
3 La Francophonie

Citation

"La langue française constitue l'appoint à notre patrimoine culturel, enrichit notre pensée, exprime notre action, contribue à forger notre destin intellectuel et à faire de nous des hommes à part entière."

The French language defines our cultural heritage, enriches our thinking, expresses our action, contributes to the formation of our intellectual destiny so as to set us apart from all of humanity.

—Habib Bourguiba,
   Chef de l'État tunisien

À savoir

Il y a environ 220 millions de personnes qui parlent français dans le monde.

Unité 3

La Francophonie

Question centrale

?

Comment les francophones restent-ils fidèles à leur langue et à leurs traditions?

Où se situe cette mosquée?

Comment s'appelle cette habitation au Sénégal?

Contrat de l'élève

Leçon A   I will be able to:

» say where my ancestors came from and where they settled.

» discuss the goals and services of the **Alliance française**, French immigration to Quebec, and Quebec immigration to New England.

» use the pronouns **y** and **en** and put two object pronouns in a sentence.

Leçon B   I will be able to:

» start a fairy tale.

» discuss Tunisia, North African immigration to France, and North African stories.

» use reflexive verbs.

Leçon C   I will be able to:

» respond to an introduction, say where I grew up, and give a compliment.

» discuss subsidized housing, government payments to families, and talk about Senegal.

» use the comparative and superlative of adverbs.

Leçon A

Vocabulaire actif

emcl.com
WB 1–3
LA 1–2
Games

Ma famille et où elle s'est installée

La famille éloignée

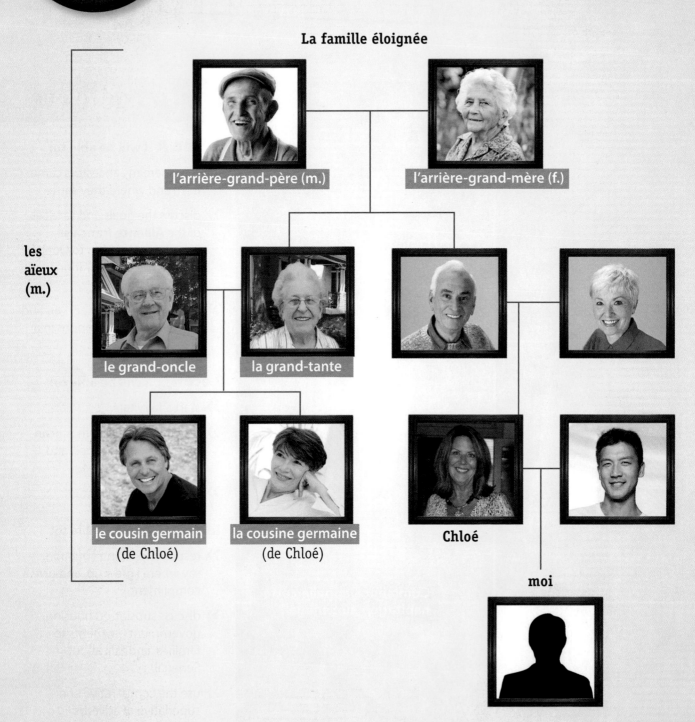

l'arrière-grand-père (m.)

l'arrière-grand-mère (f.)

les aïeux (m.)

le grand-oncle

la grand-tante

le cousin germain (de Chloé)

la cousine germaine (de Chloé)

Chloé

moi

Les États-Unis

Nous habitons....

dans l'état de Washington (m.)

dans le Maine

dans le Montana

dans le Minnesota

dans l'Oregon (m.)

dans l'Idaho (m.)

dans le Nevada

dans le Nebraska

dans le Kansas

en California (f.)

dans l'Arizona (m.)

dans le Texas

dans l'Alaska (m.)

en Louisiane (f.)

en Caroline du Nord (f.)

en Caroline du Sud (f.)

en Géorgie (f.)

en Floride (f.)

à Hawaï (m.)

1 dans l'Alabama (m.)	12 dans le Maryland	23 en Pennsylvanie (f.)
2 dans l'Arkansas (m.)	13 dans le Massachusetts	24 dans le Rhode Island
3 dans le Colorado	14 dans le Michigan	25 dans le Tennessee
4 dans le Connecticut	15 dans le Mississippi	26 dans l'Utah (m.)
5 dans le Dakota du Nord	16 dans le Missouri	27 dans le Vermont
6 dans le Dakota du Sud	17 dans le New Hampshire	28 en Virginie-Occidentale (f.)
7 dans le Delaware	18 dans le New Jersey	29 en Virginie (f.)
8 dans l'Illinois (m.)	19 dans l'état de New York (m.)	30 dans le Wisconsin
9 dans l'Indiana (m.)	20 dans le Nouveau-Mexique	31 dans le Wyoming
10 dans l'Iowa (m.)	21 dans l'Ohio (m.)	
11 dans le Kentucky	22 dans l'Oklahoma (m.)	

Pour la conversation

How do I say where my ancestors came from and settled?

> **Mes aïeux sont arrivés de** Bretagne et **se sont installés** au Québec.

My ancestors arrived from Brittany and settled in Quebec.

Et si je voulais dire...?

la descendance	*descent, lineage*
le droit de garde	*custody*
la marraine	*godmother*
le parrain	*godfather*
descendre de	*to be descended from*

1 Un long voyage

Lisez le mail de Sandrine à son frère au Québec, puis répondez aux questions.

À: Cédric
Cc:
Sujet: Mon long voyage

Salut, Cédric!

Tu vas bien? Quel voyage pour rendre visite à toute notre famille qui s'est installée aux États-Unis! J'ai atterri à Seattle, dans l'état de Washington. D'abord on a rendu visite au grand-père Félix qui y habite. Il s'y est installé quand il s'est remarié avec Sandy. Puis, on a pris la route pour aller voir sa sœur, Romane. Il a fallu que l'on traverse l'Oregon car elle est toujours en Californie, avec son autre frère Alexis. La fille d'Alexis, Michèle, habite tout près, mais les enfants de Michèle habitent dans le Nevada. Encore de la route! Tu te souviens de notre grand-oncle Raymond? Il habite maintenant dans le Maryland. Trop loin! Cela faisait beaucoup trop de route, alors je ne l'ai pas vu! C'est à toi de lui rendre visite quand tu iras à ta conférence à Baltimore.

Bises,
Sandrine

1. Où est-ce que Sandrine va pour voir ses aïeux?
2. Où habite la première personne qu'elle voit?
3. Comment s'appelle-t-il?
4. Qui est Romane? Où s'est-elle installée?
5. Qui est Alexis?
6. Qui est Michèle? Elle habite dans quel état?
7. Où habitent les enfants de Michèle?
8. Qui est-ce que Sandrine ne voit pas? Pourquoi?

2 C'est qui?

Imaginez que vous êtes Jean-Luc. Identifiez chaque membre de votre famille selon le modèle.

MODÈLE

Étienne
C'est mon cousin germain.

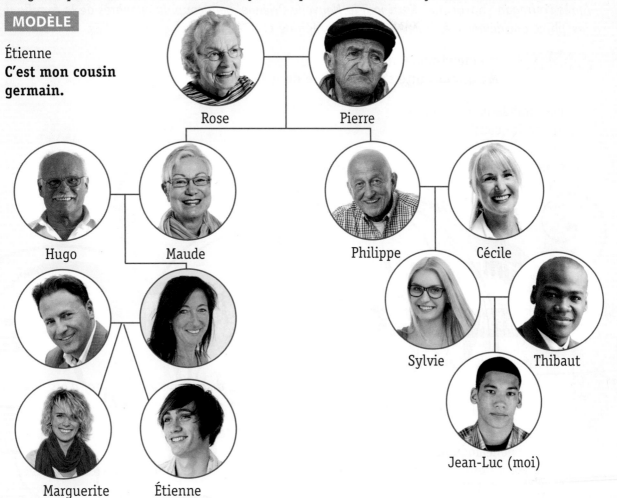

Rose Pierre

Hugo Maude Philippe Cécile

Sylvie Thibaut

Marguerite Étienne

Jean-Luc (moi)

3 Les états américains

Indiquez l'état pour chaque capitale.

MODÈLE Baton Rouge
La capitale de la Louisiane est Bâton Rouge.

1. Albany
2. Harrisburg
3. Santa Fe
4. Salt Lake City
5. Columbia
6. Oklahoma City
7. Atlanta

8. Richmond
9. Pierre
10. Raleigh
11. Tallahassee
12. Honolulu
13. Montpelier
14. St. Paul

Le Capitole à Bâton Rouge

4 **Où se sont-ils installés?**

Après l'ouragan (hurricane) Katrina à la Nouvelle-Orléans, beaucoup de membres de la famille de Joséphine ont déménagé. Jouez le rôle de Joséphine et dites où ils se sont installés.

MODÈLE	ma grand-tante/Iowa
	Ma grand-tante s'est installée dans l'Iowa.

1. mes grands-parents/Texas
2. ma petite cousine/Arizona
3. mon cousin/Alaska
4. mon arrière-grand-mère et sa fille/Illinois
5. ma tante/Massachussetts
6. mon cousin germain/l'état de Washington

Communiquez!

5 **Qui sont vos aïeux?**

Interpretive Communication

*Écrivez les numéros 1–6 sur votre papier. Écoutez la discussion entre le prof d'histoire et ses élèves. Ensuite, indiquez si les phrases sont vraies (**V**) ou fausses (**F**).*

1. Le professeur a demandé à ses élèves de faire des recherches sur un site généalogique en ligne.
2. L'arrière-grand-mère et l'arrière-grand-père d'Annie se sont rencontrés au Québec.
3. La famille de Roger vient d'Italie.
4. La famille de Roger s'est installée dans le Michigan où ils étaient forgerons.
5. Chase a de la famille en Louisiane.
6. Une partie de la famille de Melissa habite à Hawaï.

6 **Questions personnelles**

Répondez aux questions.

1. Comment s'appellent votre arrière-grand-père et votre arrière-grand-mère?
2. Est-ce que vous connaissez ou avez connu votre grand-tante ou grand-oncle? Où habitent/habitaient-ils?
3. D'où sont arrivés vos aïeux? En quelle année? Comment sont-ils venus?
4. Avez-vous voyagé dans d'autres états? Si oui, lesquels?
5. Quels états voudriez-vous visiter? Pourquoi?

Mes aïeux sont arrivés du Maroc.

Les ancêtres de Justin

Léo et son ami américain, Justin, se parlent au cercle de conversation de l'Alliance française de Nice.

Léo: Tes ancêtres sont venus de France? C'est incroyable! Tu en es sûr?

Justin: Absolument. Mon père a fait des recherches généalogiques sur l'histoire de notre famille: il me les a montrées. C'est passionnant.

Léo: Et alors?

Justin: Eh bien, mes aïeux sont arrivés de Bretagne et se sont installés au Québec sur l'île d'Orléans. Mon ancêtre devait être forgeron. Mais il en a profité pour changer de métier. Il s'est occupé de mécanique. Ils étaient très pauvres. La vie était très difficile.

Léo: Mais ils ne sont pas restés?

Justin: Plusieurs générations y ont vécu. C'est en 1929 avec la grande crise qu'ils sont venus tenter leur chance aux États-Unis. Ils se sont installés dans le Maine.

Léo: C'était une manière de garder le contact avec la Francophonie.

Justin: Si tu veux! Pour mon arrière-grand-père, c'était surtout le moyen de trouver du travail! Mon arrière-grand-père a travaillé sur les bateaux comme pêcheur et mon arrière-grand-mère travaillait dans une conserverie. Après, ça a été mieux....

Léo: Et ton grand-père, il vit toujours dans le Maine?

Justin: Mon grand-père a compris que le Maine allait devenir très touristique alors, il a ouvert un petit restaurant, puis un hôtel, sur Mount Desert Island; maintenant ce sont des cousins qui le tiennent.

Léo: Et tout ce temps tu ne m'as rien dit!

Un forgeron.

Le Maine.

7 Les ancêtres de Justin

Utilisez chacune des expressions suivantes dans une phrase pour montrer votre compréhension du dialogue et du vocabulaire.

MODÈLE l'Alliance française
Justin et Léo sont à l'Alliance française, une organisation associée à la promotion de la langue et la culture françaises.

1. des recherches généalogiques
2. l'île d'Orléans
3. forgeron
4. la grande crise de 1929
5. pêcheur
6. une conserverie
7. le Maine

Extension Un projet de famille

Alexis interrompt son père qui travaille sur son ordinateur.

Alexis: Mais qu'est-ce que tu cherches là?

Père: Là, je suis sur le site des archives départementales: on y trouve tous les actes officiels.

Alexis: C'est-à-dire?

Père: Eh bien, les actes de naissance, les changements de propriété, les changements d'état civil, différents types de contrats....

Alexis: Et avec ces documents, on remonte loin?

Père: Pour notre famille, je les ai presque tous retrouvés. Je suis remonté jusqu'à la Révolution française.

Alexis: Alors cet arbre généalogique, on le voit quand?

Père: Bientôt... patience....

Extension Qu'est-ce que le père d'Alexis cherche sur Internet? Ses recherches l'aident à faire quoi?

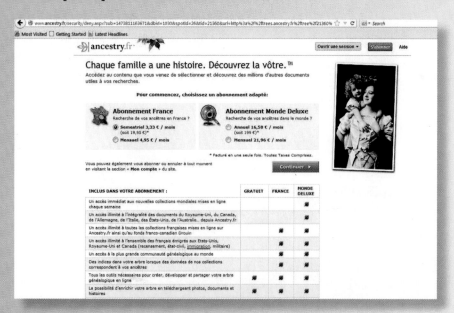

emcl.com
WB 5

? Comment les Francophones restent-ils fidèles à leur langue et à leurs traditions?

L'Alliance française

Fondée en 1883, sous l'égide* de Paul Cambon, et avec des membres du comité fondateur aussi prestigieux que Ferdinand de Lesseps, Louis Pasteur, Jules Verne, et Ernest Renan, l'Alliance française est une association qui a pour objectif de participer au rayonnement* de la culture française et à l'enseignement de la langue française.

L'Alliance française compte environ 1.000 comités répartis dans 135 pays. Elle accueille plus de 500.000 étudiants à travers* le monde. Les Alliances françaises organisent des conférences, des programmes de cinéma, des concerts, et des représentations théâtrales. Elles coopèrent aussi avec de nombreuses associations artistiques locales.

L'Alliance française des États-Unis est l'une des plus importantes antennes*; elle a été créée en 1902. On trouve des Alliances françaises à travers tous les États-Unis, aussi bien sur la côte Est que dans le Wyoming, l'Idaho, le Kansas, ou encore en Floride et en Californie. Le French Institute-Alliance française de New-York est le centre le plus important aux USA.

 Search words: alliance française de nice, alliance française usa

---

égide *umbrella*; **rayonnement** *influence*; **à travers** *throughout*; **antennes** *branches*

Mots-clé Au début, le mot **alliance** désigne le phénomène religieux et le caractère psychologique du lien par mariage entre deux grandes familles. Ce terme évolue à une union par engagement mutuel et développe un sens juridique et politique au XIIIème siècle.

COMPARAISONS

Comment est-ce que les États-Unis participent au rayonnement de l'anglais et de la culture américaine?

 Search words: voice of america

Produits L'Alliance française offre des **examens agréés** (*approved*) par la Chambre de Commerce et d'Industrie de Paris (CCIP). Donc, si vous vous intéressez à travailler dans les affaires (*business*), pour une compagnie française ou une compagnie américaine avec une succursale (*branch*) en France, vous pouvez vous inscrire à l'Alliance française pour vous préparer.

L'immigration française: de l'île d'Orléans au Québec

C'est avec Samuel de Champlain que commence l'aventure coloniale française au Québec. Il fonde la ville de Québec en 1608 et fait venir les missions religieuses. Mais c'est vers 1630 que commencent les premières grandes migrations. Plus de mille colons* arrivent de Bretagne, de Normandie, d'Anjou, puis 770 filles du Roi* sont envoyées pour agrandir l'empire colonial. Les conflits militaires amènent 1.200 hommes supplémentaires du Dauphiné, de Ligurie, et de Savoie.

L'île d'Orléans, proche de* Québec, aujourd'hui reliée* par un pont, est le berceau* de peuplement* de la Nouvelle France. Sainte Famille, le village le plus ancien, a été fondé en 1661. C'est sur cette île qu'est enterré* Félix Leclerc (1914–1988), l'un des plus grands chanteurs québécois.

Dans les années 1960–1970, les immigrants francophones au Québec venaient principalement d'Haïti et du Vietnam; aujourd'hui, la majorité des immigrants viennent de France, de Belgique, et du Maghreb.

 Search words: **île d'orléans tourisme, île d'orléans familles souches, île d'orléans québec région**

---

colons *settlers;* **filles du Roi** *King's Daughters (group of young and single women sent to* **la Nouvelle France** *to get married to the settlers and have children);* **proche de** *close to;* **reliée** *connected;* **berceau** *cradle;* **peuplement** *populating;* **enterré** *buried*

Mon dico québécois

Qu'est-ce que ça mange ça? *Qu'est-ce que ça signifie?*
J'ai ben de la misère avec ça. *Je supporte cela difficilement.*
Ça m'a coûté une beurrée. *Ça m'a coûté cher.*
Ça n'a pas d'allure ton affaire. *Ça n'a pas de sens.*
T'es rendu végétarien maintenant? *Tu es devenu végétarien?*

La ville de Québec montre la présence française en Amérique.

Au début de la colonisation, les Québecois habitaient dans la "Nouvelle France."

La Francophonie

❋ La Nouvelle Angleterre

On estime* à 900.000 le nombre de Francophones en Nouvelle Angleterre. Ce sont les descendants des Québécois et des Acadiens qui, sans travail, sont venus s'y installer entre le milieu du XIXème siècle et la Seconde Guerre mondiale. Ils travaillent tout d'abord dans l'industrie textile; leurs descendants sont maintenant journalistes, avocats, commerçants, etc. Il existe aujourd'hui 500 organisations qui s'occupent de la recherche des ancêtres québécois. Dans le Maine, on estime que 5% de la population parle français à la maison.

Produits Un documentaire récent, *Réveille*, montre une réapparition de l'intérêt des immigrés de Québec et de leurs enfants de la Nouvelle Angleterre pour la langue française et l'héritage québécois.

🔍 **Search words:** réveil activités culturelles, waking up french

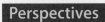

estime *estimates*

Le parc national de l'Acadie dans le Maine a été découvert par Samuel de Champlain.

8 Activités culturelles

Complétez les activités suivantes.

1. Identifiez les professions de Ferdinand de Lesseps, Louis Pasteur, Jules Verne et Ernest Renan.
2. Faites la carte d'identité de l'Alliance française:
   - Siècle de création
   - Nombre de comités
   - Nombre de pays
   - Activités
3. Trouvez l'Alliance française la plus proche de chez vous et faites une liste d'activités ou de programmes qui vous intéressent.
4. De quelles régions venaient les premiers colons du Québec? Situez-les sur une carte de France.
5. Faites une liste des noms de famille français des habitants de l'Île d'Orléans et de la Nouvelle Angleterre.

Perspectives

"Étant une personne qui apprécie la sagesse *(wisdom)*, la tradition, et la richesse qui sortent de notre passé, il me faut être 'branché' dans le monde francanadien. De nos jours, '*C'est une pinotte*!' Les médias sociaux, Radio Canada, et d'autres ressources en ligne comme ToutCanadien.com rendent cette connexion à portée de main *(within reach)* à tout moment." Comment est-ce que cet américain avec des ancêtres québécois profite des médias canadiens pour enrichir sa vie aux États-Unis?

Du côté des médias

Pre AP

Interpretive Communication

Lisez la brochure sur l'île d'Orléans.

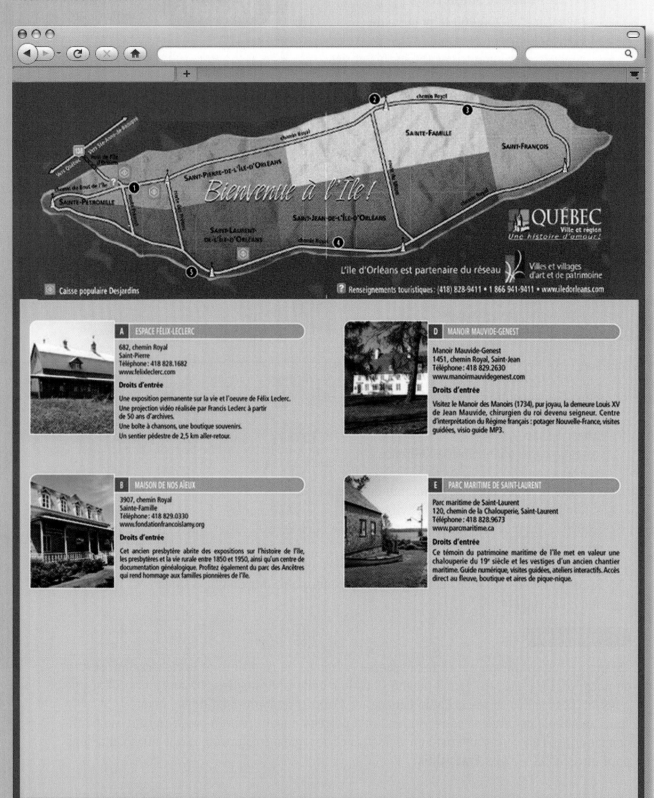

ÎLE D'ORLÉANS

Fertile en coups de cœur !

LIEUX D'HISTOIRE ET DE CULTURE

Un puissant lieu identitaire

Dans le cœur des Québécois, l'île d'Orléans est devenue, au fil du temps, un foyer identitaire puissant, un musée vivant où le visiteur peut retourner à la source de ses origines autant qu'à celle de sa sérénité. Quiconque s'attarde dans ce lieu de mémoire y découvre une partie de son histoire, personnelle ou collective.

Pour le visiteur de la première heure, le tour de l'île est l'occasion de confirmer, à travers la beauté singulière de ses paysages et l'authenticité des gens comme des choses, l'appellation d'«écrin mythique» souvent reprise à son propos. Mais au visiteur ponctuel, un sentiment s'impose chaque fois plus insistant, celui du retour au bercail.

Fertile en coups de cœur, pour tous les trésors qu'elle a à nous offrir, l'île d'Orléans prend de plus en plus valeur de terre mémoire, de symbole d'un «microcosme du Québec».

La terre mémoire de l'Amérique française

L'île d'Orléans est connue comme un lieu exceptionnel de sauvegarde et de mise en valeur du patrimoine. Les habitants de l'Île sont conscients de la dimension nationale du riche héritage patrimonial et historique dont ils ont hérité. Ils sont sensibles au rôle mythique, à la charge symbolique que l'Île continue de transporter, à leurs yeux mêmes comme à ceux de tous les Québécois. Ils ont donc choisi de conserver le passé bien vivant et de mettre en valeur les caractéristiques qui en font encore aujourd'hui la «terre mémoire» de l'Amérique française.

Le travail fut de longue haleine, les partenariats multiples, les démarches ininterrompues, mais le résultat est là. Patrimoines maritime et naturel, politique et territorial, social et familial, artistique et culturel, toute la chaîne historique, toute l'activité humaine y est représentée. Les activités d'interprétation offertes dans les cinq lieux historiques de l'Île sont complètes en elles-mêmes, mais elles s'enrichissent en plus du Réseau d'histoire de l'île d'Orléans, une approche intégrée qui fait du patrimoine historique de l'Île une richesse exceptionnelle par sa complémentarité.

9 Île d'Orléans

Complétez les activités suivantes.

1. Faites une liste des adjectifs et des noms qui décrivent l'île d'Orléans.
2. Imaginez que vous travaillez à l'office du tourisme de l'île d'Orléans. Indiquez aux touristes qui vous appellent comment rejoindre les lieux à la page 150 à partir de Québec sur la route 138.
3. Faites des recherches sur les cinq sites mentionnés plus haut et choisissez un site à visiter. Dites pourquoi il vous intéresse.
4. Organisez votre visite de l'île d'Orléans.

Structure de la langue

WB 6–9
Games

Révision: The Pronouns *y* and *en*

Do you remember how to answer the questions below affirmatively, replacing what's underlined with the correct pronoun?

1. Vas-tu <u>au cinéma</u> le weekend?
2. Tu as <u>un dictionnaire français-anglais</u>?
3. Tu aimes manger <u>de la pizza</u>?
4. Voudrais-tu aller <u>en France</u>?

If you are unable to answer these questions, read the grammar summary below.

The pronouns **y** and **en** are placed before the verb of which they are the object in sentences that are affirmative, interrogative, negative, or have an infinitive.

À Paris? Non, nous ne voudrions pas **y** aller.   *To Paris? No, we wouldn't like to go there.*

Des oranges? Oui, j'**en** ai pris une.   *Oranges? Yes, I had one of them.*

Pronoun	Replaces	Examples	
y	preposition + place	Ta grand-tante était en Arizona? **Y** est-elle restée? Elle va **y** déménager.	*Your great-aunt was in Arizona? Did she stay there? She's going to move there.*
y	certain verbs, such as **penser à**, **réfléchir à** + name of thing	Son idée? Tu **y** penses?	*Her idea? Are you thinking about it?*
en	**de** + expression	Du vélo? **En** faites-vous en famille? Oui, nous **en** faisons ensemble. Mais nous n'**en** faisons pas pendant la semaine. Tu veux **en** faire avec nous samedi?	*Biking? Do you do it with your family? Yes, we do it together. But we don't do it during the week. Do you want to do it with us on Saturday?*

In an affirmative command, **y** or **en** follows the verb and is attached to it by a hyphen. In the **tu** form of **–er** verbs, the affirmative imperative adds an **s** before the pronoun **y** or **en**. In a negative command, **y** or **en** precedes the verb.

Prends-**en**!   *Take some!*
Mais n'**en** prends pas trop!   *But don't take too much/many.*

THE PRONOUNS *y* AND *en*: The affirmative answers using the pronouns **y** and **en** are:
1. J'y vais le weekend.
2. J'en ai un.
3. J'aime en manger.
4. Je voudrais y aller.

Communiquez!

10 **Tu penses à...?**

Interpersonal Communication

À tour de rôle, demandez à votre partenaire s'il ou elle pense aux sujets suivants. Répondez affirmativement ou négativement avec **y**.

MODÈLE   les activités que tu faisais quand tu étais petit(e)
A: **Tu penses aux activités que tu faisais quand tu étais petit(e)?**
B: **Oui, j'y pense de temps en temps.**
          ou
Non, je n'y pense pas.

1. les cadeaux de Noël que tu vas offrir
2. les questions que tes profs posent en classe
3. l'avenir
4. les informations à la télé
5. les amis que tu invites à ta fête
6. les problèmes de la vie contemporaine
7. les vacances

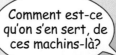

Comment est-ce qu'on s'en sert, de ces machins-là?

11 **Vous vous en servez?**

Dites si tout le monde se sert de chacun des ustensiles suivants dans la cuisine. Répondez en utilisant **en**, *et soyez logique!*

MODÈLES   Vous vous servez d'une cuiller en bois pour remuer la sauce?
Oui, nous nous en servons pour remuer la sauce.

Marianne se sert d'un bol pour préparer des steaks?
Non, elle ne s'en sert pas pour préparer des steaks.

1. Vous vous servez d'un chinois pour filtrer les herbes?
2. Madeleine se sert d'une poêle pour faire un gâteau?
3. Les sœurs Delattre se servent d'un verre mesureur pour mesurer le lait?
4. Tu te sers d'une cuiller en bois pour mesurer le sucre?
5. Jacques et Karim se servent d'un mixer pour faire des frites?
6. Je me sers d'une casserole pour faire chauffer la sauce?
7. Nous nous servons d'une passoire pour rincer les pâtes?

Communiquez!

Interpretive Communication

Écrivez les numéros 1–8 sur votre papier. Écoutez les questions et indiquez si vous répondriez avec **y** *ou* **en**.

Révision: Double Object Pronouns

emcl.com
WB 10–11
Games

Imagine there is a new student in your French immersion school. Answer her questions affirmatively, replacing what's underlined with two pronouns.

1. Tu **me** montres <u>la cantine</u>?
2. Pourrais-tu **me** prêter <u>ton stylo</u>?

If you can't answer these questions, read the grammar summary below.

When there are two pronouns in one sentence, their order before the verb in a declarative sentence is:

subject +	me te nous vous	+	le la les	+	lui leur	+	y	+	en	+	verb

These pronouns come right before the verb of which they are the object in sentences that are affirmative, negative, interrogative, or have an infinitive. They also precede the verb in a negative command.

Quand as-tu vu mes cousins germains en ville?
Je ne **les y** ai pas vus hier.
Les vacances d'été? Je **leur en** ai parlé au téléphone.

When did you see my first cousins in town?
I didn't see them there yesterday.
Summer vacation? I talked to them about it on the phone.

Vous allez inviter vos cousins germains chez vous?
Oui, je vais **les y** inviter.
Non! Ne **m'en** parle pas!

Are you going to invite your first cousins to your house?
Yes, I'm going to invite them there.
No! Don't talk to me about it!

> DOUBLE OBJECT PRONOUNS: These are the affirmative answers to the questions:
> 1. Je te la montre.
> 2. Je pourrais te le prêter.

In an affirmative command, the order of pronouns is:

verb +	le la les	+	lui leur	+	moi toi nous vous	+	y	+	en

Je donne l'invitation à ta grand-tante?
Oui, **donne-la**-lui!

Should I give the invitation to your great-aunt?
Yes, give it to her!

Non, tu ne le lui as pas dit?

Si, je le lui ai dit!

COMPARAISONS

Verbs can be transitive or intransitive. A transitive verb takes a direct object; an intransitive verb does not require a direct object. Are the verbs in the sentences below transitive or intransitive?

1. Chelsea **is eating** at the café.
2. Zach **sees** Chelsea.
3. Zach **writes** Chelsea a text message.

13 **Logique ou non?**

Si la question est logique, répondez affirmativement. Si non, répondez négativement. Faites attention au temps du verbe. Utilisez des pronoms dans vos réponses. Attention à l'ordre.

MODÈLES   Tu lis le conte de fées à ton petit-cousin?
Oui, je le lui lis.
ou
Non, je ne le lui lis pas.

1. Est-ce que votre frère ou votre sœur conduit une auto tamponneuse au supermarché?
2. Avez-vous acheté la nouvelle Renault décapotable pour le président des États-Unis?
3. Vos camarades de classe vont-ils donner leurs smartphones à leurs parents?
4. Est-ce que vous offrirez des cadeaux à vos parents pour leur anniversaire de mariage?
5. Simon et toi, vous avez parlé au prof de vos devoirs?
6. Votre meilleur ami rend son livre de poche au président de la France?
7. Votre grand-mère va donner des euros à son chien?

COMPARAISONS: In sentence #1, "is eating" is used intransitively. In sentences #2-3, "sees" and "writes" are used transitively because these verbs take direct objects ("Chelsea" and "a text message").

Communiquez!

Comment les Francophones restent-ils fidèles à leur langue et à leurs traditions?

14 Des cadeaux de Noël pour les enfants à l'hôpital

Interpersonal Communication

Avec votre partenaire, jouez le rôle du Père Noël et de son assistant(e) à l'hôpital. L'assistant(e) demande au Père Noël à quel enfant on doit donner chaque cadeau. Le Père Noël doit répondre logiquement.

MODÈLES   les cartes de foot au garçon de 8 ans

A: **Je donne les cartes de foot au garçon de 8 ans?**
B: **Oui, donne-les-lui!**

A: **Je donne le collier en argent à la fille de 2 ans?**
B: **Non, ne le lui donne pas!**

1. les jeux-vidéo au garçon de 15 ans
2. la poupée à la fille de 16 ans
3. les robes de princesse aux petites filles de 5 ans
4. le costume d'un super-héros au garçon de 17 ans
5. le ballon de foot au garçon de 12 ans
6. les B.D. aux garçons de 3 ans
7. les DVD des contes de fées aux petites filles de 6 ans
8. la corde à sauter à la fille de 17 ans

Cet ours, je le lui donne!

Moi, je donne mon téléphone préféré aux enfants de l'hôpital.

Je donne la collection de timbres au garçon de 9 ans?

Oui, donne-la-lui!

15 D'où viennent vos aïeux?

Presentational Communication

Faites une présentation dans laquelle vous:

- dites lesquels de vos ancêtres ont quitté leur pays d'origine et le nom de ce pays
- donnez la date de leur voyage si vous la connaissez
- dites comment ils ont voyagé (en bateau? en avion?)
- expliquez où ils se sont installés
- dites pourquoi ils s'y sont installés

Peut-être qu'il faudra que vous parliez à vos parents ou grands-parents pour vous renseigner sur l'histoire de votre famille. Servez-vous de cartes pour montrer les pays, les états, ou les provinces en question pendant votre présentation.

16 Les familles souches de l'île d'Orléans

Interpretive and Presentational Communication

L'île d'Orléans était la terre d'accueil de 300 familles souches (*founding*) canadiennes qui ont immigré de France pendant le XVIIème siècle. Les noms de famille comprennent Pichet, Drouin, Goulet, Noël, Rousseau, Gagnon, Gosselin. Choisissez un des projets ci-dessous à compléter.

A. Trouvez les dates pour le fondateur d'une famille et écrivez une phrase sur sa vie, par exemple: **Il est né en Bretagne, date inconnue, et il est mort à X, en 1788, dans la Nouvelle France.**

 Search words: ancestry canada

B. Trouvez l'arbre généalogique d'une de ces familles et parlez du point de vue d'un membre de la famille toujours vivant, par exemple: **Mon arrière-grand-père était X, né à Sainte-Famille en 1903 et mort à Québec en 1975.**

 Search words: arbre généalogique québec + nom de famille

C. Faites une liste de 60 de ces familles souches de l'île d'Orléans en ordre alphabétique. Indiquez avec un * les noms de famille qu'on trouve toujours au Québec.

Search words: familles souches île d'orléans

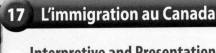

Communiquez!

17 L'immigration au Canada

Interpretive and Presentational Communication

Allez sur le site réservé à l'immigration du gouvernement canadien. Recherchez les formulaires et guides de demandes d'immigration au Canada aujourd'hui. Cliquez sur "français." Renseignez-vous sur une des trois possibilités suivantes:

A. Visiter le Canada de façon temporaire
B. Immigrer au Canada de façon permanente
C. Parrainer (*sponsor*) une la famille

Une fois vos recherches finies, formez un groupe avec les élèves qui ont fait des recherches sur la même catégorie que vous. Mettez vos informations en commun et présentez vos recherches à la classe.

Search words: citizenship and immigration canada

Des immigrés maghrébins à Toronto.

Rising and Falling Intonation in Commands

- In commands, the voice descends abruptly on the last syllable. In longer commands, the voice rises in the first group of words and falls abruptly at the end of the sentence.

A **Des phrases impératives**

Répétez chaque phrase. Faites attention à la descente de la voix à la fin de la phrase.

1. Fais entrer ta grand-tante!
2. Fais entrer ta petite cousine!
3. Fais entrer ton arrière-grand-mère!

B **Jacqueline fait du babysitting.**

Répétez la phrase déclarative, suivie de la phrase à l'impératif. Faites attention à l'intonation.

1. Il faut fermer la porte.   N'oubliez pas de fermer la porte!
2. Il faut lui donner son dîner.   N'oubliez pas de lui donner son dîner!

Open and Closed Vowels

- In the following pairs, the first vowel is open and the second closed. The sounds can be found in the words underneath. Listen carefully for the distinction in the vowel sounds in the pairs of words.

/ɛ - e /   /o - ɔ/   /ø - œ/

faites – été   mot – mort   heureux – bœuf

C **Les aïeux**

Répétez les phrases suivantes. Faites attention aux sons des voyelles.

1. Vos aïeux sont français, et les nôtres sont anglais.
   /o/ /ø/   /ɛ/ /e//e//o/   /ɛ/

2. Notre aïeul est anglais, et le vôtre est japonais!
   /o/   /œ/ /ɛ/   /ɛ/ /e/   /o/   /ɛ/

D **Pendant deux heures**

Répondez affirmativement à la question d'après le modèle que vous entendez; utilisez l'expression "pendant deux heures."

MODÈLE   Tu as travaillé jeudi?
Oui, j'ai travaillé pendant deux heures.

Leçon B

Vocabulaire actif 🎧

emcl.com
WB 1–2
LA 1
Games

Les contes francophones

Je te raconte....

un conte de fees

une fable

une histoire vraie

une ballade

L'histoire de Blanche Neige

un(e) magicien(ne)

Blanche Neige ne se méfie pas de la magicienne.

Les amis de Blanche Neige sont rusés.

La magicienne a joué un tour à Blanche Neige.

Le prince a déjoué le tour de la magicienne.

Pour la conversation

How do I start a fairy tale?

> **Il était une fois** un petit garçon, Fahim.

Once upon a time there was a little boy, Fahim.

Et si je voulais dire...?

un carrosse	*carriage*
un crapaud	*toad*
un grimoire	*magic book*
un ogre	*ogre*
un pays lointain	*far-away country*
une potion magique	*magic potion*

1 Un cours pour la future prof

Lisez la lettre de Valérie à sa mère, puis répondez aux questions.

Salut Maman!

J'espère que tout va bien pour toi et Papa. On dit qu'il faut se mettre aux choses sérieuses à la fac, mais non! Tu ne vas pas croire ce que nous lisons ce semestre. Tu te souviens de toutes les histoires que tu me lisais quand j'étais petite, où j'ai appris qu'il fallait me méfier des personnes qui me joueraient peut-être un mauvais tour? Maintenant ce sont les textes du cours. On les analyse pour voir s'ils sont toujours d'actualité pour les élèves d'école primaire. Tu savais déjà, tous les soirs qu'on passait ensemble à lire, que ces histoires de magiciens, de fées, d'animaux allaient me servir à la fac? Peux-tu m'envoyer tous mes vieux livres?

Bises,
Valérie

1. Quelle impression a Valérie de la fac?
2. Que faisait la maman de Valérie quand elle était petite?
3. Valérie a appris une leçon quand elle était jeune. Laquelle?
4. Qui étaient les personnages dans les livres de son enfance?
5. Que demande Valérie à sa mère?

2 La lecture

Choisissez la définition de la liste qui correspond aux définitions suivantes.

> une histoire vraie   une ballade   une fable   un conte de fées   un poème
> une pièce de théâtre   une fille qui se méfie du loup (*wolf*)   un animal rusé

MODÈLE   "Ce soir, c'est tout le Québec que j'invite chez-nous"
C'est un poème québécois.

1. le Petit Chaperon Rouge
2. *La vie de Marie Curie*
3. "Le lièvre (*hare*) et la tortue (*tortoise*)"
4. "John Henry"
5. le loup dans "Le Petit Chaperon Rouge"
6. "Cendrillon"
7. *Roméo et Juliette*
8. *La vie de Thomas Jefferson*

3 **Je vous lis....**

Jouez le rôle de la maîtresse d'une école primaire et dites ce que vous lisez aux enfants selon le modèle. Choisissez un mot ou une expression de la liste.

| poème | conte de fées | fable | histoire | pièce | histoire vraie | roman |

MODÈLE  **Les enfants, aujourd'hui je vous lis une histoire.**

1.

2.

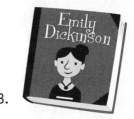

3.

4.

5.

6.

7.

Communiquez !

4 **Une princesse rusée**

Interpretive Communication

Écoutez le conte de fées, puis choisissez la lettre de la partie qui complète la phrase.

1. Il était une fois...
2. D'habitude, la princesse...
3. Elle aimait...
4. Le magicien a...
5. Mais il n'a pas réussi parce que...

A. marcher dans la forêt.
B. joué un mauvais tour.
C. se préparait dans la salle de bains avant de faire une promenade.
D. une princesse qui habitait dans un château.
E. la princesse a mis des cordes aux arbres pour se rappeler du chemin.

5 **Questions personnelles**

Répondez aux questions.

1. Quelles sortes d'histoires est-ce que tes parents te lisaient quand tu étais petit(e)?
2. Quel est ton conte de fées préféré? En existe-t-il une version cinématographique? Est-ce que tu préfères lire ou regarder cette histoire?
3. Aimes-tu lire des histoires vraies? Si oui, sur quels sujets ou sur qui?
4. Quelles sortes de textes est-ce que tu dois lire pour tes cours de littérature au lycée?
5. Qui est ton magicien préféré—Merlin, Harry Potter, ou Mickey Mouse dans *Fantasia*?
6. Si tu pouvais jouer un tour, qu'est-ce que tu ferais?

Je vais jouer un tour à mon prof de littérature et écrire un vieux conte.

Un conte maghrébin

Karim garde sa petite sœur, Aïcha, qui va bientôt se coucher.

Karim: C'est prêt... tu viens? Tu t'es lavé les mains?

Aïcha: Je n'ai pas faim....

Karim: Ah non, tu ne vas pas commencer! Je t'ai préparé une soupe comme tu l'aimes....

Aïcha: Je n'aime pas la soupe.... Il y a une heure j'ai mangé un yaourt. Et maman m'a fait un bon goûter....

Karim: D'accord, alors vas te coucher tout de suite!

Aïcha: Tu vas te faire disputer par maman si je ne me brosse pas les dents: je vais tout lui dire.

Karim: Bon ça suffit: tu te brosses les dents et tu vas te coucher.

Aïcha: Qu'est-ce que tu me lis comme histoire?

Karim: Je te raconte "L'élève du magicien." Tu l'aimes, n'est-ce pas?

Aïcha: Je l'adore.

Karim: Il était une fois un petit garçon, Fahim. C'était un enfant très intelligent. Sa mère l'avait envoyé chez un maître qu'on lui avait conseillé, loin, dans la montagne. Mais pendant que les autres élèves apprenaient, lui devait s'occuper des travaux de la ferme, pour payer ses études. Il passait très peu de temps en classe, mais il arrivait à apprendre si vite que son maître avait commencé à se méfier de lui. Mais Fahim sera plus rusé, et découvrira même que son maître est un magicien.

Aïcha: Et après?

Karim: La suite demain....

Aïcha: Moi, je la connais. Il apprendra les mêmes choses que le magicien et comme ça il pourra déjouer ses mauvais tours.... Bonne nuit!

 Le mot **maître** a plus ou moins trois sens: celui d'instructeur (maître d'étudiants), celui de dominateur (maître d'esclaves), et celui de propriétaire (maître de maison). Il reflète en fait les deux facettes de l'autorité: positive si elle est éducative ou protectrice, mais négative si elle est dominatrice.

6 Un conte maghrébin

Complétez les phrases suivantes.

1. Karim... sa petite sœur, Aïcha, qui doit se coucher bientôt.
2. Elle ne veut pas..., même si d'habitude elle l'aime.
3. Elle veut... avant de se coucher ou elle va tout dire à sa maman.
4. Fahim est... qui travaille dur à la ferme de son école.
5. Il découvre que son maître est....
6. Fahim apprend à... du magicien.

Extension **Le babysitting**

Coralie fait du babysitting chez les Darras.

Mme Darras:	On ne va pas rentrer très tard, avant minuit.
M. Darras:	N'oubliez pas de lui faire réciter ses leçons avant le dîner.
Coralie:	Je peux la laisser regarder la télévision un petit moment?
Mme Darras:	Non, juste sa leçon de chinois. Le DVD est dans le salon.
Coralie:	J'y veillerai.
Mme Darras:	Pour le dîner, il faut qu'elle mange un légume, un yaourt, et un fruit.
M. Darras:	Il faut qu'elle se brosse les dents avant de se coucher....
Mme Darras:	... et qu'elle se couche à 20h30.
Coralie:	Entendu. Bonne soirée!

Extension Comment sont les parents envers leur enfant?

La Francophonie

✳ La Tunisie

La Tunisie est le plus petit des trois pays du Maghreb. Elle compte aujourd'hui un peu plus de dix millions d'habitants, et sa capitale est Tunis. La plus grande partie de la population vit sur la côte, à Gabès, Bizerte, Sfax, et Sousse.

Protectorat* français à partir de 1883, la Tunisie devient indépendante en 1956. Habib Bourguiba devient le premier Président d'une république qui se caractérise par un pouvoir détenu par* un parti unique, le Néo-Destour.

La Tunisie a toujours accordé une place importante à l'éducation; elle lui consacre 21% de ses ressources. Aujourd'hui, presque 80% de la population est alphabétisée* et 70%, garçons et filles à égalité, est scolarisée*. Plus de 20.000 étudiants fréquentent l'université dont* 30% des professeurs sont des femmes.

 Search words: **bonjour tunisie, tunisie tourisme, actualités tunisie, gouvernement tunisie**

Protectorat *Protectorate;* **pouvoir détenu par** *power held by;* **alphabétisée** *literate;* **scolarisée** *sent to school;* **dont** *among which*

Des étudiantes discutent de la lecture pour le cours de sciences po.

L'université de Tunis Carthage est l'une des meilleures universités de Tunisie.

L'immigration maghrébine en France

On compte aujourd'hui trois générations d'immigrés d'origine maghrébine en France (immigrés, enfants, et petits-enfants). Elles représentent entre 3,5 millions et 6 millions de personnes, soit 5% de la population française. Les plus nombreux sont les immigrés d'origine algérienne (900.000), puis marocaine (450.000), et enfin tunisienne (220.000). Aujourd'hui l'immigration est d'abord une immigration de regroupement familial (50%) et dans une moindre mesure* économique (13%). L'asile* politique représente 16% des demandes; il est donc plus important que l'immigration sur le plan économique.

Près de 8% des jeunes de moins de 18 ans en France sont d'origine maghrébine. Ils sont surtout concentrés dans la région parisienne où ils représentent 12% de la population. Parmi* les étudiants venant étudier en France, un quart des étudiants étrangers est originaire de la Tunisie, du Maroc, ou de l'Algérie.

Certains immigrés retournent souvent à leurs pays d'origine. Quand ils reviennent en France, ils apportent des vêtements, des objets d'art, des tissus, et d'autres choses de leurs pays d'origine. Il y a des Maghrébins qui ouvrent des restaurants où on sert des spécialités de leurs pays maghrébins, et vendent des épices, des tissus, des produits artisanaux, et autres au public français et maghrébin.

---

moindre mesure *lesser extent;* **asile** *asylum;* **parmi** *among*

Construite en 1926, la mosquée de Paris représente l'importance de la culture maghrébine en France.

Produits

Il y a beaucoup de **restaurants maghrébins** en France où on sert le couscous et d'autres plats d'Algérie, de Tunisie, et du Maroc. Certaines spécialités de la région sont la pastilla, la chorba, la brick, le tajine, et les gâteaux arabes. Trouvez des photos de ces plats en ligne.

COMPARAISONS

Y-a-t-il des immigrés dans votre communauté ou votre lycée? D'où viennent-ils?

Mots-clé

Immigrer (1840) est emprunté (*is borrowed*) du latin *immigrare* qui signifie "venir dans." Il vient de *migrare* qui signifie changer de résidence. Les mots **immigré** et **immigration** apparaissent vers 1770.

Quelles histoires enfantines vous a-t-on lu es quand vous étiez petit(e)?

Les contes maghrébins

La nature imaginative et poétique de l'âme* berbère* et arabe a donné naissance* à une littérature de contes très variée. On distingue des contes religieux qui attribuent aux saints d'extraordinaires miracles, comme "Lalla Mimouna," histoire d'une femme vertueuse dont la détermination d'apprendre la prière pour connaître Dieu lui donne le pouvoir d'arrêter un navire* et de marcher sur l'eau.

Il y a aussi des contes plaisants* et humoristiques comme le héros comique le plus populaire de l'Orient, Joha, à la fois malin* et naïf. Il joue des tours à ses concitoyens*, leur dit des vérités* pas bonnes à entendre. Joha s'appelle Bechkerker dans l'Aurès algérien, Brozi et Moussa dans le Riff marocain, BenChekran, l'ivrogne, ou Bou Hamar, l'homme à l'âne dans les tribus arabes. Ces anecdotes ont un rôle moralisateur.

Il y a aussi de nombreux contes d'animaux, notamment* en Kabylie: le chacal*, le hérisson*, ou le lièvre* sont des héros familiers pleins de ruse*. Quant aux* contes merveilleux, ils doivent être racontés le soir, selon la tradition, sous peine de* devenir méchant ou d'avoir des enfants méchants. Enfin il existe de nombreux contes dont le récit est proche de celui des contes occidentaux: Le Petit Poucet (*Tom Thumb*) devient Mqidech ou Haddidouan, celui qui lutte* contre l'ogresse (Ghoula en arabe, Teriel en kabyle).

 Search words: contes maghrébins, l'élève du magicien

âme *soul*; **berbère** *Berber*; **a donné naissance** *gave birth to*; **navire** *ship*; **plaisants** *nice*; **malin** *clever*; **concitoyens** *fellow citiyens*; **vérités** *truths*; **notamment** *notably*; **chacal** *jackal*; **hérisson** *hedgehog*; **lièvre** *hare*; **ruse** *trick*; **Quant aux** *As for*; **sous peine de** *under the threat of*; **lutte** *fight*

La tajine de poulet au citron est un plat principal servi dans les restaurants tunisiens en France.

7 Activités culturelles

Complétez les activités suivantes.

1. Choisissez une ville tunisienne: Sousse, Gabès, Sfax, Bizerte, ou Tunis. Faites des recherches sur cette ville et présentez-la à votre classe.
2. Dites à quoi correspondent ces pourcentages sur la Tunisie:
   - 21%
   - 80%
   - 70%
   - 30%
3. Faites un graphique en secteurs (*pie chart*) montrant le nombre d'immigrés en France d'origine marocaine, algérienne, et tunisienne.
4. Trouvez une recette pour un plat tunisien et faites votre liste d'achats.
5. Identifiez ces personnages de contes maghrébins:
   - Lalla Mimouna
   - Joha
   - Mqidech

À discuter

Qu'est-ce que vous pensez des immigrés qui gardent les traditions de leurs pays d'origine? Est-ce que votre famille observe des traditions d'un pays différent de celui où vous habitez? Quelle est l'origine de ces traditions?

Du côté des médias

Interpretive Communication

Lisez les informations sur les manifestations (events) en Tunisie pendant l'année.

En **Mars:** Tunis accueille le salon national de la Création artisanale.

En **Avril:** Festival des Oranges à Nabeul, qui célèbre la fin de la saison du fruit.

En **Mai:** Festival des Roses à Ariana. Expositions de tous les produits dérivés de la rose.

De **Juin** à **Septembre:** Tabarka est le cadre de quatre festivals qui se consacrent successivement au raï, au jazz, aux musiques du monde, et aux musiques latines.

En **Juin:** Festival de l'Epervier à El Haouira. Démonstrations de dressage et de chasse.

En **Juillet:** Festival International de Bizerte. Danse, chants, et musique. Festival du Malouf à Testour. Musique arabe classique. Festival International de Hammamet: www.festivalhammamet.com

En **Août:** Festival de la Sirène à Kerkennah. Festival de la Poterie à Guellala.

En **Juillet- Août:** la saison culturelle bat son plein dans l'ensemble du pays. Les manifestations les plus réputées se déroulent dans des sites historiques tels que Carthage, El Jem et Dougga, ou dans des villes balnéaires comme Hammamet, Sousse, Bizerte, et Monastir.

En **Octobre:** Octobre musical (rencontres des musiques classiques) à l'Acropolium de Carthage Journées cinématographiques ou théâtrales de Carthage Le Chott est le cadre de manifestations sportives telles que les "Foulées du Chott" (semi-marathon et marathon)

En **Novembre:** Festival des Oasis à Tozeur. Folklore, parade à dos de chameaux. 11 au 18 Novembre: Journées cinématographiques de Carthage- Tunis 12 Novembre: On fête la journée nationale du tourisme saharien.

En **Décembre:** Festival International du Sahara de Douz. Des artistes se retrouvent autour d'un thème commun: le désert.

Pour plus d'informations: http://www.culture.tn

8 Des forfaits touristiques en Tunisie

Imaginez que vous travaillez dans une agence de voyages. Préparez trois forfaits (packages) thématiques en Tunisie pour les touristes francophones.

MODÈLE **Visite guidée archéologique à Carthage**
4 juillet à 28 août
autocar climatisé
45 €

Structure de la langue

emcl.com
WB 6–10
LA 2
Games

Révision: Reflexive Verbs

See if you remember the reflexive pronouns by completing the sentences below with the correct pronoun.

1. Alice... prépare pour la journée.
2. Je... dépêche chaque matin.
3. Les Duval... amusent au parc d'attractions.
4. Tu... brosses ou tu... peignes?

A. te
B. se
C. s'
D. me

Answer the questions affirmatively.

5. À quelle heure vous levez-vous, Pierre et Jean?
6. T'es-tu brossé les dents avant l'école?
7. Martine et Jacques vont-ils s'entendre bien avec leur nouveau beau-père?

If you have trouble with 1–7 above, be sure to read the grammar summary below to review reflexive verbs.

Reflexive verbs describe actions that the subject performs on or for itself. Reflexive pronouns (**me**, **te**, **se**, **nous**, **vous**) are used with reflexive verbs and represent the same person or thing as the subject. In affirmative and negative declarative sentences or questions, the reflexive pronoun comes directly before the verb.

Note the forms of the reflexive verb **se méfier** below.

se méfier			
je	**me méfie**	nous	**nous méfions**
tu	**te méfies**	vous	**vous méfiez**
il/elle/on	**se méfie**	ils/elles	**se méfient**

Pourquoi est-ce que tu **t'inquiètes**?   *Why are you worrying?*
Je ne **m'inquiète** pas. Je **m'amuse** beaucoup!   *I'm not worrying. I'm having a lot of fun!*

To make a negative sentence, put **ne** in front of the reflexive pronouns and **pas** after the verb.

Nous **ne nous habillons pas** en jean aujourd'hui. *We aren't wearing jeans today.*

REFLEXIVE VERBS:
The correct reflexive pronouns are: 1. B.; 2. D.; 3. C.; 4. A. The answer to the questions are: 1. Je me lève à... ; 2. Oui, je me suis brossé les dents avant l'école. 3. Oui, ils vont bien s'entendre avec leur nouveau beau-père.

Notice that the form and placement of reflexive verbs change in command forms.

Use	Explanation	Example	
affirmative command	reflexive pronoun after the verb	Laure, **dépêche-toi**!	*Laure, hurry up!*
negative command	reflexive pronoun before the verb	Ne **t'inquiète** pas!	*Don't worry!*

The **passé composé** of reflexive verbs is formed with **être**. Notice the rules for using reflexive verbs in the **passé composé**.

Rule	Example	
reflexive pronoun is placed before **être**	Pourquoi **t'es**-tu **couché**?	*Why did you go to bed?*
past participle agrees in gender and number with the subject	Elle ne **s'est** pas **réveillée** tard ce matin.	*She didn't wake up late this morning.*
no agreement of the past participle if a direct object follows the verb	Elles **se sont brossé** les dents après le dîner.	*They brushed their teeth after dinner.*

Blanche neige ne s'est pas méfiée de la méchante magicienne.

COMPARAISONS

Some verbs can be made reflexive in French by adding the reflexive pronoun **se**.
Jacques parle à Océane.
Océane parle à Jacques.
Ils se parlent.
In the second sentence, how is the reflexive idea expressed in English?

COMPARAISONS: **Ils se parlent** can be expressed in English as "They talk to each other." "Each other" expresses a reciprocal action between two or more persons or things.

Dites si les personnes suivantes s'entraînent au stade, au fitness, à la piscine, ou au complexe sportif; le complexe sportif propose roller, footing, et vélo.

MODÈLE   Marcel nage.
Il s'entraîne à la piscine.

1. Marc et moi, nous courons.
2. Sophie et Florence plongent.
3. Jérémy et Saïd font du vélo.
4. Les footballeurs jouent au foot.
5. Mlle Dumont et toi, vous faites de l'aérobic.
6. Tu fais du footing.
7. Je fais du yoga.
8. L'équipe de rugby fait du rugby.
9. Sabine fait du roller.

Je m'entraîne tous les matins au parc.

Racontez ce conte maghrébin en utilisant les verbes réfléchis entre parenthèses au présent, au passé composé, à l'imparfait, ou à l'infinitif.

Dans ce conte, il (1. s'agir) d'un petit garçon intelligent qui (2. s'appeler) Fahim. Fahim (3. adorer) faire ses devoirs. C'était un bon élève. Un jour, il (4. se lever) tôt et (5. s'habiller) de son meilleur pantalon et de sa meilleure chemise parce qu'il allait voyager à sa nouvelle école. Il (6. s'inquiéter) parce qu'il n'avait jamais quitté son village. Il (7. se rendre) à sa nouvelle école qui (8. se trouver) loin de son village. Quand il y est arrivé, ses nouveaux camarades de classes (9. se présenter). Ils (10. s'entendre) bien avec Fahim. Mais le maître était strict. Un jour, il a dit à Fahim qu'il devait (11. s'occuper) des travaux de la ferme pour payer ses études. Il (12. ne plus s'amuser) parce qu'il préférait étudier. Un jour, Fahim a réalisé que son maître (13. être) magicien. Qu'est-ce qui est arrivé? Fahim a appris à déjouer les mauvais tours du magicien parce qu'il était plus rusé que lui!

Communiquez!

Interpretive Communication

Écrivez les numéros 1–5 sur votre papier. Écoutez l'histoire et écrivez une réponse courte à la question que vous entendez.

À vous la parole

Communiquez!

Question centrale

Comment les Francophones restent-ils fidèles à leur langue et à leurs traditions?

12 Un conte maghrébin à la radio

Presentational Communication

Trouvez un conte maghrébin en ligne. Lisez le conte et transformez-le en script pour une émission de radio. Vous aurez besoin d'un narrateur ou d'une narratrice, d'un animateur ou d'une animatrice qui introduit l'émission, et d' acteurs pour jouer les rôles avec leurs voix. Si vous voulez, créez aussi des bruitages (*sound effects*). Enregistrez (*Record*) votre émission pour la classe.

🔍 **Search words: contes maghreb, contes et légendes de tunisie/algérie/maroc**

Communiquez!

13 Les immigrés célèbres en France

Interpretive and Presentational Communication

Dans la liste ci-dessous, vous trouverez les noms des immigrés célèbres ou d'autres célébrités françaises dont les parents étaient immigrés. Recherchez si l'arrivée d'un(e) immigré correspond à une vague (*wave*) d'immigration en France, et expliquez pourquoi la personne que vous recherchez est célèbre.

Yves Montand, Albert Uderzo, Louis de Funès, Pablo Picasso, Isabelle Adjani, Faudel, Basile Boli, Amin Maalouf

🔍 **Search words: les immigrés en France, immigration en France historique**

Communiquez!

14 La nouvelle Tunisie

Interpretive Communication

Récemment beaucoup de choses ont changé en Tunisie. Faites des recherches sur un des thèmes suivants. Ensuite, faites une présentation en groupe où chaque membre présente un thème différent.

A. la révolution du jasmin ou la révolution de la dignité

B. le président en 2010 et en 2012

C. la grève générale

D. la révolte de Sidi Bouzid

E. le caravane de la libération

Stratégie communicative _{Pre AP}

Using Transitions in a Story

Pour raconter une histoire, il est nécessaire de faire une liste des personnages et des événements principaux. Utilisez des adjectifs, des adverbes, et les pronoms relatifs **qui** et **que** pour faire de belles et longues phrases. Pour finir, créez une harmonie entre descriptions et événements en utilisant des adverbes et des locutions conjonctives. Combien en connaissez-vous dans la liste suivante? Cherchez dans le dictionnaire les mots que vous ne connaissez pas.

d'abord/au début/au commencement	plus tard	en même temps
avant, après	pendant que	ensuite/par la suite
dès que	tandis que	finalement/enfin/à la fin
	pendant ce temps, en attendant	

15 Un conte de fées

Écrivez un conte de fées, par exemple, un conte bien connu avec un milieu moderne, ou un conte de l'écrivain français Charles Perrault tels que "La Belle au bois dormant," "Le Petit Chaperon rouge," ou encore "Cendrillon," qui se terminent différemment de l'original. (Vous pouvez aussi surfer le net et découvrir d'autres contes pour enfants, par exemple, des contes du Sénégal).

16 On rédige!

Maintenant faites lire votre conte à votre partenaire et corrigez le sien *(his or hers)* en suivant les directives ci-dessous:

	Les accords entre les verbe et leurs sujet sont corrects.
	Les adjectifs sont placés au bon endroit.
	Il est clair de qui ont parle.
	Toutes les phrases sont reliées entre elles.
	Chaque mot est écrit correctement.
	Les signes de ponctuation sont bien utilisés.

Pour finir, publiez votre conte en ligne ou préparez un document avec tous les contes de la classe.

Leçon C

Vocabulaire actif

emcl.com
WB 4–4
LA 1
Games

Le logement et le bricolage

Le logement

un studio

une villa

une maison mitoyenne

une maison individuelle

une résidence secondaire

une ancienne ferme

Dans un HLM

un HLM

un locataire

un mur

un passant

une passante

un graffiti

ART

une cité

Nos projets de bricolage

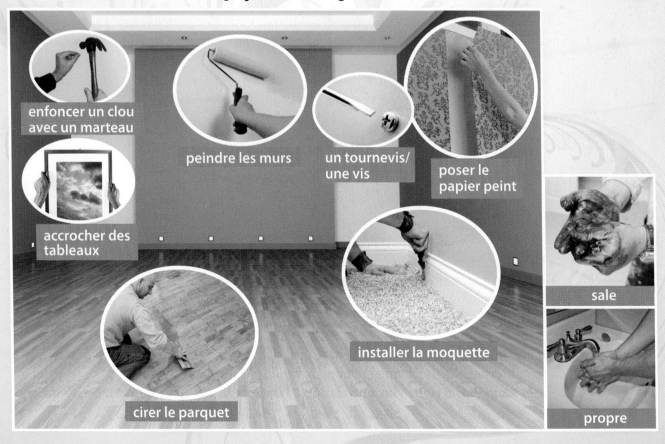

enfoncer un clou avec un marteau

peindre les murs

un tournevis/ une vis

poser le papier peint

accrocher des tableaux

installer la moquette

sale

cirer le parquet

propre

Pour la conversation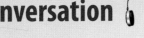

What do I say when I'm introduced to someone?

> **Très heureux/heureuse.**
>
> *Pleased to meet you.*

How do I say where I grew up?

> **J'ai grandi dans** un HLM qui n'était pas très propre.
>
> *I grew up in a subsidized apartment building that wasn't very clean.*

How do I give a compliment?

> **On dirait que** cela a été fait par un professionnel!
>
> *One would say it was done by a professional!*

> **Mots-clé**
>
> À l'origine, le mot **bricolage** avait un sens presque péjoratif (*derogative*). Issu du mot "bricole," qui est une petite chose sans valeur, le bricolage était l'action de réparer des choses sans valeur. Aujourd'hui, c'est une activité professionnelle ou de loisirs importante si l'on considère la popularité des magasins et émissions de bricolage pour aider les particuliers.

Et si je voulais dire...?

un agent immobilier	*real estate agent*
un logement	*lodging*
un pavillon	*single-family house*
une résidence	*appt./condo building*
un terrain à bâtir	*building lot*

1 Agent immobilier

Jouez le rôle d'un agent immobilier et suggérez des logements pour les personnes en fonction de leurs préférences ou de leurs besoins. Choisissez un logement parmi ceux de la liste.

> studio   maison individuelle   ancienne ferme   villa
> résidence secondaire   maison mitoyenne

MODÈLE   J'ai 60 ans, et je ne travaille plus. Je vis seule dans une maison individuelle trop grande pour une personne. Mes revenus sont modestes, mais je n'ai pas besoin d'habiter dans un HLM. Je n'ai pas beaucoup de meubles. J'aimerais vivre en ville. **Je vous propose un studio.**

1. Nous avons trois enfants, deux filles et un garçon. Donc, nous avons besoin de trois chambres. Mon mari et moi, nous travaillons en banlieue. Nous prenons la voiture pour aller au travail, nous aimerions avoir un garage.
2. Nous habitons en appartement pendant la semaine, mais ma famille et moi, nous voudrions un deuxième logement à la campagne. Nous aimons nager et faire des randonnées.
3. Il me faut un grand jardin à la campagne pour tous mes animaux. Mon mari et moi, nous aimons beaucoup bricoler.
4. Je préfère ma chambre au premier étage et la cuisine au rez-de-chaussée. Je n'ai pas besoin d'une maison individuelle, c'est trop grand pour moi.
5. Ma famille et moi, nous recherchons une maison au bord de la mer pour les vacances d'été.

2 Nos projets de bricolage

Complétez les phrases avec un mot ou une expression de la liste.

| un marteau | les peint | poser le papier peint | un tournevis |
| accroche des tableaux | la moquette | propre | nettoyer | les vis |

Les jeunes de la cité ont peint les murs de la ville.

1. Des jeunes ont fait des graffiti sur les murs extérieurs de notre maison, alors les on....
2. Pour enfoncer un clou, il faut....
3. Nous voulons enlever... qui est sale dans les chambres et mettre du parquet.
4. On a peint les murs. Maintenant on....
5. Notre fille n'aime pas les murs blancs de sa chambre; donc, on....
6. Pour réparer les meubles cassés, il nous faut serrer (*tighten*)... avec....
7. Les murs de la cuisine sont sales; il faut les....
8. Après tout notre travail, notre maison est beaucoup plus....

Communiquez!

3 À l'agence immobilière

Interpersonal Communication

*Un agent immobilier (*real estate agent*) parle au téléphone avec une cliente qui cherche un logement. Avec votre partenaire, jouez les rôles de l'agent et de la cliente. Si vous êtes la cliente, vous devez choisir la bonne phrase de la liste.*

-Je sais peindre et poser le papier peint.
-C'est encore mieux! Je peux voir l'appartement aujourd'hui?
-Ça me conviendrait parfaitement. Je n'ai pas peur de travailler avec mes mains.
-Bonjour, Monsieur! Je m'appelle Mlle Delacroix. Je viens de déménager ici, et je cherche un logement.
-Non, pas du tout. J'aime une ambiance vivante, mais pas trop la nuit.
-C'est que... j'ai grandi loin d'ici, et je ne connais personne. J'aimerais connaître mes voisins dans un immeuble en ville, mais pas trop grand.

L'agent: Allô! Ici M. Rivard.
La cliente: (1.)
L'agent: Très heureux. Vous désirez habitez en ville ou à la campagne?
La cliente: (2.)
L'agent: Ah bon. Mais bricoler, vous aimez ça?
La cliente: (3.)
L'agent: Et les passants, ça vous dérange?
La cliente: (4.)
L'agent: J'ai une idée. Il y a un immeuble en ville, pas trop grand, près de la rue commerçante, mais il y a quelques problèmes avec les appartements. On va baisser le prix pour les locataires qui feront les réparations eux-mêmes. Qu'en pensez-vous?
La cliente: (5.)
L'agent: Je ne vous ai pas dit, mais l'immeuble est tout près du métro.
La cliente: (6.)
L'agent: Disons à 15h30. Je vous enverrai l'adresse par mail. À bientôt, Mlle!

4 Les frères Jarreau: Réparations et Décorations

Il y a un problème avec les logements suivants. Dites ce que votre compagnie pourrait faire pour trouver une solution.

poser un nouveau papier peint	peindre le mur	accrocher des tableaux
enfoncer des clous dans le bois	installer une moquette	cirer le parquet

MODÈLE  **Nous pourrions peindre le mur.**

 1.

 2.

 3.

 4.

 5.

Communiquez!

5 Comment réparer?

Interpretive Communication

Écrivez les numéros 1–6 sur votre papier. Écoutez les descriptions suivantes. Choisissez la solution à chaque problème de logement.

A. peindre les murs
B. accrocher des tableaux
C. poser de nouveaux papiers peints
D. nettoyer et cirer le parquet
E. acheter une résidence secondaire
F. se servir d'un marteau et enfoncer des clous

6 Questions personnelles

Répondez aux questions.

1. Où voudrais-tu habiter—dans une villa, une maison mitoyenne, un immeuble, une maison individuelle, ou une ancienne ferme?
2. Quand tu pars en weekend ou en vacances, où séjournes-tu (*where do you stay*)?
3. Est-ce que tes parents aiment bricoler? Si oui, qu'est-ce qu'ils ont fait dans votre maison? Les as-tu déjà aidés?
4. Quels problèmes est-ce que tu associes avec les cités? Pourquoi est-ce que ces difficultés existent? Si tu pouvais changer quelque chose, que changerais-tu pour éliminer ces problèmes?
5. Est-ce qu'il y a des graffiti dans votre école? Quelle solution proposes-tu?

Le premier appartement d'Adja

Élodie et sa mère rendent visite à une employée de sa mère, Adja, qui est d'origine sénégalaise.

Mère: Élodie, je te présente Adja.

Élodie: Très heureuse.

Mère: Dis, tu aimes ton nouvel appartement?

Adja: Pour moi c'est un château. Tu sais, j'ai grandi dans un HLM qui n'était pas très propre.

Mère: Quel travail tu as fait! Tu as tout fait le plus rapidement possible.

Adja: Le plus difficile, ça a été de poser le papier peint.

Mère: On dirait que cela a été fait par un professionnel! Tu bricoles mieux que moi. Finalement tu as tout repeint?

Adja: Oui, vous arrivez juste pour m'aider à poser les tableaux.

Élodie: Justement, nous avons apporté un marteau et des clous pour vous aider.

7 Le premier appartement d'Adja

Interpersonal Communication

Jouez les scènes suivantes avec votre partenaire. Servez-vous du nouveau vocabulaire du dialogue et de votre imagination.

1. Au bureau il y a trois jours, Adja et la mère d'Élodie prennent rendez-vous.
2. À la maison ce matin, la mère d'Élodie suggère que sa fille l'accompagne chez Adja.
3. Dans la voiture, Élodie et sa mère discutent de leur visite chez Adja.

Extension   Le nouvel appartement de Michèle

Un peintre entre dans le salon de Michèle.

Peintre: Alors, dites-moi un peu ce que vous voulez faire....

Michèle: Pas de papier peint, de la peinture blanche partout, et vous me faites enlever la moquette. Elle est si sale!

Peintre: Qu'est-ce qu'il y a dessous?

Michèle: Soulevez, là....

Peintre: Des parquets de Versailles!

Michèle: Tout l'appartement est comme ça! Alors la moquette, *out*!

Peintre: Mon frère cire les parquets.

Michèle: Ça tombe bien. Vous avez sa carte?

Extension   Pourquoi est-ce que Michèle est contente d'avoir cet appartement?

? Question centrale

Comment les Francophones restent-ils fidèles à leur langue et à leurs traditions?

Les HLM

Créés en 1894, les HLM (habitation à loyer* modéré) sont un système d'immeubles qui offre des appartements à bon marché. La construction des HLM est limitée, et seul un français sur cinq peut bénéficier de ce type de logement. Ce sont les plus défavorisés*, souvent les immigrés ou les familles nombreuses, qui y habitent. Les étudiants peuvent aussi bénéficier des avantages offerts par les HLM. Autrefois réservés aux banlieues, on construit* depuis 1981 des HLM en centre-ville parmi d'autres immeubles où habite une population différente, afin d'intégrer les résidents à la population du quartier. Aujourd'hui, les Français font pression sur le gouvernement pour construire d'avantage de HLM.

 Search words: logement social, banlieue parisienne

En France, un HLM peut avoir de 4 à 30 étages.

---

défavorisés *underpriviliged;* **construit** *builds*

COMPARAISONS

Existe-t-il des logements de type HLM dans ta communauté? Où sont-ils? Comment sont-ils?

Les allocations familiales

Toute personne résidant en France, parente de deux enfants, française ou non, peut bénéficier des allocations familiales*. La famille reçoit une somme d'argent de l'état pour l'aider avec les frais* liés à la nourriture, aux vêtements, et au logement. Les allocations familiales sont un revenu supplémentaire versé à toutes les familles nombreuses quel que soit* leur revenu. De la même manière, les familles françaises bénéficient d'une réduction d'impôts* qui augmente avec le nombre d'enfants. À partir du troisième enfant, la mère ou le père peut bénéficier d'un congé* parental sans perte* de salaire pendant un an. Quant aux* femmes qui ont élevé au moins trois enfants sans travailler, elles bénéficient d'une retraite* car élever des enfants est aussi considéré comme un travail à part entière*.

 Search words: caf allocation familiale

---

allocations familiales *welfare;* **frais** *costs;* **quel que soit** *whatever;* **impôts** *tax;* **congé** *leave from work;* **perte** *loss;* **quant aux** *as for;* **retraite** *retirement;* **à part entière** *full-fledged*

La Francophonie

✳ Le Sénégal

Le Sénégal est un pays de l'Afrique de l'Ouest. Il doit son nom au fleuve qui le traverse. Les habitants sont les Sénégalais. Il existe six langues nationales différentes dont la plus importante est le wolof; ce plurilinguisme* explique que le français soit* la langue officielle. Le Sénégal compte 16 millions d'habitants, et sa capitale est Dakar; l'autre grande ville est Saint-Louis, l'ancienne capitale.

Ancienne colonie française, indépendante depuis 1960, le Sénégal est une république semi-présidentielle. Le Sénégal fait partie des pays les plus industrialisés avec la présence de nombreuses compagnies multinationales françaises et américaines. L'économie sénégalaise est dominée par la pêche et le tourisme. L'essor* du tourisme s'explique par le développement de réserves et parcs naturels qui couvrent* huit pour cent du territoire. Le Sénégal compte six parcs nationaux et une trentaine de réserves naturelles. Le Sénégal accorde une grande place à la culture dans son développement. Voici une liste des personnalités qui contribuent au rayonnement* de la culture sénégalaise et de la culture francophone dans le monde.

Écrivains	Léopold Sédar Senghor, Cheikh Hamidou Kane, Boubacar Boris Diop, Birago Diop, Aminata Sow Fall, Mariama Bâ
Artistes	Ousman Sow, Babacar Touré
Metteurs en scène	Ousman Sembène, Safi Faye
Musiciens	Youssou N'Dour, Viviane Ndour, Ismael Lô
Styliste (mode)	Oumou Sy

 Search words: tourisme sénégal, gouvernement du sénégal

---

plurilinguisme *multilingualism*; **soit** *is*; **essor** *développement*; **couvrent** *cover*; **rayonnement** *influence*

 Produits **La tradition orale** constitue une grande partie de l'identité Sénégalaise. Birago Diop a fait l'une des premières tentatives de préserver l'oralité (*oral tradition*) des griots traditionnels en publiant *Les Contes d'Amadou Koumba* en 1947.

Search words: conte-moi

Les réserves naturelles du Sénégal protègent les animaux en voie de disparition.

✳ *Le logement traditionnel au Sénégal*

Traditionnellement, les Sénégalais habitent dans
des concessions, formées d'un groupe de cases ou
de maisons. Le style de ces cases varie quelquefois
selon l'ethnie* et surtout selon la situation
géographique des peuples. La case bambara est la
plus typique non seulement au Sénégal mais dans
toute l'Afrique. C'est une habitation circulaire avec
un toit en chaume*.

_____
ethnie *ethnic group;* **chaume** *thatch*

On voit beaucoup de cases bambara dans les villages du
Sénégal.

8 Activités culturelles

Complétez les activités suivantes.

1. Faites un dessin de cinq ou six appartements dans un HLM au même étage. Dans chaque
   appartement, écrivez le nom de famille, leur origine, et le prénom et l'âge de chaque membre
   de la famille que vous imaginez comme résidents.
2. Recherchez combien le gouvernement français donne cette année selon le nombre d'enfants
   par famille, et déterminez le montant d'allocations familiales que touche une famille avec:
   • deux enfants qui ont 4 et 6 ans
   • quatre enfants qui ont 10, 12, 14, et 17 ans
   • six enfants qui ont 6, 8, 12, 16, 17, et 18 ans
3. Faites la carte d'identité du Sénégal:
   • Situation géographique   • Langues
   • Régime politique   • Économie
   • Capitale   • Ressources naturelles
4. Faites des recherches sur un(e) Sénégalais(e) célèbre et présentez cette personne à la classe.

Perspectives

Dans son poème "Souffles," le poète sénégalais
Birago Diop dit: "Ceux qui sont morts ne
sont jamais partis:/Ils sont dans l'Ombre qui
s'éclaire/Et dans l'ombre qui s'épaissit./Les
Morts ne sont pas sous la Terre:/Ils sont dans
l'Arbre qui frémit,/Ils sont dans le Bois qui
gémit...." Où vont les morts, selon Diop? Ses
idées appartiennent à quelle religion? Basé sur
ce qu'il croit, est-ce qu'il voudrait sauvegarder
l'environnement? Pourquoi, ou pourquoi pas?

Des habitations typiques d'un village sénégalais.

Du côté des médias

Lisez le paragraphe sur le Sénégal touristique.

> ## Guide touristique senegal:

Situé dans une zone transitoire entre l'Afrique Equatoriale verdoyante et le désert du Sahara, le Sénégal offre une version presque complète de tous les écosystèmes du continent africain. Vous pouvez découvrir les grands fauves dans l'est du pays, les dauphins pourchassant les pirogues dans les lagons, les mangroves du delta de Siné-Saloum, les lacs de sel rose, les plages de sable blanc et les baobabs. L'architecture est aussi très diversifiée, il y a des hôtels ultramodernes, des mosquées et des huttes de terre. Pour les aventuriers, de belles promenades à dos de chameaux et des rallyes dans le désert vous raviront. La musique bien sûr rythme la vie quotidienne des sénégalais et de façon incessante. Á cause de sa diversité, comprendre le Sénégal n'est pas facile et trouver le temps de tout voir l'est encore moins. A courte distance de l'atmosphère frénétique de Dakar, la capitale du Sénégal, l'île de Gorée est une oasis de tranquillité. De nos jours, les palais aux murs ocres sommeillent sous leurs guirlandes de bougainvillées et l'ombre douce des palmiers s'étend sur les rues désertes. Ce patrimoine mondial de l'UNESCO recèle un sombre héritage: autrefois c'était un centre de commerce des esclaves. Pour en savoir plus, deux musées exposent le détail poignant de ce passé.

opodo
voyagez plus loin

Ce guide touristique est fourni par notre partenaire

---

9 Guide touristique Sénégal

Choisissez une des activités suivantes.

1. Faites un collage avec des vues du Sénégal.
2. Dessinez et colorez l'une des scènes décrites dans le paragraphe.

La culture sur place

Les besoins des immigrés
Introduction et Interrogations

Tous les immigrés arrivent d'un pays et s'installent dans un autre pays, mais leurs expériences ne sont pas identiques. Dans cette *Culture sur place*, considérons les besoins des immigrés. De quoi ont-ils besoin? Quel est le lien entre leurs besoins et leurs expériences? Qu'est-ce que les organisations humanitaires dans leur pays d'accueil pourraient leur donner?

---

10 Première Étape: Réfléchir

Nous allons d'abord penser aux besoins des immigrés qui s'installent dans un nouveau pays.

1. Avec un partenaire, faites une liste de ce dont les immigrés pourraient avoir besoin en s'installant dans un nouveau pays. Écrivez en français, et utilisez un dictionnaire si nécessaire.
2. Organisez votre liste dans un organigramme selon les cinq types de besoins: ⟶
3. Une fois finie, partagez votre liste avec deux autres étudiants ou avec la classe.

La pyramide des besoins d'Abraham Maslow

- besoins d'épanouissement*
- besoins d'estime
- besoins affectifs
- besoins de sécurité
- besoins primaires

*self-actualization

---

11 Deuxième Étape: Rechercher

Maintenant, avec votre partenaire, recherchez les buts d'une des organisations humanitaires dédiées (*dedicated*) aux besoins des immigrés. Ces organisations aident les immigrés en Belgique.

- Croix-Rouge de Belgique
- Défense des Enfants International
- Mentor-Escale
- Les Amis d'Accompagner
- Caritas International Belgique
- Mouvement Convivial (ou "Convivium")

En utilisant un site tel que www.donorinfo.be ou www.google.be, faites des recherches sur l'organisation que vous avez choisie. Cochez dans votre graphique les aides que les immigrés peuvent recevoir de la part de cette organisation.

Structure de la langue

Révision: Comparisons with Adverbs

Can you tell which sentence uses an adverb, and which one uses an adjective?

1. C'est une voiture rapide.
2. La voiture circule rapidement.

See if you can complete the following sentences in the comparative:

3. Je conduis... que ma sœur. *(bien)*
4. Alain travaille... en classe que moi. *(peu)*
5. Tu joues au foot... que Sylvie. *(beaucoup)*

If you got any wrong in 1-5, be sure to read the grammar summary below to review the comparative of adverbs.

Comparisons using adverbs are formed in the same way that comparisons with adjectives are formed.

plus + adverb + **que**	Tu as fini **plus** rapidement **que** moi! (+)	*You finished faster than me!*
moins + adverb + **que**	Adja voyage **moins** souvent **que** sa sœur. (-)	*Adja travels less often than her sister.*
aussi + adverb + **que**	Aïcha peint **aussi** rapidement **qu'**un professionnel. (=)	*Aïcha paints as quickly as a professional.*

When making comparisons, some adverbs have irregular forms.

Adverb	Comparative	Example	
bien (*well*)	**mieux** (*better*)	Chantal pose **mieux** le papier peint **que** lui.	*Chantal puts on wallpaper better than he does*
beaucoup (*a lot, much*)	**plus** (*more*)	David travaille **plus qu'**Antoine.	*David works more than Antoine.*
peu (*little*)	**moins** (*less*)	Ils nagent **moins que** tes amis.	*They swim less than your friends.*

COMPARAISONS

Madison makes **good** drawings. She draws **well**.

It is useful to be able to distinguish between adjectives and adverbs. Which sentence above uses an adverb, and which an adjective?

COMPARAISONS: The second sentence uses an adverb; adverbs modify verbs; "well" modifies the verb "draws." The first sentence uses an adjective; adjectives modify nouns; "good" modifies the noun "drawings." Remember, adjectives describe nouns, whereas adverbs describe verbs.

ADVERBS: Sentence #1 uses the adjective **rapide**. In sentence #2 **rapidement** is an adverb. The ending **–ment** is like **–ly** (*actively, carefully*) in English. The answers for 3–5 are: 3. mieux ; 4. moins ; 5. plus.

12 La coupe du monde de la FIFA

Voici le classement des pays qui ont gagné une place à la Coupe du Monde de football depuis 1986. Comparez les gagnants.

1ère place: Espagne, Italie, Brésil, France, Brésil, Allemagne, Argentine

2ème place: Pays-Bas, Allemagne, France, Brésil, Italie, Argentine, Allemagne

3ème place: Allemagne, Turquie, Croatie, Suède, Italie, France

4ème place: Uruguay, Portugal, République de Corée, Pays-Bas, Bulgarie, Angleterre, Belgique

MODÈLE l'Espagne/l'Italie
L'Espagne a gagné la Coupe du Monde moins souvent que l'Italie.

1. la France/les Pays-Bas
2. l'Uruguay/l'Allemagne
3. l'Allemagne/la France
4. la République de Corée/les Pays-Bas
5. l'Italie/l'Angleterre
6. la Suède/l'Argentine
7. le Brésil/la Turquie
8. l'Argentine/le Portugal

13 Une enquête pour un Français et une Américaine

Tristan habite en France et sa cousine Kelsey habite aux États-Unis. Kelsey a envoyé une enquête à son cousin français pour voir comment il vit. Complétez les phrases avec la forme comparative appropriée. Utilisez l'adverbe indiqué.

	Tristan	Kelsey
1. De quels sports fais-tu bien?	foot et tennis	basket et softball
2. Combien de fois par semaine vas-tu au café?	3–4	0–1
3. Combien d'heures études-tu chaque soir?	3	1–1.5
4. Combien de films américains regardes-tu chaque mois?	2	2
5. Combien de fois par an voyages-tu?	3	1
6. Combien de corvées fais-tu à la maison?	1	3
7. À quelle heure arrives-tu au lycée?	8h00	7h15

1. Tristan joue... au foot que Kelsey. (*bien*)
2. Kelsey joue... au softball que Tristan. (*mal*)
3. Tristan va... au café que Kelsey. (*souvent*)
4. Kelsey étudie... que Tristan. (*sérieusement*)
5. Tristan regarde des films américains... que Kelsey. (*souvent*)
6. Kelsey voyage... que Tristan. (*souvent*)
7. Tristan travaille... à la maison que Kelsey. (*peu*)
8. Tristan arrive au lycée... que Kelsey. (*tard*)

Communiquez!

14 Qui est le meilleur élève?

Interpretive Communication

Écoutez le paragraphe qui compare Abdoulaye et Étienne. Dites quel élève travaille le plus sérieusement, Abdoulaye ou Étienne.

Révision: Superlative of Adverbs

emcl.com
WB 10–11
Games

Can you tell which sentence uses the comparative and which the superlative of adverbs?

1. Mon ami fait du ski nautique plus souvent que toi.
2. Je conduis le plus prudemment dans ma famille.

What grammatically correct sentence can you make with the parts below?

3. /le plus/Julien et/en classe/Annick/parlent

If you cannot do 1–3, read the grammar summary below.

The superlative of adverbs is formed in the same way as the superlative of adjectives.

le + moins/plus + adverb	Mon frère loue une résidence secondaire le plus souvent.	*My brother rents a second home the most often.*

Adverbs that are irregular in the comparative are also irregular in the superlative.

Adverb	Superlative	Example	
bien	le mieux	Qui peint **le mieux**?	*Who paints the t?*
beaucoup	le plus	Lise nettoie **le plus** dans sa famille.	*Lise cleans the most in her family.*
peu	le moins	C'est moi qui étudie **le moins** dans la classe.	*I'm the one who studies the least in class.*

15 Les Français ou les Américains?

*Après plus de deux années d'études de français, vous connaissez bien la France et les Français. Dite si, selon vous, les Français ou les Américains font les activités suivantes **le plus + adverbe**.*

MODÈLE
Selon moi, les Français discutent le plus passionnément.
ou
Selon moi, les Américains discutent le plus passionnément.

1. protéger l'environnement attentivement (*attentively*)
2. passer les vacances tranquillement (*peacefully*)
3. travailler efficacement
4. parler joliment
5. se saluer (*greet*) affectueusement
6. vivre simplement
7. s'habiller bien
8. voyager souvent
9. dîner tard

SUPERLATIVE OF ADVERBS: Sentence #1 uses the comparative and sentence #2 the superlative of adverbs. The reordered sentence is: **Julien et Annick parlent le plus en classe.**

À vous la parole

Communiquez!

Question centrale

? Comment les Francophones restent-ils fidèles à leur langue et à leurs traditions?

16 Dans mon HLM

Interpersonal Communication

Deux locataires, qui viennent de s'installer dans le même HLM, parlent de l'état de leurs appartements et de leurs projets pour les rénover (*renovate*). Avec un partenaire, jouez les rôles de ces deux locataires et parlez de ces sujets:

A. votre famille
B. l'étage où se trouve votre appartement
C. l'état de votre appartement (sale? propre?)
D. combien de pièces vous avez
E. la couleur de vos pièces
F. les changements de couleurs des murs, papier peint, moquette, etc. que vous comptez faire
G. les tableaux que vous voulez poser aux murs

Communiquez!

17 Mon logement de rêve

Presentational Communication

Trouvez une habitation en France où vous voudriez vivre. Imprimez les photos qui sont disponibles. Ensuite, écrivez un paragraphe sur les changements que vous voudriez faire, en parlant des meubles ou appareils électroménagers, tapis ou moquettes, tableaux ou objets d'art, papier peint ou peinture, etc. Si vous préférez, vous pouvez dessiner votre habitation et montrez comment vous l'avez décorée.

Search words: acheter maison, immobilier france

Communiquez!

Presentational Communication

Imaginez que vous êtes architecte et que le gouvernement français vous paie pour dessiner un nouveau HLM en centre-ville parmi d'autres immeubles qui ne sont pas subventionnés (*subsidized*) par l'état. Faites un dessin. Pensez à ce que vous proposez pour les enfants, les ados, les personnes handicapées, et les personnes âgées de ce HLM. Finalement, présentez votre dessin et répondez aux questions de la classe.

Communiquez!

19 Une galerie sénégalaise

Interpretive and Presentational Communication

Transformez votre salle de classe en une galerie sénégalaise. Imprimez en couleurs des tableaux d'artistes sénégalais. Accrochez aussi des poèmes sénégalais entre les tableaux. Pendant que vous travaillez, écoutez de la musique sénégalaise traditionnelle ou moderne. Vous pouvez inviter les autres classes de langue (espagnol, allemand, chinois…) et aussi de sciences humaines et sociales (*social studies*) à visiter votre galerie.

Sculpture africaine en cuivre.

Une peinture sénégalaise sur coton.

Lecture thématique

Une si longue lettre

Rencontre avec l'auteur

Mariama Bâ (1929–1981) est née au Sénégal. Elle est élevée par ses grands-parents maternels à la mort de sa mère dans un univers musulman traditionnel. Après de brillantes études, elle devient institutrice, métier qu'elle exercera pendant 12 ans. Mère de neuf enfants, mariée trois fois, elle décide de se consacrer à la cause des femmes et s'engage dans des associations féministes. Elle lutte pour les droits des femmes et contre la polygamie. En 1979, elle publie *Une si longue lettre* qui devient très vite un grand succès. Il s'agit d'une lettre de confidences à une amie sur sa vie de femme, et sur le comportement de son beau-frère. À partir de la lecture de cet extrait, qu'apprenez-vous de la culture sénégalaise?

Pré-lecture

Si vous deviez écrire une lettre de confidences, que souhaiteriez-vous raconter de votre vie et à qui?

Stratégie de lecture

Making Cultural Inferences

Lorsque vous lisez un texte, vous en tirez (*draw*) naturellement des conclusions. Cela s'appelle faire des inférences. Quand un texte donne des indications culturelles, comme dans la lecture qui suit sur le Sénégal, vous faites des inférences culturelles. Au cours de la lecture, inscrivez dans la colonne de gauche d'un tableau comme celui de dessous les indices textuels concernant la culture sénégalaise. Dans la colonne de droite, expliquez les renseignements que ces citations fournissent (*furnish*). Un exemple vous est donné.

Textual clue	Cultural inference
C'est "le quarantième jour de la mort de Modou," le mari de la narratrice.	Au Sénégal, on célèbre le quarantième jour après la mort d'un membre de la famille.
"Des initiés ont lu le Coran."	

Outils de lecture

Gender Criticism

Il existe plusieurs études critiques d'un texte littéraire, par exemple l'analyse des liens (*ties*) entre un récit de la vie personnelle de l'auteur (critique biographique), ou l'analyse des personnages d'un roman selon la psychologie moderne (critique psychologique). La critique de genre s'intéresse à l'identité de l'homme et de la femme en littérature, et à comment ces images reflètent ou rejettent les paramètres sociaux traditionnels qui ont freiné (*put brakes on*) l'égalité entre l'homme et la femme.

Retour du marché, 2005. Cécile Delorme.

J'ai célébré hier, comme il se doit, le quarantième jour de la mort de Modou. Je lui ai pardonné. Que Dieu exauce* les prières* que je formule quotidiennement pour lui. Des initiés ont lu le Coran. Leurs voix ferventes sont montées vers le ciel. Il faut que Dieu t'accueille parmi ses élus, Modou Fall!

Après les actes de piété*, Tamsir est venu s'asseoir dans ma chambre dans le fauteuil bleu où tu te plaisais*. En penchant* sa tête au dehors, il a fait signe à Mawdo; il a aussi fait signe à l'Imam de la mosquée de son quartier. L'Imam et Mawdo l'ont rejoint. Tamsir parle cette fois. Ressemblance saisissante* entre Modou et Tamsir, mêmes tics de l'inexplicable loi de l'hérédité. Tamsir parle, plein d'assurance; il invoque (encore) mes années de mariage, puis conclut*:" Après ta 'sortie' (du deuil*), je t'épouse. Tu me conviens* comme femme et puis, tu continueras à habiter ici, comme si Modou n'était pas mort. En général, c'est le petit frère qui hérite de l'épouse laissée par son aîné. Ici, c'est le contraire. Tu es ma chance. Je t'épouse. Je te préfère à l'autre, trop légère, trop jeune. J'avais déconseillé ce mariage à Modou."

Quelle déclaration d'amour pleine de fatuité* dans une maison que le deuil n'a pas encore quitté. Quelle assurance et quel aplomb tranquilles! Je regarde Tamsir droit dans les yeux. Je regarde Mawdo. Je regarde l'Imam. Je serre* mon châle noir. J'égrène mon chapelet*. Cette fois, je parlerai.

Ma voix connaît trente années de silence, trente années de brimades*. Elle éclate*, violente, tantôt sarcastique*, tantôt méprisante.

Pendant la lecture
1. Depuis combien de temps Moudou est-il mort?

Pendant la lecture
2. Comment sait-on que la narratrice est pieuse?

Pendant la lecture
3. Qui est venu s'asseoir dans la chambre de la narratrice?

Pendant la lecture
4. Que propose Tamsir?

Pendant la lecture
5. Pourquoi Tamsir ne s'intéresse-t-il pas à l'autre femme de Modou?

Pendant la lecture
6. Comment est-ce que la narratrice se sent après avoir entendu la proposition de Tamsir?

---

exauce *grants*; **prière** *prayer*; **piété** *piety*; **où tu te plaisais** *que tu aimais*; **En penchant** *In leaning*; **saissante** *striking*; **conclut** *concludes*; **le deuil** *mourning*; **Tu me conviens** *You suit me*; **fatuité** *self-conceit*; **serre** *pull closer*; **J'égrène mon chapelet** *I touch my strings of beads while praying*; **brimades** *vexations*; **éclate** *explodes*; **tantôt sarcastique** *sometimes sarcastic*; **méprisante** *scornful*

—As-tu jamais eu de l'affection pour ton frère? Tu veux déjà construire un foyer neuf sur un cadavre chaud. Alors que l'on prie pour Modou, tu penses à de futures noces. Ah! oui: ton calcul, c'est devancer* tout prétendant* possible, devancer Mawdo, l'ami fidèle qui a plus d'atouts* que toi et qui, également, selon la coutume, peut hériter de la femme. Tu oublies que j'ai un cœur, une raison*, que je ne suis pas un objet que l'on se passe de main en main. Tu ignores ce que se marier signifie pour moi: c'est un acte de foi* et d'amour, un don total de soi à l'être que l'on a choisi et qui vous a choisi. Et tes femmes, Tamsir? Ton revenu ne couvre ni leurs besoins ni ceux de tes dizaines d'enfants. Pour te suppléer* dans tes devoirs financiers, l'une de tes épouses fait des travaux de teinture*, l'autre vend des fruits, la troisième inlassablement* tourne la manivelle* de sa machine à coudre*. Toi, tu te prélasses en seigneur vénéré*, obéi au doigt et à l'œil. Je ne serai jamais le complément de ta collection....

> **Pendant la lecture**
> 7. Pour la narratrice, qu'est-ce que c'est que le mariage?

> **Pendant la lecture**
> 8. Combien de femmes Tamsir a-t-il? Que font-elles pour contribuer aux finances de la maison?

---

devancer to forestall; **prétendant** suitor; **atouts** asset; **raison** mind; **foi** faith; **don** cadeau; **suppléer** to provide; **teinture** dyeing; **inlassablement** sans fatigue; **manivelle** crank; **machine à coudre** sewing machine; **tu te prélasses en seigneur vénéré** you lounge around like an honored lord

Post-lecture

Comment décririez-vous la narratrice? Que pouvez-vous dire de la femme que la narratrice était dans le passé, et de celle qu'elle est devenue? Qu'est-ce qui rend cette transformation remarquable?

Le monde visuel

Cécile Delorme (1946–) est une artiste française qui passe beaucoup de temps en Afrique. Le tableau, à la page 193, Sénégalaises, montre la vie des femmes, qui marchent à la file (in single file) en revenant du marché, presque comme dans un défilé de mode. Le style est naïf, c'est-à-dire pas réaliste en ce qui concerne l'architecture, l'anatomie, et la perspective. L'art naïf est souvent marqué par une simplicité, de petits détails, et une coloration brillante. Quels aspects de l'art naïf sont visibles dans ce tableau? Soyez précis.

---

19 Activités d'expansion

1. Écrivez un paragraphe dans lequel vous parlez de la vie traditionnelle des femmes au Sénégal. Servez-vous des informations de votre grille.
2. Imaginez que Tamsir n'arrête pas de proposer le mariage à la narratrice. Avec un partenaire, jouez le rôle des protagonistes. Tamsir donne ses raisons pour le mariage, et la narratrice refuse avec ses propres raisons.
3. Imaginez que la narratrice est votre correspondante. Écrivez-lui une lettre dans laquelle vous lui donnez des conseils.
4. Analysez la place de la femme dans une culture que vous connaissez bien, et comparez-la à la vie traditionnelle des femmes au Sénégal.
5. Comparez la vie d'un personnage du texte avec votre vision de la vie.

Projets finaux

A Connexions par Internet: L'anthropologie

Presentational Communication

L'anthropologie culturelle est l'étude des variations culturelles entre les hommes et les sociétés humaines grâce à la collecte de données concernant l'impact des processus économiques et politiques mondiaux sur les **réalités culturelles locales**. Les anthropologues utilisent différentes méthodes: observations, interviews, et enquêtes. Faites des recherches sur les Berbères. Imaginez que vous êtes au Maghreb et que vous étudiez les berbères. Préparez un sondage pour mieux connaître ces gens. Quelles réponses anticipez-vous aprés vos rechenches?

Les Berbères sont les descendants des premiers habitants d'Afrique du Nord.

B Communautés en ligne

L'Alliance française/Interpersonal Communication

Trouvez l'Alliance française la plus proche de chez vous et choisissez un cours auquel vous pouvez vous inscrire ou un événement culturel auquel vous voudriez assister. Expliquez à votre partenaire pourquoi ce cours ou cet événement culturel vous intéresse.

C Passez à l'action!

Projet: Un conte de fées/Presentational Communication

Avec quelques camarades de classe, préparez des scènes pour un conte de fées de Charles Perrault ou un conte maghrébin. Décidez qui va introduire le conte, qui va être le narrateur/la narratrice, qui va jouer les rôles des personnages, qui va préparer le décor, et qui va écrire les invitations.

Faites un diagramme comme celui ci et remplissez-le pour montrer vos connaissances concernant la question suivante: Comment est-ce que les Francophones restent fidèles à leur langue et à leurs traditions? Un exemple vous est donné.

?

Question centrale

Comment les Francophones restent-ils fidèles à leur langue et à leurs traditions?

Leçon A
Unit Opener: Selon Bourguiba, quels sont les avantages du français?

➤ Le français constitue l'appoint au patrimoine culturel; il enrichit la pensée, exprime l'action, contribue à forger le destin intellectuel....

Leçon A
Rencontres culturelles: Comment le père de Justin se met-il en contact avec la vie de ses ancêtres?

➤

Leçon A
Points de départ: Avec quelle organisation les Français assurent-ils le rayonnement de leur langue et culture?

➤

Leçon A
Points de départ: Produits: Quelles langue et quel héritage intéressent certaines gens de la Nouvelle Angleterre?

➤

Leçon A
Points de départ: Perspectives: Comment cet Américain avec un héritage québécois se met-il en contact avec la langue de ses aïeux?

➤

Leçon A
Du côté des médias: Quels bâtiments du passé les gens de l'île d'Orléans ont-ils conservés?

➤

Leçon B
Rencontres culturelles: Quelle histoire de leurs pays ancestral Karim partage-t-il avec sa sœur?

➤

Leçon B
Points de départ: L'immigration maghrébine en France: Qu'est-ce que les immigrés maghrébins apportent en France de leurs pays d'origine? Comment restent-ils en contact avec leur culture?

➤

Leçon C
Points de départ: Le Sénégal: Imagine qu'Amadou est un jeune immigré sénégalais en France. Quels musiciens écoute-t-il probablement?

➤

Évaluation

A Évaluation de compréhension auditive

Interpretive Communication

Écoutez la conversation entre Amina et Ahmed, qui décrit un conte de fées. Ensuite, indiquez si les phrases sont vraies (V) ou fausses (F).

1. Amina lit un conte contemporain.
2. Le héros du conte s'appelle Jean et habite dans une belle villa.
3. La cité où le héros habite est très propre.
4. L'arrière-grand-père africain du héros est magicien.
5. L'ancêtre a donné un couteau magique au père de David.
6. La cité sera belle et propre.
7. Sa sœur pense que le conte d'Ahmed est bête.

B Évaluation orale

Interpersonal Communication

Avec un partenaire, jouez les rôles d'un(e) immigré(e) et d'un(e) Américain(e) qui se sont inscrit(e)s dans un cours de français à l'Alliance française à New York. Dans votre conversation:

L'Américain(e) se présente et demande de faire sa connaissance. → L'immigré(e) donne son nom à l'Américain(e).

L'Américain(e) demande à l'immigré(e) où il/elle a grandi (pas l'Amérique). → L'immigré(e) dit dans quel pays il ou elle a grandi.

L'Américain(e) demande où la famille de l'immigré(e) s'est installée. → L'immigré(e) répond.

L'Américain(e) demande si toute la famille de l'immigré(e) est venue en Amérique. → L'immigré(e) dit lesquels de ses parents sont venus en Amérique et lesquels sont restés dans son pays d'origine.

Vous allez comparer les cultures francophones à votre culture aux États-Unis. Vous aurez peut-être besoin de faire des recherches sur la culture américaine.

1. **L'Alliance française**
   Expliquez ce que l'Alliance française offre en général. S'il y a une Alliance française dans votre région, présentez son programme et dites de quelles activités ou cours vous profiteriez.

2. **L'immigration**
   Faites un résumé des vagues migratoires de la France vers le Québec et du Québec vers les États-Unis. Existe-t-il une présence francophone dans votre région? Si oui, qu'est-ce que vous pouvez remarquer? Quelles traces sont toujours visibles?

3. **La Tunisie**
   Comparez la Tunisie aux autres pays du Maghreb. On y parle quelles langues? C'est une ancienne (*former*) colonie de quel pays? La Tunisie est-elle plus ou moins libérale que le Maroc et l'Algérie? De quelles façons? Et comment compareriez-vous les États-Unis par rapport à ses voisins, le Canada et le Mexique?

4. **Les étudiants maghrébins**
   Des étudiants venant étudier en France, combien sont originaires du Maghreb? D'où viennent les étudiants étrangers qui étudient dans les universités américaines?

5. **Les subventions du gouvernement**
   De quelles aides pouvez-vous bénéficier en France pour le logement et pour élever vos enfants? Quelles aides existent aux États-Unis?

6. **Les contes maghrébins**
   Qu'est-ce qui est universel dans les contes pour enfants que vous connaissez? Quels aspects des contes maghrébins sont uniques?

7. **Le logement traditionnel au Sénégal**
   Comparez le logement traditionnel au Sénégal avec les logements traditionnels aux États-Unis, par exemple, ceux des Native Americans.

D **Évaluation écrite**

*Votre famille vient de déménager. Vous avez acheté une maison en ligne et vous trouvez qu'il y a beaucoup de choses à faire. Écrivez à vos grands-parents québécois. Expliquez les problèmes qu'il y a avec la maison et qui fai t quoi pour la rénover (*renovate*).*

On doit réparer le plafond du salon.

Votre famille vient d'immigrer aux États-Unis. Dites où tous les membres de votre famille se sont installés.

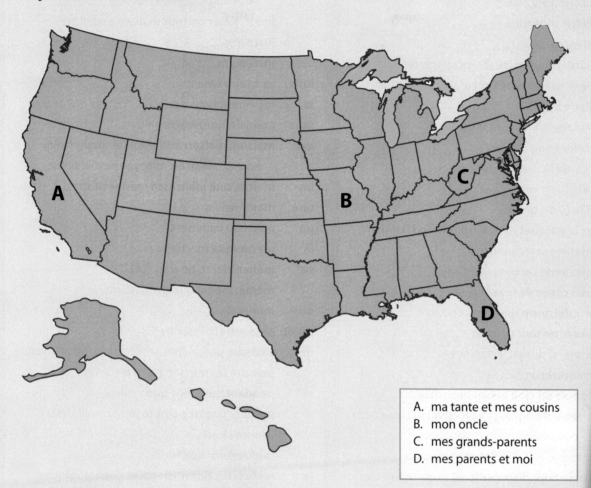

A. ma tante et mes cousins
B. mon oncle
C. mes grands-parents
D. mes parents et moi

Crééz une histoire avec six illustrations: dessinez un HLM ou une autre résidence et montrez ce qui se passe (happens) entre les locataires. Montrez votre histoire à vos camarades de classe ou publiez-la en ligne.

Vocabulaire de l'Unité 3

accrocher des tableaux to hang paintings *C*

les **aïeux (m.)** ancestors *A*

un(e) **ancêtre** ancestor *A*

ancien(ne) old *C*

l' **arrière-grand-mère (f.)** great-grandmother *A*

l' **arrière-grand-père (m.)** great-grandfather *A*

une **ballade** ballad *B*

le **bricolage** do-it-yourself repairs *C*

bricoler to do DIY projects *C*

ça: ça suffit that's enough *B*

cela it *C*

un **cercle** circle, group *A*

cirer le parquet to polish hardwood flooring *C*

conseiller to recommend *B*

une **conserverie** canning company *A*

un **conte: conte de fées** fairy tale *B*

le, la **cousin(e) germain(e)** first cousin *A*

déjouer un tour to undo a spell *B*

éloigné(e) distant, extended *A*

un(e) **employé(e)** employee *C*

enfoncer un clou to hammer a nail *C*

être: être d'origine (+ adjective) to come from (+ country) *C*

une **fable** fable *B*

se **faire: se faire disputer (par)** to get in trouble (with) *B*

finalement in the end *C*

une **fois: Il était une fois….** Once upon a time (there was)…. *B*

la **Francophonie** French-speaking world *A*

garder: garder le contact to keep in touch *A*; **garder un enfant** to babysit *B*

une **génération** generation *A*

les **graffiti (m.)** graffiti *C*

grand(e): la grande crise Great Depression *A*

grandir to grow up *C*

le **grand-oncle** great uncle *A*

la **grand-tante** great aunt *A*

une **histoire** story *B*

un **HLM** subsidized housing *C*

installer: installer la moquette to install carpeting *C*

jouer: jouer un tour to place a spell on *B*

juste just *C*

justement fittingly *C*

un(e) **locataire** tenant *C*

le **logement** housing *C*

un(e) **magicien(ne)** magician *B*

une **maison: maison individuelle** single-family house *C*; **maison mitoyenne** row house *C*

un **maître, une maîtresse** master, mistress *B*

une **manière** way *A*

un **marteau** hammer *C*

la **mécanique** mechanics *A*

se **méfier (de)** to be wary (of) *B*

même: même que that *[inform.]* *B*

un **mur** wall *C*

un(e) **passant(e)** passer-by *C*

un **pêcheur, une pêcheuse** fisherman, fisherwoman *A*

peindre les murs to paint the walls *C*

pendant: pendant que while *B*

poser le papier peint to put up wallpaper *C*

propre clean *C*

rapidement quickly *C*

la **recherche: des recherches généalogiques** genealogical research *A*

repeindre to repaint *C*

une **résidence secondaire** second home *C*

rusé(e) cunning *B*

sale dirty *C*

un **studio** studio apartment *C*

la **suite** (the) rest *B*

tenir: tenir un restaurant to own a restaurant *A*

tenter: tenter sa chance to try one's luck *A*

touristique touristy *A*

un **tournevis** screwdriver *C*

très: Très heureux/heureuse. Pleased to meet you. *C*

une **villa** villa *C*

une **vis** screw *C*

Unité

4 Préparatifs de départ

Citation

"Pour bien aimer un pays il faut le manger, le boire et l'entendre chanter."

To really like a country, you must eat it, drink it, and hear it sing.

—*Michel Déon, écrivain, dramaturge, et académicien français*

À savoir

Quatre Français sur dix partent en vacances d'hiver.

Unité 4

Préparatifs de départ

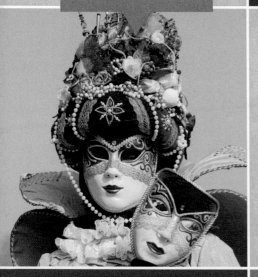

Dans quelle ville fête-on ce carnaval?

Question centrale

?

Qu'est-ce qu'on doit connaître de sa destination pour réussir son voyage?

Comment s'appelle cette montagne?

Contrat de l'élève

Leçon A I will be able to:

›› ask for an opinion and respond appropriately.

›› discuss **la Réunion, Chamonix, le Mont Blanc,** and **les Alpes.**

›› use the present participle and negative expressions.

Leçon B I will be able to:

›› say what I must do, tell someone they'll have an opportunity to do something, and say what I was expecting.

›› discuss the **Savoie** region of France, **les classes de neige,** and Annecy.

›› review **savoir** and **connaître** and use the subjunctive of regular and irregular verbs after **il faut que.**

Leçon C I will be able to:

›› say I'm going to do a different activity and tell someone to avoid injury.

›› discuss ski resorts in France and volunteer tourism in Francophone countries.

›› use the subjunctive after impersonal expressions.

Leçon A

Vocabulaire actif

emcl.com
WB 1–3
LA 1
Games

Les activités en plein air

faire des sauts à ski

faire du saut à l'élastique

faire de l'escalade

faire de la planche à voile

faire une randonnée équestre

faire du ski de fond

Pour la conversation

How do I ask someone's opinion?

> **Chamonix te dit?**

How do you feel about Chamonix?

How do I react positively to someone's opinion?

> **Sans aucun doute.**

Without a doubt.

> **Je suis persuadé(e).**

I'm convinced.

How do I react negatively to someone's opinion?

> **Je vois les choses un peu différemment.**

I see things a bit differently.

Et si je voulais dire...?

aller à la chasse	*to go hunting*
se balader	*to go walking*
faire du surf	*to surf*
faire du rafting	*to go whitewater rafting*
faire du VTT	*to mountain bike*
visiter les gorges	*to visit gorges and canyons*

Communiquez!

1 Ah, le plein air!

Interpretive Communication

Lisez le mail que Florence envoie à sa copine. Puis, répondez aux questions.

À:	Emma
Cc:	
Sujet:	Il faut que tu viennes ici!

Salut, Emma!

Nous (ma tante, mon oncle, et ma cousine) sommes à Chamonix, et comme c'est chouette le plein air. Je suis persuadée que les Alpes, c'est le plus bel endroit du monde. Bien sûr que j'ai fait une randonnée équestre et que j'ai fait des sauts à ski, mais j'ai aussi essayé deux activités pour la première fois. On a dit, "Tu aimes l'aventure, n'est-ce pas?" et moi j'ai répondu, "Mais oui! Sans aucun doute." Hier j'ai fait de l'escalade, et puis ce matin j'ai fait du saut à l'élastique, et ça, c'est la meilleure activité de toutes! Alors, Chamonix te dit pour les prochaines vacances?

Bises,
Florence

1. Avec qui voyage Florence?
2. Quel est le plus joli endroit selon Florence?
3. Quelles activités est-ce que Florence a faites avant d'essayer quelque chose de nouveau?
4. Quelle nouvelle activité est-ce que Florence préfère?
5. Qu'est-ce que Florence propose à Emma?

Communiquez!

2 Les activités en plein air

Interpersonal Communication

À tour de rôle, demandez à votre partenaire s'il ou elle fait l'activité sur la photo. Votre partenaire va répondre selon le modèle.

MODÈLE

A: **Fais-tu de la planche à voile?**

B: **J'ai fait de la planche à voile une fois.**

ou

Je n'ai jamais fait de planche à voile.

ou

Je fais souvent de la planche à voile.

1.

2.

3.

4.

5.

6.

7.

8.

9.

Dites ce que les personnes indiquées feront pendant les vacances selon les indications. Choisissez une expression de la liste.

de la planche à voile	du jet-ski	des randonnées équestres
du parachute ascensionnel	de l'escalade	des sauts à ski	du kayak

MODÈLE — Mathis et Cédric passent beaucoup de temps à la plage.
Pendant les vacances, ils feront de la planche à voile.

1. Awa aime passer du temps à la campagne avec son cheval.
2. Marc et moi, nous aimons nos scooters de mer.
3. Nasser aime faire du ski alpin.
4. Gabrielle et Bruno aiment descendre les rochers (*rocks*).
5. Abdoulaye aime voler (*fly*) comme un oiseau.
6. Tu aimes ton petit kayak vert.

Communiquez!

4 **La Réunion, je kiffe!**

Interpretive communication

Écrivez les numéros 1–5 sur votre papier. Écoutez Stéphane décrire sa vie à la Réunion. Écrivez **V** *si la phrase que vous lisez est vraie et* **F** *si elle est fausse.*

1. Stéphane fait des sports d'hiver à la Réunion.
2. Il fait de la planche à voile avec des copains.
3. La randonnée équestre est une activité qu'il fait avec sa classe.
4. Stéphane ne sait pas faire de l'escalade.
5. Stéphane aime faire du saut à l'élastique le weekend.

5 **Questions personnelles**

Répondez aux questions.

1. Préfères-tu les activités en plein air?
2. Qu'est-ce que tu aimes faire en été? en hiver? en automne? au printemps?
3. Un voyage à la montagne te dit? Pourquoi, ou pourquoi pas?
4. Quelles activités en plein air as-tu déjà essayées? Lesquelles est-ce que tu ne voudrais pas essayer?
5. Comment est-ce que tes choix sont différents de ceux de tes amis?

J'aimerais essayer le saut à l'élastique, mais j'ai un peu peur.

Rencontres culturelles

Les prochaines vacances

Élodie, Léo, et leurs parents planifient un voyage.

Père: Alors, Léo, Chamonix te dit?

Léo: Sans aucun doute... ça me tente de passer des vacances tout schuss....

Mère: Bon eh bien, nous avec Élodie, on voit les choses un peu différemment....

Élodie: Autrement dit, oui, au sommet, mais pas dans les Alpes.

Mère: On aimerait moins froid, plus humide, et plus chaud.

Élodie: Et plus près de la mer....

Léo: Alors pas Chamonix, mais plutôt les Alpes du Sud: le ski avec vue sur la mer?

Père: Mais non, tu n'y es pas du tout! Ce n'est pas ça qu'elles veulent! Moi, j'ai trouvé: c'est une île avec un volcan et du soleil, n'est-ce pas?

Mère: En y réfléchissant bien, ça pourrait être ça.

Élodie: Oui, en y regardant de plus près, ça doit être ça.

Léo: Ah, d'accord! Elles veulent nous faire le coup de la Réunion! Qu'est-ce qu'on peut y faire?

Élodie: On peut nager, faire des randonnées équestres, visiter le Piton de la Fournaise... aucun de nous ne s'ennuiera.

Léo: Je suis persuadé qu'on s'amusera. Alors, on part quand?

---

6 Les prochaines vacances

Identifiez l'endroit dont on parle: Chamonix ou la Réunion.

1. Il y a de belles plages.
2. On y voit des montagnes.
3. On peut y faire du ski alpin.
4. Il y fait chaud et du soleil.
5. On peut y faire des randonnées équestres.

Dans une agence de voyages, une agente essaie d'aider un jeune couple.

Agente:	Reprenons depuis le début. Vous êtes sûr que vous voulez partir ensemble?
Client:	Sans aucun doute!
Agente:	Bon, alors, il va falloir vous mettre d'accord.
Client:	On est vraiment désolés, mais moi, je préfère la mer, et elle, la montagne.
Agente:	Proche ou loin?
Cliente:	Plutôt loin.
Client:	Mais pas trop loin....
Agente:	Les Antilles vous disent?
Les clients:	Oui!!
Agente:	Seuls, je veux dire... vous deux, ou en groupe?
Cliente:	On pourrait essayer en groupe.
Client:	Il me semble que ça serait mieux juste nous deux.
Agente:	Ah non, vous n'allez pas recommencer!

Extension Pourquoi est-ce que la région proposée par l'agente marche pour le client et la cliente? Pourquoi est-ce que l'agente est frustrée avec ce couple?

La Francophonie

Question centrale

?

Qu'est-ce qu'on doit connaître de sa destination pour réussir son voyage?

✳ La Réunion

L'île de la Réunion est un département français située dans l'Océan Indien à côté de Madagascar. C'est une île volcanique, très montagneuse. Elle abrite* l'un des volcans les plus actifs du monde, le de la Fournaise. Avec 800.000 habitants, l'île a une population métissée*: elle est composée principalement de descendants d'esclaves venus d'Afrique et d'Inde, amenés* dans l'île pendant la colonisation au XVIIème siècle pour cultiver le café et les épices*, de descendants des colons blancs, et aussi d'immigrés venus de Chine. Sa capitale est Saint-Denis.

L'agriculture est importante pour l'économie. À côté de la canne à sucre* se sont développées les cultures maraîchères* et fruitières. Mais c'est le tourisme qui aujourd'hui est la première activité économique de l'île.

Les musiciens ont contribué à populariser les deux rythmes réunionnais: le *maloya*, proche du blues, qui est issu* de chants et de danses d'esclaves noirs, et le *séga*, qui regroupe des danses et musiques créoles populaires. Au XIXème siècle, le poète français Charles Baudelaire a séjourné* quelque temps à l'île de la Réunion, qui lui a inspiré des poèmes tels que "À une dame créole."

 Search words: **île de la réunion voyage, île de la réunion vacances, visite virtuelle réunion**

---

abrite *is home to;* **métissée** *d'ethnies mixtes;* **amenés** *brought;* **épices** *spices;* **canne à sucre** *sugar cane;* **maraîchères** *of garden produce;* **issu** *comes from;* **séjourné** *voyagé*

Mon dico réunionnais

Comen i lé?	*Comment ça va?*
Siouplé	*S'il vous plait.*
Nou sar dansé.	*On va danser.*
Mi aim à ou.	*Je t'aime.*
la kaz	*la maison*

Un champ de canne à sucre et de cocotiers à la Réunion.

✳ *Une autre île francophone: La Corse*

La Corse est une île de la mer Méditerranée où on parle français et corse. Considérée une région française, elle est composée de deux départements: la Corse-du-Sud et la Haute-Corse. Surnommée "*Île de Beauté*," on peut y trouver de belles plages, des vues panoramiques montagneuses*, une bonne cuisine de terroir*, et des espaces naturels grâce à un parc marin international, des réserves naturelles, et le Parc naturel régional de Corse. Les activités principales de la Corse sont l'agriculture et le tourisme.

———————
montagneuses *mountainous*; **terroir** *rural flavor*

Le drapeau corse.

Bonifacio, une ville de la Corse, est située sur des falaises.

Chamonix et le Mont Blanc

Chamonix, petite ville de 10.000 habitants, est considérée la commune la plus haute d'Europe. Elle doit ce titre à la présence sur son territoire du sommet le plus haut d'Europe, le Mont Blanc (4.810 m). C'est un atout* touristique considérable car le Mont Blanc est le troisième site naturel le plus visité au monde. Il possède un sentier* de randonnées le plus populaire d'Europe qui fait le tour du Mont Blanc (170 km). C'est aussi de Chamonix que part le téléphérique* de l'aiguille* du Midi qui monte à 3.777 m. La Mer de Glace*, la Vallée Blanche, et le Lac Blanc sont d'autres atouts touristiques à Chamonix.

Chamonix est devenue la capitale des amateurs d'alpinisme et des sportifs de haute montagne. Elle abrite l'École Nationale de Ski et d'Alpinisme spécialisée dans la formation des guides de haute montagne qui ont leur association et leur compagnie à Chamonix. Roger Frison-Roche pour ses récits* littéraires, Gaston Rebuffat pour ses films, et René Desmaison pour ses exploits en sont parmi les plus célèbres des guides.

 Search words: **centres d'intérêts touristiques à chamonix, information sur chamonix, chamonix mont blanc, forfaits de ski chamonix**

———————
atout *asset*; **sentier** *chemin*; **téléphérique** *cable car*; **aiguille** *le sommet*; **glace** *ice*; **récits** *contes*

Les Alpes

Italie, France, Suisse, Allemagne, Autriche, Slovénie—les Alpes s'étendent* principalement sur ces six pays et comptent plus de 80 sommets de plus de 4.000 mètres. C'est une barrière de 1.200 km qui s'étend de la Méditerranée au Danube. La plus grande ville des Alpes est Grenoble (500.000 habitants).

La faune et la flore alpines sont très protégées grâce aux nombreux parcs régionaux ou nationaux qui occupent le massif; le plus connu en France est le Parc de la Vanoise. La gentiane, l'edelweiss pour la flore, le chamois*, et la marmotte pour la faune sont les symboles des Alpes.

 Search words: hautes alpes stations de ski, site officiel du parc de la vanoise

---

s'étendent *spread*; **chamois** *mountain goat*; **marmotte** *marmot*

Produits

Le chien du Saint-Bernard est une race de grands chiens de montagnes qui a sauvé beaucoup de gens égarés (*lost*) dans les Alpes ou de survivants d'avalanches.

COMPARAISONS

Quels parcs régionaux ou nationaux existent dans votre région? Qu'y a-t-il à voir?

7 Activités culturelles

Faites les activités suivantes.

1. Faites la carte d'identité de l'île de la Réunion.
   - Situation
   - Nombre d'habitants
   - Capitale
   - Économie
   - Arts
2. Faites une liste d'adjectifs qui décrivent Chamonix.
3. Faites une carte qui montre les Alpes dans chaque pays d'Europe.
4. Citez deux symboles des Alpes:
   - une fleur
   - un animal
5. Planifiez un séjour de quatre jours en Corse. Prenez des notes en recherchant ce qu'il y a à y faire et voir: gastronomie, excursions, randonnées, festivals, etc.

Le Mont Blanc est la plus haute montagne dans les Alpes.

Perspectives

Dans son poème "Parfum exotique," Charles Baudelaire dit de la Réunion:

"... le parfum des verts tamariniers*,
Qui circule dans l'air et m'enfle* la narine*,
Se mêle dans mon âme au chant des mariniers*."

Par quel sens est-ce que Baudelaire ressent de la nostalgie pour la Réunion en retournant en France?

---

tamariniers *tamarind trees*; **enfle** *swell up*; **narine** *nostril*; **marinier** *sailor*; **ressent** *feels*

La station téléphérique de l'Aiguille du Midi, à Chamonix.

Du côté des médias

Interpretive Communication

Lisez la FAQ sur la Réunion. Écrivez un contrôle sur ces informations pour votre partenaire.

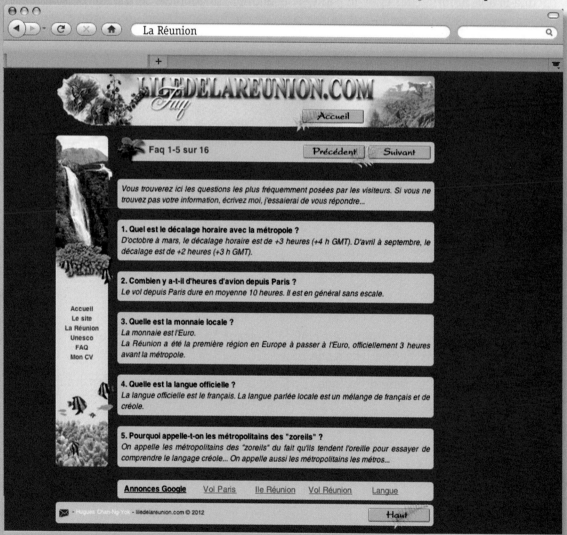

La Réunion

LILEDELAREUNION.COM

Accueil

Faq 1-5 sur 16 | Précédent | Suivant

Vous trouverez ici les questions les plus fréquemment posées par les visiteurs. Si vous ne trouvez pas votre information, écrivez moi, j'essaierai de vous répondre...

1. Quel est le décalage horaire avec la métropole ?
D'octobre à mars, le décalage horaire est de +3 heures (+4 h GMT). D'avril à septembre, le décalage est de +2 heures (+3 h GMT).

2. Combien y a-t-il d'heures d'avion depuis Paris ?
Le vol depuis Paris dure en moyenne 10 heures. Il est en général sans escale.

3. Quelle est la monnaie locale ?
La monnaie est l'Euro.
La Réunion a été la première région en Europe à passer à l'Euro, officiellement 3 heures avant la métropole.

4. Quelle est la langue officielle ?
La langue officielle est le français. La langue parlée locale est un mélange de français et de créole.

5. Pourquoi appelle-t-on les métropolitains des "zoreils" ?
On appelle les métropolitains des "zoreils" du fait qu'ils tendent l'oreille pour essayer de comprendre le langage créole... On appelle aussi les métropolitains les métros...

Accueil
Le site
La Réunion
Unesco
FAQ
Mon CV

Annonces Google | Vol Paris | Ile Réunion | Vol Réunion | Langue

- Hugues Chan-Ng-Yok - liledelareunion.com © 2012 | Haut

Structure de la langue

Present Participle

De quoi Marie-Alix prend-elle une photo en faisant de l´escalade?

The present participle is a verb form that ends in **–ant**. This ending corresponds to the suffix *–ing* in English. To form the present participle, add **–ant** to the stem of the present tense **nous** form of the verb.

Verb	Nous Stem	Present Participle
faire	fais-	**faisant**
attendre	attend-	**attendant**
finir	finiss-	**finissant**
aller	all-	**allant**
partir	part-	**partant**

> **COMPARAISONS**
>
> What is another function of the present participle in English? Is this also possible in French?
> The teacher woke the *sleeping* student.
> Le prof a réveillé l'élève **qui dormait**.

The three verbs indicated below have irregular present participles.

Irregular	Present Participle
avoir	**ayant**
être	**étant**
savoir	**sachant**

The preposition **en** usually precedes the present participle. **En** means "while," "upon," "in," or "on" if the two actions in the sentence take place at the same time.

En voyant la neige, mon frère a voulu faire de la luge.

Upon seeing the snow, my brother wanted to go sledding.

En means "by" if a cause-and-effect relationship is expressed.

C'est **en écoutant** le prof que tu pourras réussir à ton examen.

By listening to the teacher, you will pass the test.

COMPARAISONS: In the English sentence, "sleeping" is acting as an adjective. In French, the use of the present participle as an adjective is more limited, for example, you might find it in poetry and songs.

Communiquez!

8 Les activités des jeunes

Interpretive Communication

Abdel-Cader a fait un sondage pour savoir ce que ses camarades de classe font pour s'amuser en plein air. Dites combien d'ados font chaque activité.

> **MODÈLE** jouer au baseball
> **Quinze ados s'amusent en jouant au baseball.**

Comment les ados s'amusent-ils en plein air?

32—piqueniquer dans un champ

20—nager dans un lac

15—jouer au baseball

11—faire une randonnée équestre

8—se promener dans la forêt

7—faire du saut à l'élastique

6—faire de la planche à voile

1—prendre la flore en photo

Communiquez!

9 Qu'est-ce que tu fais en...?

Interpersonal Communication

Avec un(e) partenaire, posez des questions sur ce que vous faites pendant que vous faites d'autres choses. Puis répondez aux questions. Suivez le modèle.

> **MODÈLE** écouter ton lecteur MP3/faire les corvées
> **A: Est-ce que tu écoutes ton lecteur MP3 en faisant les corvées?**
> **B: Oui, j'écoute mon lecteur MP3 en faisant les corvées. Et toi?**
> **A: Moi, je chante en faisant les corvées.**

1. parler au téléphone/conduire
2. se détendre/lire un roman
3. manger/étudier
4. envoyer des textos/écouter le prof
5. surfer sur Internet/dîner avec tes parents
6. s'amuser/faire du shopping
7. finir tes devoirs/regarder la télé
8. écouter de la musique/faire du sport
9. regarder la télé/faire tes devoirs
10. faire des sauts à ski/savoir que tu pourrais avoir un accident

Révision: Negation

See if you can tell what the sentence below means in English and how you form a negative sentence in French.

Je n'achète rien pour mon voyage à Chamonix.

If you can't do those two things, read the grammar summary below.

To make a verb negative, put **ne (n')** before the verb and **pas**, **plus**, **jamais**, **rien**, or **personne** after it in the present tense.

Élodie? Chamonix **ne** la tente **pas**.

Élodie isn't interested in Chamonix.

Elle **ne** va **jamais** à la Réunion.

She never goes to Reunion.

In the near future, the negative expression is sandwiched around the conjugated form of **aller**.

Je **ne** vais **plus** me plaindre.

I'm not going to complain anymore.

In the **passé composé**, **ne (n')** precedes the helping verb and **pas**, **plus**, **jamais**, or **rien** follows it. **Personne**, however, follows the past participle.

Élodie **n'**a **rien** dit à son frère.

Élodie didn't say anything to her brother.

Léo **n'**a parlé à **personne** des vacances.

Léo didn't talk to anyone about vacation.

The expressions **ne (n')... personne** and **ne (n')... rien** may also be used as subjects. In this case, **personne** or **rien** begins the sentence and **ne (n')** is in its usual position.

Personne ne voulait skier, sauf Léo.

No one wanted to ski, except for Léo.

Hé, il n'y a rien à manger!

NEGATION: The English meaning of the sentence is: "I'm buying nothing for my trip to Chamonix." To form a negative with **ne... rien**, put the **ne (n')** before the verb and the **pas** after the verb. Other negative expressions that work the same way in the present tense are **ne... pas**, **ne... jamais**, **ne... plus**, and **ne... personne**. If you don't remember how to make a sentence negative in the near future or passé composé, review the examples on this page.

Comparez les deux illustrations. Puis répondez aux questions en suivant le modèle.

MODÈLE   Qui avait une consultation avec la voyante?
À 19h00, quelqu'un avait une consultation avec la voyante, mais à 21h00 personne n'avait de consultation avec la voyante.

1. Qui a acheté des tickets?
2. Il y avait du popcorn au snackbar?
3. On pouvait gagner un animal aux jeux d'adresse?
4. Les ados se sont amusés?

5. Un enfant attendait de faire un tour de manège?
6. Jacques et Annie ont fait un tour de grande roue?

Other Negative Expressions

emcl.com
WB 11–12
Games

Koffi n'aime que les activités dangereuses.

The expression **ne (n')... que** (*only*) is often used instead of the adverb **seulement**, which ~~~~~~ same meaning. This expression restricts or limits choices. **Ne (n')** precedes the verb, or the helping verb in the **passé composé**, and **que** comes before the word or expression it describes.

Salim **ne** fait **que** des activités en plein air.   *Salim only does outdoor activities.*

En vacances il **ne** fait **que** des sports nautiques.   *On vacation he only does water sports.*

The negative expression **ne (n')... ni... ni...** means "neither... nor." **Ne (n')** precedes the verb, or the helping verb in the **passé composé**, and each **ni** comes directly before the word or expression it describes.

Djamel **ne** veut essayer **ni** le jet ski   *Djamel wants to try neither the jet*
ni le saut à ski.   *ski nor ski jumps.*

Il **n'**aime **ni** la montagne **ni** la mer.   *He likes neither mountains nor sea.*

Ni... ni...ne (n') may begin a sentence. In this case, each **ni** precedes the word or expression it describes and **ne (n')** is in its usual position.

Ni Hélène **ni** moi **n'**irons à la campagne.   *Neither Hélène nor I will go to the countryside.*

Ni nos parents **ni** nos amis **ne** pouvaient   *Neither our parents nor our friends were able*
nous persuader.   *to persuade us.*

The negative expression **ne (n')... aucun(e)** may be used as an adjective or a pronoun and means "no," "not any," or "not one." As an adjective, **aucun(e)** agrees in gender with the noun following it. **Ne (n')** precedes the verb, or the helping verb in the **passé composé**. **Aucun(e)** comes after the verb, or the past participle in the **passé composé**, and before the noun it describes.

Je **n'**ai **aucun** doute que tu t'amuseras!   *I have no doubt that you will have fun*

Aucun(e) may also begin a sentence. In this case, it precedes the word or expression it describes and **ne (n')** is in its usual position.

Aucun de nous **ne** s'ennuiera.   *None of us will be bored.*

COMPARAISONS: Although not a hard and fast rule, it often works to put "only" in front of the word it modifies. In the example sentence, "only" modifies the verb "to like." In French, there is no confusion in where to place **ne... que**, unlike in English. "Only" is a tricky word because it is placed where it can change the meaning of a sentence, as in this example:
I spoke to him only yesterday. (*only* meaning "recently")
I only spoke to him yesterday. (*only* meaning speaker spoke to no one else)

Vous voulez acheter une carte-cadeau pour Chloé pour son anniversaire. Mais ce n'est pas facile! Dites qu'elle n'aime ni la première chose ni la deuxième. Puis, généralisez en disant ce qu'elle n'aime pas.

MODÈLE

Chloé n'aime ni les boutiques ni les grands magasins. Elle n'aime aucun magasin de vêtements.

1.

2.

3.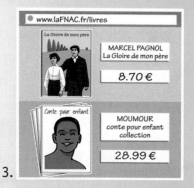

4.

5.

6.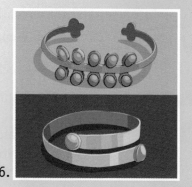

Mais non, je n'ai pas fait de ski, je n'ai fait que des randonnées à la Réunion!

12 Des vacances à la Réunion

Yann a passé ses vacances à la Réunion. Quand il raconte ses exploits, il exagère toujours. Corrigez ses phrases selon les indices données.

> **MODÈLE** "J'ai voyagé avec dix amis." (*deux amis*)
> **Yann n'a voyagé qu'avec deux amis.**

1. "J'ai passé un mois à la Réunion." (*une semaine*)
2. "J'ai fait beaucoup d'activités culturelles." (*en plein air*)
3. "J'ai acheté des cadeaux de luxe pour ma famille." (*tee-shirts*)
4. "J'ai fait du shopping dans les meilleures boutiques." (*bon marché*)
5. "J'ai essayé tous les plats réunionnais." (*français*)

13 Questions simples

Interpersonal Communication

*Écrivez les numéros 1–8 sur votre papier. Écoutez les mini-dialogues. Puis, écrivez **oui** si la personne mentionnée fait du sport dont on parle ou **non** si elle n'en fait pas.*

14 Vos préférences

Non, je ne vais faire ni sauts à ski, ni sauts à l'élastique!

Interpersonal Communication

À tour de rôle, posez des questions sur vos préférences. Puis répondez.

> **MODÈLE** faire des recherches généalogiques ou scientifiques
>
> A: **Est-ce que tu fais des recherches généalogiques ou scientifiques?**
> B: **Je ne fais ni des recherches généalogiques ni des recherches scientifiques. Et toi?**
> A: **Moi, je ne fais que des recherches généalogiques.**

1. voyager dans les états du Midwest ou de la Côte Est
2. lire des fables ou des contes de fées
3. faire des projets de bricolage ou de design
4. servir des hors-d'œuvre ou des desserts à tes invités
5. te servir d'une poêle ou d'une casserole
6. pour préparer tes repas
7. parler de politique ou de sport à table
8. rencontrer tes amis à la MJC ou au club de fitness
9. fréquenter les discothèques ou les festivals

À vous la parole

Question centrale

? Qu'est-ce qu'on doit connaître de sa destination pour réussir son voyage?

15 On va où pour les vacances?

Interpersonal Communication

Avec deux camarades de classe, jouez les rôles de trois amis qui discutent des vacances d'hiver. Chaque personne suggère une destination, et les autres demandent ce qu'il y a à voir et faire. Prenez une décision basée sur les intérêts du groupe. Finalement, décidez qui va faire des recherches en ligne (restaurants, musées, endroits à visiter, etc.), qui va trouver l'hôtel et les billets d'avion, et qui va s'occuper des activités.

Communiquez!

16 Activités en plein air

Interpersonal and Presentational Communication

Interviewez dix camarades de classe pour savoir quelles activités de plein air ils ont déjà faites. Remplissez un tableau comme celui de dessous. Puis, présentez les résultats de votre enquête.

	1	2	3	4	5	6	7	8	9	10
faire une randonnée équestre	✔		✔	✔			✔		✔	✔
faire de la planche à voile										
faire du saut à l'élastique										
faire du saut à ski										
faire de l'escalade										
faire du ski de fond										

MODÈLE

A: **As-tu déjà fait une randonnée équestre?**

B: **Oui, j'ai fait des randonnées équestres.**

ou

Non, je n'ai jamais fait de randonnées équestres.

Sommaire: Quatre élèves n'ont jamais fait de randonnées équestres.

Communiquez!

Presentational Communication

Vous êtes chargé(e) de créer un design et un slogan pour une campagne de publicité pour les Alpes en France. Considérez les attractions, les activités, et les symboles de la région. Vous pouvez travailler avec un(e) partenaire ou en groupe.

Communiquez!

18 **Gagnez une semaine à Chamonix!**

Interpretive and Presentational Communication

Imaginez que vous travaillez pour l'Office du Tourisme de Chamonix. Votre tâche est de faire un budget pour une promotion où deux groupes (un couple et une famille de gagnants) vont passer une semaine de vacances à Chamonix. Vous devez rechercher combien coûtera:

- le logement
- les repas dans les restaurants
- les activités
- la location de l'équipement

Écrivez un rapport dans lequel vous donnez des options pour le logement, les repas, les activités, et la location de l'équipement avec les prix. Finalement, créez une brochure ou un site Web où vous partagez cette promotion avec le public.

 Search words: chamonix, forfait ski chamonix

Chamonix en été.

Prononciation 🎧

Intonation in Questions with Two Options

- When asking about two options, intonation rises steeply for the first choice and descends for the second.

A L'intonation montante et descendante

Répétez chaque phrase.

1. On part avec tes parents ou pas?

2. Tu préfères la mer ou la montagne?

3. On va à Chamonix ou à la Réunion?

B Qu'est-ce que tu préfères?

Posez la question alternative sur les éléments suggérés, en commençant par "Qu'est-ce que tu préfères...?"

> **MODÈLE**   faire du ski ou du snowboard
> **Qu'est-ce que tu préfères: faire du ski ou du snowboard?**

1. faire une randonnée équestre ou une randonnée à pied
2. manger une pizza ou une omelette
3. aller à la boutique ou au centre commercial
4. mettre une chemise ou un pull

Pronounced /ə/

- Especially in groupings of two or more syllables, the sound /ə/ should have the same length and intensity of the other vowels and not be pronounced like an **e** in English.

C Le son /ə/

Répétez les phrases.

1. C'est la première fois que je vais faire du ski!
2. Je pars pour une semaine.
3. Je me demande s'il fera beau!

D Quelle voyelle entendez-vous?

*Écrivez **E** si vous entendez le son dans **je** ou **regarde** et **É** si vous entendez le son dans **rentrée** ou **marcher**.*

Vocabulaire actif

emcl.com
WB 1–3
LA 1
Games

À la station de ski 🎧

Sur les pistes

un tremplin de saut à ski

un moniteur/une monitrice

un télésiège

une piste

FORFAIT-SKI
Carte de libre accès aux pistes

Prénom: **Khalid**
Nom: **Issam**
Validité: **journée**

OFFICIEL

un forfait de ski

Les vêtements de ski

un masque de ski

un bonnet

les gants (m.)

un fuseau de ski

les chaussures (f.) de ski

un bâton de ski

les skis (m.)

Pour la conversation 🎧

ᴴow do I say what I must do?

> **Il faut que** je revienne en skiant correctement.

I must return skiing correctly.

ᴴow do I tell someone he or she will have the opportunity to do something?

> **Tu auras l'occasion d'**apprendre.

You will have the opportunity to learn.

ᴴow do I say I was expecting something?

> Ça, **je m'y attendais!**

I was expecting that!

Et si je voulais dire...? 🎧	
des après-ski (m.)	*snow boots*
un remonte-pente	*ski-tow*
le ski nordique	*cross-country skiing*
un tire-fesses	*T-bar*
faire du patin à glace	*to ice-skate*

1 Je m'y attendais!

Interpretive Communication

Lisez le blogue d'Alexis qui a fait un séjour de sports d'hiver. Puis, répondez aux questions.

J'avais une semaine de vacances, et j'ai décidé de la passer à Chamonix. Pourquoi? Parce que j'adore les activités en plein air et la neige, mais je dois apprendre à skier correctement. J'ai acheté un forfait ski, et je me suis inscrit dans un cours avec un moniteur. J'avais l'intention de louer les skis et les bâtons, parce que j'avais dans ma valise tout le reste—mon bonnet, mes gants, mes chaussures de ski, et mon fuseau. En sortant du train, j'ai réalisé que ma valise n'y était plus. Ah ça, je ne m'y attendais pas! Ça coûte cher, les vêtements de ski!! Est-ce que quelqu'un a vu une valise bleue dans le train pour Chamonix le weekend dernier?

1. Pour quelle raison Alexis part-il à Chamonix?
2. Quels préparatifs a-t-il fait à l'avance?
3. Qu'est-ce qu'il comptait louer?
4. Quel problème a-t-il eu?
5. Qu'est-ce qu'Alexis cherche?

2 Faire du ski

C'est bientôt la saison des sports d'hiver. Une agence de voyage offre des conseils à ses clients, mais des mots ont disparu sur son site Web. Retrouvez les mots manquants (missing).

Si vous voulez faire du ski, vous devez aller dans une (1). Avant de partir sur les pistes de ski, vous devez vous équiper: louez des (2) et des (3). Avant de pouvoir prendre le (4) qui vous emmène en haut de la piste, achetez un (5) pour toute la semaine. C'est moins cher que de payer à la journée. Les (6) sont pour les skieurs avec beaucoup d'expérience. Demandez à un (7) ou une monitrice ses conseils. Il fait froid, donc n'oubliez pas vos (8) et votre (9) de ski.

Communiquez!

3 Sam et Nayah sont prêts à skier!

Presentational Communication

À tour de rôle, décrivez ce que chaque personne porte dans les illustrations suivantes. Votre partenaire va deviner qui vous décrivez.

MODÈLE **Cette personne a mis des gants....**

4 Sur les pistes

Complétez la phrase avec un mot ou une expression.

1. Si on a froid aux mains, il faut acheter de meilleurs....
2. Si on ne sait pas skier, on peut apprendre avec un... ou une....
3. Si on a froid à la tête, il faut mettre un... bien chaud.
4. Un skieur qui fait de très longues distances part d'un....
5. Un skieur tient (*holds*) les... dans ses mains.
6. On attache la chaussure de ski à....
7. On monte en haut des pistes avec un....
8. Pour faire du ski on peut mettre un pantalon ou un....

Communiquez!

La station de ski de Val Thorens, dans les Alpes de Savoie.

Interpretive Communication

Écrivez les numéros 1–6 sur votre papier. Écoutez ce que chacun des enfants emporte en classe de neige. Puis, choisissez le mot qui n'est pas mentionné.

1. un bonnet, des gants, un blouson, des bottes de ski
2. un fuseau de ski, des lunettes de ski, des gants, de la crème solaire, un bonnet
3. des chaussures de ski, des bâtons de ski, un forfait
4. un fuseau de ski, un pull, une écharpe, un bonnet, des skis
5. un bonnet, un fuseau de ski, une écharpe, des chaussures de ski, un masque de ski
6. des skis, des bâtons, un forfait, des chaussures

Communiquez!

6 Vous aurez l'occasion de....

Interpersonal Communication

À tour de rôle, suggérez une destination et des activités pour les vacances.

MODÈLE ma famille/la Tunisie
> **A: Ma famille et moi, on ne sait pas où passer les vacances.**
> **B: Pourquoi pas aller en Tunisie? Vous aurez l'occasion de nager et de bronzer au bord de la mer.**

1. mes cousins/Montréal
2. ma tante/la Normandie
3. mes amis/l'Alsace
4. mon père/la Bretagne
5. ma bande de copains/la côte d'Azur
6. mes camarades de classe/Lyon
7. ma mère/la Martinique
8. mon frère/Grenoble

7 Questions personnelles

Répondez aux questions.

1. As-tu déjà fait du ski? Où? Combien de fois?
2. Qu'est-ce qu'on peut louer dans une station de ski?
3. Quels vêtements et accessoires faut-il emporter?
4. Pourquoi est-ce qu'on aime faire du ski, à ton avis? À quoi est-ce qu'on s'attend?
5. Est-ce qu'on peut faire du ski près de chez toi, ou dans la région? Sinon, où sont les stations de ski dans votre région? Est-ce qu'il y a de meilleures pistes dans d'autres régions?

Les classes de neige

Élodie fait sa valise pour aller au ski.

Élodie: Cette fois il faut que je rentre à la maison en skiant correctement.

Léo: Tu auras l'occasion d'apprendre... les classes le matin, le ski l'après-midi, et moi avec les parents le week-end. Il y a 450 kilomètres de pistes à Combloux!

Élodie: Et les moniteurs?

Léo: Ils sont sympa.... Dis, le weekend tu veux faire du snowboard?

Élodie: Tu connais Megève? On ira aussi faire un peu de shopping.

Léo: Ça, je m'y attendais! Tu as vérifié que tu n'as rien oublié? Tes gants? Ton pantalon de ski? Ton bonnet? Tes lunettes?

Élodie: De toute façon, les skis, les chaussures, on loue tout sur place... Bon eh bien, il n'y a plus qu'à partir... il faut que je sois plus organisée! Au fait, tu n'as pas vu mon billet de train...?

Mots-clé **Valise** (de l'italien *valigia* en1558). Au départ, le mot valise désigne un sac en cuir qui se porte en croupe (comme dans les westerns) avant de devenir un bagage rectangulaire porté à la main (1876). Valise a donné *dévaliser*, c'est-à-dire prendre à quelqu'un tout ce qu'il a sur lui.

8 Les classes de neige

Formez des phrases en disant qui a les attributs suivants Élodie ou Léo?

1. informatif/informative
2. désorganisé(e)
3. pas surpris(e)
4. le plus sportif/la plus sportive
5. serviable (*helpful*)

Extension **Préparations pour un voyage en avion**

Deux sœurs se préparent pour un voyage en avion.

Maeva: Dis, j'ai hâte de voir Mamy et Papy.

Faustine: Moi de même. Bon, comment on fait?

Maeva: Moi, je n'ai pas confiance, je ne mets pas toutes mes affaires dans la même valise.

Faustine: Tu n'as pas confiance en qui?

Maeva: On a un changement de vol, il y a toujours le risque qu'une valise se perde. Comment on fait avec les médicaments?

Faustine: Mets-les dans ton sac à main.

Extension Quelle solution Maeva et Faustine ont-elles trouvée pour arriver chez leurs grands-parents avec l'essentiel?

Points de départ

^{Pre} AP

emcl.com
WB 5

Question centrale

?

Qu'est-ce qu'on doit connaître de sa destination pour réussir son voyage?

La Savoie

La Savoie est devenue une province française en 1860. C'est une région frontalière* avec l'Italie, à laquelle elle est reliée par des cols* et par des tunnels dont le tunnel du Mont Blanc.* C'est un paysage de montagnes avec les Alpes, des lacs (Lac du Bourget, Lac d'Annecy), et des vallées (vallée de la Tarentaise, vallée de l'Arc).

La Savoie comprend deux départements, la Savoie et la Haute Savoie. Ses habitants sont les Savoyards. Les deux principales villes sont Chambéry et Annecy. Son économie est tournée vers l'imagerie*, les industries du sport et des loisirs, l'énergie solaire, et la photovoltaïque.* C'est aussi le berceau* du groupe de grande distribution* Carrefour.

Terre de culture, la Savoie abrite de nombreux festivals comme le festival du film d'animation à Annecy, référence mondiale pour les professionnels de l'animation. Terre de gastronomie, ses spécialités sont les fromages de beaufort, le reblochon, et la tomme. Terre de tourisme, c'est le royaume* du ski avec le plus grand domaine skiable* d'Europe et ses très nombreuses stations dont la plus ancienne est Chamonix. Ces stations sont souvent reliées entre elles pour constituer d'immenses domaines skiables* comme celui des Portes du soleil (Avoriaz, Morzine, Les Gets, etc.) avec ses 650 kilomètres de pistes.

 Search words: **savoie mont blanc, visiter la savoie, vacances savoie**

---

frontalière *border;* **col** *pass;* **imagerie** *print-making;* **photovoltaïque** *photovoltaic;* **berceau** *cradle;* **grande distribution** *retail;* **royaume** *realm;* **domaine skiable** *ski areas*

Produits

La raclette savoyarde est un plat avec du fromage à raclette et du jambon. Autrefois, on mangeait la raclette au coin de la cheminée, mais ces jours-ci il existe un appareil pour la préparation de la raclette. Trouvez des photos en ligne. Aimeriez-vous y goûter?

COMPARAISONS

Comment pouvez-vous définir la "terre de culture," "la terre gastronomique," et la "terre de tourisme" dans votre région?

La raclette est délicieuse sur les pommes de terre!

Annecy

Annecy est une charmante petite ville. Les visiteurs aiment flâner* dans les rues pavées de la vieille ville médiévale en regardant les maisons fleuries près des canaux. Du château d'Annecy on peut voir le lac d'Annecy, un beau lac propre, où on peut faire du bateau, du ski nautique, et même louer des pédalos*.

 Search words: lac d'annecy, accueil ville annecy

---

flâner *to stroll;* **pédalo** *pedal boat*

Annecy est connue pour son carnaval vénitien.

Les classes de neige

Les établissements scolaires ont la possibilité d'organiser chaque année des classes de neige. Les élèves partent aux sports d'hiver ensemble. Le séjour peut durer d'une à trois semaines. Lors des classes de neige, il s'agit de combiner loisirs et travail en classe. C'est l'occasion de mettre en place des projets qui concilient plaisir de la neige et démarche* éducative.

 Search words: blogue classes de neige, vidéo classes de neige, photos classes de neige

---

démarche *undertaking*

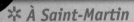

La Francophonie: La récréation ▶

COMPARAISONS

Où peut-on faire des sports aquatiques près de chez vous?

✳ À Saint-Martin

À Saint-Martin, une île dans la mer des Antilles où l'on parle français, on trouve deux sortes d'activités principales appelées "bleu" et "vert." La catégorie "vert" offre beaucoup d'activités pour les gens qui aiment la nature. La catégorie "bleu" est pour les fanas des sports aquatiques comme la plongée sous-marine, la planche à voile, le ski nautique, ou le scooter des mers.

 Search words: saint-martin accueil, office de tourisme de l'île de st martin, bienvenue à saint martin tourisme, visiter saint-martin

Marigot est une ville de Saint-Martin très fréquentée par les touristes.

9 Activités culturelles

Faites les activités suivantes.

1. Faites une présentation PowerPoint™ sur la Savoie comme "Terre de culture," "Terre de gastronomie," ou "Terre de tourisme."
2. Situez les endroits mentionnés sur une carte de la Savoie.
3. Faites un album photos sur la ville d'Annecy. Écrivez des légendes qui décrivent ce qu'on voit.
4. Trouvez un blogue, une vidéo, ou des photos d'élèves français en classe de neige. Contactez-les et posez-leur quelques questions sur leurs expériences.

À discuter

Votre classe planifie un séjour pour combiner loisirs et travail en classe. Que proposeriez-vous comme destination, mode de transport, logement, activités?

On fait la raclette avec un appareil à raclette et du bon fromage de Savoie.

Du côté des médias Pre AP

Interpretive Communication

Lisez la brochure ci-dessous sur ce qu'on peut trouver en Savoie au Mont Blanc.

Le dico des stations

Pour vous guider dans la jungle des labels, appellations, dénominations, classifications...
Savoie Mont Blanc vous propose ce petit dico.
Bon choix... et bon séjour!

 NORDIQUE FRANCE
Station labellisée « Nordique France » proposant un domaine nordique exceptionnel en termes de longueur, d'entretien, avec pistes de skating et d'alternatif, encadrement pour l'initiation, le perfectionnement et l'accompagnement.

 LABEL FAMILLE PLUS MONTAGNE
Afin de mieux répondre aux attentes des parents et des enfants en vacances à la montagne, les stations de Savoie et Haute-Savoie, membres du Label Famille Plus Montagne se sont engagées dans une charte de qualité, mettant en valeur des critères stricts d'accueil, d'activités, d'animations, d'équipements et d'hébergements.

 STATION DE SKI ADAPTÉ
Plus de 30 sites sont accessibles aux personnes en situation de handicap. Ces stations ont dû répondre à un double critère: la capacité de leur école de ski à proposer la pratique du handi-ski et l'accessibilité du site et de ses hébergements. L'ensemble de ces informations ont été validées au cours de visites sur place.

 SITE NORDIQUE
Station Nordique offrant un accueil de qualité, des pistes variées bien préparées et sécurisées.

 STATION GRAND DOMAINE
Station permettant d'accéder skis aux pieds à un domaine relié.

 VILLAGE DE CHARME
Station adhérant à la charte des Villages de Montagne ou village authentique sans construction moderne avec des espaces naturels préservés et proposant l'ensemble des activités de montagne (ski alpin, fond, raquettes, traîneaux à chiens, sentiers pédestres...) ou autres activités hors-ski.

 STATION NOUVELLES GLISSES
Station disposant d'espaces sécurisés spécifiques aux nouvelles glisses et de moniteurs pour l'initiation et le perfectionnement.

 STATION CLUB
Station alliant le modernisme, commodités pour tout le ski, accès aisés à de nombreux loisirs et animations nocturnes.

Retrouvez les labels qui correspondent à ces stations de ski.

1. station qui répond particulièrement aux attentes des parents et des enfants
2. station dans un cadre villageois authentique avec des espaces naturels préservés
3. station moderne, offrant de nombreux loisirs et animations le soir
4. station adaptée aux besoins des personnes handicapées
5. station spécialisée dans un accueil de qualité
6. station qui offre une variété de pistes et assure la sécurité de ses skieurs
7. station spécialisée dans la nouvelle glisse
8. On n'a pas besoin d'enlever ses skis pour aller de cette station au village intégré.

Le village de Campagny-en-Vanoise en Savoie.

Piste de ski dans le Mont-Blanc.

Structure de la langue

Révision: Savoir vs. Connaître

See if you can choose the right verb to complete each sentence and then summarize when to use each verb.

1. Je... que je suis en retard pour ma leçon de ski. (sais, connais)
2. Marc... cette station de ski. (sait, connaît)
3. Tu... le moniteur? (sais, connais)
4. Nous... faire des sauts à ski. (savons, connaissons)

Check your answers at the bottom of the page. If you got any wrong, read the grammar explanation to review how to form these verbs and when to use them.

Savoir and **connaître** both mean "to know." However, they each have specific contexts in which they are used.

Savoir		
• factual information • how to do something	Je **sais** où se trouve la piste. Les moniteurs **savent** faire du snowboard.	*I know where to find the slope.* *The instructors know how to snowboard.*
Connaître		
familiar/acquainted with people, places, things	Khaled **connaît** bien l'île de la Réunion.	*Khaled knows the island of Reunion well.*

Connaissez-vous mon ami Marc?   *Do you know my friend Marc?*
Il **sait** faire du ski de fond.   *He knows how to cross-country ski.*

The present tense forms are:

Savoir: sais, sais, sait, savons, savez, savent

Connaître: connais, connais, connaît, connaissons, connaissez, connaissent

The irregular past participle of **savoir** is **su**. The irregular past participle of **connaître** is **connu**.

Usage Tip

Connu is often used as an adjective: **Connu en France, le chanteur canadien y a vendu 500.000 albums.**

SAVOIR vs. CONNAÎTRE: The answers are: 1. sais; 2. connaît; 3. connais; 4. savons.
Savoir is used with factual information and to state how to do something.
Connaître is used to express familiarity with people, places, and things.

*Utilisez les indices ci-dessous pour faire des phrases avec les verbes **savoir** ou **connaître**.*

Aidez-moi! Je ne sais pas m'arrêter!

| MODÈLE | Simon/se servir du télésiège
Simon sait se servir du télésiège.

je/Megève
Je connais Megève.

1. tu/écrire des chansons
2. les élèves de Mlle Choffrut/contes de fées maghrébins
3. Éric et toi/quand le festival aura lieu
4. je/les tableaux de Monet
5. tu/les monuments de Paris
6. Élise et moi/l'histoire de *Cendrillon*
7. les profs d'histoire/quand la Révolution française a commencé
8. Mamy/où acheter le meilleur camembert
9. nous/faire du ski alpin

The Subjunctive of Regular Verbs after *il faut que*

Il faut qu'Hamza mette des gants ou des
lunettes de soleil aujourd'hui?

emcl.com
WB 10
LA 2
Games

Verb forms in both English and French depend on the tense (time of the action) and the mood (attitude of the speaker) they reflect. You already know three moods in French: the indicative, used to state certainty or fact; and the imperative, used to give a command; and the conditional, used to state a condition. The fourth mood is called the subjunctive. This mood is used to express necessity, doubt, uncertainty, possibility, wish, feeling, or emotion.

In French the subjunctive usually appears after **que (qu')** in a dependent clause.

Il faut **acheter** un fuseau de ski.

It is necessary to buy ski pants.

Il faut que vous **achetiez** un fuseau de ski.

You must buy ski pants. (It is necessary that you buy ski pants.)

To form the subjunctive of most verbs, drop the **–ent** of the present tense **ils/elles** form and add the ending **–e**, **–es**, **–e**, **–ions**, **–iez**, or **–ent**, depending on the corresponding subject. Here are the subjunctive forms of regular **–er**, **–ir**, and **–re** verbs.

	tenter	finir	attendre
que je (j')	**tente**	**finisse**	**attende**
que tu	**tentes**	**finisses**	**attendes**
qu'il/elle/on	**tente**	**finisse**	**attende**
que nous	**tentions**	**finissions**	**attendions**
que vous	**tentiez**	**finissiez**	**attendiez**
qu'ils/elles	**tentent**	**finissent**	**attendent**

The subjunctive in French can be expressed by the present, future, conditional, or an infinitive in English.

Il faudra que vous **écoutiez** la monitrice.

You'll have to listen to the instructor.

Il faut que tu m'**attendes** sur la piste de ski.

You must wait for me on the ski slope.

Il faut qu'on **assiste** à un cours avant de faire du parachute ascensionnel.

It's necessary to attend a course before going parasailing.

Spelling Tip

Note that the **nous** and **vous** subjunctive forms are exactly like those for the imperfect. For **–er** verbs, the spelling of the other pronouns is the same as in the present tense.

COMPARAISONS

What do these two sentences have in common?
    You must *be* on time.
    Il faut que tu *soies* à l'heure.

COMPARAISONS: Both sentences use the subjunctive of the verb "to be." Note that in a regular indicative sentence, you would say, "You *are* on time." But the mandate implied in the expression above ("You must") triggers the subjunctive in English.

12   Les classes de neige

Dites à Élodie ce qu'elle doit faire pour réussir son séjour à Combloux. Choisissez un verbe de la liste.

apporter	louer	acheter	goûter	attendre	assister à	skier	trouver	finir

MODÈLE   ton fuseau et tes gants
Il faut que tu apportes ton fuseau et tes gants.

1. ton billet de train
2. des skis et des bâtons
3. un forfait de ski
4. sur la piste facile
5. un cours avec un moniteur
6. les spécialités de la région
7. tes devoirs
8. ta famille à la gare

Communiquez!

13   Une leçon de ski

Écrivez les numéros 1–7 sur votre papier. Écoutez les conseils de la monitrice. S'il faut que les enfants fassent quelque chose, écrivez **oui**; *s'il ne faut pas qu'ils fassent quelque chose, écrivez* **non**.

14   Que faire?

Dites ce qu'il faut faire dans les situations suivantes. Commencez vos phrases avec "Il faut que..." et choisissez une expression de la liste.

manger des légumes   utiliser ta carte-cadeau cinéma   étudier
télécharger la chanson en ligne   se rendre au complexe sportif
l'attendre devant sa salle de classe   rester au lit   acheter un cadeau

1. Sébastien n'a pas réussi à ses trois derniers contrôles en sciences physiques.
2. J'ai commencé à manger un dessert après le dîner, et maintenant je grossis!
3. Mes parents ne me donnent pas d'argent pour aller au cinéma!
4. Jonathan et moi, nous voulons écouter la nouvelle chanson de Natasha St-Pier.
5. Étienne a la grippe.
6. Manon et Khaled veulent faire du roller.
7. C'est l'anniversaire de mon meilleur ami.
8. Julien et toi, vous voulez parler à votre copain.

Faites des phrases avec il faut que ou il ne faut pas que, selon la situation.

1. Tu voudrais faire une randonnée équestre. (*choisir un cheval sympa*)
2. Clara et ses amies comptent faire du ski alpin ce weekend. (*apporter leurs maillots de bain*)
3. Ethan et moi, nous avons envie d'aller au cinéma. (*acheter Pariscope*)
4. Je fais des recherches généalogiques. (*parler à mon arrière-grand-mère*)
5. Maxime et Sébastien voudraient voir la grande statue de la Liberté. (*se rendre au Vermont*)
6. Aïcha aimerait maigrir. (*manger moins de chocolat*)
7. Zoé et toi, vous n'aimez pas les crêpes. (*dîner à la crêperie*)
8. Les ados veulent s'amuser. (*se rencontrer au cabinet du dentiste*)

The Subjunctive of Irregular Verbs

You have learned how to form the subjunctive of regular verbs. However, several verbs have irregular forms in the subjunctive. Below are some standard verbs for which you should learn the subjunctive forms.

Verbs such as **aller**, **faire**, **pouvoir**, **savoir**, and **vouloir** have irregular stems but regular endings in the subjunctive.

emcl.com
WB 11
Games

Il faut que tu viennes avec moi au chalet. Il faut que tu boives du chocolat chaud.

Spelling Tip

Note that the **nous** and **vous** forms of **aller** and **vouloir** use the infinitive stem.

	aller	faire	pouvoir	savoir	vouloir
que je (j')	aille	fasse	puisse	sache	veuille
que tu	ailles	fasses	puisses	saches	veuilles
qu'il/elle/on	aille	fasse	puisse	sache	veuille
que nous	allions	fassions	puissions	sachions	voulions
que vous	alliez	fassiez	puissiez	sachiez	vouliez
qu'ils/elles	aillent	fassent	puissent	sachent	veuillent

Il faut que vous **alliez** à la station de ski de Combloux.   *You must go to the ski resort at Combloux.*

Verbs such as **boire**, **croire**, **devoir**, **prendre**, **recevoir**, **venir**, and **voir** have regular endings in the subjunctive but irregular stems in the **nous** and **vous** forms.

	boire	croire	devoir	prendre	recevoir
que je (j')	boive	croie	doive	prenne	reçoive
que tu	boives	croies	doives	prennes	reçoives
qu'il/elle/on	boive	croie	doive	prenne	recoive
que nous	buvions	croyions	devions	prenions	recevions
que vous	buviez	croyiez	deviez	preniez	receviez
qu'ils/elles	boivent	croient	doivent	prennent	reçoivent

	venir	voir
que je	vienne	voie
que tu	viennes	voies
qu'il/elle/on	vienne	voie
que nous	venions	voyions
que vous	veniez	voyiez
qu'ils/elles	viennent	voient

The verbs **avoir** and **être** have both irregular stems and endings in the subjunctive.

	avoir	être
que je (j')	aie	sois
que tu	aies	sois
qu'il/elle/on	ait	soit
que nous	ayons	soyons
que vous	ayez	soyez
qu'ils/elles	aient	soient

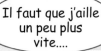

Il faut que j'aille un peu plus vite....

16 À la station de ski

Dites ce que les personnes suivantes doivent faire en faisant des phrases avec **il faut que**.

MODÈLE Julie ne veut pas payer cher pour skier.
(prendre un ticket normal ou un forfait ski)
Il faut qu'elle prenne un forfait ski.

1. Vous venez de faire du ski et vous avez froid. (boire du chocolat chaud ou du coca)
2. Il fait du soleil et je ne vois pas bien. (prendre mon bonnet ou mes lunettes de soleil)
3. Il ne reste plus de skis à louer pour nous. (faire du snowboard ou de la planche à voile)
4. Mes amis viennent en train. (aller les chercher à la gare ou au centre commercial)
5. Tu veux monter en haut de la piste. (savoir se servir du télésiège ou des bâtons)
6. Clara aimerait s'inscrire dans un cours de ski. (voir son prof de français ou la monitrice de ski)
7. Nous ne skions pas bien. (rester dans le chalet ou apprendre à mieux skier)

17 On prend une décision importante.

*Aidez tout le monde à choisir la meilleure solution. Faites des phrases avec **il faut que**.*

> **MODÈLE**   Koffi a vu un bon film et il veut le revoir, mais sa grand-mère l'attend.
>
> A. voir le film et ne pas aller chez sa grand-mère
> B. aller chez sa grand-mère et ne pas voir le film pour la deuxième fois aujourd'hui
>
> **Il faut que Koffi aille chez sa grand-mère et il ne faut pas qu'il voie le film pour la deuxième fois aujourd'hui.**

1. Marc et moi, nous avons beaucoup de corvées à faire, mais on veut aller au complexe sportif.
   A. faire vos corvées avant d' aller au complexe sportif
   B. aller au complexe sportif puis faire vos corvées

2. Louis a un contrôle de français demain.
   A. étudier et savoir comment utiliser le subjonctif
   B. jouer aux jeux vidéo et ne pas étudier

3. Mes parents m'ont dit qu'ils me donneraient de l'argent si j'arrête d'être méchant avec mon frère.
   A. ne plus être méchant avec ton frère et acheter un cadeau à ton frère avec l'argent
   B. ne plus être méchant envers ton frère et acheter un scooter avec l'argent

4. Sandrine et Karim ont très soif, mais au musée on ne peut rien boire dans les salles d'exposition.
   A. boire un coca au café et ne pas voir les tableaux
   B. boire un coca au snack-bar du musée et voir les tableaux

5. Tu voudrais faire du ski en France.
   A. aller à Combloux et Megève
   B. aller à Paris et Lyon

6. Amadou et toi, vous avez gagné un séjour à Paris pour cinq nuits.
   A. savoir quels monuments visiter en parlant à votre prof de français et faire du shopping avant le voyage
   B. planifier votre visite sans consulter votre prof de français et faire du shopping à Paris

À vous la parole

Communiquez!

Qu'est-ce qu'on doit connaître de sa destination pour réussir son voyage?

18 Les classes de neige

Interpersonal Communication

Votre classe part bientôt en classe de neige à Combloux. Vous êtes en train de faire votre valise, mais vous pensez que vous avez oublié quelque chose. Vous avez laissé votre liste à l'école, donc vous téléphonez à un(e) ami(e). Parlez de ce que vous avez hâte de faire, de ce qu'il faut que vous emportiez, et renseignez-vous sur l'heure à laquelle il faut que vous vous rendiez à la gare.

Communiquez!

19 La raclette et la fondue savoyardes

Interpretive and Presentational Communication

Votre prof, qui est responsable des classes de neige, vous a parlé de ces deux spécialités, la raclette et la fondue de Savoie. Ce soir, votre dernier soir à Combloux, vous avez goûté ces deux spécialités. Faites des recherches pour trouver un restaurant et des recettes. Votre prof vous demande de faire une présentation sur ce que vous avez appris. Incluez des vidéos, des photos, une critique du restaurant, et les appréciations de vos camarades de classe.

Communiquez!

20 Un stage à l'Office du Tourisme d'Annecy

Interpretive and Presentational Communication

Vous faites un stage (*internship*) à l'Office du Tourisme d'Annecy. On vous demande de créer une application pour smartphone pour inciter les touristes de venir à Annecy. Avec un groupe de camarades de classe, incluez les sites à voir, les activités, l'histoire de la ville/région, et la gastronomie. Il faut que vous trouviez des images ou des vidéos pour votre présentation.

How-to Writing

Un mode d'emploi explique, par exemple, comment télécharger une chanson, écrire une recette, monter une étagère (*assemble a bookshelf*) ou une tente. Suivez ces quelques conseils pour donner des instructions:

- Écrivez les consignes (*instructions*) le plus simplement et clairement possible.
- Classez-les de manière logique.
- Familiarisez-vous avec votre public. Est-ce que vos lecteurs connaissent bien le sujet?
- Utilisez des supports visuels.

Testez vos consignes auprès d'un ou d'une camarade de classe. Les consignes sont-elles claires et faciles à comprendre? Votre camarade est-il ou est-elle perdu(e)? Manque-t-il une étape?

21 Comment télécharger une chanson

Remettez les consignes dans l'ordre de réalisation et réécrivez chaque consigne en utilisant **il faut que + subjonctif** selon l'exemple suivant:

MODÈLE Démarrer l'ordinateur.
Il faut que vous démarriez l'ordinateur.

1. Téléchargez votre chanson préférée.
2. Fermez le logiciel.
3. Démarrez l'ordinateur.
4. Ouvrez le logiciel.
5. Naviguez sur le site.
6. Synchronisez votre MP3.
7. Cliquez avec la souris.
8. Payez.

22 Préparatifs de voyage

Presentational Communication

Pensez à une destination où vous vous êtes rendu(e) ou où vous aimeriez vous rendre un jour. Imaginez que vous avez un site sur cette destination. Donnez à vos lecteurs quelques conseils et astuces (*wise tips*) concernant la préparation d'un voyage là-bas. Utilisez **il faut que + subjonctif**. Voici quelques éléments à garder en tête: les vêtements à emporter, l'insecticide ou la crème solaire, le type de chaussures; les cartes, les musées, l'hôtel; et des suggestions sur les restaurants.

Vocabulaire actif

emcl.com
WB 1–3
LA 1
Games

Sports d'hiver et préparatifs de départ 🎧

Sports d'hiver

faire du speed riding

faire de la raquette à neige

faire du ski jœring

faire du taxi-ski

faire du télémark

faire de la luge

Avant de voyager

planifier

réserver

obtenir un passeport/un visa

se renseigner à l'Office du tourisme/sur un site web/au consulat

se faire vacciner

faire sa valise

emporter un passeport, une pièce d'identité

vérifier qu'on n'a rien oublié

faire un séjour

Pour la conversation

Ⓗow do I say I'm doing something different (from the others)?

> **Vous ferez ce que vous voulez, moi c'est** balade sur le domaine.

Do what you want, but for me it's a walk on the property.

Ⓗow do I tell someone it's important not to hurt himself or herself?

> **Il est important que** tu ne te foules pas la cheville ou que tu ne te casses pas le poignet!

It's important you don't sprain your ankle or break your wrist.

Et si je voulais dire...?

un alpiniste	*climber*
en règle	*in order*
périmé(e)	*expired*
valable	*valid*
annuler	*to cancel*
escalader	*to climb*
faire de l'alpinisme	*to mountain climb*
s'informer sur	*to get information on*

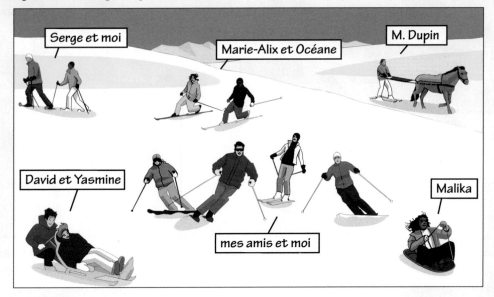

1 Quels sports d'hiver?

Indiquez les sports d'hiver qu'on fait.

Serge et moi

Marie-Alix et Océane

M. Dupin

David et Yasmine

mes amis et moi

Malika

2 Les préparatifs de départ

Répondez à la question en trouvant la phrase qui correspond aux préparatifs de départ des Lamire.

A. M. et Mme Lamire ont obtenu des passeports pour leurs enfants Lina et Lucas.
B. Pendant des mois, M. et Mme Lamire et leurs enfants ont planifié un voyage au Sénégal.
C. Le matin de leur départ, les Lamire ont vérifié qu'ils avaient tous leurs documents et essentiels.
D. Les Lamire n'ont pas dû obtenir de visas.
E. Le soir avant leur départ, les Lamire ont fait leurs valises.
F. Ils vont passer un bon séjour au Sénégal!
G. Les Lamire ne vont pas attraper (*catch*) de maladies.

1. Les Lamire ont choisi une destination et ont surfé sur Internet pour se renseigner. Qu'est-ce qu'ils ont fait ensuite?
2. M. et Mme Lamire avaient déjà des passeports pour les voyages internationaux, mais pas pour qui?
3. Les Lamire vont passer moins de trois mois au Sénégal; si on y passe plus de trois mois, il faut un visa. Donc, ont-ils des visas?
4. Mme Lamire a téléphoné au consulat de France, qui lui a conseillé de se faire vacciner. Est-ce qu'ils vont tomber malades au Sénégal?
5. Les Lamire ont acheté un couteau Suisse, de la lotion anti-moustique, et d'autres choses pour leur voyage. Où est-ce qu'ils ont mis leurs affaires?
6. Les Lamire ont besoin de chèques de voyage, de cartes de crédit, de passeports, d'un appareil photo, et d'un permis de conduire pour M. Lamire. Est-ce qu'ils ont oublié quelque chose?
7. À quoi est-ce que les Lamire s'attendent?

Communiquez!

3 **On part où?**

Interpretive Communication

Écrivez les numéros 1–8 sur votre papier. Puis, écrivez **oui** *si la phrase décrit des préparatifs de voyage ou* **non** *s'il ne s'agit pas d'un voyage.*

4 **Questions personnelles**

Répondez aux questions.

1. Quels sports d'hiver préfères-tu?
2. Quels préparatifs est-ce que tu dois faire si tu pars en voyage à la montagne en hiver?
3. Quels préparatifs est-ce que tu dois faire si tu pars en voyage au bord de la mer en été?
4. Avant de partir, qu'est-ce que tu mets sur ta liste pour vérifier que tu n'as rien oublié?
5. As-tu déjà été obligé(e) d'obtenir un passeport ou un visa? Pour aller où?

Rencontres culturelles

Un weekend en famille

Élodie, Léo, et leurs parents passent le weekend à Combloux.

Mère: Vous ferez ce que vous voulez, moi c'est balade sur le domaine.

Léo: Il faudrait que tu essaies le ski de fond!

Mère: J'ai hâte d'essayer.

Léo: Moi, de toute façon, c'est snowboard. Et toi, papa?

Père: Il se pourrait que j'accompagne ta mère....

Élodie: Quoi, tu vas abandonner le hors-pistes... Oh, c'est beau l'amour!

Léo: Tu te souviens quand on faisait de la luge?

Élodie: Là tu en faisais avec nous, maman.

Mère: Oui, mais je ne m'étais pas encore foulé la cheville!

Léo: C'est du passé: maintenant il faut que tu t'y remettes. L'année prochaine, c'est notre voyage bénévolat au Vietnam. Il est important que tu ne te foules pas la cheville ou que tu ne te casses pas le poignet!

Mots-clé **Snowboard** est un exemple du franglais. Faites une liste de 15 mots franglais. Ensuite, classez-les par catégorie, par exemple, la technologie, les sports, et le business.

5 Un weekend en famille

Répondez aux questions.

1. Qu'est-ce que la mère d'Élodie et de Léo veut faire à Combloux?
2. Qu'est-ce que leur père fera?
3. Qui va faire du snowboard?
4. Qu'est-ce qui est arrivé (*happened*) à la mère d'Élodie et de Léo la dernière fois?
5. Où la famille va-t-elle passer ses vacances l'année prochaine? Qu'est-ce qu'ils feront?

Extension **Projet de woofing**

Des amis se rencontrent au café pour parler de leur voyage pour faire du bénévolat humanitaire.

Virginie: On est tous d'accord pour Madagascar?

Hugo: Oui, mais il faut qu'on trouve à woofer tous ensemble.

Mathieu: Là, sur le site, il y a deux offres, l'une au centre de l'île, l'autre au sud.

Virginie: Mais c'est pour faire quoi?

Mathieu: Celle du centre, il faudrait qu'on aide à entretenir des réseaux d'irrigation. Je préfère l'autre. Ce n'est pas très précis pour le sud, mais il semble qu'ils souhaitent des volontaires pour reconstruire des maisons de terre.

Hugo: Eh bien, c'est très bien. L'année dernière, on a joué aux agriculteurs, cette année, on fera de la maçonnerie. Tout le monde mérite une belle maison durable.

Virginie: Je vais travailler avec des gants....

Mathieu: Mais tu n'auras pas le temps de te faire des manicures!

Extension La bande d'amis choisit quel projet? Où?

emcl.com
WB 5

Question centrale

?

Qu'est-ce qu'on doit connaître de sa destination pour réussir son voyage?

Les stations de ski

C'est le goût pour les sports d'hiver qui a été à l'origine du développement d'immenses domaines skiables* dans les Alpes et d'un réseau de stations très attirantes*. C'est à Chamonix qu'ont d'ailleurs* été organisés les premiers Jeux Olympiques d'hiver en 1924.

À côté des stations de ski historiques créées autour d'un village comme Chamonix, Saint-Gervais, La Clusaz, Villars de Lans ou Megève, il existe des stations nées de toute pièce* comme Courchevel, L'Alpe d'Huez, ou Les Deux Alpes, et enfin celles nées de la révolution des loisirs comme Les Arcs, Avoriaz, ou Serre-Chevalier. L'ensemble des domaines skiables des Alpes propose au total plus de 6.000 kilomètres de pistes de ski avec des domaines reliés* intégralement entre eux comme Les Trois Vallées avec ses 338 pistes qui couvrent 600 kilomètres.

On peut aller jusqu'à 200km/h en faisant du Speed Riding.

À côté du ski alpin, l'offre sportive des stations s'est beaucoup développée: du snowboard au monoski en passant par le speed riding, la raquette à neige, le ski freestyle, ou le ski de randonnée.

 Search words: ski france, ski mont blanc, ski info france, ski combloux, contamines montjoie, photo (+ speed riding, raquette à neige, ski freestyle, ski de randonnée)

---

attirantes *attractive;* **domaines skiables** *ski areas;* **d'ailleurs** *moreover;* **née de toute pièce** *developed from nothing;* **reliés** *connected*

Produits

Les épreuves des Jeux Olympiques ou de **championnat du monde de ski alpin** se divisent en deux catégories: les épreuves plus techniques telles que le slalom et le slalom géant, et les épreuves de vitesse pure comme le Super-G et la descente.

Normalement, les Français gagnent entre 1 et 11 médailles pour les J.O. d'hiver.

Les voyageurs volontaires en pays francophones

"Engagez-vous:" c'est le thème de la campagne qui cherche à attirer les jeunes vers des initiatives solidaires aussi bien dans le domaine du tourisme qu'en développement local dans des pays francophones comme le Burkina Faso, le Sénégal, le Mali, et le Bénin. Un bon moyen pour les jeunes Français de faire l'expérience de la différence en participant à des actions d'entrepreneuriat solidaire, d'aide humanitaire, ou d'aide en milieu scolaire.

De nombreuses associations françaises aident les enfants du Sénégal.

 Search words: voyages des bénévoles, bénévolat humanitaire

COMPARAISONS

Quelles sont les organisations bénévoles de votre ville ou région?

6 Activités culturelles

Faites les activités suivantes.

1. Nommez....
   - des stations créées autour d'un village
   - des stations nées de rien
   - des stations issues de la société des loisirs
2. Trouvez une photo pour chacun des sports suivants:
   - monoski
   - speed riding
   - raquette à neige
   - ski freestyle
   - ski de randonnée
3. Trouvez des exemples d'initiatives solidaires en ligne. Quels sont les pays francophones concernés?

Le monoski.

À discuter

Où est-ce que vous aimeriez faire du travail bénévole ou humanitaire? Pourquoi est-ce que cet endroit a besoin d'aide?

Lisez la publicité ci-dessous.

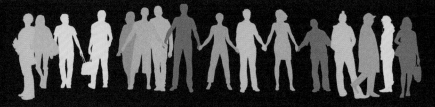

LES VOLONTAIRES INTERNATIONAUX D'ÉCHANGE ET DE SOLIDARITÉ

Lycéens, étudiants, jeunes diplômés, professionnels en activité, retraités, ces Volontaires partagent la même envie d'engagement désintéressé dans une action de développement auprès des populations les plus démunies.

En demande d'échanges, d'ouverture sur le monde, de partage et de transfert de compétences, les pays du Sud attendent de ces volontaires, une réelle opportunité de rencontre interculturelle pour une plus grande solidarité internationale.

POUR UN ENGAGEMENT VOLONTAIRE, SOLIDAIRE ET RESPONSABLE

France Volontaires
11, rue Maurice Grandcoing - BP 220
94203 Ivry-sur-Seine Cedex
01 53 14 20 30

www.france-volontaires.org

FRANCE VOLONTAIRES
Echanges et solidarité internationale

---

7 **Les volontaires internationaux d'échange et de solidarité**

Répondez aux questions.

1. Qui sont les volontaires internationaux?
2. Quelle qualité principale attend-on d'eux?
3. Quels sont les pays concernés?
4. Qu'est-ce que ces pays attendent des volontaires?
5. Quelle est la justification du slogan de l'affiche—"Pour un engagement volontaire, solidaire et responsable"?

La culture sur place

Question centrale

?

Qu'est-ce qu'on doit connaître de sa destination pour réussir son voyage?

Les voyages volontaires

Introduction et interrogations

Dans la *Leçon C*, on vous a informé sur les voyages volontaires qui attirent les jeunes Français. Votre but est de définir le volontarisme pour vous et vos camarades de classe. Comment est-ce que vous voulez aider les autres? Que signifient les mots "bénévole" et "humanitaire" pour vous?

---

8 **Première Étape: Réfléchir**

Pensez à vos préférences et à vos expériences. Qu'est-ce vous aimez (ou aimeriez) faire comme travail bénévole ou humanitaire? Quelques idées:

- construire ou réparer une maison
- travailler avec des jeunes ou des personnes âgées
- enseigner l'anglais

- préserver l'environnement
- fournir de l'eau propre
- autre chose

Trouvez deux ou trois camarades de classe qui ont les mêmes intérêts que vous. Faites des recherches sur Internet pour identifier une communauté où ce genre de travail ferait le plus grand bien.

---

9 **Deuxième Étape: Préparer**

Imaginez que vous voulez commencer votre projet bénévole ou humanitaire dans un autre pays avec vos partenaires, mais vous avez besoin d'un bienfaiteur (benefactor) pour vous donner de l'argent. Préparez une présentation pour ce bienfaiteur. La présentation doit inclure:

- une description de votre projet (ou, quand, comment, qui, etc.)
- une description des objectifs de votre projet (pourquoi; résultats attendus)
- une liste de provisions ou ressources pour le projet
- une liste des bénéficiaires du projet (à qui s'adresse le projet; combien de personnes devraient pouvoir en bénéficier)

---

10 **Faire le point!**

Discutez de ces questions en classe.

1. Quels sont les différents centres d'intérêt qui existent dans votre classe vis-à-vis (*regarding*) du travail bénévole ou humanitaire?
2. Si on faisait les projets proposés par votre classe, où irait-on? Qu'est-ce qu'on y ferait?
3. Comment est-ce que vous définiriez les mots "volontarisme," "bénévole," et "humanitaire" aujourd'hui?

emcl.com
WB 6–8
LA 2
Games

The Subjunctive after Impersonal Expressions

You know that the subjunctive is used after the expression of necessity **il faut que**. There are other impersonal expressions that are followed by the subjunctive. These expressions give an opinion about someone or something specific. Here are some of these impersonal expressions.

Il est essentiel que tu ne mettes pas ton passeport dans ta valise.

il est nécessaire que	*it is necessary that*
il est important que	*it is important that*
il est indispensable que	*it is indispensable that*
il est essentiel que	*it is essential that*
il est possible que	*it is possible that*
il est impossible que	*it is impossible that*
il est bon que	*it is good that*
il est surprenant que	*it is surprising that*
il est utile que	*it is useful that*
il vaut mieux que	*it is better that*
il se pourrait que	*it is possible that*

Il est essentiel que tu **aies** un passeport.

It is essential that you have a passport.

Il est nécessaire que vous vous **renseigniez** au consulat.

It is necessary that you get informed at the consulate.

Il est possible que vous **puissiez** réserver à l'avance.

It is possible that you can reserve in advance.

Il est bon qu'elle **se fasse vacciner.**

It is good that she is getting a shot.

Il est bon que je fasse du ski alpin.

COMPARAISONS

What mood is this sentence in English? In French?
It is important that you *be* healthy.
Il est important que tu **soies** en forme.

COMPARAISONS: In a regular sentence in English, you would say "You are healthy," so this use of "be" indicates the subjunctive mood; the subjunctive is triggered by the expression "It is important," just as in the French sentence, which is also in the subjunctive.

Communiquez!

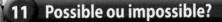

11 Possible ou impossible?

Interpersonal Communication

À tour de rôle, demandez à votre partenaire si les situations suivantes sont possibles. Il ou elle va répondre oui ou non.

MODÈLE assister à un mariage cet été

A: **Il est possible que tu ailles à un mariage cet été?**
B: **Oui, il est possible que j'aille à un mariage cet été. Et toi?**
A: **Non, il est impossible que j'aille à un mariage cet été parce que je vais travailler.**

1. recevoir 18 sur 20 sur ton contrôle sur le subjonctif
2. voyager en France un jour
3. skier à Combloux cette année
4. se fouler la cheville en skiant
5. finir tous tes devoirs ce soir
6. discuter de l'économie à table ce soir
7. apprendre le chinois un jour
8. aller à une soirée ce soir
9. faire le tour du monde

12 Mon voyage au Maroc

Vous allez voyager au Maroc. Choisissez une expression de la liste pour former une phrase au subjonctif.

| Il est nécessaire que | Il est essentiel que | Il vaut mieux que | Il est utile que |
| Il est bon que | Il est important que | Il est indispensable que | Il est possible que |

MODÈLE avoir un passeport
Il est nécessaire que j'aie un passeport.

1. se renseigner en surfant sur Internet
2. planifier ce que je vais voir
3. réserver une chambre d'hôtel
4. vérifier que j'ai assez de vêtements dans ma valise
5. mettre de la crème solaire
6. faire enregistrer mes bagages
7. parler français
8. aller à Casablanca
9. savoir dire "s'il te plaît" et "merci" en arabe
10. boire du thé à la menthe (*mint*) quand on nous recevra
11. voir les souks

Communiquez!

13 Notre séjour au Sénégal

Interpretive Communication

Écrivez les numéros 1–7 sur votre papier. Écoutez les phrases, puis choisissez l'image qui correspond.

A.

B.

C.

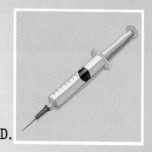

D.

E.

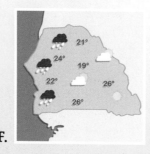

F.

G.

> Il est important qu'on s'inscrive pour aider cette association!

Communiquez!

14 Des situations

Interpersonal Communication

Avec deux camarades de classe, dites ce qu'il faut faire dans chaque situation. Utilisez les expressions de la liste suivante.

| il est nécessaire que | il faut que | il est indispensable que | il est important que |
| il est essentiel que | il vaut mieux que |

MODÈLE   organiser une fête d'anniversaire pour Nicolas

A: **Pour organiser une fête d'anniversaire pour Nicolas, il est important que j'invite tous ses copains.**

B: **Il est important que je lui achète un cadeau qu'il aime.**

C: **Il est indispensable que je prépare un gâteau d'anniversaire.**

1. protéger l'environnement
2. réussir à l'école
3. être bon élève ou bonne élève
4. faire du babysitting
5. avoir de bons amis
6. trouver un travail intéressant
7. être en forme
8. être heureux/heureuse

À vous la parole

15 Les stations de ski

Presentational Communication

Créez une carte avec les stations de ski des Alpes qui sont mentionnées dans cette unité. Pour chaque station de ski, ajoutez un repère (*marker*) et une photo ou une vidéo. Écrivez un petit paragraphe qui décrit chaque station de ski.

Communiquez!

16 Théo à l'hôpital

Presentational Communication

Pendant la classe de neige, votre camarade de classe Théo s'est cassé la jambe en skiant. Un hélicoptère l'a ramené (*took back*) à Nice, où il est maintenant à l'hôpital. Créez un blogue où vous lui dites ce qui se passe pendant les cours et à la station de ski de Megève. Choisissez un camarade de classe pour jouer le rôle de Théo, qui va répondre aux messages.

Communiquez!

17 Les sports d'hiver

Presentational Communication

Créez un projet dont le but est d'informer les gens sur les sports d'hiver. Pour chaque sport:

- Faites une description qui comprend les risques
- Faites une liste de l'équipement nécessaire
- Donnez les meilleurs endroits où on peut pratiquer ces sports dans votre région, en France, ou au Canada

Heureux qui, comme Ulysse, a fait un beau voyage

Rencontre avec l'auteur 🎧

Joachim Du Bellay (1522–1560) était un poète de la Renaissance française qui a fait ses études dans un collège humaniste. Il a écrit son recueil (*collection*) de poèmes *Les regrets* pendant un long séjour en Italie, destination de beaucoup de jeunes Français et artistes qui voulaient voir la grandeur de l'Italie antique et les chefs-d'œuvre de la Renaissance. En 1533, avec Ronsard, il a fondé un groupe de poètes, la Pléiade, dont le but était de définir de nouvelles règles poétiques. Il est mort très jeune, à 37 ans, et on l'a enterré à Notre-Dame. Son poème le plus célèbre est celui que vous allez lire. Le poète est-il content à Rome ou est-ce qu'il a des regrets?

Pré-lecture

Quel voyage est-ce que vous voudriez faire?

Stratégie de lecture

Structure, Meaning, and Theme

Ce poème est un sonnet en alexandrins avec deux quatrains et deux tercets; un quatrain est une strophe (*stanza*) avec quatre lignes, tandis qu'un tercet en a trois. Dans ces quatre strophes, le poète développe un thème. Remplissez l'organigramme avec l'idée centrale de chaque strophe; au centre mettez le thème du poème.

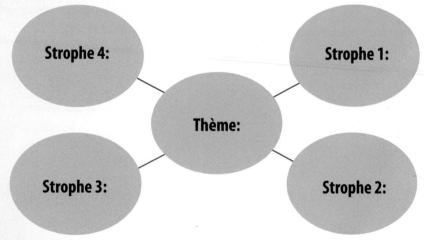

Outils de lecture

Allusions

Une allusion est une référence à une personne, événement, objet, ou œuvre de l'histoire ou de la littérature. Du Bellay se sert de deux allusions classiques. Vous les trouverez dans les deux premières lignes du poème. Recherchez ces deux allusions mythiques. Comment est-ce qu'elles renforcent son idée d'un "beau voyage"?

Heureux qui, comme Ulysse, a fait un beau voyage,
Ou comme cestuy-là*, qui conquit* la toison*,
Et puis est retourné, plein d'usage et raison,
Vivre entre ses parents le reste de son âge!

Quand reverrai-je, hélas*, de mon petit village
Fumer la cheminée, et en quelle saison
Reverrai-je le clos* de ma pauvre maison,
Qui m'est une province, et beaucoup davantage*?

Plus me plaît le séjour* qu'ont bâti* mes aïeux,
Que des palais Romains le front audacieux,
Plus que le marbre* dur me plaît l'ardoise* fine:

Plus mon Loir gaulois*, que le Tibre* latin,
Plus mon petit Liré, que le mont Palatin,
Et plus que l'air marin* la doulceur* angevine.

Pendant la lecture
1. Qui a fait un beau voyage?

Pendant la lecture
2. Qui est retourné "plein d'usage et raison"?

Pendant la lecture
3. Quel mot indique le regret?

Pendant la lecture
4. À quoi pense le poète?

Pendant la lecture
5. Quel matériel vient de sa région, le marbre ou l'ardoise?

Pendant la lecture
6. Où sont le Tibre et le mont Palatin?

Pendant la lecture
7. Où est-ce que le poète préfère vivre, à Rome ou dans les pays de la Loire?

---

cestuy-là celui-là (Ancien français); **conquit** *conquered*; **toison** *Golden Fleece*; **hélas** *alas*; **clos** *property*; **séjour** *dwelling*; **bâti** *built*; **marbre** *marble*; **ardoise** *slate (used on roofs in Loire Valley)*; **gaulois** *gallic, or French*; **Tibre** *Tiber* (fleuve à Rome); **air marin** *sea air*; **doulceur** *sweetness*; **angevine** *from, or of Angers area*

Post-lecture

Les sites classiques de Rome sont-ils plus ou moins importants pour le narrateur que les sites de chez lui?

Le monde visuel

Sébastien Bourdon (1616–1671), peintre français, a peint *Ulysse découvre Astyanax caché dans le tombeau d'Hector* dans le style classique. Ce mouvement s'intéressait aux sujets classiques de la tradition grecque et romaine comme les histoires d'Ulysse, roi d'Ithaca, leader dans la guerre de Troie, et voyageur par excellence pour ses aventures en revenant de la guerre. Les classiques aimaient la proportion, les couleurs vives, et la formalité. Ils peignaient leurs sujets dans les vêtements de leur époque, souvent parmi des urnes et des piliers (*pillers*). La composition de ces tableaux est souvent symétrique. Quelles sont les caractéristiques classiques de ce tableau?

Ulysse découvre Astyanax caché dans le tombeau d'Hector, c. 1654–1656. Sébastien Bourdon. Collection privée.

18 Activités d'expansion

Faites les activités suivantes.

1. Quel est le thème du poème? Comment est-ce que Du Bellay le développe? Citez les expressions du poème qui soutiennent votre point de vue. N'oubliez pas de mentionner comment le poète organise ses idées. Servez-vous de l'organigramme que vous avez rempli.

2. Imaginez que vous êtes Élodie des *Rencontres culturelles*. Écrivez un passage dans votre journal où vous parlez de votre nostalgie pour votre maison, votre chambre, votre famille, et votre bande de copains pendant que vous êtes en classe de neige.

 Search words: vidéo georges brassens heureux qui comme ulysse

3. Explorez comment le chanteur Georges Brassens a développé sa chanson "Heureux qui comme Ulysse" et comparez-la à l'original de Du Bellay.

Georges Brassens.

Projets finaux

A Connexions par Internet: La littérature

Presentational Communication

Dans cette unité vous avez lu le poème "Heureux qui, comme Ulysse, a fait un beau voyage" par Du Bellay. Regardez le dessin animé de Ridan et son interprétation du poème. Ensuite, créez un storyboard où vous dessinez votre propre vidéo du poème qui en montre votre interprétation.

 Search words: ridan heureux qui comme ulysse vidéo

B Communautés en ligne

Le chien du Saint Bernard/Interpretive Communication

Visitez un club pour les passionnés du chien du Saint Bernard pour trouver les réponses à ces questions:

- Quelle est la devise du chien du Saint Bernard?
- Comment est-il physiquement?
- Comment décrit-on son caractère?

- Il est connu pour quels exploits?
- Il a quels problèmes de santé?
- Il est la vedette de quels films?
- Il faut payer combien pour avoir un chien du Saint Bernard?

 Search words: chien du saint bernard

C Passez à l'action!

Le woofing: un voyage bénévole/Presentational Communication

Créez un document qui décrit ce qu'est le woofing. Faites une carte qui montre dans quels pays francophones on peut faire du woofing. Faites une liste de dix projets qui vous intéressent. Avec votre classe, choisissez parmi tous les projets, un projet que vous pourriez sponsoriser. Contactez l'organisation bénévole pour savoir s'ils préfèrent recevoir de l'argent ou du matériel. Organisez une collecte auprès de votre lycée.

D Faisons le point!

Servez-vous de l'organigramme que votre prof va vous donner. Remplissez-le avec vos connaissances.

Question centrale

?

Qu'est-ce qu'on doit connaître de sa destination pour réussir son voyage?

A Évaluation de compréhension auditive

Interpretive Communication

On part à la montagne.

Écrivez les numéros 1–7 sur votre papier. Écoutez Armelle et Amadou discuter de leur projet de vacances à la montagne. Ensuite, indiquez si les phrases que vous entendez sont vraies (**V**) *ou fausses* (**F**).

B Évaluation orale

Interpersonal Communication

Jouez les rôles de trois ados français qui planifient un voyage à Combloux.

A: Proposez Combloux.

B: Demandez ce qu'on peut y faire.

C: Dites ce que vous y avez fait la dernière fois.

B: Dites que vous ne savez pas faire du ski alpin.

A: Dites-lui qu'il ou elle peut apprendre d'un moniteur et parlez d'autres choses qu'il ou elle aura l'occasion de faire à Combloux.

B: Dites qu'il faut que vous reveniez en skiant correctement cette fois.

C: Dites-lui qu'il est important qu'il ou qu'elle ne se foule pas la cheville avant le mariage de sa sœur en mars.

A: Demandez si vos amis sont persuadés qu'il faut y aller.

B-C: Répondez.

C Évaluation culturelle

Vous allez comparer les cultures francophones à la culture américaine. Vous aurez peut-être besoin de faire des recherches sur la culture américaine.

1. **La Réunion et Hawaï**

   Comparez les îles de la Réunion et d'Hawaï en matière de géologie, population, activité économique, situation géographique.

2. **Les Alpes, le Mont Blanc, et les stations de ski**

   Cette région de la France peut être comparée à quelle région américaine? Pourquoi? Et dans cette région américaine, comment est la flore? Et la faune? Sont-elles comparables à la Savoie?

3. **La Savoie**

   Quels attributs font une "terre de culture," "terre gastronomique," et "terre de tourisme" de cette région? De votre région?

4. **Les classes de neige**

   Qu'est-ce qui se passe en classe de neige? Avez-vous l'occasion de voyager et de participer à un sport alors que vous êtes au lycée? Si non, qu'est-ce que vous proposeriez au directeur ou à la directrice de votre lycée pour vivre un séjour semblable (*similar*)?

5. **Les voyageurs volontaires**

Existe-t-il des organisations bénévoles dans votre ville ou région? Quelles sont-elles? Les avez-vous déjà aidées? Quels pays francophones ont besoin d'aide? À quoi est-ce que vous pourriez contribuer dans ces endroits?

D Évaluation écrite

Vous avez écrit une lettre à votre cousin pour lui proposer d'aller faire du ski dans les Alpes. Il vous répond en vous proposant un voyage différent: un voyage humanitaire en Afrique ou aux Antilles. Dites ce que vous en pensez, et demandez-lui plus de renseignements. Dites ce que vous êtes prêt(e) à faire.

E Évaluation visuelle

Décrivez ce qu'on fait à cette station de ski.

F Évaluation compréhensive

Créez une histoire avec six illustrations: dessinez une semaine de classes de neige dans les Alpes. Écrivez des légendes qui expliquent votre histoire ou racontez les aventures des ados à votre groupe.

abandonner to abandon *C*

s' **attendre (à)** to expect (something) *B*

avoir: avoir l'occasion (de) to have the opportunity (to) *B*

aucun(e) any, none, no one *A*; **aucun de nous ne (+ verb)** none of us (+ verb) *A*

un **bâton de ski** ski pole *B*

le **bénévolat** volunteer work *C*

se **casser: se casser le poignet** to break one's wrist *C*

les **chaussures (f.): chaussures de ski** ski boots *B*

une **classe: classe de neige** ski class *B*

le **consulat** consulate *C*

correctement correctly *B*

de: de toute façon in any case *B*

différemment differently *A*

dire: (noun) te dit? How do you feel about (noun)? *A*

le **domaine** property *C*

emporter to take (away) *C*

en upon, while *A*; **en skiant** while skiing *B*; **en y réfléchissant bien** on second thought *A*; **en y regardant de plus près** on a closer look *A*

s' **ennuyer** to get bored *A*

faire: faire de la luge to go sledding *C*; **faire de la planche à voile** to wind surf *A*; **faire de la raquette à neige** to go snowshoeing *C*; **faire de l'escalade** to rock climb *A*; **faire des sauts à ski** to go off ski jumps *A*; **faire du saut à l'élastique** to bungee jump *A*; **faire du ski de fond** to cross-country ski *A*; **faire du ski joering** to skijor *C*; **faire du snowboard** to snowboard *B*; **faire du speed riding** to speed ride *C*; **faire du taxi-ski** to take a ski-taxi ride *C*; **faire du télémark** to telemark ski *C*; **faire le coup (à quelqu'un)** to play a trick (on someone) *A*; **faire sa valise** to pack *B*; **faire une randonnée équestre** to go on a trail ride *A*; **faire un séjour** to stay *C*

se **faire: se faire vacciner** to get a shot *C*

un **forfait de ski** ski pass *B*

se **fouler: se fouler la cheville** to sprain an ankle *C*

un **fuseau de ski** ski pants *B*

les **gants (m.)** gloves *B*

le **hors-piste** off-piste skiing *C*

humide humid *A*

il: il est essentiel que it's essential that *C*; **il est indispensable que** it's indispensable that *C*; **il est important que** it's important that *C*; **il est surprenant que** it's surprising that *C*; **il est utile que** it's useful that *C*; **il se pourrait que** it's possible that *C*; **il vaut mieux que** it's better that *C*

une **île** island *A*

un **masque: masque de ski** ski goggles *B*

un **moniteur, une monitrice** instructor *B*

ne: ne (n')... aucun(e) no, none, not any, not one *A*; **ne (n')... ni... ni** neither... nor *A*; **ne (n')... que** only *A*

obtenir to obtain *C*

l' **office (m.) de tourisme** tourist office *C*

organisé(e) organized *B*

le **passé** past *C*

un **passeport** passport *C*

persuadé(e) convinced *A*

une **pièce: pièce d'identité** identification *C*

une **piste (de ski)** (ski) slope *B*

planifier to plan *A*

les **préparatifs (m.) de départ** travel preparations *C*

se **renseigner** to get information *C*

la **Réunion** Reunion *A*

sans aucun doute without a doubt *A*

seulement only *A*

le **ski** ski *B*; **ski de fond** cross-country skiing *A*

le **snowboard** snowboarding *C*

le **sommet** peak *A*

une **station: station de ski** ski resort *B*

sur: sur place on the premises *B*

un **télésiège** ski lift *B*

tout(e): tout schuss full throttle *A*

un **tremplin de saut à ski** ski jump *B*

tu: tu n'y es pas du tout you don't get it *A*

le **Vietnam** Vietnam *C*

un **visa** visa *C*

un **volcan** volcano *A*

I. Interpretive Communication: Print texts

Lisez ce reportage sur les initiatives en France aujourd'hui, puis répondez à la question.

Les jeunes et le bricolage? Certains d'entre eux ont anticipé une opportunité incroyable de créer une petite société qui offrirait des services de réparation, d'entretien et de rénovation dans les condos, HLM, maisons individuelles et maisons mitoyennes. Ils offrent toutes sortes de projets de bricolage—peindre les murs, poser le papier peint, accrocher des peintures, changer la moquette ou installer du parquet en bois.

1. Selon cet article, cette initiative s'est créée parce que....
   A. c'est une affaire familiale de père en fils
   B. le gouvernement encourage les jeunes à être créatifs
   C. le bricolage n'est pas très à la mode avec les jeunes
   D. les jeunes sont des entrepreneurs.

II. Interpretive Communication: Audio texts

Écoutez le dialogue deux fois, puis répondez aux questions en choisissant la lettre correcte.

1. Où est-ce que Nora et Bruno vont faire du ski?
   A. dans les Vosges
   B. en Savoie
   C. dans les Pyrénées
   D. en Italie
2. Quand ils ont planifié le voyage, qu'est-ce qu'ils ont décidé de faire avant de partir?
   A. réserver un condo
   B. obtenir des forfaits de ski
   C. acheter des billets de train
   D. A, B, et C
3. Qu'est-ce qui est vrai en ce qui concerne Bruno?
   A. Il sait bien faire du ski alpin.
   B. Il a déjà goûté à la raclette savoyarde.
   C. Il veut faire du taxi-ski et de la luge.
   D. Il n'a ni skis ni bâtons, mais il compte les louer sur place.

III. Presentational Writing: Persuasive Essay

Vous allez écrire un essai persuasif basé sur une source que vous allez lire d'abord. Votre but est de présenter les différents points de vue soulevés par la source, puis de donner votre propre point de vue. Utilisez des exemples précis de la source pour soutenir votre point de vue.

Votre thème:

En 2011, l'Union Européenne célèbre l'Année européenne du bénévolat et du volontariat. Malgré la générosité des gens qui voudraient aider, on trouve souvent que les associations utilisent une partie des aides qu'elles reçoivent des personnes pour couvrir les frais de logement, de nourriture et même les salaires de leurs employés. Des jeunes protestent contre cela et affirment que leurs paiements profitent aux riches. Qu'en pensez-vous?

Lisez les réponses d'un blogue à ce sujet:

Lina:

Bonjour à tous! Je suis étudiante et j'aimerais rejoindre une mission éco-volontaire au Sénégal pour un mois. Mais on me demande 2.000 euros (sans compter le billet d'avion!). C'est trop pour mon budget! Je ne comprends pas pourquoi on doit payer pour travailler! Je voudrais simplement apporter mon aide et ma motivation en échange du logement. On veut nous persuader qu'il faut avoir de l'argent pour aider les gens qui n'en ont pas! C'est absurde!

Jonathan:

Oui, moi aussi, je me demande pourquoi il faut payer pour participer dans le bénévolat humanitaire. Bien sûr, de nombreux projets ont besoin d'argent pour exister. Et nous, en participant, on gagne. Mais si c'est l'aide des personnes volontaires qui doit couvrir la nourriture et le logement, ce n'est pas possible. C'est dommage qu'il ne soit pas plus facile de partir aider juste pour aider comme le dit Lina.

Maël:

Le bénévolat? C'est un business. Faites attention! On vous offre le rêve, mais à un prix! Comme ça les associations peuvent sélectionner des volontaires ou éliminer des gens qui veulent profiter de vacances pas chères. Oui, certaines missions privées (surtout celles qui cherchent à sauver des animaux) coûtent beaucoup. Mais est-ce que c'est nous qui devons payer pour aider? Et sait-on véritablement où va l'argent que nous donnons?

Suzanne:

Vous avez parfaitement raison. C'est triste qu'on doive payer pour travailler. Il y a des millions de gens qui souhaitent sincèrement aider dame nature. Mais si nous avons à payer aussi cher, c'est trop décourageant. Comme vous, j'aimerais connaitre des associations pour lesquelles je n'aie qu'à payer mon billet d'avion.

Admin:

Bonjour à tous! Je tiens à vous rappeler que dans un monde parfait, toute personne devrait avoir la possibilité de participer (et d'être logée et nourrie) dans un projet bénévole sans payer un centime, ou peut-être juste le voyage. Mais ce n'est pas aussi simple. La structure économique des missions varie, et il y a toujours un coût. Certaines associations reçoivent de l'aide gouvernementale et d'autres dépendent des dons du public ou des fondations. Il y en a d'autres qui sont plus commerciales ou financées par une formule touristique. Il ne faut pas non plus penser que les associations qui demandent un paiement ne sont pas sérieuses. Parfois, il n'est pas nécessaire de voyager loin de votre communauté locale pour apporter de l'aide. L'important, c'est de trouver une activité qui corresponde à vos moyens et de vous engager pour la protection de la planète.

IV. Interpretive Speaking: Conversation

Vous allez avoir une conversation avec Marc, un collègue qui enseigne dans la même école que vous. Ensemble, vous allez parler des préparatifs pour la classe de neige de l'hiver prochain. Suivez les indications suivantes.

Marc: Le directeur de l'école m'a demandé de vous aider à planifier la classe de neige. Il faut réserver le séjour bien à l'avance. L'Italie? La Suisse? Qu'en pensez-vous?

Vous: **Parlez des stations que vous connaissez en Savoie et de vos préférences.**

Marc: Vous avez raison. Pas besoin d'aller trop loin pour trouver de la neige. Je vais m'occuper de l'hébergement, des billets de train et des cours de ski.

Vous: **Demandez ce que les élèves doivent emporter dans leurs valises.**

Marc: Nous aurons l'occasion d'en parler lors des réunions avec les parents d'élèves. N'oublions pas l'importance de l'assurance médicale pour tout le monde!

Vous: **Rappelez au collègue que vous avez peur des accidents sur la piste.**

Marc: Rassurez-vous! Les moniteurs vont nous accompagner. Nous ne faisons pas de ski hors-piste! Mais, avez-vous des idées pour des cours?

Vous: **Parlez des activités scolaires et culturelles que vous pouvez ajouter au programme.**

Marc: Ça vous dit de fêter la fin de la semaine avec un repas spécial pour tout le groupe au chalet?

Vous: **Suggérez qu'on prépare des spécialités savoyardes.**

Marc: Nous mettrons des photos sur le blogue du voyage. Je ne m'attendais pas à avoir tant à faire pour organiser un tel voyage. Heureusement que vous êtes bien organisé(e)!

Unité
5 Comment se renseigner en voyage

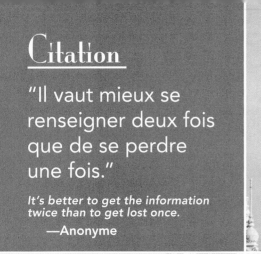

Citation

"Il vaut mieux se renseigner deux fois que de se perdre une fois."

It's better to get the information twice than to get lost once.
—Anonyme

À savoir

L'UNESCO a inscrit le Port de la Lune à Bordeaux sur la liste du patrimoine mondial au titre d'Ensemble urbain exceptionnel.

Unité 5

Comment se renseigner en voyage

Question centrale

?

De quelles compétences ai-je besoin en voyageant?

Qui a habité dans ce palais?

Cette jeune fille vient de quelle famille princière?

Contrat de l'élève

Leçon A I will be able to:
- ›› find out information about my stay in a hotel.
- ›› talk about Monaco, and hotels in France.
- ›› use the subjunctive after expressions of wish, will, and desire.

Leçon B I will be able to:
- ›› ask about specialties in a restaurant and what is served with a dish.
- ›› talk about Dijon and the region of Bourgogne.
- ›› use the subjunctive after expressions of emotion, and doubt or uncertainty.

Leçon C I will be able to:
- ›› Express what I am or am not in the mood for, relate someone else's opinion, ask for an opinion, and express disagreement.
- ›› talk about the French film industry, the Cannes festival, and the **César** awards.
- ›› review the interrogative adjective **quel** and use the interrogative pronoun **lequel**.

deux cent soixante-sept **267**

Vocabulaire actif

emcl.com
WB 1–3
LA 1
Games

À l'hôtel

Les prestations (f.) et le confort

Hôtel Belle Plage
34 allée de l'Hypocampe-06230 Villefranche-sur-Mer

Nos services
Bienvenus à l'hôtel Belle Plage. Pour votre bien-être total, notre hôtel vous offre les services et prestations suivantes:

l'ascenseur (m.)

un service blanchisserie

un centre de remise en forme

un centre d'affaires

Nos chambres
Pour vous garantir un séjour agréable, chacune de nos chambres est équipée de (d'):

une clé électronique

un coffre-fort

une connexion Wifi

un bain à remous

chaînes câblées (f.)

la climatisation

un service de chambre

Dans le hall/le lobby

le/la concierge

l'employé(e)

la réception

La réceptionniste accueille le client.

Pour la conversation

How do I ask for information?

> **Je voudrais que vous me donniez quelques précisions sur** les prestations de l'hôtel.

I would like you to give me some specific information about the amenities of the hotel.

Et si je voulais dire...?

en demi-pension	*with breakfast and one meal*
un club de vacances	*vacation club*
en pension complète	*with all meals*
une étoile	*one star (low rating)*
une pension de famille	*family-run hotel*
tout-compris	*everything included*

1 À l'hôtel

Complétez les phrases.

1. En arrivant dans le hall de l'hôtel, les clients vont parler au….
2. Il donne… au client pour la porte de sa chambre.
3. Il y a des ordinateurs disponibles avec… compris dans le service.
4. On peut laisser ses bijoux ou son passeport dans le… à la réception.
5. Quand il fait chaud, on voudrait une chambre avec…, surtout aux Antilles.
6. Pour regarder la télé, beaucoup d'hôtels donnent accès à des….
7. Les hôtels de luxe ont souvent un… avec massage pour se détendre.
8. Dans les hôtels de luxe, le… vous permet de nettoyer les vêtements.
9. Quand on a faim, le… peut vous renseigner sur les restaurants du quartier.

Communiquez!

2 Un bon ou un mauvais hôtel?

Interpretive Communication

Écrivez les numéros 1–6 sur votre papier. Écoutez Élise décrire son expérience dans un hôtel de Monaco. Écrivez une courte réponse pour répondre à chaque question, par exemple, "à la réception."

1. Qui n'était pas sympa?
2. Quelle sorte de clé a-t-on offert à Élise?
3. Où a-t-elle mis son passeport?
4. Où est-elle allée chaque matin?
5. Qu'est-ce qu'il y avait dans la salle de bains?
6. De quel service a-t-elle profité à midi et le soir?

3 Questions personnelles

Répondez aux questions.

1. Es-tu jamais allé(e) à l'hôtel?
2. L'hôtel avait-il une piscine? Un centre de remise en forme? Le service de chambre?
3. Tu as besoin de quelles prestations dans un hôtel?
4. Quelle chaînes câblées est-ce que tu préfères?
5. Aimes-tu la climatisation en été?
6. Comment serait ton hôtel idéal?
7. Où voudrais-tu descendre dans un hôtel?

Moi, j'ai besoin de la connexion Wifi à l'hôtel!

Rencontres culturelles

Un hôtel à Monaco

Léo et Justin veulent réserver une chambre à Monaco.

Léo: La déscription de l'hôtel et les photos sont plutôt bien, mais c'est un peu cher.

Justin: Mais c'est Monte Carlo! Moi, je trouve qu'ils sont très imprécis sur les prestations.

Léo: Ah! Tu es bien américain: toujours le côté pratique.

Justin: Je te laisse la poésie des lieux monégasques et la vue imprenable sur la mer....

Léo: Tu veux qu'on leur téléphone?

Justin: Oui, je vais le faire avec mon accent américain! *(Au téléphone, Justin parle au réceptionniste.)* Bonjour, je voudrais que vous me donniez quelques précisions sur les prestations de l'hôtel.... Merci. Au revoir.

Léo: Alors?

Justin: Ils ont le Wifi, des chaînes câblées, il y a un jacuzzi dans la chambre, et on peut prendre le petit déjeuner dans la chambre sans payer le supplément.

Léo: Parfait! Réservons!

---

4 Un hôtel à Monaco

Complétez les phrases.

1. Le prix d'un hôtel à Monaco est....
2. Justin voudrait se renseigner sur... de l'hôtel.
3. (prénoms) ... est plus pratique que....
4. Selon Justin, Léo s'intéresse à....
5. Les prestations de l'hôtel comprennent *(include)*....

Extension Les prestations désirées

Clément et Laurence aident leurs parents à chercher un bon hôtel pour leurs vacances en famille.

Clément: Bon alors, si toi tu veux le bain à remous, moi je veux les chaînes câblées et une connexion Wifi.

Laurence: Tu ne vas quand même pas passer ton temps en vacances à regarder le sport à la télé!

Clément: Si, pendant que toi et maman serez au centre de remise en forme!

Laurence: Pour la connexion Wifi d'accord: pas besoin de passer des heures à attendre un ordinateur libre au centre d'affaires.

Clément: Vérifie quand même qu'il y ait la climatisation dans cet hôtel.

Laurence: À Saint-Pierre et Miquelon, on n'en aura pas besoin!

Clément: Mais, Maman et Papa ont changé d'avis et préfèrent aller à Saint-Louis au Sénégal.

Extension Quelles prestations désirent Laurence et Clément? Où vont-ils passer leurs vacances? Avec qui?

La tradition hôtelière française

Même si la France et Paris sont les lieux les plus visités au monde, aucun hôtel français ne pouvait revendiquer* officiellement le terme de palace avant 2010. Le label "Palace" n'est officiel que depuis cette année-là en France. Seuls quelques hôtels sont classifiés comme étant des palaces aujourd'hui: à Paris, le Plaza Athénée; l'Hôtel du Palais à Biarritz; et le Cheval Blanc à Courchevel. Bien qu'hôtels de légende, le Ritz ou le Crillon à Paris, Le Negresco à Nice et le Carlton à Cannes, ou encore l'Eden Roc à Antibes ne bénéficient pas encore de cette appellation de palace.

L'Hôtel du palais est situé sur la plage de Biarritz.

À côté de cette hôtellerie de luxe, il existe de grands groupes hôteliers en France comme le groupe Accor, avec la chaîne d'hôtels Sofitel (200 hôtels) qui se veut* représentative de l'art de vivre à la française dans le monde entier.

Toujours dans le souci* de valoriser* cette tradition d'accueil et d'art de vivre, le réseau Relais et Châteaux valorise une hôtellerie installée dans des demeures* historiques où il s'agit de donner aux hôtes* le sentiment de vivre un moment d'histoire au présent: châteaux et gentilhommières*, pavillons de chasse à la campagne, hôtels particuliers* dans les villes. Une attention particulière est apportée à la gastronomie.

 Search words: relais châteaux, gentilhommières france, sofitel, (nom de l'hôtel) + (nom de ville)

revendiquer *claim;* **se veut** *wants to see itself;* **souci** *preoccupation;* **valoriser** *to promote;* **demeures** *residences;* **hôtes** *guests;* **gentilhommières** *mansions in the country;* **hôtels particuliers** *mansions in the city*

Un pavillon de chasse dans l'Avenois.

COMPARAISONS

Est-ce que vous pouvez nommer, ou trouver, un hôtel de luxe à New York et Los Angeles?

Son rocher*, son célèbre circuit* automobile en pleine ville, son port de plaisance*, son casino, et sa famille princière* ont fait la réputation de Monaco, qu'on appelle parfois Monte Carlo du nom d'un de ses quartiers. Cette principauté* indépendante de 1,5 km2 et de 30.000 habitants est située sur la côte méditerranéenne entre les villes françaises de Nice et Menton. Monaco constitue une véritable enclave sur le territoire français.

Au port de Monaco on peut voir les yachts de nombreuses célébrités internationales.

L'histoire de Monaco est liée à l'histoire de la famille Grimaldi, originaire de Gênes, qui s'empare* de la ville au XIIIème siècle et qui règne* toujours sur la principauté. Monaco est liée* à la France par une union douanière*.

Ville touristique, elle doit sa réputation, d'abord à la fin du XIXème siècle et au début du XXème siècle à l'aristocratie des princes russes*, puis dans les années 1950 à Hollywood dont les stars deviennent les habituées* du lieu. C'est ainsi que le Prince Rainier épouse Grace Kelly, star hollywoodienne des années 1950, égérie* d'Alfred Hitchcock. Aujourd'hui, Monaco est la patrie* de la jet set financière, sportive, et artistique.

La famille Grimaldi, avec ses princesses Caroline et Stéphanie, son prince Albert, aujourd'hui Prince régnant*, a largement contribué à l'image glamour et à l'image "jetseteuse" de Monaco.

Le Prince Rainier III et la Princesse Grace de Monaco.

Fille aînée* du prince Rainier III et de Grace de Monaco, Caroline de Monaco a eu trois enfants de son défunt* mari Stefano Casiraghi: Andrea, Charlotte, et Pierre. Dix ans plus tard, elle se remarie et a une autre fille, Alexandra de Hanovre. Sa sœur, Stéphanie de Monaco, a eu plusieurs mariages et divorces, et trois enfants: Louis et Pauline Ducruet, et Camille Gottlieb. Comme la génération princière* est reconnue uniquement dans l'union du mariage, la petite Camille n'est pas considérée une princesse.

 Search words: monaco site officiel

---

rocher *rock;* **circuit** *racetrack;* **port de plaisance** *marina;* **princière** *princely;* **principauté** *principality;* **s'empare** *seize;* **règne** *reigns;* **liée** *linked;* **union douanière** *customs agreement;* **russes** *Russian;* **habituées** *regular visitors;* **égérie** *muse;* **patrie** *homeland;* **Prince regnant** *reigning prince;* **aînée** *older;* **défunt** *mort;* **princière** *princely*

Produits

Le Bal de la Rose, qui a lieu chaque printemps à Monaco, réunit la famille Grimaldi et des grands noms du monde du spectacle. C'est un grand rendez-vous mondain (*fashionable*), créé en 1954 par la Princesse Grace. Les bénéfices du bal sont reversés à la Fondation Princesse Grace, une œuvre de bienfaisance (*charity*) au service des personnes en difficulté, des enfants défavorisés (*disadvantaged*), d'autres actions humanitaires et aussi philanthropiques et artistiques.

 Mots-clé **Monaco** en phénicien (*Phoenician*) signifie "l'Unique." Les gens qui y habitent sont des Monégasques.

---

5 **Activités culturelles**

Faites les activités suivantes.

1. Associez un palace à chacune de ces villes:
   • Paris   • Biarritz   • Courchevel
2. Allez sur le site de l'hôtel Sofitel le plus proche de votre ville et trouvez des exemples de ce qui évoque l'art de vivre "à la française."
3. Faites l'arbre généalogique d'Andrea Casiraghi, fils de Caroline Grimaldi, qui remonte à son arrière-grand-père.

 Search words: monte carlo arbre généalogique

4. Retrouvez les liens cinématographiques entre Grace Kelly et Alfred Hitchcock.
5. Recherchez la fondation du Prince Albert. Est-ce que vous la soutiendriez? Justifiez votre réponse.

 Search words: fondation prince albert Monaco

À discuter

Imaginez que chaque élève de votre classe gagne une semaine gratuite dans un hôtel français de son choix. Faites une enquête pour voir dans quel hôtel et dans quelle ville vos camarades de classe iraient.

Andrea, Charlotte, et Pierre Casiraghi.

Du côté des médias

Interpretive Communication

Lisez les statistiques suivantes sur le tourisme international à Monaco.

Chiffre d'affaires de l'hôtellerie et de la restauration monégasque

Le chiffre d'affaires de l'hôtellerie et de la restauration monégasque a augmenté de 8,4% cette année et affiche 493.472.800 euros H.T contre 455.421.462. Ces résultats consolident le mouvement de reprise du secteur de l'industrie du tourisme de la Principauté. Le taux d'occupation moyen augmente de 5%.

Durée moyenne de séjour

La durée moyenne de séjour dans l'hôtellerie monégasque demeure inchangée à 3 nuitées. Les quatre principales nationalités des touristes séjournant dans les hôtels de la Principauté sont, par ordre d'importance, les Français, les Italiens, les Britanniques, et les Américains du Nord. Ces marchés représentent 57% de l'ensemble des nuitées hôtelières.

Tourisme non hébergé

Le nombre de touristes visitant Monaco au cours de la journée est estimé de 4,5 à 5 millions chaque année. D'après l'Enquête de Satisfaction, cette évaluation sera revue à la hausse.

Capacité hôtelière

Elle s'élève à 2.535 chambres. La Grande Hôtellerie représente désormais 96% de l'ensemble de l'hébergement marchand de la Principauté.

Tourisme de loisir

Le tourisme de loisir représente plus de 80% de la fréquentation hôtelière.

Croisières

Avec 235 escales, les croisières engendrent l'arrivée de 321.820 passagers, soit une croissance respective de 24% et de 36%. Les passagers sont principalement originaires de l'Union Européenne (53%) et d'Amérique du Nord (36%).

---

6 Le tourisme international à Monaco

Faites les activités suivantes.

1. Faites un graphique en barres qui montre le chiffre d'affaires (*sales figures*) de l'hôtellerie (*hotel industry*) à Monaco en comparant cette année à l'année précédente.
2. Sur une carte du monde, indiquez Monaco avec son drapeau. Avec une ficelle (*string*) montrez les pays qui visitent la Principauté.
3. Faites un graphique en barres qui montre la nationalité des passagers en croisière (*taking a cruise*) qui passent par Monaco.

The Subjunctive after Expressions of Wish, Will, or Desire

J'exige que l'hôtel ait un coffre-fort pour mes bijoux!

In French the subjunctive usually comes after **que** in a dependent clause. As you have learned, various impersonal expressions are followed by the subjunctive. Verbs that express wish, will, or desire also take the subjunctive. Use the subjunctive after one of these verbs when the wish, will, or desire concerns someone other than the subject.

aimer *to like, to love*	J'**aimerais que** cet hôtel **offre** une connexion Wifi.	*I would like this hotel to offer wireless Internet.*
désirer *to want*	Léo **désire que** vous lui **montriez** le centre d'affaires de l'hôtel.	*Leo wants you to show him the hotel's business center.*
exiger *to require*	Nous **exigeons que** la chambre **ait** la climatisation.	*We require that the room have air conditioning.*
préférer *to prefer*	Elle **préfère que** tu lui **donnes** quelques précisions sur l'hôtel.	*She prefers that you give her some details about the hotel.*
souhaiter *to wish, to hope*	Vous **souhaitez qu'**il y **ait** un coffre-fort pour votre collier?	*Do you hope that there is a safe for your necklace?*
vouloir *to want*	Maman **veut que** je **voie** le concierge.	*Mom wants me to see the concierge.*

COMPARAISONS

In the following pairs of sentences, what verbs are in the subjunctive tense? (There's one per pair.)

The math teacher requires that we be on time.
Zach usually comes late.
We are in Denver.
I wish we were in Paris.

Désirez-vous que je vous montre le centre d'affaires?

COMPARAISONS: In the first pair, "be" is in the subjunctive because the indicative would use "are" instead. In the second pair, "were" is in the subjunctive because the thought does not indicate reality.

Dites avec qui Didier voudrait aller aux destinations suivantes.

MODÈLE  tu

Didier veut que tu ailles au festival de musique avec lui.

1. Julie et toi

2. je

3. Cédric

4. Marina et moi

5. ses cousins

6. tu

Faites sept phrases logiques en utilisant un mot ou une expression de chaque colonne.

je (j')	aimer		le réceptionniste	indiquer où se trouvent les meilleurs restaurants
tu	préférer		la concierge	lui réserver une chambre
Awa	exiger		la chambre	avoir un coffre-fort
le client	souhaiter	que	l'employé	être près du métro
Saskia et moi	vouloir		vous	lui offrir une clé électronique
Abdel et toi	désirer		l'hôtel	aller au centre d'affaires
Laure et Laïla				profiter du centre de remise en forme

Communiquez!

9 On se parle.

Interpretive Communication

*À tour de rôle, demandez-vous comment vous trouvez les personnes et les choses indiquées. Donnez vos opinions en utilisant l'expression **J'aimerais que**.*

MODÈLE   le directeur du lycée

A: Comment tu trouves le directeur du lycée?
B: J'aimerais qu'il soit moins strict. Et toi?
A: J'aimerais qu'il n'aille pas à la cantine tous les jours.

1. la musique à la radio
2. les émissions sur CBS
3. la cantine du lycée
4. les devoirs pour le cours d'histoire
5. le temps qu'il fait aujourd'hui
6. les émissions de télé-réalité

Communiquez!

10 Souhaits de vacanciers

Écrivez les numéros 1–8 sur votre papier. Écoutez les souhaits des vacanciers. Puis, choisissez l'image qui y correspond.

A.

B.

C.

D.

E.

F.

G.

H.

À vous la parole

Communiquez!

11 Une réservation

Interpersonal Communication

Avec un partenaire, jouez les rôles d'un(e) réceptionniste et d'un client qui se parlent au téléphone. Le client voudrait se renseigner sur les prestations de l'hôtel; il en est satisfait, alors il réserve une chambre. Le/la réceptionniste donne une liste des prestations, et demande au client les dates de son séjour, son nom, s'il prendra le petit déjeuner dans sa chambre, et comment il voudrait régler.

Communiquez!

12 Un hôtel à Monaco

Interpretive/Presentational Communication

Imaginez que vous êtes à Paris et que vous voudriez passer trois jours à Monaco. Pour vous, l'argent n'est pas un problème, mais vous voulez savoir combien vous dépenserez à l'avance. Remplissez une grille comme celle de dessous avec les informations et les montants (*amounts*) que vous trouverez en ligne. Faites un budget pour chaque jour. Finalement, discutez avec vos camarades de classe: Ce genre de vacances en vaut-il le prix? Est-ce que Monaco est une destination pour tout le monde?

Jour 1	Détails	Prix
Train Paris-Monaco		
Hôtel		
Visite du palais		
Déjeuner		
Musée Océanographique		
Grand Prix		
Dîner		

 Search words: monaco site officiel, musée océanographique de monaco, monaco grand prix, hôtel monaco, sncf, palais monaco

Prononciation 🎧

Pauses and Intonation in a Sentence

- Commas add pauses at the beginning, in the middle, or at the end of a sentence. In French, the intonation goes up on the word before the comma at the beginning of a sentence (**détachement initial**). In the middle of a sentence, the intonation stays neutral before the comma (**détachement interne**). At the end of a sentence, the intonation goes down on the word before the comma (**détachement final**).

A Le détachement initial, interne, final

Répétez les phrases, en faisant attention au détachement initial, interne, et final.

1. Écoutez, nous, on prend du poisson.
2. À mon avis, ça sera très bien!
3. Bienvenue, Messieurs-Dames, à La Belle Époque!
4. Il n'y a pas grand-chose, sur cette carte!
5. Je n'aime pas le poisson, moi.
6. Ici, c'est un très bon restaurant.

B Détachement initial, interne, ou final?

*Écoutez les phrases. Indiquez le type de détachement que vous entendez, en écrivant **I** pour chaque détachement initial, **INT** pour chaque détachement interne, ou **F** pour chaque détachement final.*

The Sound /ə/

- Native French speakers tend to cut out certain sounds, especially the pronunciation of the sound /ə/. Generally, the /ə/ is pronounced when it falls between three or more pronounced consonants, but is dropped at the end of a word and between two pronounced consonants.

Pronounced: / C C ə C /	**Unpronounced: / C ə C /**
Il insist<u>e</u>ra.	Il bougera.

- The style in which one speaks greatly affects whether or not the /ə/ is pronounced. The more relaxed the style is, the more often the /ə/ is dropped.

C Prononciation du /ə/ interne

Répétez les phrases suivantes, faisant attention de ne pas prononcer les /ə/ en rouge.

1. Je mets mon port<u>e</u>feuille dans mon vêt<u>e</u>ment.   2. Nous dînons simpl<u>e</u>ment le dimanche.

D Style standard, familier, et relâché

Écoutez et répétez les phrases. Notez combien de fois vous entendez le son /ə/ pour chaque style.

Standard	**Familier**	**Relâché**
1. Maint<u>e</u>nant, j<u>e</u> vais à la boulang<u>e</u>rie.	Maint<u>e</u>nant, je vais à la boulangerie.	Maintenant, je vais à la boulangerie.
2. J<u>e</u> n<u>e</u> veux pas ach<u>e</u>ter de bottes.	J<u>e</u> ne veux pas acheter d<u>e</u> bottes.	Je ne veux pas acheter de bottes.

E Style standard, familier, ou relâché?

*Écrivez **S** si vous entendez le style standard, **F** si vous entendez le style familier, ou **R** si vous entendez le style relâché.*

Vocabulaire actif

emcl.com
WB 1–3
LA 1
Games

Au restaurant bourguignon

Les plats

le jambon persillé

le bœuf bourguignon

La viande

le lapin

le faisan

le chevreuil

le veau

Les sauces

béchamel

(servie sur le saumon, les langoustes, les lasagnes, les brocolis)

marinière

(servie sur les moules, les courgettes, les filets de sole, le lapin)

béarnaise

(servie sur le steak, le bœuf, l'agneau)

blanche

(servie sur la volaille, le bœuf, le poisson, les légumes)

hollandaise

(servie sur les œufs, la truite, les coquilles Saint-Jacques, les pommes de terre, les asperges)

Pour la conversation

How do I ask about restaurant specialties?

> **Puis-je savoir** quelles sont les spécialités?
>
> *May I find out the specialties?*

How do I ask what a dish is served with?

> **Il est servi avec** de la moutarde?
>
> *Is it served with mustard?*

1 Chère Maman

Nayah est étudiante à Dijon. Lisez la lettre qu'elle a écrite à sa mère, puis répondez aux questions.

> Chère Maman,
>
> Mes études se passent bien. La famille de David m'a invitée à dîner au restaurant le weekend dernier, et j'ai mangé de la viande pour la première fois. Ses parents ne savent pas que je suis végétarienne, donc je n'avais pas le choix. J'ai pris la spécialité du restaurant—le bœuf bourguignon. La sauce à base de vin rouge était bonne et a déguisé le bœuf. David a commandé le chevreuil avec de la moutarde et des champignons. Il m'a offert de goûter, mais une viande c'était assez, alors j'ai dit non merci! Le père de David a choisi le jambon persillé, et sa mère un steak servi avec une sauce béarnaise et des frites.
>
> Écris-moi vite.
>
> Je t'embrasse,
>
> Nayah

1. Qu'est-ce que Nayah a fait le weekend dernier?
2. Normalement, est-ce qu'elle mange de la viande? Pourquoi?
3. Pourquoi dit-elle qu'elle n'avait pas le choix?
4. Qu'est-ce que Nayah a commandé? Pourquoi?
5. Quel plat est-ce que son ami a pris?
6. Est-ce que Nayah a goûté au dîner de David? Pourquoi, ou pourquoi pas?
7. Qu'est-ce que les parents de David ont pris?

2 La viande

Faites correspondre chaque description à la viande de la liste.

| faisan | bœuf | porc | veau | chevreuil | lapin |

1. un animal rose
2. un animal qui vole
3. une jeune vache
4. un petit animal avec de longues oreilles qui saute (*jumps*)
5. un grand animal qu'on peut chasser (*hunt*) en automne
6. un animal qu'on utilise pour faire des hamburgers et des steaks

3 Quelle sauce ce soir?

Indiquez avec quelle sauce chaque viande ou légume est servi.

MODÈLE  **Les moules sont servies avec la sauce marinière.**

1.

2.

3.

4.

5.

6.

7.

8.

9.

10.

11.

Communiquez!

4 Les plats cuisinés, délicieux!

Interpretive Communication

*Écrivez les numéros 1–7 sur votre papier. Puis, écoutez Stéphane décrire ses goûts culinaires. Enfin, écrivez **oui** ou **non** pour répondre à la question que vous entendez.*

5 Questions personnelles

Répondez aux questions suivantes.

1. Est-ce que tu vas souvent au restaurant? Quels restaurants préfères-tu: italiens, mexicains, ou chinois?
2. Préfères-tu choisir des plats avec ou sans viande? De quelle(s) viande(s) est-ce que tu ne manges pas? Et tes parents? Et tes amis?
3. Aimes-tu les plats servis avec une sauce? Si oui, lesquels?
4. Qu'est-ce que tu aimerais goûter dans un restaurant français?
5. As-tu jamais goûté du chevreuil? Si oui, c'était bon? Et le lapin?

Moi, je n'aime pas trop la viande de veau!

Au restaurant dijonnais

Justin et Léo sont à table dans un restaurant à Dijon.

Le serveur: Bonjour, Messieurs. Avez-vous jeté un coup d'œil à la carte?

Justin: Oui, justement, puis-je savoir quelles sont les spécialités de la région?

Le serveur: Alors, la gastronomie de la Bourgogne comprend la moutarde et les escargots, bien entendu, mais aussi maints plats de viande et de poisson.

Léo: Il est très viande, mais il ne comprend pas toutes les dénominations.

Le serveur: D'accord, alors, le jambon persillé est fait avec du porc; le chevreuil sauce maison est servi avec des trompettes de la mort.

Justin: Les trompettes de la mort? Mon Dieu, qu'est-ce que c'est que ça?

Léo: Ce sont des champignons.

Le serveur: Oui, nous servons aussi du lapin, du faisan, mais personnellement je vous conseille un grand classique, le bœuf bourguignon!

Justin: Il est servi avec de la moutarde?

Le serveur: Non, mais la moutarde de Dijon, fermentée, accompagne très bien tous les plats.

Justin: Des escargots pour nous deux pour commencer, et pour moi, le bœuf bourguignon.

Léo: Je doute que les escargots aient bon goût. Pour moi, le jambon persillé seulement, s'il vous plaît. Je suis étonné que tu essaies les escargots!

Justin: À Rome, fais comme les Romains, et à Dijon, fais comme les Dijonnais!

---

6 Au restaurant dijonnais

Identifiez la personne décrite.

1. Il explique ce que c'est, les trompettes de la mort.
2. Il explique les spécialités de la région.
3. Il voudrait goûter aux escargots.
4. Il sert beaucoup de plats de viande.
5. Il commande le bœuf bourguignon.
6. Il dit que son ami a besoin d'informations.
7. Il récite un proverbe.

Au restaurant, les amis regardent la carte et discutent des plats.

Amir: Tiens, voici la carte; c'est un tour de la gastronomie de la Francophonie.
Charlotte: Alors ce soir on voyage, j'ai peur qu'on n'ait plus envie de revenir....
Nicole: Je sens que mes papilles sont en train de partir vers les Antilles!
Antoine: Je voudrais goûter à la cuisine africaine.
Amir: Il y a du *tiep*, c'est un plat de fête sénégalais.
Charlotte: Qu'est-ce qu'il y a dedans?
Amir: Du riz, du poisson, des aubergines, du piment.... C'est très bon!
Nicole: Pour moi, des accras de morue.
Charlotte: Je prendrais bien un bon couscous à l'agneau.
Antoine: Moi je fais comme Amir.
Amir: Pas très aventurier! Alors on va goûter le *saka-saka*. À toi de deviner ce qu'il y a dedans!

Extension   La bande d'amis va goûter des plats de quelles régions ou pays francophones?

De quelles compétences ai-je besoin en voyageant?

Dijon et la Bourgogne

Dijon, capitale de la Bourgogne, a un passé prestigieux. C'est aujourd'hui le chef-lieu* du département de la Côte d'Or et de la région Bourgogne. L'agglomération dijonnaise* compte 340.000 habitants.

La Bourgogne est traversée par la Loire.

Dijon est l'ancienne* capitale du Duché de Bourgogne. Celui-ci a joué un grand rôle au XIV ème et XV ème siècle alors qu'il recouvrait* les actuels Pays-Bas, la Belgique, le Luxembourg, le Palatinat en Allemagne et la Suisse, et les provinces de l'Alsace, de la Champagne, et de la Picardie. C'est le roi de France, Louis XI, qui a annexé l'État bourguignon en 1477 après la défaite* de Charles Le Téméraire.

Dijon au fil* des siècles s'est enrichi d'un riche patrimoine architectural dont témoignent* ses maisons à colombages*, ses beaux hôtels particuliers, et ses édifices religieux, églises et monastères* de style gothique qui charment les touristes.

Carrefour ferroviaire* depuis le XIX ème siècle sur l'axe Paris-Marseille, Dijon est devenu un pôle économique important avec des industries dans les domaines électrique, mécanique, et électronique, mais aussi pharmaceutique et agro-alimentaire. Comme produits agro-alimentaires on peut citer la moutarde, le chocolat, le pain d'épices* et, la production de crème de cassis*. Avec l'ouverture* en décembre 2011 de la ligne TGV à grande vitesse entre le Rhin et le Rhône (le LGV), Dijon retrouve sa situation de plaque tournante* vers la Suisse, l'Allemagne et la Belgique, et vers le sud de l'Europe.

 Search words: dijon tourisme, visiter dijon, dijon et sa région

chef-lieu *administrative center;* **agglomeration dijonnaise** *Dijon region;* **ancienne** *former;* **recouvrait** *extended;* **défaite** *defeat;* **au fil** *over;* **témoignent** *give evidence;* **maison à colombage** *half-timbered house;* **monastère** *monastery;* **carrefour ferroviaire** *rail hub;* **pain d'épice** *gingerbread;* **crème de cassis** *type of liquor made from black currants;* **ouverture** *opening;* **plaque tournante** *hub*

Produits

On peut voir **les trésors de l'art des Ducs de Bourgogne** dans l'ancien Palais des Ducs où se trouve le Musée des Beaux-Arts.

 Search words: mba dijon

Le Palais des Ducs de Bourgogne à Dijon.

Produits

La moutarde de Dijon est une moutarde forte qui existe en plusieurs variétés. Avant le XIVème siècle, le centre de la préparation de la moutarde était à Paris, mais depuis la Bourgogne s'en est fait une spécialité. C'est un produit que la France exporte aussi.

COMPARAISONS

Quelle marque (*brand*) de moutarde est-ce que vous achetez? Avez-vous jamais goûté à la moutarde de Dijon?

7 Activités culturelles

Faites les activités suivantes.

1. Dessinez la carte de l'ancien Duché de Bourgogne entre le XIVème et le XVème siècle.
2. Faites une liste de cinq choses intéressantes à voir au Palais des Ducs, avec des descriptions.
3. Faites une liste des destinations qu'on peut visiter sur la nouvelle ligne à grande vitesse Rhin-Rhône.
4. Trouvez quatre marques qui sont attachées à la moutarde de Dijon.

Perspectives

"En raison du superbe réseau de canaux navigables en bateau en Bourgogne, ma famille et moi, on a loué une péniche (*barge*). Quelle belle vue de cette magnifique région de France avec ses villages pittoresques et sa campagne verdoyante (*verdant*)! On s'est arrêté dans plusieurs villages où on a fait du vélo, flâné, fait les touristes, les courses et du shopping pour des souvenirs.... J'ai un très bon souvenir de la Bourgogne à cause de cette expérience en bateau." Selon cette vacancière, qu'est-ce qu'un voyage en péniche en Bourgogne offre aux touristes?

La moutarde de Dijon a une réputation mondiale.

 Search words: la bourgogne fluviale, comment visiter la bourgogne en bateau

Péniches sur un fleuve de Bourgogne.

Du côté des médias

Interpretive Communication

Lisez les informations suivantes pour un cours de cuisine à Dijon.

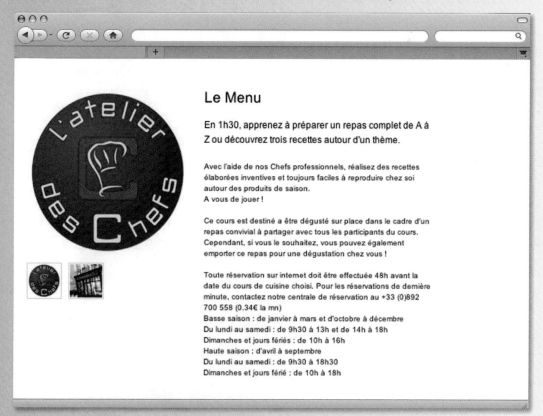

Le Menu

En 1h30, apprenez à préparer un repas complet de A à Z ou découvrez trois recettes autour d'un thème.

Avec l'aide de nos Chefs professionnels, réalisez des recettes élaborées inventives et toujours faciles à reproduire chez soi autour des produits de saison.
A vous de jouer !

Ce cours est destiné a être dégusté sur place dans le cadre d'un repas convivial à partager avec tous les participants du cours. Cependant, si vous le souhaitez, vous pouvez également emporter ce repas pour une dégustation chez vous !

Toute réservation sur internet doit être effectuée 48h avant la date du cours de cuisine choisi. Pour les réservations de dernière minute, contactez notre centrale de réservation au +33 (0)892 700 558 (0.34€ la mn)
Basse saison : de janvier à mars et d'octobre à décembre
Du lundi au samedi : de 9h30 à 13h et de 14h à 18h
Dimanches et jours fériés : de 10h à 16h
Haute saison : d'avril à septembre
Du lundi au samedi : de 9h30 à 18h30
Dimanches et jours férié : de 10h à 18h

8 L'Atelier des Chefs

Faites les activités suivantes.

1. On vous accepte pour l'Atelier des Chefs. Écrivez le message que vous avez reçu sur Internet.
2. Préparez une annonce à la radio pour l'Atelier des Chefs; vous avez 20 secondes.

Structure de la langue

The Subjunctive after Expressions of Emotion

You have already learned that the subjunctive is used in a dependent clause after the expression **il faut que**; after certain impersonal expressions; and after expressions of wish, will, or desire. The subjunctive is also used after expressions of emotion (such as happiness, sadness, surprise, fear, anger). Use the subjunctive after one of the following expressions of emotion when the emotion concerns someone other than the subject.

être content(e) que	to be happy that
être heureux/heureuse que	to be happy that
être triste que	to be sad that
être désolé(e) que	to be sorry that
être fâché(e) que	to be angry that
être étonné(e) que	to be surprised that
avoir peur que	to be afraid that
regretter que	to be sorry that
s'inquiéter que	to worry that
Ça me surprend que….	It surprises me that….
Ça m'embête que….	It bothers me that….
C'est dommage que…	It's too bad that….

Ça me surprend que vous **mangiez** du chevreuil.

It surprises me that you are eating venison.

Je suis étonné que le veau **coûte** si cher!

I'm surprised that the veal costs so much!

Karim est fâché qu'il n'y **ait** pas de lapin au restaurant.

Karim is mad that there isn't any rabbit at the restaurant.

Le serveur a peur que nous n'**aimions** pas le faisan.

The waiter is afraid that we don't like the pheasant.

C'est dommage qu'on ne **serve** pas de bœuf bourguignon.

It's a shame that beef bourguignon isn't served.

Faites des phrases logiques en combinant les mots de la première colonne et les phrases de la deuxième colonne. Attention à l'emploi du subjonctif. Il y a plus d'une réponse possible. Suivez le modèle. Quand vous aurez fini, comparez vos phrases avec celles d'un(e) partenaire.

Isa est surprise qu'il y ait un cheveu dans sa salade.

> MODÈLE Diane/contente Le veau est bon.
> **Diane est contente que le veau soit bon.**

1. moi/étonné(e) Le jambon persillé n'a pas bon goût.
2. Yannick/triste Le restaurant coûte trop cher.
3. Djamel/content Vos amis n'aiment rien sur la carte.
4. toi/avoir peur Il y a un moustique dans l'assiette.
5. Nicole/désolée Ton ami est en retard.
6. Marc et Nathan/heureux Il y a des spécialités.
7. Laure et toi/tristes Le service est compris.
8. Youssef et moi/étonnés Les clients ne commandent pas de dessert.
9. le serveur/fâché La sauce est mauvaise.

10 **Tic-Tac-Toe du subjonctif**

Prenez une feuille de papier. Avec un(e) partenaire, essayez de remplir votre grille de tic-tac-toe, chacun à votre tour, en faisant des phrases à l'aide des indices donnés. Vous pouvez aussi inventer votre propre grille.

> MODÈLE
>
> **Je suis triste que tu veuilles chercher un autre hôtel.**

avoir un bain à remous dans la chambre	vouloir chercher un autre hôtel	tu/m'attendre
le plat/être trop épicé	ne pas avoir assez d'argent	goûter le faisan
s'entendre avec le serveur	avoir la climatisation	aimer le dessert

Julien et ses copains ont loué un appartement à Chamonix pour un weekend de ski. Il écrit à l'agence pour se plaindre. Complétez la lettre qu'il écrit en mettant les verbes entre parenthèses à la forme convenable.

Chamonix, le 14 janvier

Monsieur Dujardin,

Je regrette que mes amis et moi, nous (*devoir*) vous écrire, mais l'appartement que vous nous avez loué est loin de correspondre à votre annonce.

Nous voulions avoir une vue sur le Mont-Blanc. Mais nous avons été surpris de découvrir qu'aucune des fenêtres ne (*donner*) sur la montagne.

Ça nous embête que le bain à remous dans la salle de bains ne (*marcher*) pas. Je suis fâché que mes copains et moi, on ne (*pouvoir*) pas se reposer dans l'eau chaude après une journée de ski.

Nous avons demandé un appartement dans le domaine. Nous sommes étonnés que nous (*devoir*) prendre un bus pour aller à la station de ski.

C'est dommage qu'il n'y (*avoir*) pas de chaînes câblées dans le salon.

Cela nous surprend que cet appartement (*coûter*) si cher parce qu'il ne correspond pas du tout à votre annonce.

Je suis désolé qu'on ne (*vouloir*) pas revenir dans votre appartement. Nous souhaitons que vous nous (*envoyer*) deux cents euros.

Je vous prie d'agréer, Monsieur, nos salutations distinguées.

Julien Durouleaux

Des logements dans les montagnes de Chamonix.

The Subjunctive After Expressions of Doubt or Uncertainty

Je ne suis pas sûr que tu veuilles aller au cinéma avec moi, mais....

Another use of the subjunctive is after expressions of doubt or uncertainty. For example, the verb **douter** (*to doubt*) is followed by the subjunctive in the dependent clause.

Je doute que nous **allions** à un restaurant qui soit loin de l'hôtel.

I doubt that we are going to a restaurant that is far from the hotel.

When the verbs **penser** and **croire**, as well as certain expressions of certainty, are used negatively or interrogatively, they express doubt or uncertainty and are therefore followed by the subjunctive.

penser	**Penses-tu que** la sauce **soit** bonne avec du lait?	*Do you think that the sauce will be good with milk?*
croire	Non, **je ne crois pas** qu'elle **soit bonne**.	*No, I don't believe that it will be good.*
être sûr que	Le serveur, **est-il sûr qu'** on n'**ait** plus de poisson?	*The waiter, is he sure that they have no more fish?*
être certain que	Non, **il n'est pas certain que** vous **puissiez** en commander.	*No, he isn't certain that you can order it.*
être vrai que	**Est-il vrai que** tu **saches** faire toutes les sauces françaises?	*Is it true that you can make all the French sauces?*
être évident que	**Il n'est pas évident que** le chef **soit** français.	*It is not obvious that the chef is French.*

However, when **penser** and **croire**, as well as expressions of certainty, are in the affirmative or in the negative interrogative, they no longer express doubt and are followed by the indicative.

Ne crois-tu pas que cette sauce béarnaise **est** la meilleure?
Il est évident qu'on sert beaucoup de plats délicieux!

Don't you believe that this Béarnaise sauce is the best?
It is obvious that they serve a lot of delicious dishes

The following chart can help you determine the use of the subjunctive and the indicative.

Subjunctive	Indicative
Je doute que….	Je ne doute pas que….
Penses-tu que…?	Je pense que….
Je ne pense pas que….	Ne penses-tu pas que…?
Crois-tu que…?	Je crois que….
Je ne crois pas que….	Ne crois-tu pas que…?
Je ne suis pas sûr(e) que….	N'es-tu pas sûr(e) que…?
Je ne suis pas certain(e) que….	Je suis certain(e) que….
Es- tu certain(e) que…?	N'es-tu pas certain(e) que…?
Il n'est pas vrai que….	Il est vrai que….
Il n'est pas évident que….	Il est évident que….
Est-il évident que…?	N'est-il pas évident que…?

12 J'interviewe mes camarades de classe.

D'abord, répondez aux questions individuellement et gardez vos réponses. À tour de rôle, en groupes de trois, posez une question à vos partenaires basée sur les questions. Suivez le modèle. Si vos camarades de classe ne vous croient pas, montrez-leur vos réponses écrites.

1. Vous avez peur des gros chiens?
2. Les études universitaires vous intéressent?
3. Vous prenez du café au petit-déjeuner?
4. Vous faîtes du dessin?
5. Vous suivez un cours d'art?
6. Vous allez souvent au parc d'attractions?
7. Vous courez dans les marathons?
8. Vous vous entraînez au fitness?

MODÈLE

A: **Croyez-vous que j'aie peur des gros chiens?**

B: **Non, je ne crois pas que tu aies peur des gros chiens!**

C: **Moi, je crois que tu as peur des gros chiens!**

A: **C'est vrai. J'ai peur des gros chiens!**

13 Les problèmes dans la société

Formez des phrases en utilisant le premier verbe indiqué à l'indicatif et le deuxième verbe à l'indicatif ou au subjonctif.

MODÈLES

le directeur du lycée Victor Hugo/douter que le gouvernement/vouloir moderniser son école
Le directeur du lycée Victor Hugo doute que le gouvernement veuille moderniser son école.

les élèves/ne pas douter que le directeur/installer un nouveau labo de langues
Les élèves ne doutent pas que le directeur installe un nouveau labo de langues.

1. Mme Delattre/être sûr que la ville/ouvrir un centre d'accueil pour les sans-abri
2. le père de Mme Delattre/ne pas être sûr que sa femme et lui/pourvoir faire un don au centre d'accueil
3. les infirmiers/ne pas croire que l'hôpital/faire assez pour combattre le SIDA
4. le directeur de l'hôpital/croire qu'on/enseigner bien aux patients le traitement pour le SIDA
5. Théo et Clara/être certain que le racisme/être un problème dans la société
6. leurs parents/ne pas être certain qu'une manifestation contre le racisme/être une bonne idée pour Théo et Clara
7. Simon/ne pas penser que son oncle/boire trop d'alcool
8. sa tante/penser que sa famille/devoir faire une intervention

14 **L'environnement**

À tour de rôle, posez les questions suivantes à votre partenaire. Mettez la forme correcte du verbe indiqué au subjonctif. Puis, donnez votre avis honnêtement, soit (either) à l'affirmatif avec l'indicatif, soit (or) au négatif avec le subjonctif.

1. Penses-tu qu'on... prendre l'effet de serre au sérieux? (*devoir*)
2. Crois-tu que le Vélib... l'environnement? (*aider*)
3. Penses-tu que nous... venir au lycée à vélo ou à pied? (*devoir*)
4. Es-tu sûr(e) qu'il y... des animaux en voie de disparition? (*avoir*)
5. Est-il vrai qu'on... sauvegarder les espaces sauvages pour eux? (*devoir*)
6. Tu n'es pas certain(e) qu'on... arrêter les marées noires? (*pouvoir*)
7. Tu n'es pas sûr(e) que les panneaux solaires... bon marché? (*être*)
8. Est-il vrai que toi et ta famille, vous...? (*recycler*)
9. Est-il évident que les hommes politiques nous... sur les problèmes de l'environnement? (*écouter*)

Est-il vrai que tu fasses la meilleure sauce béarnaise?

Communiquez!

15 **La cuisine, c'est bon!** 🎧

Interpretive Communication

*Écrivez les numéros 1–6 sur votre papier. Écoutez les phrases. Puis, écrivez **D** si vous pensez que la phrase exprime (expresses) un doute, ou **C** si vous pensez qu'elle exprime une certitude.*

À vous la parole

Question centrale

? De quelles compétences ai-je besoin en voyageant?

Communiquez!

16 Au restaurant dijonnais

Interpersonal Communication

Vous êtes dans un restaurant dijonnais avec un ami. Un(e) autre camarade de classe jouera le rôle du serveur ou de la serveuse. Pour la partie A, parlez avec votre ami(e) de ce que vous anticipez en utilisant des expressions comme **je regrette**, **je suis désolé(e)**, **j'ai peur que**. Après un certain temps, le serveur/la serveuse arrive et vous commandez un repas avec hors-d'œuvre, plat principal, dessert, et boisson. Pour la partie B, imaginez que le serveur/la serveuse vous a servi. Dites ce que vous pensez de la nourriture et exprimez un doute vis-à-vis (*regarding*) du dessert qui n'est pas encore arrivé.

Communiquez!

17 Mon restaurant à Dijon

Presentational Communication

Imaginez que vous ouvrez un restaurant américain à Dijon. Préparez le menu en français. N'oubliez pas d'inclure quelques spécialités régionales pour plaire à vos clients qui ne sont pas très aventuriers. Il faut aussi mettre les prix en euros et créér une couverture avec une image et un nom attrayant (*seductive*).

Communiquez!

18 En péniche

Interpretive/Presentational Communication

Vous voudriez mieux connaître la Bourgogne. Donc, vous planifiez un voyage en péniche dans la région. Préparez un document avec les villes que vous allez visiter et une liste de choses à faire et à voir à chaque destination. Incluez une carte qui montre où vous irez.

 Search words: **la bourgogne fluviale, comment visiter la bourgogne en bateau**

Stratégie communicative

Practical Conversations

Lorsque vous voyagerez dans un pays francophone, vous aurez besoin d'obtenir certains renseignements. Se souvenir de certaines expressions et de certains mots vous sera très utile au moment d'acheter un billet de train, de commander dans un restaurant ou dans un café, ou encore si vous avez besoin qu'on vous indique le chemin, par exemple.

19 Débuts de dialogues pratiques

Lisez les questions ou les phrases ci-dessous et précisez l'endroit où on pourrait les entendre.

1. Vous pourriez vérifier s'il y a assez d'huile?
2. Je voudrais que vous me donniez quelques précisions sur les prestations.
3. Je cherche un blouson en cuir noir.
4. Le bœuf bourguignon que vous avez préparé est délicieux.
5. Vous avez le dernier *Pariscope*?
6. Vous pouvez m'indiquer le chemin? Je cherche le musée d'Orsay.
7. Quelle sont les spécialités de la région?
8. Vous avez un forfait ski?

20 Je me renseigne en voyage.

Avec votre partenaire, créez une conversation pour quatre endroits de la liste. Posez une question, demandez un service, ou renseignez-vous de manière générale.

1. une station-service
2. un marché
3. un kiosque à journaux
4. un guichet de cinéma
5. un hôtel
6. un restaurant en Normandie
7. une réception de mariage
8. un cercle de conversation à l'Alliance française
9. une gare
10. chez une famille française

La Gare de Lyon, à Paris.

Leçon C

Vocabulaire actif

emcl.com
WB 1–3
LA 1
Games

Le cinéma

Tourner un film

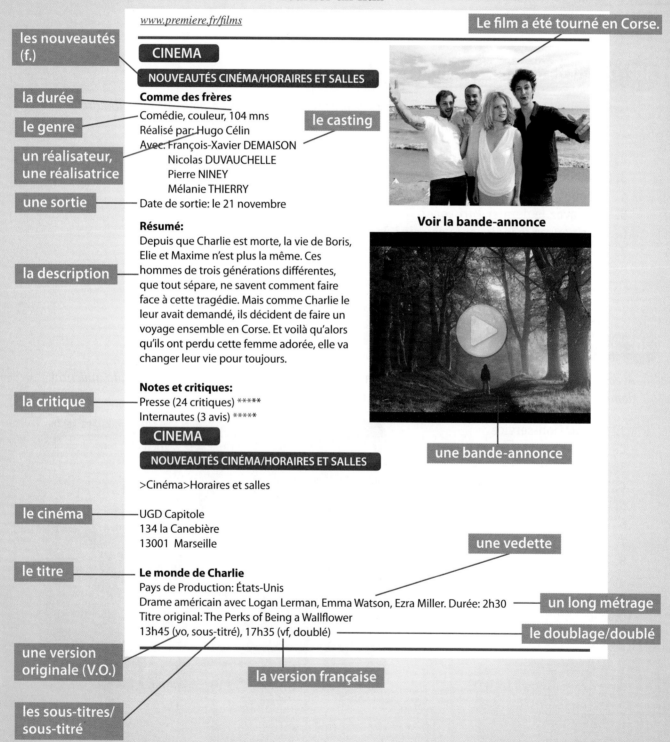

les nouveautés (f.)

la durée

le genre

un réalisateur, une réalisatrice

une sortie

la description

la critique

le cinéma

le titre

une version originale (V.O.)

les sous-titres/ sous-titré

le casting

une bande-annonce

une vedette

un long métrage

le doublage/doublé

la version française

Le film a été tourné en Corse.

www.premiere.fr/films

CINEMA

NOUVEAUTÉS CINÉMA/HORAIRES ET SALLES

Comme des frères

Comédie, couleur, 104 mns
Réalisé par: Hugo Célin
Avec: François-Xavier DEMAISON
　　　Nicolas DUVAUCHELLE
　　　Pierre NINEY
　　　Mélanie THIERRY
Date de sortie: le 21 novembre

Résumé:
Depuis que Charlie est morte, la vie de Boris, Elie et Maxime n'est plus la même. Ces hommes de trois générations différentes, que tout sépare, ne savent comment faire face à cette tragédie. Mais comme Charlie le leur avait demandé, ils décident de faire un voyage ensemble en Corse. Et voilà qu'alors qu'ils ont perdu cette femme adorée, elle va changer leur vie pour toujours.

Notes et critiques:
Presse (24 critiques) *****
Internautes (3 avis) *****

CINEMA

NOUVEAUTÉS CINÉMA/HORAIRES ET SALLES

>Cinéma>Horaires et salles

UGD Capitole
134 la Canebière
13001 Marseille

Le monde de Charlie
Pays de Production: États-Unis
Drame américain avec Logan Lerman, Emma Watson, Ezra Miller. Durée: 2h30
Titre original: The Perks of Being a Wallflower
13h45 (vo, sous-titré), 17h35 (vf, doublé)

Voir la bande-annonce

Pour la conversation

How do I say what I'm not in the mood for?

> **Je ne suis pas trop d'humeur pour** une comédie dramatique.

I'm not in the mood for a dramatic comedy.

How do I relate the opinion of someone else?

> **Il paraît que c'est** très drôle.

It appears it's very funny.

How do I ask about someone's impressions?

> **Quelles sont** tes **impressions** du film?

What are your impressions of the movie?

How do I express disagreement?

> **Je ne partage pas** ton **avis.**

I don't share your opinion.

emcl.com
WB 4

Et si je voulais dire...?

un cascadeur	*stuntman*
la distribution	*the cast*
un figurant	*extra (actor)*
une représentation	*performance*
applaudir	*to clap*
huer	*to boo*

L'argot des ados

LE CINÉMA

le cinoche	*le cinéma*
un(e) mordu(e) du cinéma	*un fan*
un nanar	*un mauvais film*
un navet	*un mauvais film*
une star	*une vedette*

---

1 Une critique

Lisez la critique du film suivant, puis répondez aux questions.

Le chien de mon frère

2012. 2h10. Comédie française en couleurs.
La dernière grande comédie pour ceux qui aiment rire vient de sortir dans les salles. Allez voir ce film tout de suite. Le casting est très fort. Un long métrage par un réalisateur bien connu qui pourrait devenir un classique. Évitez la bande-annonce, qui en révèle trop sur les personnages et les événements. Si vous voulez voir une comédie, ou tout simplement rire de bon cœur, ne cherchez pas plus loin: *Le chien de mon frère* est ce qu'il vous faut. C'est un film touchant et drôle à la fois au sujet d'un chien adopté qui a un peu trop d'énergie. Vous partagerez mon avis. Je vous le promets.

---

1. Quelle est la durée du film?
2. Quand est-ce qu'il est sorti?
3. Que pense le critique de ce film?
4. Qu'est-ce qu'on ne doit pas faire?
5. Quand est-ce qu'on devrait choisir ce film?
6. Quelle est la description du film?

Choisissez l'expression convenable de la liste suivante qui correspond à chaque expression indiquée dans le guide.

> le genre   le réalisateur   le cinéma   le titre   la durée
> la version   la description   le casting

2   **3**   **1**

C ASSOCIES CONTRE LE CRIME France. Coul. (1h44) Comédie policière, **4** — de Pascal Thomas. L'impétueuse Prudence enquête avec son époux sur la disparition d'une richissime héritière russe. Avec Agathe de la Boulaye, André Dussolier, Catherine Frot, Nicolas Marie, Eric Naggar, Linh-Dan Pham, Hervé Pierre, Bernard Verley. **Nouvel Odéon 6ᵉ. Publicis Cinémas 8ᵉ. Gaumont Alésia 14ᵉ. Gaumont Parnasse 14ᵉ. Le Champlin-St Lambert 15ᵉ. Studio 28 18ᵉ.** } **5**

J L'ÂGE DE GLACE 4: LA DÉRIVE DES CONTINENTS (Ice Age: Continental Drift) États-Unis. Coul. (12-1h34). Animation, de Steve Martino, Mike Thurmeier. **6** { Le morcellement de la terre sépare nos héros des leurs et les fait dériver sur un iceberg. **UGC Orient-Express 1ᵉʳ. L'Épée de bois 5ᵉ. Gaumont Champs-Élysées 8ᵉ** (3D). **UGC Ciné Cité Bercy 12ᵉ** (3D). **MK2 Bibliothèque 13ᵉ. Gaumont Aquaboulevard 15ᵉ. Studio 28 18ᵉ.** (vo) } **7**

8

3 C'est quoi ou c'est qui?

Identifiez la personne ou la chose.

MODÈLE   Le film s'appelle *Bienvenue chez les Ch'tis*.
C'est le titre du film.

1. Le film commence à 14h00 et se termine à 15h45.
2. On passe le film au Gaumont.
3. C'est en français.
4. Il s'agit d'un facteur (*mail carrier*) qui déménage dans le nord de la France et vit des aventures.
5. C'est une comédie.
6. "C'est une comédie qui fait rire. Vous allez l'adorer."
7. Pour le public américain, il y a des mots écrits en anglais sur l'écran.
8. Dany Boon, Kad Merad, et Chloé Félix sont les acteurs dans le film.
9. Dany Boon a aussi tourné le film.

Communiquez!

4 **Quel film on va voir?**

Interpretive Communication

Écrivez les numéros 1–6 sur votre papier. Écoutez la conversation, puis écrivez un mot ou une expression pour répondre aux questions que vous entendez.

5 **Questions personnelles**

Répondez aux questions.

1. Est-ce que tu préfères voir les films au cinéma ou à la télé? Comment décides-tu quels films tu vas voir au cinéma?
2. Quels aspects d'un film sont importants dans ton choix—le genre, les acteurs, le réalisateur, ou autre chose?
3. Est-ce que tu regardes quelquefois des films étrangers (*foreign*)? Préfères-tu voir un film étranger avec des sous-titres ou doublé en anglais? Pourquoi?
4. Quelles différences y a-t-il entre tes goûts et les goûts de tes ami(e)s? Et entre les goûts des ados et les goûts des adultes que tu connais?
5. Quel est le dernier film que tu as vu? Quel film as-tu envie de voir bientôt? Pourquoi?
6. Quel(s) film(s) français ou en français as-tu vu(s)?

Moi, je voudrais devenir réalisateur de long métrages.

Rencontres culturelles

On va au multiplexe.

Élodie et Karim consultent les films sur AlloCiné.

Élodie: Quel genre de film te dit?

Karim: Clique d'abord sur Accueil, pour voir les nouveautés.

Élodie: Tiens, *Le concert* passe à La Coupole! C'est d'un excellent réalisateur!

Karim: Ah oui? Lequel?

Élodie: Radu Mihaileanu. Et le casting est composé de vraies vedettes!

Karim: Je ne suis pas trop d'humeur pour une comédie dramatique, mais voyons le synopsis: "Un ex-chef d'orchestre soviétique est maintenant homme de ménage au Bolchoï. Au travail, il tombe sur un fax adressé au directeur: il s'agit d'une invitation à venir jouer à Paris. Il réunit ses anciens copains musiciens et les emmène tous à Paris...." Il paraît que c'est très drôle. Que disent les critiques?

Élodie: Les critiques donnent quatre étoiles, ça promet!

Karim: Bon, je veux bien. Prends les Ciné Chèques et allons-y.

(Après le film....)

Karim: Quelles sont tes impressions du film?

Élodie: J'ai éprouvé une émotion intense. C'est un vrai chef-d'œuvre!

Karim: Je ne partage pas ton avis, je suis plutôt blasé; le ton était plat, les actions stéréotypées, trop de pauses entre les dialogues à mon goût!

Élodie: N'as-tu donc pas apprécié la musique?

Karim: Laquelle?

Élodie: Celle du final, de Tchaïkovski!

Karim: Non, vraiment, c'est un nanar style Hollywood. Une vraie catastrophe!

6 On va au multiplexe.

Complétez les phrases suivantes.

1. Karim et Élodie voient... sur AlloCiné.
2. Élodie suggère le film *Le concert*, qui passe à....
3. Le... est Radu Mihaileanu.
4. Le... indique qu'il s'agit d'un... qui emmène ses anciens copains musiciens à Paris.
5. Karim pense que le film est un... et une....

Alexandre et Simon sont à la FNAC dans le rayon DVD.

Alexandre: Tu as acheté tout ça!

Simon: Il y a une promotion, et en plus des titres géniaux.

Alexandre: Lesquels?

Simon: Criminelles... Brigitte Bardot, Catherine Deneuve, Jeanne Moreau, Isabelle Adjani, Isabelle Huppert....

Alexandre: Dans quels films?

Simon: Devine!

Alexandre: Deneuve, *La sirène du Mississipi*; Moreau... le Truffaut... *La mariée était en noir*? Adjani, *Mortelle randonnée*; Bardot, *La vérité*; et Huppert... lequel? Elle a beaucoup joué les criminelles....

Simon: Surtout chez Chabrol.

Alexandre: Difficile... euh... je sais pas, moi....

Simon: C'est un bon Chabrol! Viens chez moi, je te ferai une projection privée... ça sera la surprise....

Extension Quel film est-ce qu'Alexandre n'arrive pas à deviner? Les garçons parlent de combien d'acteurs et de réalisateurs? Est-ce qu'Alexandre et Simon sont des cinéphiles? Expliquez.

Le Septième Art en France

La France est l'une des grandes nations du cinéma: par son histoire avec l'invention du spectacle cinématographique et les débuts du cinéma, au goût, pour l'expérimentation des formes, depuis *Le voyage dans la lune* de Georges Méliès (1902) jusqu'à *The Artist* (2011); et par son public, car en France, le cinéma n'est pas seulement un divertissement*, c'est un art.

Le cinéma français est un cinéma d'inventeurs de formes: de ses débuts avec Georges Méliès et Abel Gance (*Napoléon*, 1927); du cinéma réaliste (Jean Renoir, *La bête humaine*, 1938) et poétique (Marcel Carné, *Les enfants du Paradis*, 1945); de la Nouvelle vague* avec Claude Chabrol (*Le beau Serge*, 1958), Jean-Luc Godard (*À bout de souffle*, 1959), et François Truffaut (*Jules et Jim*, 1961); des années 1960, avec Alain Resnais (*L'année dernière à Marienbad*, 1961), Jacques Demy (*Les parapluies de Cherbourg*, 1964), et Philippe de Broca

Les Triplettes de Belleville.

(*L'homme de Rio*, 1964); jusqu'à l'époque contemporaine avec Jean-Pierre Jeunet (*Le fabuleux destin d'Amélie Poulain*, 2001), Sylvain Chomet (*Les triplettes de Belleville, 2002*), Marjane Satrapi (*Persépolis*), et Laurent Cantet (*Entre les murs,* 2008).

Mais le cinéma en France est aussi une pratique culturelle qui a son public: les cinéphiles* vont d'abord voir un film pour le réalisateur qui l'a fait et qui est considéré comme un auteur. Clint Eastwood et Woody Allen n'oublient jamais de rappeler que c'est en France qu'ils ont été d'abord reconnus comme de vrais auteurs.

Paris est la capitale mondiale de la cinéphilie. C'est la seule ville au monde où l'on puisse voir la même semaine 300 à 400 films dans 30 ou 40 langues différentes. Le premier acte d'un cinéphile parisien chaque mercredi matin, c'est d'acheter *Pariscope* ou de le consulter en ligne!

🔍 **Search words: georges méliès et le film "hugo"; la nouvelle vague; filmographie (+ nom du metteur en scène)**

Pariscope magazine

divertissement *entertainment;* **Nouvelle vague** *New Wave;* **cinéphile** *fan du cinéma*

 C'est un critique franco-italien, Ricciotto Canudo, qui a créé le terme "le septième art," en 1923. Sur sa liste le cinéma vient après la poésie, la musique, le théâtre, les arts plastiques, l'éloquence (c'est-à-dire la rhétorique), et la danse.

Produits

Le cinéma a commencé en France en 1895 avec l'invention du **cinématographe** par Auguste et Louis Lumière, ou les Frères Lumière. Leur premier film s'appelle *Sortie d'usine*. Le film à succès de Martin Scorsese, *Hugo*, qui se passe dans les années 20, est un hommage au réalisateur français George Méliès.

COMPARAISONS

Est-ce que vous allez au cinéma pour voir l'œuvre du réalisateur, ou pour les acteurs? Quelles sont les autres raisons qui vous amènent à assister à une séance de cinéma?

Le Festival de Cannes

Le Festival de Cannes est un festival du film international dont la première édition a eu lieu en 1946 avec des représentants de 21 pays. La récompense suprême de Cannes est la Palme d'Or: en plus de 60 ans le Festival aura couronné* un peu plus de 500 films. En 1946, ils étaient quelques centaines de participants, aujourd'hui ils sont 40.000 dont 4.000 journalistes, 500 photographes, 300 équipes de télévision, et 86 envoyés spéciaux pour la presse en ligne.

 Search words: festival cannes

_____
aura couronné *will have crowned*

C'est au Palais des Festivals et des Congrès de Cannes que sont décernées les Palmes d'Or.

Produits

Parmi les prix décernés à Cannes sont **la Palme d'or**, **le Grand Prix**, et **le Prix du Jury**. Le prix le plus prestigieux est la Palme d'or pour le meilleur film de la compétition. Le Grand Prix récompense le film qui manifeste un esprit de recherche et le plus d'originalité. Le Prix du Jury récompense un film aimé par le jury.

Le réalisateur reçoit le Prix du Jury pour son film *La Part des Anges*.

Les César

Ils ont été créés en 1976 sur le modèle des Oscar hollywoodiens. La compression en métal qui symbolise le César est due au sculpteur du même nom: César, qui a donné son nom à la récompense. Chaque année ils couronnent le meilleur du cinéma français mais ils élisent* aussi le meilleur film étranger. Les cinq principales récompenses sont le meilleur film, le meilleur réalisateur, la meilleure actrice, le meilleur acteur, et le meilleur scénario.

Tim Burton accompagne Isabelle Hupert au festival de Cannes.

Meilleur film, les César ont leurs champions: *Le dernier métro* (1981) de François Truffaut et *Cyrano de Bergerac* (1991) de Jean-Paul Rappeneau avec 10 César chacun; *Le Prophète* de Jacques Audiard (9 César en 2010); *Providence* d'Alain Resnais (1978), et *Au revoir les enfants* de Louis Malle (1988): 7 César.

Les réalisateurs les plus récompensés sont Roman Polanski (3 César), Alain Resnais, Bertrand Tavernier, Jean-Jacques Annaud, Claude Sautet, et Jacques Audiard (2 César).

Meilleure actrice, elles sont plusieurs à avoir reçu plusieurs César: Jeanne Moreau (3), Romy Schneider (2), Annie Girardot (3), Catherine Deneuve (2), Isabelle Adjani (5, record absolu), Nathalie Baye (4), Isabelle Huppert (1). Meilleur acteur, ils sont peu nombreux à l'avoir reçu plusieurs fois: Michel Serrault (3), André Dussolier (3), Gérard Depardieu (2), Daniel Auteuil (2).

élisent *elect*

---

7 Activités culturelles

Faites les activités suivantes.

1. Faites un axe chronologique sur les œuvres des inventeurs de formes dans le cinéma français.
2. Écrivez la description d'un film dans votre axe chronologique (#1). Vos camarades de classe écriront des descriptions pour les autres films.
3. Trouvez sur Internet les noms des films qui ont reçu la Palme d'or pour les cinq dernières années. Est-ce que les Américains ont eu l'occasion de les voir au cinéma?
4. Trouvez des photos de vedettes qu'on a prises au dernier Festival de Films de Cannes. Quelles vedettes hollywoodiennes y sont allées?
5. Trouvez qui a été récompensé lors de la dernière cérémonie des César.
   • Meilleur film   • Meilleur réalisateur   • Meilleur acteur   • Meilleure actrice

Perspectives

Selon le Ministère des Affaires Étrangères français, le cinéma français est un "axe fort de la politique culturelle de la France à l'étranger." Pourquoi les Français sont-ils si fiers de leur cinéma et certains de son influence?

Du côté des médias

Pre AP

Interpretive Communication

Regardez l'affiche et lisez le paragraphe de dessous.

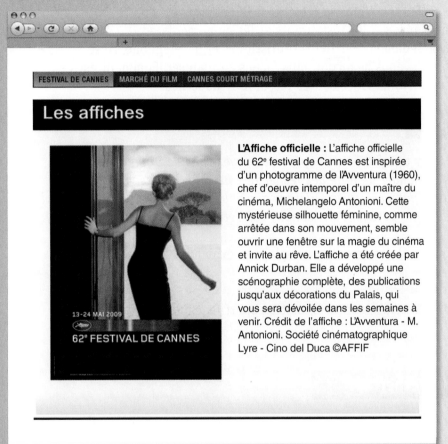

Les affiches

L'Affiche officielle : L'affiche officielle du 62ᵉ festival de Cannes est inspirée d'un photogramme de l'Avventura (1960), chef d'oeuvre intemporel d'un maître du cinéma, Michelangelo Antonioni. Cette mystérieuse silhouette féminine, comme arrêtée dans son mouvement, semble ouvrir une fenêtre sur la magie du cinéma et invite au rêve. L'affiche a été créée par Annick Durban. Elle a développé une scénographie complète, des publications jusqu'aux décorations du Palais, qui vous sera dévoilée dans les semaines à venir. Crédit de l'affiche : L'Avventura - M. Antonioni. Société cinématographique Lyre - Cino del Duca ©AFFIF

8 L'affiche officielle de Cannes

Faites l'activité ci-dessous.

Pensez à un réalisateur ou à une réalisatrice que vous admirez. Choisissez une scène-clé de son œuvre et créez une affiche qui montre son style ou sa vision pour un concours d'affiches pour le Festival de Cannes. Préparez aussi un petit paragraphe pour expliquer votre affiche.

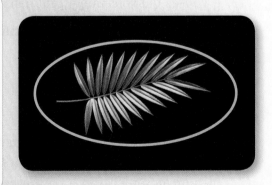

La culture sur place

Je fais le/la touriste
Introduction et Interrogations

Question centrale

?

De quelles compétences ai-je besoin en voyageant?

Il y a 25 ans, organiser un voyage en Europe n'était pas facile. Il fallait trouver un hôtel, faire des réservations, se renseigner sur les restaurants et les monuments, et trouver les moyens de transport avec seulement les livres touristiques et le téléphone. Avec l'arrivée d'Internet, ces voyages sont devenus beaucoup plus faciles à organiser. Comment est-ce vous organiseriez un voyage avec vos connaissances et les ressources modernes?

9 Première Étape: Réfléchir

Écrivez les numéros 4, 3, 2, et 1 sur une feuille de papier. Que savez-vous de Dijon ou de Monte Carlo? Votre professeur va vous demander de faire des recherches sur l'une de ces villes. À côté du numéro "4" sur votre feuille de papier, écrivez 4 détails que vous connaissez de cette ville qui pourraient vous aider à planifier votre voyage. Par exemple, ces détails peuvent traiter (address):
- *du climat*
- *de la géographie et de l'agriculture (montagnes, plages, corniches, vignobles, etc.)*
- *des monuments*
- *des plats régionaux*
- *des événements culturels (festivals, concerts, matchs sportifs, expositions)*

10 Deuxième Étape: Faire des recherches

Maintenant, vous avez quatre détails. Avec le nom de votre ville et le mot "tourisme" utilisez un moteur de recherche sur Internet pour identifier:
1. *1 question que vous vous posez toujours à propos de (about) votre ville et de votre voyage*
2. *2 choses que vous voulez définitivement voir ou faire pendant votre voyage*
3. *3 choses qui vous intéressent dans la ville*

Une fois votre liste finie, partagez votre plan 4-3-2-1 avec un partenaire qui a un plan 4-3-2-1 pour l'autre ville.

11 Faire le point

Discutez des questions suivantes en classe.
1. Pourquoi est-ce parfois une bonne idée de bien organiser à l'avance un voyage dans une ville étrangère?
2. Quand on part en voyage à l'étranger, certaines choses ne peuvent pas être organisées à l'avance. Lesquelles?
3. Est-ce que vous préférez que votre voyage soit bien organisé et planifié à l'avance, ou préférez-vous plutôt partir à l'aventure?
4. Qu'est-ce que la classe a appris de chaque ville?
5. Est-ce que vous recommanderiez un séjour dans la ville que vous avez choisie, ou dans celle de votre camarade? Pourquoi?

Structure de la langue

The Interrogative Adjective *quel*

The interrogative adjective **quel** asks the question "which" or "what." **Quel** agrees with the noun it describes. **Quel** may precede the noun it describes or come directly before the verb **être**.

	Singular	Plural
Masculine	quel	quels
Feminine	quelle	quelles

Quelles seront les nouvelles sorties cette année?

What will be the new releases this year?

Quel genre de film aimerais-tu voir?

What type of film would you like to see?

12 Un jeu télévisé

Vous participez à un jeu télévisé. On vous montre un indice et vous devez répondre par une question. Suivez le modèle.

> **MODÈLE** la Tunisie, le Maroc, l'Algérie
> **Quels sont les pays du Magreb?**

1. "Je me souviens."
2. Monte-Carlo
3. sauce servie avec le steak
4. le Luxembourg, la Belgique, la Suisse, la France
5. Paris, Marseille, Lyon
6. les César
7. le 1er janvier
8. la boucherie, la pâtisserie, la crémerie, l'épicerie
9. le Mont-Blanc
10. la Savoie

Quel est le jeu télévisé le plus populaire?

The Interrogative Pronoun *lequel*

The interrogative pronoun **lequel** asks the question "which one(s)." It is often used to replace the interrogative adjective **quel** plus a noun. **Lequel** consists of two parts: the definite article and **quel**. Both parts agree in gender and in number with the noun they replace.

	Singular	Plural
Masculine	lequel	lesquels
Feminine	laquelle	lesquelles

Quel film sera le meilleur, *Cyrano de Bergerac* ou *Au revoir, les enfants*?

What film will be the best, Cyrano de Bergerac *or* Au revoir, les enfants*?*

Lequel sera le meilleur?

Which (one) will be the best?

A form of **lequel** may be the subject or direct object of a sentence or the object of a preposition. **Lequel** can refer to both people and things.

De tous les cinémas, **lesquels** sont les moins chers?

Of all the theaters, which ones are the least expensive?

On a vu beaucoup de bandes-annonces avant le film. **Laquelle** préfères-tu?

They're showing a lot of previews before the film. Which one do you like?

Avec **lequel** de ses copains Karim est-il allé au cinéma?

With which one of his friends did Karim go to the movies?

A form of **lequel** may be used as a one-word question.

Nous avons vu un long métrage. **Lequel**?

We saw a full-length film. Which one?

Several forms of **lequel** contract when they are preceded by **à** and **de**. Note the forms that change below.

	lequel	lesquels	lesquelles
à	auquel	auxquels	auxquelles
de	duquel	desquels	desquelles

Il y a trois cinémas près de l'hôtel. **Auquel** allons-nous?

There are three movie theaters near the hotel. To which one are we going?

Martine vient de rentrer du cinéma. Ah bon? **Duquel**?

Martine just returned from the movie theater Really? From which one?

COMPARAISONS

In which language is it more difficult to have a dangling preposition? Voici quatre profs. **Auquel** voudrais-tu parler?

Here are two teachers. **Which one** do you want to speak **to**?

COMPARAISONS: It's harder to have a dangling preposition in French because the preposition becomes part of the pronoun in **auquel, auxquels,** or **auxquelles.** Some English teachers want you to avoid dangling prepositions for more formal writing. You can do that with the sentence above by rephrasing it: "To which one do you want to speak?"

13 La chambre d'Alima

Complétez la phrase avec la forme convenable de "lequel."

MODÈLE **Voici l'ordinateur sur <u>lequel</u> Alima surfe sur Internet pour trouver des concerts.**

1. Voici les cahiers dans... Alima fait ses devoirs pour son cours d'histoire.
2. Voici la souris avec... Alima ouvre les logiciels.
3. Voici le lit dans... Alima dort tard le samedi matin.
4. Voici la copine avec... Alima regarde un film d'aventures.
5. Voici les feuilles de papier sur... Alima écrit sa composition de littérature.
6. Voici la chambre dans... Alima se repose après les cours.
7. Voici les stylos avec... Alima écrit les invitations à sa fête d'anniversaire.

14 Plus de renseignements!

Interpersonal Communication

Votre ami vous parle de ce qu'il compte faire ce weekend. Demandez-lui plus de renseignements.

MODÈLE Demain soir, j'aimerais aller *au cinéma.*
Ah bon? Auquel?

1. Je vais voir le deuxième film *d'un nouveau réalisateur.*
2. J'aime *les genres de films* qu'il tourne.
3. Je pense que mes amis et moi, nous allons aller *au stade* pour regarder un match de foot.
4. *L'équipe* que je préfère gagne presque toujours.
5. Nous mangerons *au fast-food américain.*
6. Après ça, je vais voir *une exposition.*
7. Finalement, je me servirai *de la recette de ma grand-mère* pour faire un bon dîner.

15 Quel cinéma?

Écrivez les numéros 1–7 sur votre papier. Écoutez les questions. Choisissez la réponse logique.

A. Je préfère celle avec Dany Boon.
B. La meilleure bande-annonce est celle de *Amélie.*
C. J'ai choisi de voir un documentaire.
D. Le meilleur film? C'est *Intouchables*!
E. Je préfère Gérard Depardieu et Juliette Binoche.
F. Sans aucun doute, c'est Steven Spielberg.
G. Je veux voir un film drôle samedi soir.

À vous la parole

Question centrale

? De quelles compétences ai-je besoin en voyageant?

Communiquez!

16 Pariscope

Presentational Communication

Écrivez la description d'un film que vous aimeriez créér ou voir, comme ci-dessous. Incluez la date du film, la durée, le genre, et le cinéma à Paris où vous voudriez que la première ait lieu. N'oubliez pas les noms des acteurs qui joueront les rôles principaux.

C ASSOCIÉS CONTRE LE CRIME France. Coul. (12-1h44). Comédie policière, de Pascal Thomas. L'impétueuse Prudence enquête avec con époux sur la disparition d'une richissime héritière russe. Avec Agathe de la Boulaye, André Dussolier, Catherine Frot, Nicolas Marie, Eric Naggar, Linh-Dan Pham, Hervé Pierre, Bernard Verley. **Nouvel Odéon 6ᵉ. Publicis Cinema 8e. Gaumont Alésia 14ᵉ. Gaumont Parnasse 14ᵉ. Le Champlin-St-Lambert 15ᵉ. Studio 28 18ᵉ.**

Communiquez!

17 Une interview à Cannes

Interpretive/Interpersonal Communication

Vous êtes journaliste et vous vous rendez à Cannes pour le Festival. Vous devez interviewer une vedette du cinéma français. Pour vous préparer, faites des recherches sur une des vedettes ci-dessous (ou une autre vedette française qui vous intéresse). Travaillez avec un partenaire qui fait des recherches sur la même vedette. L'un de vous va jouer le rôle du journaliste, et l'autre va jouer le rôle de la vedette.

Search words: isabelle adjani, danny boon, vincent cassell, gérard depardieu, jean dujardin, isabelle hupert, audrey tautou

Communiquez!

18 Les titres des films américains

Interpretive/Presentational Communication

Recherchez les titres français des films que vous aimez. Ensuite, faites une liste en français de vos dix films préférés et partagez-la avec vos camarades de classe. Affichez votre liste dans la classe.

Lecture thématique

La quarantaine

Rencontre avec l'auteur

Jean-Marie Gustave Le Clézio (1940–) est un auteur qui s'inspire souvent des pays lointains. Il décrit l'environnement de ces endroits de manière sensorielle... les sons, les saveurs, les images.... (Vous pouvez découvrir son écriture en lisant la page 346 de ce manuel.) Inspiré par l'histoire de son grand-père maternel et son grand-oncle Léon, Le Clézio crée des narrateurs qui font un voyage en mer qui est interrompu par *La quarantaine* du titre. Mais c'est aussi l'histoire d'Arthur Rimbaud, célèbre poète français. Ses poèmes réapparaissent au long de la narration et le roman se termine avec le narrateur contemporain à Marseille, retraçant les derniers pas de Rimbaud. Dans la sélection que vous allez lire, quelle coïncidence touche le narrateur?

Jean-Marie
Gustave Le Clézio

Pré-lecture

Quel ancêtre voudriez-vous connaître? Pourquoi? Partagez avec votre partenaire oralement.

Stratégie de lecture

Epistolary Novels

Un roman épistolaire est constitué d'une série de documents tels des lettres, des pages de journal intime ou des articles de journaux. Récemment, ces romans incluent des documents électroniques tels des courriels et blogues. Dans *La quarantaine*, Le Clézio se sert fréquemment de pages de journaux intimes pour raconter les histoires de ses divers narrateurs. Remplissez la grille ci-dessous en indiquant les thèmes qu'il aborde et comment il les traite à la page du journal intime de fin août 1980 à Marseille. Deux exemples ont été faits pour vous.

Sujets	Traitement
1. souvenir d'enfance: Rimbaud 2. désir: retracer les pas de Rimbaud 3.	une anecdote une comparaison (*simile*)

Outils de lecture

Sensory Details

Les détails sensoriels sont des mots et des expressions qui décrivent l'apparence, le son, l'odeur et la sensation tactile d'une chose. L'utilisation d'éléments sensoriels est une caractéristique d'une bonne description écrite. Au fur et à mesure de votre lecture, faites une liste des sens auxquels Le Clézio se réfère dans cette sélection, et donnez un exemple pour chacun.

Marseille, fin août 1980

C'est à lui que je pense, encore. Je m'en souviens, j'avais dix ou onze ans, ma grandmère m'avait parlé de ce qui s'était passé, ce soir-là, dans le bistrot de Saint-Sulpice, elle m'avait lu des passages du *Bateau ivre*, je lui ai demandé : « Mais ton Rimbaud, est-ce que c'est comme un oncle pour moi ? » Je croyais qu'on l'avait caché*, chassé*, juste parce qu'il était un voyou*, qu'il était parti en abandonnant tout le monde, comme Léon.

Alors j'ai voulu aller sur le dernier lieu où il avait vécu, comme on va sur un caveau* de famille. Pour voir ce qu'il avait vu, sentir ce qu'il avait senti*. C'était encore le plein été à Marseille. À neuf heures du matin, à la descente du train, l'air brûlait, il y avait sur la ville comme une odeur d'incendie*...

Au bout de la rue, jouxtant* l'ancienne prison des bagnards* transformée en archives ou en musée, l'hôpital dresse* ses grands murs de béton* blanc coulés* sur la poussière de la démolition. Il ne subsiste plus rien de l'ancien hôpital. J'ai erré* sans but dans les couloirs, dans ce qui reste du jardin entre deux parkings. J'ai lu l'inscription : « Ici, le poète... termina son aventure terrestre*. » L'amphithéâtre Arthur-Rimbaud. Dans la salle des pas* perdus, un Arabe vêtu* d'un jogging-pyjama, pieds nus dans des sneakers blancs, écoute son transistor. Son visage est émacié, creusé* par la souffrance*. Il porte lui aussi une petite moustache, et ses cheveux sont coupés très court, comme un bagnard. Il écoute sa musique, et son regard est doux, rêveur, comme s'il était loin d'ici, dans les Aurès. « Allah Kerim ! »

Et lui, l'autre, a-t-il boitillé* jusqu'aux grands platanes* de l'entrés, appuyé sur sa béquille*, pour s'asseoir à l'ombre* fraiche ? A-t-il marché, appuyé au bras d'Isabelle, en se mordant la lèvre pour ne pas crier, jusqu'au bout du jardin, pour regarder la mer au loin, entre les toits de la ville et les collines, confondue* à la taie laiteuse* du ciel ?

C'était le même été, il y a de cela quatre-vingt-neuf ans, quand Léon et Suryavati se sont effacés* de la mémoire des Archambau, comme s'ils entraient dans un autre monde, de l'autre côté de la vie, séparés de moi par une mince peau qui les rend invisibles. Ils n'ont jamais été aussi près de moi qu'en cet instant.

Pendant la lecture
1. À qui pense le narrateur?

Pendant la lecture
2. Qui est Léon?

Pendant la lecture
3. Qu'est-ce que le narrateur voudrait faire?

Pendant la lecture
4. Quelle heure est-il? Qu'est-ce que le narrateur ressent?

Pendant la lecture
5. On a bâti l'hôpital pour quelle partie de la population?

Pendant la lecture
6. Où va le narrateur?

Pendant la lecture
7. Qui voit-il? Que fait cet homme?

Pendant la lecture
8. De qui parle le narrateur?

Pendant la lecture
9. Le narrateur se souvient de quel ancêtre?

caché *hidden;* **chassé** *chased out;* **un voyou** *bad character;* **un caveau** *tombeau;* **sentir** *to feel;* **incendie** *fire;* **jouxtant** *adjoining;* **un bagnard** *prisonier;* **dresser** *to set up, erect;* **le béton** *le ciment;* **coulé(e)** *poured;* **errer** *to wander;* **terrestre** *sur la planète Terre;* **creusé** *lined;* **la souffrance** *suffering;* **un pas** *step;* **vêtu de** *habillé de;* **boitiller** *to walk with a limp;* **un platane** *sorte d'arbre;* **une béquille** *crutch;* **à l'ombre** *in the shade;* **confondu(e)** *fused with;* **la taie laiteuse** *milky pillowcase;* **s'effacer** *to be erased*

J'avais faim. Je me sentais libre. Je respirais l'air torride, je goûtais à l'ombre légère des grands platanes centenaires*. En quittant l'hôpital, j'ai acheté une boule de pain chez Paniol, et j'ai redescendu la longue rue qui serpente* jusqu'à la gare.

Pendant la lecture
10. Pourquoi le narrateur va-t-il quitter Marseille?

centenaire qui a 100 ans environ; **serpenter** to wind, meander

Post-lecture

La visite à Marseille est-elle une réussite pour le narrateur? Si oui, pourquoi?

Le monde visuel

Très jeune, Georges Rouault (1871-1958) a fait un apprentissage avec un vitrier, qui lui a appris à faire de la peinture sur verre. À partir de 1902, il a peint des aquarelles et gouaches aux couleurs vives. Il est devenu en plus un dessinateur et un graveur notable. Rouault était novateur par ses sujets, son utilisation des couleurs, par ses techniques et les mediums qu'il choisissait. Classé souvent comme fauviste ou expressionniste, Rouault voulait toujours rester indépendant. Les Fauves aimaient les couleurs intenses et s'inspiraient de l'instinct, tandis que les Expressionnistes aimaient déformer la réalité pour provoquer une réaction émotionnelle chez les spectateurs; ces derniers s'inspiraient d'une vision subjective. Pourquoi certains critiques appelaient Rouault un Fauve ou un Expressionniste?

 Search words: la collection georges rouault centre georges pompidou, blogs cinéma

La ville, 1912. Georges Rouault. Collection privée.

19 **Activités d'expansion**

Faites les activités suivantes.

1. Écrivez une composition qui explique les sujets du journal intime d'août 1980 à Marseille et la façon dont Le Clézio a choisi de les traiter.
2. Écrivez une histoire contemporaine en vous servant de mails comme documents. N'oubliez pas d'insérez des détails sensoriels.
3. Recherchez la fin de la vie d'Arthur Rimbaud. Puis, relisez le texte de Le Clézio et écrivez un paragraphe dans lequel vous expliquez comment vous comprenez mieux la sélection.
4. Choisissez un poème de Rimbaud. Apprenez-le, ou au moins une strophe, par cœur. Présentez les vers à haute voix en groupe. Discutez en groupe des sujets et des thèmes de Rimbaud.

 Search words: poèmes Rimbaud, lisez poèmes rimbaud en ligne

Projets finaux

A Connexions par Internet: Le cinéma

Interpretive/Presentational Communication

Imaginez que vous suivez cours de cinéma à l'université. Le prof mentionne "la Nouvelle Vague," mais vous ne savez pas exactement ce que c'est. Faites des recherches en ligne pour pouvoir donner une définition, préciser l'époque, et faire une liste des grands réalisateurs et de leurs meilleurs films. Avec un groupe de camarades de classe, faites une présentation devant un la classe, chaque élève se chargeant d'une catégorie de recherche.

B Communautés en ligne

Notre blogue cinéma/Interpretive Communication

Lisez quelques critiques de films en français en vous servant des "search words" ci-dessous. Ensuite, avec vos camarades de classe, créez un blogue sur le cinéma. Chaque élève écrit une critique d'un film français ou américain. Partagez le lien de votre blogue avec d'autres classes de français et avec les Francophones que vous connaissez. Demandez-leur d'ajouter leurs critiques au blogue.

 Search words: allociné blogs, blogs cinéma

C Passez à l'action!

On tourne un film.

Avec vos camarades de classe, planifiez un film sur un thème de *T'es branché?* Par exemple, vous pouvez faire un film sur un sujet dans *Points de départ* ou sur un thème ou une histoire des *Lectures thématiques*. Il faut prendre beaucoup de décisions: Qui va devenir le réalisateur? Qui écrit ou adapte le scénario? Qui s'occupe de la mise en scène (*setting*)? Qui joue les rôles? Qui s'occupe des costumes? etc.

D Faisons le point!

Faites un diagramme comme celui de droite et remplissez-le pour montrer vos connaissances concernant la question centrale. Un exemple a été fait pour vous.

Question centrale

De quelles compétences ai-je besoin en voyageant?

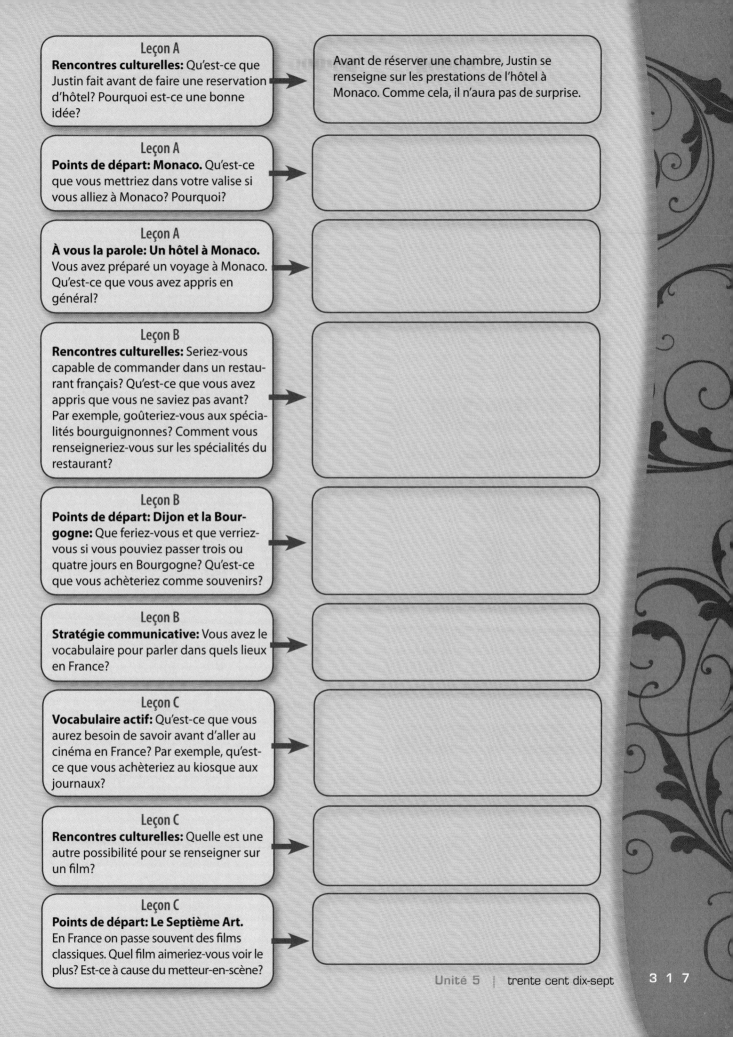

Leçon A
Rencontres culturelles: Qu'est-ce que Justin fait avant de faire une reservation d'hôtel? Pourquoi est-ce une bonne idée?

→ Avant de réserver une chambre, Justin se renseigne sur les prestations de l'hôtel à Monaco. Comme cela, il n'aura pas de surprise.

Leçon A
Points de départ: Monaco. Qu'est-ce que vous mettriez dans votre valise si vous alliez à Monaco? Pourquoi?

→

Leçon A
À vous la parole: Un hôtel à Monaco. Vous avez préparé un voyage à Monaco. Qu'est-ce que vous avez appris en général?

→

Leçon B
Rencontres culturelles: Seriez-vous capable de commander dans un restaurant français? Qu'est-ce que vous avez appris que vous ne saviez pas avant? Par exemple, goûteriez-vous aux spécialités bourguignonnes? Comment vous renseigneriez-vous sur les spécialités du restaurant?

→

Leçon B
Points de départ: Dijon et la Bourgogne: Que feriez-vous et que verriez-vous si vous pouviez passer trois ou quatre jours en Bourgogne? Qu'est-ce que vous achèteriez comme souvenirs?

→

Leçon B
Stratégie communicative: Vous avez le vocabulaire pour parler dans quels lieux en France?

→

Leçon C
Vocabulaire actif: Qu'est-ce que vous aurez besoin de savoir avant d'aller au cinéma en France? Par exemple, qu'est-ce que vous achèteriez au kiosque aux journaux?

→

Leçon C
Rencontres culturelles: Quelle est une autre possibilité pour se renseigner sur un film?

→

Leçon C
Points de départ: Le Septième Art. En France on passe souvent des films classiques. Quel film aimeriez-vous voir le plus? Est-ce à cause du metteur-en-scène?

→

Évaluation

A Évaluation de compréhension auditive

Interpretive Communication
Un hôtel à Dijon

*Écoutez Aude et Rachid discuter de leur réservation dans un hôtel en Bourgogne. Ensuite, écrivez **V** si les phrases sont vraies ou **F** si elles sont fausses.*

1. Le couple a choisi un hôtel en Bourgogne parce qu'il y a beaucoup de sites à visiter et la cuisine est bonne.
2. Ils ont aimé leur hôtel à Monaco.
3. Rachid a appelé pour s'assurer qu'il y avait un restaurant dans l'hôtel.
4. L'hôtel a un réceptionniste mais pas de concierge.
5. Les spécialités du restaurant sont les escargots et le bœuf bourguignon.
6. Aude aime le lapin à la moutarde.
7. L'hôtel offre une piscine et un centre de remise en forme.

B Évaluation orale

Interpersonal Communication

*Avec un partenaire, jouez les rôles d'un(e) étudiant(e) américain(e) qui planifie un voyage à Dijon ou à Monte Carlo (**A**), et d'un(e) étudiant(e) américain(e) qui vient de rentrer de cette destination (**B**). **L'étudiant(e) A** pose des questions sur la cuisine, le climat, et ce qu'il y a à voir et à faire. **L'étudiant(e) B** lui donne des renseignements. Finalement, les étudiants décident quel film ils vont voir ensemble ce weekend.*

C Évaluation culturelle

Vous allez comparer les cultures francophones à votre culture aux États-Unis. Vous aurez peut-être besoin de faire des recherches sur la culture américaine.

1. **Les hôtels**
   Quels types d'hôtels existent en France? Aux États-Unis? Dans quelles chaînes d'hôtels êtes-vous déjà descendu(e)? Où aimeriez-vous aller en France? Dans quel type d'hôtel? Avec quelles prestations?

2. **Les produits et les gens célèbres**
   Pour quels produits Monaco est-elle connue? Quelles personnes sont liées à Monaco? Quels sont les produits et personnes célèbres de votre région? Quelles sont les différences ou les similarités avec Monaco?

3 **Une capitale régionale**
Qu'est-ce que vous savez sur l'histoire de Dijon? Pour quels produits cette ville est-elle connue? Comparez la capitale bourguignonne avec la capitale de votre région, province, ou état.

4. **Le Septième Art**
Quelles sont les indications culturelles qui indiquent que le cinéma est important en France? Pourquoi les Français disent-ils que le cinéma est un art? Comparez l'attitude des Français envers le cinéma et l'attitude des Américains que vous connaissez.

5. **Les César et les Oscars**
Quels réalisateurs français et américains ont reçu le plus de récompenses? Quelles vedettes françaises et américaines ont reçu le plus de récompenses?

D Évaluation écrite

Écrivez un dialogue qui a lieu dans un restaurant français pour un serveur/une serveuse et deux clients.

E Évaluation visuelle

Avec un(e) partenaire, jouez les rôles d'un(e) ado qui sait quel film il/elle voudrait voir et d'un(e) autre ado qui appelle son ami(e) pour voir s'il/elle est libre et voudrait voir un film ce weekend.

F Évaluation compréhensive

Créez une histoire avec six illustrations: dessinez un couple en vacances à Monaco. Montrez et décrivez ce qu'ils font et voient.

Vocabulaire de l'Unité 5

accueil home page *C*

les **actions (f.)** actions *C*

adressé (à) addressed (to) *C*

agréable pleasant *A*

apprécier to like *C*

l' **ascenseur (m.)** elevator *A*

auquel, auquelle to which *C*

un **bain: bain à remous** whirlpool bath *A*

une **bande-annonce** film trailer, preview *C*

bien: bien entendu of course *B*

blasé(e) blasé *C*

la **Bourgogne** Burgundy *B*

bourguignon(ne) from, of Burgundy *B*

c'est: c'est dommage que… it's too bad that… *B*

ça: ça promet it sounds promising *C*

le **casting** casting *C*

une **catastrophe** catastrophe *C*

un **centre: centre d'affaires** business center *A*; **centre de remise en forme** fitness center *A*

chacun(e) each (one) *A*

une **chaîne: chaîne câblée** cable channel *A*

un **chef: chef d'orchestre** conductor *C*

un **classique** classic *B*

un(e) **client(e)** guest *A*

un **coffre-fort** safe *A*

une **compétence** skill *A*

composé(e) (de) made up (of) *C*

comprendre to include *B*

un(e) **concierge** concierge *A*

le **confort** comfort *A*

une **connexion: connexion Wifi** wireless internet connection *A*

consulter to consult *C*

la **critique** review *C*; **les critiques (m., f.)** critics *C*

les **dénominations (f.)** denominations *B*

la **description** description *A*

les **dialogues (f.)** dialogues *C*

dijonnais(e) from, of Dijon *B*

un **directeur, une directrice** director *C*

le **doublage** dubbing *C*

doublé(e) dubbed *C*

douter to doubt *B*

la **durée** duration, length *C*

duquel, duquelle from which *C*

électronique electronic *A*

une **émotion** emotion *C*

éprouver to feel *C*

équipé(e) equipped *A*

une **étoile** star *C*

être: être certain que to be certain that *B*; **être étonné que** to be surprised that *B*; **être évident que** to be obvious that *B*

exiger to require *A*

le **faisan** pheasant *B*

un **fax** fax *C*

fermenté(e) fermented *B*

le **final** finale *C*

garantir to guarantee *A*

la **gastronomie** gastronomy *B*

le **goût** taste *B*; **à mon goût** for my taste *C*

le **hall** lobby *A*

un **homme: homme de ménage** janitor *C*

l' **humeur (m.): je ne suis pas trop d'humeur pour** I'm not in the mood for *C*

imprécis(e) vague *A*

imprenable unobstructed *A*

une **impression** impression *C*

intense intense *C*

le **jambon: jambon persillé** ham and porc dish made with chopped parsley *B*

jeter un coup d'œil (à) to glance (at) *B*

un **lieu** place *A*

le **lobby** lobby *A*

long, longue: un long métrage feature film *C*

maints many *B*

mon: mon Dieu my god *B*

monégasque from, of Monaco *A*

le **multiplexe** multiplex cinema *C*

un **nanar** flop *C*

les **nouveautés (f.)** new releases *C*

paraître: il paraît que it appears that *C*

parfait(e) perfect *A*

partager to share *C*

une **pause** pause *C*

personnellement personally *B*

plat(e) flat, lifeless *C*

plutôt quite *A*

pratique practical *A*

des **précisions (f.)** specific information *A*

les **prestations (f.)** amenities *A*

quelques a few, some *A*

un **réalisateur, une réalisatrice** movie director *C*

regretter to be sorry *B*

un(e) **Romain(e)** Roman *B*

la **sauce: sauce béarnaise** Béarnaise sauce *B*; **sauce béchamel** béchamel sauce *B*; **sauce blanche** white sauce *B*; **sauce hollandaise** hollandaise sauce *B*; **sauce marinière** white wine sauce *B*

servi(e) served *B*

un **service** service *A*; **service blanchisserie** laundry service *A*; **service de chambre** room service *A*

souhaiter to hope, to wish *A*

une **sortie** release *C*

sous-titré subtitled *C*

les **sous-titres (m.)** subtitles *C*

soviétique Soviet *C*

stéréotypé(e) stereotypical *C*

un **style** style *C*

suivant(e) following *A*

le **synopsis** movie synopsis *C*

tomber: tomber sur to discover accidentally *C*

le **ton** tone *C*

tourner un film to shoot a movie *C*

les **trompettes de la mort (f.)** trumpet of the dead mushrooms *B*

le **veau** veal *B*

une **vedette** star *C*

la **viande** meat *B*

une **version: version originale (V.O.)** original version *C*

vrai(e) real *C*

le **Wi-Fi** wireless internet *A*

6 On se débrouille en France.

Citation

Dans un voyage,
le plus long est de
franchir le seuil.

**The longest part of a trip is getting
past the threshold.**

—Proverbe romain

À savoir

Plus de 30% des livres
achetés en France sont
des livres littéraires.

On se débrouille en France.

Question centrale

Comment s'intégrer à une autre culture?

Ce logo représente quelle institution française?

Comment s'appelle cet écrivain?

Contrat de l'élève

Leçon A I will be able to:

>> open a bank account and make a promise.

>> discuss French banks and how best to get money while staying in Europe.

>> use the future tense in sentences with **si** and **quand**.

Leçon B I will be able to:

>> ask what a book is about and say I'll never be able to decide.

>> discuss French reading habits and the Nobel prize-winning author **Le Clézio**.

>> use verbs + **de** + nouns and the relative pronoun **dont**.

Leçon C I will be able to:

>> say what I need and specify items.

>> discuss the services of the French post office.

>> use demonstrative adjectives and demonstrative pronouns.

Vocabulaire actif

emcl.com
WB 1–2
Games

À la banque et à la fac

À la banque

On ouvre un compte avec le banquier/la banquière.

On retire de l'argent au distributeur avec sa carte bancaire.

On dépose/encaisse un chèque avec le caissier/la caissière.

un chéquier

de la monnaie

On signe des chèques de voyage au bureau de change.

Bureau de Change

un billet (de banque)

de l'argent liquide

une pièce (de monnaie)

SEARCH

UNIVERSITÉ DE TOULOUSE... les facs

chimie-biochimie (f.)   droit (m.)   économie (f.)   histoire de l'art (f.)

génie civil (m.)   gestion économie d'entreprise (f.)   infographie (f.)   sciences politiques (sciences po) (f.)

médecine (f.)   psychologie (f.)   langues (f.)   lettres (f.)

Pour la conversation

What do I say at the bank to open an account and get a debit card?

> **Je voudrais ouvrir un compte et obtenir** une carte bancaire.

I would like to open an account and obtain a debit card.

How do I make a promise?

> **C'est promis!**

It's a promise!

Et si je voulais dire...?

un code confidentiel	*PIN*
un crédit	*credit*
une dette	*debt*
un emprunt	*loan*
une hypothèque	*mortgage*
un virement automatique	*automatic payment*

1 Une visite à la banque

Complétez les phrases suivantes.

1. Awa a besoin d'ouvrir... à la banque.
2. Elle voudrait avoir... pour faire des chèques et pour retirer de l'argent au....
3. À la banque, elle se présente au... pour ouvrir un compte.
4. Elle a des... de voyage, mais elle voudrait de l'argent liquide, c'est-à-dire des... et des....
5. Le caissier demande à Awa de... ses chèques de voyage.
6. Au guichet, Awa reçoit de..., des euros en billets et en pièces de monnaie.
7. Avant de partir en voyage en Anglettere, Awa retourne à la banque et va au... pour échanger des euros en livres (*British pounds*).

Communiquez!

2 Nouveau compte en banque!

Interpretive Communication

Écrivez les numéros 1–7. Écoutez Jonathan décrire son expérience dans une banque en France. Faites correspondre la phrase que vous entendez à la bonne image.

A.

B.

C.

D.

E.

F.

G.

3 Quelles études?

Dites où les étudiants se sont inscrits pour suivre les études qui les intéressent.

> **MODÈLE** Johann s'intéresse aux affaires publiques.
> **Il s'est inscrit à sciences po.**

1. Karine veut être médecin.
2. Marco souhaite étudier les philosophies de Freud et Jung.
3. Océane voudrait devenir juge un jour.
4. Abdoulaye s'intéresse à la chimie.
5. Juliette voudrait étudier les œuvres des grands peintres européens.
6. Julien compte devenir ingénieur.
7. Naya voudrait travailler pour une grande compagnie internationale.
8. Abdel-Cader aimerait devenir metteur en scène.

4 Questions personnelles

Répondez aux questions.

J'ai ouvert un compte à la BNP.

1. As-tu déjà ouvert un compte en banque? Si oui, pourquoi?
2. Est-ce que tu préfères dépenser ton argent ou le mettre à la banque?
3. As-tu une carte bancaire? Si oui, quand est-ce que tu t'en sers?
4. Est-ce que tu connais quelqu'un qui collectionne des pièces de monnaie?
5. Est-ce que tu as déjà utilisé des chèques de voyage?
6. Quand est-ce que tu vas avoir besoin d'un bureau de change?
7. Quand tu sors avec des ami(e)s, qui paie? Est-ce que tu as toujours de l'argent liquide sur toi? Et tes ami(e)s?
8. Si tu allais à l'université, tu t'inscrirais dans quelle faculté? Pourquoi?
9. Qu'est-ce que tu comptes devenir un jour?

La banque et la fac

Justin voudrait ouvrir un compte à la banque.

Justin: Les finances en France, pour moi ce n'est pas évident....

Léo: Tu verras, quand tu iras à la banque.... Non, ce n'est pas compliqué.

Justin: Mais combien faut-il de papiers? Vous adorez les certificats, les autorisations... on a toujours l'impression d'être coupable! Qu'est-ce que je dis au banquier?

Léo: "Je voudrais ouvrir un compte et obtenir une carte de crédit." Tu auras ta carte de crédit en trois jours.

Justin: Trois jours? Avant de pouvoir retirer de l'argent liquide au distributeur automatique? Mais qu'est-ce que je vais devenir?!

Léo: Demain matin, tu as cours à quelle heure?

Justin: Si je me souviens bien, je n'ai que cours l'après-midi.

Léo: C'est parfait! Si on y va à 11h00, tu auras ton compte à midi. Au fait, tu es content de ton cours d'infographie?

Justin: Oh, oui, en ce moment on travaille sur la lumière, le réglage, le positionnement... c'est génial!

Léo: Tu es notre futur John Lasseter. Tu réalises quand ton premier *Toy Story*?

Justin: Je ferai mieux que ça... je vous ferai entrer dans le monde de la quatrième dimension graphique!

Léo: Ça existe?

Justin: Je n'en sais rien! En tout cas, je le ferai!

Léo: Quand tu finiras ton premier film, tu m'inviteras à la première?

Justin: C'est promis!

---

5 La banque et la fac

Répondez aux questions.

1. Que doit faire Justin?
2. Est-ce que Justin pense que c'est compliqué d'ouvrir un compte à la banque?
3. Que dit Léo pour le rassurer?
4. Quand Justin va-t-il à la banque?
5. Qu'est-ce que Justin étudie?
6. Qu'est-ce que Justin veut faire dans l'avenir?

Ludovic et Manon parlent au formateur à l'École des Arts graphiques.

Manon: Les formations en arts graphiques, c'est un cursus de 2, 3 ou 4 ans?
Formateur: Ça dépend... vous avez des formations courtes en deux ans avec des BTS en deux ans
             en communication visuelle, et ensuite, vous pouvez faire un diplôme supérieur des
             arts appliqués dans une école spécialisée; ou alors vous choisissez une école d'art et
             de graphisme, puis vous vous spécialisez en 3ème cycle, option multimédia.
Ludovic: Et si on suit ce cursus on pourra faire ensuite tous les métiers liés à l'infographie?
Formateur: Oui, après ça dépend de vous, de vos choix....
Manon: Ça veut dire quoi?
Formateur: Ça veut dire qu'il y a énormément de secteurs.
Ludovic: Par exemple?
Formateur: Les services de communication d'entreprises, les agences de publicité, les sociétés de
             commerce en ligne, les maisons d'édition, le secteur de la presse, les jeux en ligne,
             mais aussi le cinéma et la télévision, l'animation....
Ludovic: Tant mieux! Et on gagne combien?
Formateur: Au début 1.500 euros par mois... après ça peut monter très vite. Ça dépend de votre
             talent!

Extension   Qu'est-ce que les deux jeunes gens apprennent de la profession qui les intéresse en
                parlant avec le formateur?

La Francophonie: Les banques

✳ En France

Le système bancaire français est très centralisé. Il est dominé par cinq groupes: La BNP Paris-Bas (Banque nationale de Paris et des Pays-Bas), le groupe Crédit agricole avec le Crédit Lyonnais, et la Société générale, la Banque populaire, la Caisse d'Epargne appelées la BPCE, et la Poste. C'est un secteur qui emploie plus de 500.000 personnes. Les Banques forment le troisième employeur privé* de France.

Certaines banques offrent des "cartes à puce*." Ces cartes bancaires contiennent un circuit intégré* qui transmet de l'information à un négociant (marchand ou banquier). Le consommateur vérifie cette information à l'aide d'un code confidentiel. Ce système prévient* les fraudes.

 Search words: bnp paris-bas, crédit agricotle, credit lyonnais, banques populaires, la caisse d'épargne, poste gérer votre argent

Une succursale de la Banque Nationale de Paris, ou BNP.

---

employeur privé *private employer;* **carte à puce** *microchip bank card;* **circuit intégré** *circuit board;* **prévient** *prevents*

✳ Au Canada

La Banque Royale du Canada, établie en Nouvelle-Écosse en 1864, est la plus grande banque du Canada. Elle sert 17 millions de clients, a plus de 80.000 employés, et plus de 1.200 succursales*. Cette entreprise opère aussi aux États-Unis et dans 50 autres pays du monde.

La Banque de Montréal, fondée en 1817, est la plus vieille banque du Canada. Avec plus de sept millions de clients et plus de 900 succursales, c'est la quatrième plus grande banque du Canada. Aux États-Unis, elle est connue sous le nom de BMO Harris Bank.

 Search words: banque royale du canada, banque de montréal, bmo harris

---

succursale *branch*

Retirer de l'argent en Europe

Autrefois, quand on voyageait en Europe, on utilisait des chèques de voyages ou convertissait* les devises* nationales dans un bureau de change. Aujourd'hui, la plupart des gens se servent de leur carte bancaire (de débit ou de crédit). Les achats par carte bancaire sont convertis au taux* de change interbancaire, qui est plus avantageux que dans un bureau de change. C'est une bonne idée d'emmener deux cartes, au cas où* l'une d'entre elles ne marche plus, soit endommagée* ou volée. C'est aussi une bonne idée de garder de l'argent liquide sur soi au cas où des magasins n'acceptent pas votre carte bancaire, votre carte de crédit, ou vos chèques de voyage. Toutefois, évitez les retraits* d'argent avec votre carte parce que les frais supplémentaires sont élevés*. Pour utiliser votre carte bancaire dans un distributeur automatique, votre banque personnelle doit être connectée au réseau* international Cirrus ou PLUS. L'avantage des chèques de voyage et des cartes bancaires est qu'ils peuvent être remplacés sous 24 heures en cas de perte* ou de vol*. Au cas où vous ayez besoin d'argent d'urgence, votre famille ou un ami peut faire un virement* automatique dans une banque européenne proche* de votre hôtel.

 Search words: retrait bancaire, retrait étranger, cic

---

convertissait *converted*; **devise** *currency*; **au cas où** *in case*; **endommagée** *damaged*; **retrait** *withdrawal*; **élevés** *high*; **réseau** *network*; **perte** *loss*; **vol** *theft*; **virement** *transfer*; **proche** *close*

L'argot des ados

L'argent

le cash	la moolah
le flouze	le pèze
le fric	la tune

Produits

Si votre séjour en France dure plus longtemps, peut-être que vous déciderez de vous procurer **une Carte bleue**, une carte bancaire de débit, ou de crédit, utilisée par beaucoup de Français. C'était la première carte bancaire en France.

---

6 Activités culturelles

Complétez les activités suivantes. Vous aurez besoin de visiter le site officiel des banques mentionnées dans Points de départ.

1. Vous voulez ouvrir un compte dans une banque parisienne. Trouvez les banques qui vous permettent d'ouvrir un compte en ligne.
2. Trouvez la banque avec la plus grande sélection de cartes.
3. Trouvez les banques qui facilitent (*offer*) la mobilité bancaire.
4. Écrivez un sketch qui utilise deux expressions argotiques pour "l'argent."

Perspectives

"J'étais auditrice libre à l'Université d'Aix-Marseille. Très vite, j'ai ouvert un compte à la banque du coin et j'ai demandé une carte bancaire que je pouvais utiliser aux restaurants, au cinéma, à la librairie, et dans d'autres magasins. Pour mon anniversaire et pour Noël, mes parents m'ont envoyé de l'argent par virement bancaire." Cette étudiante américaine a-t-elle eu une bonne ou mauvaise expérience avec sa banque en France?

Du côté des médias

Interpretive Communication

Trouvez l'information qu'il faut mettre auprès des lettres A–F.

Chéque no **4569781**

à rédiger exclusivement en euros

Payez contre ce chéque non endossable
sauf auprés d'une Banque ou d'un organisme visé par la loi _____

€ [_____] **C**

montant en toutes lettres

D A _____

E Le _____

_____ **A**

à _____ **B**   **D**

F Signature

Payable à

24 ROUTE DU POLYGONE	M. VINCENT BATAUD
75001 PARIS CEDEX 1	48 AVENEUE DES MACHABÉS
CHEQUE N 00000000	69037 LYON

00345129   4567120092780423975⁴ 65400809

A Montant en toutes lettres   **B** Nom du bénéficiaire   **C** Montant en chiffres

D Lieu   **E** Date   **F** Signature

---

7 Un chèque bancaire

Donnez la lettre qui correspond à l'action mentionnée.

1. Vous écrivez "Paris."
2. Vous écrivez combien vous dépensez en toutes lettres.
3. Vous écrivez votre nom et prénom.
4. Vous écrivez combien vous dépensez en chiffres.
5. Vous écrivez le nom de la personne, du magasin, du restaurant, du supermarché, etc.
6. Vous écrivez la date d'aujourd'hui.

Structure de la langue

Future Tense in Sentences with *si*

To tell what will happen *if* something else happens or *if* some condition contrary to reality is met, use the future tense along with **si** and the present tense. Here is the order of tenses in these sentences with **si**.

si	+ present	**future**

Si Marame **trouve** du travail à Paris,
elle **pourra** ouvrir un compte bancaire.

*If Marame finds work in Paris,
she'll be able to open a bank account.*

Luc **signera** des chèques de voyage **s'**il
a besoin.

Luc will sign his traveler's checks if he needs them.

With **si** and the present tense, you may also use the present tense or the imperative in the result clause.

si	+ present	**present**
si	+ present	**imperative**

Nous **pouvons** retirer de l'argent au
distributeur **si** nous **voulons** acheter
quelque chose.

*We can take money from the ATM if we want
want to buy something.*

Si vous **voulez** faire une demande
de carte bancaire, allez à la banque.

*If you want to request a debit card,
go to the bank.*

Tout droit, je ne tomberai pas...

COMPARAISONS

Does the phrase with **si**/*if* have to be at the beginning of the sentence in French or English?

8 Les professions

Dites ce que les personnes suivantes deviendront si elles étudient les matières indiquées.

chercheur/chercheuse	médecin	écrivain	banquier
homme/femme d'affaires	pilote	vétérinaire	metteur en scène

MODÈLE je/la chimie
Je deviendrai chercheur/chercheuse si j'étudie la chimie.

1. nous/l'économie
2. Hugo/l'histoire de l'art
3. tu/la gestion
4. Chloé et David/l'infographie
5. Marion/la médecine
6. Jules et toi/l'aéronautique
7. Samia/la littérature
8. Marie-Alice et Alex/l'anatomie des animaux

Communiquez!

9 Que feras-tu si...?

Interpersonal Communication

Avec un partenaire, parlez de ce que vous ferez dans chaque situation. Posez des questions, puis répondez-y.

MODÈLE sortir ce weekend
A: **Qu'est-ce que tu feras si tu sors ce weekend?**
B: **Si je sors ce weekend, j'irai au cinéma. Et toi, qu'est-ce que tu feras si tu sors ce weekend?**
A: **Je ferai du shopping si je sors ce weekend.**

1. aller en vacances
2. devenir riche
3. acheter un smartphone
4. passer du temps à la campagne
5. faire du camping
6. dîner dans un restaurant français
7. voyager à Paris
8. aller au parc d'attractions
9. aller à la Martinique
10. gagner un billet d'avion gratuit

COMPARAISONS: No, the phrase with **si**/*if* and the present tense can either begin or end the sentence in both languages.

Future Tense after *quand*

emcl.com
WB 10–11
LA 2
Games

> Quand elle ira à l'université, elle s'inscrira à la fac de médecine.

Another use of the future tense is to tell what will happen *when* something else happens in the future. Here is the order of tenses in these sentences with **quand**:

quand	+ future	future

Quand je **suivrai** le cours d'histoire de l'art, je **connaîtrai** tous les artistes importants!

When I take the art history course, I will know all the important artists!

You also use the future tense after the conjunctions **lorsque**, **aussitôt que**, and **dès que**.

Lorsqu'il y **aura** un projet en génie, nous **pourrons** travailler ensemble.

When there is an engineering project, we can work together.

Aussitôt que le prof **arrivera**, nous **passerons** notre examen de psychologie.

As soon as the teacher arrives, we will take our psychology test.

Tu me **diras** ton emploi de temps **dès que** tu le **sauras**?

Will you tell me your schedule as soon as you know it?

Note in the examples above that the phrase with **quand**, **lorsque**, **aussitôt que**, or **dès que** can either begin or end the sentence.

COMPARAISONS

What is the difference between the tenses used in the French and English examples above?

COMPARAISONS: When referring to future events, the French verb in each clause is in the future when **quand** is used, but in English the verb following "when" is in the present tense.

Il n'y qu'une banque dans votre village, la Banque Centrale. Complétez les phrases sur les activités des clients à la banque.

1. Quand j'irai à la Banque Centrale, je.... (*ouvrir un compte*)
2. Maylis recevra une carte de crédit quand elle.... (*faire une demande de carte de crédit*)
3. Lorsque tu retiras de l'argent au distributeur, tu.... (*avoir de l'argent liquide*)
4. Les Dujardin utiliseront leur Carte bleue lorsqu'ils.... (*voyager au Canada*)
5. Quand vous signerez votre chèque, on vous.... (*donner des pièces de monnaie et des billets à la caisse*)
6. Nous demanderons des chèques de voyage quand nous.... (*aller en Angleterre*)

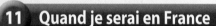

11 **Quand je serai en France**

Interpretive Communication

Écrivez les numéros 1–8 sur votre papier. Écoutez les questions suivantes. Choisissez la lettre qui correspond à la meilleure réponse.

A. J'étudierai les sciences à la faculté de médecine.

B. Alors, je serai infirmier.

C. Quand j'aurai mon bac, j'irai à l'université.

D. Aussitôt que je serai en France, j'ouvrirai un compte bancaire.

E. Non, je travaillerai d'abord en Afrique.

F. Alors, j'utiliserai mes chèques de voyage.

G. Oh là là, qu'est-ce que tu es négatif! Et bien alors, j'appellerai mes parents au Canada.

H. Si je ne peux pas ouvrir de compte, j'utiliserai ma carte American Express®.

12 **Le weekend prochain**

Interpersonal Communication

À tour de rôle, vous allez parler de ce que vous ferez le weekend prochain. Le but est de continuer la conversation aussi longtemps que possible. Suivez le modèle.

MODÈLE   rentrer chez toi vendredi soir

A: **Qu'est-ce que tu feras lorsque tu rentreras chez toi vendredi soir?**

B: **Lorsque je rentrerai chez moi, je me détendrai.**

À vous la parole

Communiquez!

13 **À la banque**

Interpersonal Communication

Avec votre partenaire, jouez les rôles d'un(e) étudiant(e) américain(e) qui voudrait ouvrir un compte en France et d'un des employés de la banque.

Dites bonjour au client/à la cliente et proposez votre aide. → Dites que vous voudriez ouvrir un compte et que vous avez besoin d'un chéquier.

Dites que vous pouvez l'aider. → Répondez poliment.

Demandez son nom et adresse en France. → Donnez vos coordonnées.

Dites qu'il faut 50 euros pour ouvrir un compte. → Dites que vous avez des chèques de voyage en dollars.

Demandez-lui de les signer. → Dites que vous les avez déjà signés.

Donnez un chéquier au client/ à la cliente. → Remerciez l'employé(e).

Communiquez!

14 **L'apprentissage**

Interpretive/Presentational Communication

Imaginez que vous avez décidé de ne pas aller à l'université. Vous préférez poursuivre (*pursue*) un apprentissage (*apprenticeship*). Choisissez une région de France et recherchez les possibilités. Finalement, écrivez deux petites annonces pour un apprentissage: une annonce du côté du demandeur (vous, l'apprenti) et une autre de la compagnie.

 Search words: apprentissage alsace, apprentissage bretagne, etc.

Comment s'intégrer à une autre culture?

Prononciation

Repeated Consonants Surrounding Falling /ə/

- When two identical consonants surround the falling /ə/, both need to be pronounced in the same breath.

A Les consonnes géminées par chute du /ə/

Écoutez les phrases, et répétez la deuxième.

1. Je voulais téléphoner.   Je voulais **t**e **t**éléphoner.
2. Il vient dormir.   Il vient **d**e **d**ormir.
3. Il faut lire.   Il faut **l**e **l**ire.
4. Max la réparerait.   Il **l**a **l**éparerait.

B À l'écoute de deux consonnes identiques

Écoutez chaque phrase. Écrivez les consonnes répétées. Il peut y avoir deux exemples dans une phrase.

Nasal vowels

- Usually, the consonant /n/ is not pronounced when the accompanying vowel is nasal, except in cases of liaison. However, liaison is impossible after nouns when a nasal vowel is followed by an initial vowel in the next word, for example: **Il met son argent‿à la banque.** This is called **l'enchaînement vocalique**.

C L'enchaînement vocalique

Répétez ces exemples de l'enchaînement vocalique.

1. Il a‿un‿acc**ent**‿amusant.
2. Rendez-vous à la mais**on**‿à‿onze heures!
3. On devait aller tous les mat**ins**‿à la fac.

D Trouvez l'enchaînement vocalique

*Écrivez **oui** si vous entendez l'enchaînement vocalique, ou **non** si vous ne l'entendez pas.*

Vocabulaire actif

À la librairie

Je m'achète....

un recueil de poésie

une anthologie de pièces de théâtre

un article

un mystère

une nouvelle

une biographie

une autobiographie

un roman de science-fiction

un roman policier

un dictionnaire

un best-seller

un livre de poche

un manga

un thriller

Pour la conversation

Ｈow do I ask what a book is about?

> **Ça parle de quoi?**

What's it about?

Ｈow do I say I'll never be able to decide?

> **Je n'arriverai jamais à** me décider!

I'll never be able to decide!

Et si je voulais dire...?	
une critique littéraire	*literary critic*
un discours	*speech*
un essai	*essay*
une légende	*legend*
des mémoires (m.)	*memoirs*
un polar	*mystery novel*
une tragédie	*tragedy*

1   Le cours de littérature

Lisez la lettre de Sylvie à sa correspondante au Canada.

le 13 février
Cannes

Hélène,

J'aime bien lire, mais ça sert à quoi si on n'a jamais le temps de faire autre chose?! Quand j'aurai soixante-quinze ans et que je ne travaillerai plus, peut-être que j'aurai le temps de lire pour le plaisir. Mais là, vraiment, on exagère, tu ne trouves pas? Notre prof n'est pas raisonnable. Il exige que nous lisions un manga, un recueil de poésie, un roman de science-fiction, un roman policier, et combien de nouvelles? Moi, j'ai horreur de la poésie. Et toi, on te fait lire comme ça dans ton cours de littérature?

Amitiés,
Clara

1. De quoi est-ce que Clara se plaint?
2. Elle compte avoir le temps de lire quand elle aura quel âge?
3. Il faut qu'elle lise quelles sortes de textes?
4. Elle a horreur de lire quoi?
5. Qu'est-ce qu'elle demande à sa correspondante?

2   Des écrivains francophones

Dites ce que chaque écrivain écrit. Choisissez un genre de livre dans la liste ci-dessous.

MODÈLE   Patrick Poivre-d'Arvor
Il écrit des articles et des livres.

articles	livres	recueils de poésie	romans de science-fiction
	pièces	romans policiers	nouvelles thriller

1. Jacques Prévert
2. Georges Simenon
3. Stiegg Larsson
4. Jules Verne
5. Samuel Beckett
6. Guy de Maupassant

3   La lecture, ça vous passionne?

Dites si vous lisez ou vous ne lisez pas les livres ci-dessous.

MODÈLES    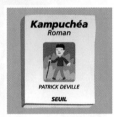   **Je lis des romans.**
Je ne lis pas de dictionnaire.

pièce	autobiographie	roman de science-fiction	roman policier
article	mystère	recueil de poésies	nouvelle

1.

2.

3.

4.

5.

6.

7.

8.

Communiquez!

4 Ce que je lis 🎧

Interpretive Communication

Écrivez les numéros 1–8 sur votre papier. Écoutez Stéphanie interviewer des passagers à la gare du Nord sur ce qu'ils lisent dans le train. Écrivez **F** *si on lit de la fiction, ou* **NF** *si on ne lit pas de fiction.*

Communiquez!

> T'es en train de lire une nouvelle?

> Oui, c'est un recueil des nouvelles de Maupassant.

5 Qu'est-ce que tu es en train de lire?

Interpersonal Communication

À tour de rôle, demandez à votre partenaire ce qu'il ou elle est en train de lire. Suivez le modèle.

MODÈLE
A: **Qu'est-ce que tu es en train de lire?**
B: **Je suis en train de lire un roman policier de Georges Simenon.**
A: **Ça parle de quoi?**
B: **Il s'agit d'un sans-abri qu'on retrouve dans la Seine, et Maigret trouve les réponses aux questions du mystère.**
A: **Tu le recommandes?**
B: **Mais oui! C'est passionnant.**

> J'aime les romans psychologiques de Françoise Sagan.

6 Questions personnelles

Répondez aux questions.

1. Préfères-tu lire de la poésie ou de la prose? Des romans ou des nouvelles? Pourquoi?
2. Tu offres des livres à tes amis et à tes parents pour leurs anniversaires? Si oui, quelles sortes?
3. Ce que tu lis en ce moment, ça parle de quoi?
4. Comment est-ce que tu te sers d'un dictionnaire, sur Internet ou à la bibliothèque?
5. Quels best-sellers as-tu lus? Qui les a écrits?
6. Selon toi, la littérature française parle de quoi?

Rencontres culturelles

emcl.com
WB 4

Des bouquins pour Justin

Justin cherche des livres à la librairie, avec l'aide de Léo.

Justin: Je n'arriverai jamais à me décider!

Léo: Bon, on commence par quoi? Tu voulais un roman de Le Clézio... achète le dernier!

Justin: Ça parle de quoi?

Léo: Ça s'appelle *Ritournelle de la faim*... tu sais comme dans le "Boléro" de Ravel, quelque chose qui revient. Il s'agit de l'enfance d'une fille dans les années 1930 qui abandonne l'imaginaire pour la réalité.

Justin: Ah, oui, et il me faut *Le... voleur d'ombres*, le dernier Marc Lévy... mon amie Heather adore ses drôles d'histoires d'amour.

Léo: Et n'oublie pas cette petite nouvelle d'Anna Gavalda, *L'Echappée belle*.

Justin: J'ai envie d'un manga. Que me conseilles-tu?

Léo: *Dreamland*, dont tu deviendras voyageur... je ne t'en dis pas plus.

Justin: J'ai lu quelque chose sur Mabanckou, l'écrivain congolais. Tu connais?

Léo: *Demain, j'aurai 20 ans*? Très drôle et plein de tendresse.

Justin: C'est un titre auquel j'aurais dû penser tout seul.

Léo: Pourquoi?

Justin: Demain j'aurai 20 ans! Ça tombe bien!

7 Des bouquins pour Justin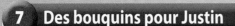

Donnez le titre et, quand c'est possible, le nom de l'auteur pour chaque livre décrit.

1. C'est un livre drôle écrit par un auteur congolais.
2. Une jeune fille échange l'imaginaire pour la vie réelle.
3. C'est une histoire d'amour amusante.
4. Le lecteur/la lectrice devient voyageur.
5. C'est une petite nouvelle.

Un journaliste interviewe des passants sortant de la FNAC.

Journaliste: Quel est votre meilleur souvenir de lecture?

Passante 1: Le premier livre que j'ai choisi seule... c'était *Vendredi ou les limbes du Pacifique* de Michel Tournier.

Passant 2: Ma mère m'avait offert *L'île au trésor* de Stevenson: je l'ai lu sans m'arrêter.

Passante 3: Là j'ai acheté *Ward*, je ne sais pas de quoi ça parle, je sais simplement qu'il s'agit d'un livre dans lequel l'auteur crée une langue et d'un pays dont il invente la littérature.

Passant 4: Ma première BD: Tintin, *Le secret de la Licorne*... ça reste pour moi le chef d'œuvre du genre.

Passante 5: Toutes les adolescentes de mon âge se souviennent de *Bonjour Tristesse*: je le relis chaque année, à la fin de l'été: vous avez remarqué? Toutes les adolescences finissent toujours à la fin de l'été: c'est drôle, non?

Passant 6: Moi, c'est quand j'écoute du slam: les textes du premier disque de Grand Corps Malade, *Midi vingt,* la vie à l'échelle d'une journée... vous en connaissez beaucoup de souvenirs comme ça.

Extension Quels titres suggérés par les passants vous intéressent? Pourquoi? Y a-t-il un livre que vous recommanderiez à un(e) ami(e)?

Question centrale

?

Comment s'intégrer à une autre culture?

Les habitudes de lecture des Français

Le livre reste en France la marque de la culture: en témoignent* les photos officielles des présidents français photographiés devant des bibliothèques ou un livre à la main; les hommes politiques se doivent de* parler de leurs lectures ou témoigner d'un goût pour l'écriture*. Les ventes de livres sont rythmées par les saisons: l'automne ce n'est pas seulement la rentrée scolaire, mais c'est aussi la rentrée littéraire avec la distribution des prix littéraires*, avec, entre autres le Prix Goncourt. Et dès le printemps, les magazines et librairies rivalisent pour mettre en avant quelles seront les meilleures lectures de l'été à venir. En outre* les quotidiens* avec des suppléments hebdomadaires* (*Le Figaro* littéraire, *Le Monde* des livres) et le nombre de revues spécialisées (*Magazine Lire* ou *Le Magazine littéraire*) et les magazines comme *L'Express* ou *Le Nouvel Observateur* accordent* une place importante aux livres.

Les petites librairies sont plus fréquentées dans les petites villes de France que les grandes.

Quatre-vingt et un pour-cent des Français sont considérés comme lecteurs, et ils possèdent environ 170 livres par famille. Parmi ces lecteurs 80% ont un dictionnaire; 40% une encyclopédie; 68% des livres de cuisine; et 50% des romans, des essais ou des ouvrages* historiques. Si le nombre de gros lecteurs* augmente, le nombre de petits lecteurs* est en baisse*.

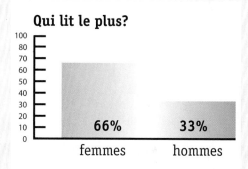

Qui lit le plus?

66% femmes
33% hommes

 Search words: fnac France

---

témoignent *witness;* **se doivent de** *must;* **écriture** *writing;* **prix littéraire** récompense pour les écrivains; **En outre** *Moreover;* **quotidien** journal qu'on reçoit tous les jours; **hebdomadaire** un journal qu'on reçoit une fois par semaine; **accordent** donner; **ouvrage** livre, œuvre; **gros/petit lecteur** *heavy/light reader;* **être en baisse** diminue

Produits

En France on aime **les émissions de télé littéraires** telles que "Un livre, un jour" (France 3), "Des mots de minuit" (France 2), "Ça balance à Paris" (Paris Première), et "Le Cercle" (Canal +). La première émission de télé où on a discuté les livres a été "Lectures pour tous," de 1953 à 1968.

COMPARAISONS

Comparez la place du livre dans la société française et dans la société américaine.

La Francophonie: Écrivains

✳ France

Prix Nobel de Littérature en 2008, Jean-Marie Gustave
Le Clézio, né à Nice en 1940, est un écrivain nomade
ou voyageur. Il commence à écrire très jeune: ainsi dès
l'âge de sept ans il écrit sur le bateau qui l'emmène avec
sa mère de l'île Maurice au Nigéria. Son premier roman
Le Procès-verbal (1963) le rend célèbre à 23 ans. Son écriture
s'inspire de son expérience et de ses voyages: l'Île Maurice de ses origines familiales (*Le
Chercheur d'or* et *La Quarantaine*, en 1985 et 1995), et l'Afrique de son enfance (*Onitsha*,
1991). De la vie qu'il a partagée avec Indiens dans la jungle panaméenne* pendant quatre ans
(1970–1974), il tire *La Fête chantée*, *La Relation de Michoacán*, et *Le Rêve mexicain*. Les origines
de sa femme l'amèneront* également* au Maroc dont *Désert* (1980) est l'exploration poétique,
épique, et historique. Homme de la frontière* (*Étoile errante*, *Ritournelle de la faim*), il a très
tôt compris que le dépaysement de soi* était une garantie de la sauvegarde de son identité et
de sa vérité*.

 Search words: prix nobel littérature, association des lecteurs de j.-m. g. le clézio

panaméenne de Panama; **amèneront** *will bring*; **également** *as well, equally*; **frontière** *border*; **dépaysement de soi**
self-transcendence; **vérité** *truth*

✳ À la Guadeloupe

Maryse Condé a aussi beaucoup voyagé. Née en Guadeloupe, elle a étudié les Lettres
Classiques à la Sorbonne à Paris, puis elle a vécu en Afrique dans plusieurs pays. Elle
vit maintenant aux États-Unis et à la Guadeloupe. Comme romancière*, elle explore des
questions fondamentales de race, de sexe, et de culture. Elle a reçu le Grand Prix Littéraire
de la Femme pour *Moi, Tituba, sorcière, Noire de Salem* (1986). Ce roman est l'histoire d'une
femme née au 17ème siècle d'une esclave noire et d'un colon blanc. Élevée par une vieille
sorcière* antillaise, elle arrive à confronter la souffrance et à réclamer* son identité. Un
autre roman connu de Maryse Condé est *Histoire de la femme cannibale* (2005). Il s'agit
d'une femme née en Guadeloupe mais qui a vécu en France, en Afrique, aux États-Unis, et au
Japon. Ce roman montre que l'identité n'est pas seulement une affaire de géographie, mais
aussi de cœur.

 **Search words: moi tituba sorcière, victoire, les saveurs et les mots; maryse condé
vidéo**

romancière *femme qui écrit des romans*; **sorcière** *witch*; **reclamer** *to reclaim*

> ## COMPARAISONS
>
> Est-ce que la France ou les États-Unis a reçu plus de prix Nobel pour la littérature?

8 Activités culturelles

Faites les activités suivantes.

1. Dites à quoi ces pourcentages correspondent selon la lecture:
   - 81%
   - 50%
   - 80%
   - 68%
   - 40%
2. Faites une carte du parcours (*travel*) de Le Clézio tel qu'il est décrit dans la présentation.
3. Lisez une critique d'un livre de Le Clézio et présentez-la dans vos propres mots.
4. Faites une liste de six titres de Maryse Condé et dites où chacun a lieu.

Perspectives

Le Clézio a dit: "L'artiste est celui qui nous montre du doigt une parcelle du monde." Est-ce vrai de tous les écrivains que vous connaissez? Selon vous, c'est le sentiment d'un voyageur ou d'un écrivain?

Du côté des médias

Interpretive Communication

Lisez les informations dans le tableau ci-dessous.

Poids des principaux secteurs d'édition dans les ventes des éditeurs (2010, en valeur et en quantité)

Œuvres Littéraires vendues en France	Chiffre d'affaires (en%)	Ex. vendus (en%)
Livres scolaires	10	8
Parascolaires/Pédogogie, formation des enseignants	3	5
Sciences et techniques, médecine, gestion	4	1
Sciences humaines et sociales	8	4
dont droit	*3*	*1*
Religion	1	1
Ésotérisme	0,3	0,3
Dictionnaires et encyclopédies	4	5
dont encyclopédies en fascicules	*2*	*3*
Romans	24	25
Théâtre, poésie	0,3	0,5
Documents, actualité, essasis	4	3
Jeunesse	14	20
Album de bandes dessinées	6	6
Mangas, comics	2	**3**
Beaux arts	4	2
Loisirs, vie pratique, tourisme, régionalisme	14	13
Cartes géographicques, atlas	2	3
Ensemble	**100**	**100**

9 La lecture en France

Répondez aux questions.

1. Quels ont été les livres les plus vendus en France en 2010?
2. Qu'est-ce qui est plus populaire que les livres pour la jeunesse?
3. Quel a été le pourcentage du chiffre d'affaire pour les livres scolaires et parascolaires (*extracurricular*)?
4. Est-ce que les Français achètent plus de livres sur les sciences et techniques, la médecine, et la gestion (*business management*) ou sur les sciences humaines (*humanities*) et sociales?
5. Quels livres ont été les moins vendus en 2010?

Révision: Verbs + *de* + Nouns

Many verbs and verbal expressions in French are followed by **de** and a noun. They include:

avoir besoin de	*to need*
avoir envie de	*to want, to feel like*
avoir peur de	*to be afraid of*
être amoureux/amoureuse de	*to be in love with*
être au courant de	*to be informed of*
être content(e) de	*to be happy about*
se méfier de	*to beware of*
s'occuper de	*to take care of*
parler de	*to speak/talk about*
se plaindre de	*to complain about*
rêver de	*to dream about*
se servir de	*to use*
se souvenir de	*to remember*

Il **a envie d'une glace.**   *He wants an ice cream.*

Il **se plaignait de l'édition de poche** qu'il a lue la semaine dernière.   *He was complaining about the paperback he read last week.*

10 Club de lecture

Dites de quels livres des participants à des clubs de lecture parlent.

MODÈLE **On parle du dico électronique.**

recueil de poésie   livre de poche   roman policier   dico électronique

mystère   manga   roman de science-fiction   thriller   nouvelle

1.

2.

3.

4.

5.

6.

7.

8.

The Relative Pronoun *dont*

emcl.com
WB 8–9
Games

You know how to combine two shorter sentences into a longer one by using the relative pronouns **qui** and **que**. The word **dont** is also a relative pronoun, used to connect two clauses in a complex sentence. **Dont** (*about which/whom, of which/whom*) replaces **de** plus a noun and is used with the verbs and verbal expressions that are followed by **de** and a noun that you reviewed on page 348.

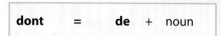

In the following examples, note how **dont** always comes directly after its antecedent to join the two separate sentences into one.

C'est un manga. Ma sœur m'a parlé de ce manga.	*It is a manga. My sister talked to me about this manga.*
C'est un manga **dont** ma sœur m'a parlé.	*It is a manga about which my sister talked to me.*
J'ai trouvé l'anthologie de poésie. J'avais besoin de l'anthologie de poésie.	*I found the poetry anthology. I needed the poetry anthology.*
J'ai trouvé l'anthologie de poésie **dont** j'avais besoin.	*I found the poetry anthology that I needed.*

The relative pronoun **dont** means "whose" in sentences where **de** indicates relationship or possession.

J'ai lu une nouvelle d'un écrivain sénégalais. Le père de l'écrivain est américain.	*I read a short novel by a Senegalese writer. The father of the writer is American.*

J'ai lu une nouvelle d'un écrivain sénégalais **dont** le père est américain.

I read a short novel by a Senegalese writer whose father is American.

Dont means "in which" after the expression **la façon**.

La façon **dont** Le Clézio écrit est fascinante.

The way in which Le Clézio writes is fascinating.

COMPARAISONS

Does **dont** refer to people or things in French? In English, what does "whose" refer to?

Voici la fille dont le père est venu au lycée.
Here is the girl whose father came to school.
Voici le restaurant dont le chef est italien.
This is the restaurant whose chef is italien.

11 Combinez les phrases!

*Combinez les deux phrases pour en faire une avec **dont**. Suivez le modèle.*

MODÈLE	Léo a acheté le dico. Il avait besoin d'un dico.
	Léo a acheté le dico dont il avait besoin.

1. Karim n'a pas fini le roman policier. Il s'est plaint du roman policier.
2. Marie-Alix a acheté le recueil de nouvelles. Elle avait besoin du recueil pour sa classe d'anglais.
3. M. Legrand a vu le recueil de poésie en ligne. Il se méfie du site.
4. Maman m'a offert un best-seller comme cadeau. Mon frère lui a parlé du best-seller.
5. À la librairie, j'ai vu une nouvelle édition de poche d'un roman de Le Clézio. Je me servirai de la nouvelle édition de poche pour ma composition.
6. En classe les élèves lisent une anthologie de littérature. Ils sont contents de cette anthologie.
7. C'est un roman de science-fiction très intéressant. Je me souviens bien de ce roman.

La glace, c'est le goûter dont Mme Morot a envie.

Communiquez!

12 Dans le cours de littérature 🎧

Écrivez les numéros 1–7 sur votre papier. Écoutez les phrases. Puis, écrivez le genre de livres dont tout le monde se sert pour son cours de littérature.

13 À l'Hôtel Beauséjour

Identifiez les personnes dont on parle.

> **MODÈLE** Ses enfants s'appellent Véro et Marc.
> **La personne dont les enfants s'appellent Véro et Marc est M. Gaillot.**

1. Sa valise est très grande.
2. Sa tablette est rouge.
3. Sa robe est longue.
4. Son fils est fatigué.
5. Sa femme est bavarde.
6. Elle met des bijoux dans le coffre.
7. Sa fille est énergique.

À vous la parole

Communiquez!

?
Question centrale

Comment s'intégrer à une autre culture?

14 Des cadeaux pour mon anniversaire

Interpretive and Presentational Communication

Vous aimez lire et vos parents voudraient vous acheter des livres en français pour votre anniversaire. Ils dépenseront environ 100 euros ou 130 dollars canadiens. Faites une liste des livres que vous voudriez lire. Dans votre liste, incluez le titre, le nom de l'auteur, une description de ce dont il s'agit, et le prix.

  Search words: (France) fnac
                                     (Québec) archambault

Communiquez!

15 Grand Corps Malade, slameur

Interpretive and Presentational Communication

Fabien Marsaud, ou "Grand Corps Malade," son nom de slameur, est un slameur français qui a fait des albums. De son art il a dit, "Je viens du slam. C'est un art a capella, c'est un art live, il faut qu'il y ait un auditoire pour qu'il y ait du slam." En groupes, préparez une présentation sur lui qui inclue:

Grand Corps Malade

- une courte biographie
- une explication de ses thèmes
- un exemple de son art (vous donnerez les paroles à la classe, avec un glossaire)
- une critique de son art
- une évaluation: Est-ce de la poésie? Justifiez votre réponse.

Stratégie communicative Pre AP

Writing a Persuasive Essay

Le discours argumentatif a pour objectif de convaincre, de persuader le lecteur. Vous devrez écrire un discours argumentatif afin de convaincre quelqu'un de lire ou de ne pas lire un livre, de voir ou de ne pas voir un film, ou de se rendre ou de ne pas se rendre à un certain endroit. Voici un exemple d'essai argumentatif. Est-ce que l'écrivain veut vous convaincre de rester ou de ne pas rester dans un hôtel de la gare?

Exemple:

Vous souhaitez rester dans un petit hôtel pas trop cher à proximité de la gare. L'hôtel de la gare est à deux pas de la gare et croyez-moi, il est difficile de l'oublier, surtout après une longue journée, car la suivante vous paraîtra encore plus longue.

Le soir, impossible d'ignorer les trains qui se succèdent. Mais, bon vous aviez choisi de rester près de la gare... vous saviez ce qui vous attendait. Par contre, c'était sans compter les jeunes du quartier que vous entendrez discuter au pied de l'immeuble, ou encore les étudiants de la fac sortant de la boîte au coin de la rue.

Un petit hôtel tout près de la Gare de l'Est.

Dans ces conditions, vous regretterez de ne pas avoir dépensé un petit peu plus d'argent pour la nuit, car impossible de lire votre guide et encore moins votre anthologie de poésie préférée. Et, vous serez si fatigué le lendemain après une nuit blanche que vous vous endormirez devant votre café. La journée en sera d'autant plus longue.

16 Mon discours argumentatif

Suivez les étapes suivantes pour écrire votre discours argumentatif:

1. Choisissez un sujet et votre public. Le public que vous aurez choisi déterminera votre niveau de langue, familier ou standard.
2. Faites des recherches et classez vos arguments dans un organigramme.
3. Faites d'abord un brouillon (*rough draft*). Citations, faits, et statistiques peuvent constituer des points importants pour défendre votre point de vue. Commencez votre thèse par un fait, ensuite continuez avec deux paragraphes, et enfin concluez.
4. Demandez à un camarade de classe de revoir ce que vous avez écrit; acceptez ou rejetez ses remarques.
5. Mettez au propre et rendez votre épreuve finale à votre professeur.

Vocabulaire actif

À la poste

Dom affranchit une lettre.

Le postier pèse un colis.

un facteur, une factrice

une boîte aux lettres

le courrier

une boîte cartonnée

l'affranchissement (m.)

les timbres (m.)

Pour la conversation

How do I say what I need?

> **Il me faut** une assez grande boîte....
>
> *I need a rather big box....*

How do I specify items?

> **Quels sont ceux que** tu veux envoyer?
>
> *Which ones do you want to send?*

> **Ceux que** j'ai achetés l'autre jour à la librairie.
>
> *The ones I bought the other days at the bookstore.*

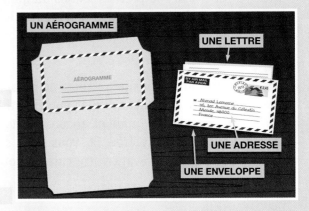

UN AÉROGRAMME

UNE LETTRE

AÉROGRAMME

BY AIR MAIL
PAR AVION

M Ahmad Lemome
16, ter Avenue du Célestin
Mende 48000
France

UNE ADRESSE

UNE ENVELOPPE

Et si je voulais dire...?

le code postal	*ZIP code*
un compte chèque	*postal checking account*
le destinataire	*addressee*
le frais de port	*postal rate*
à destination de	*destined for*
en recommandé	*by registered mail*
par avion	*by airmail*

 Mots-clé **Lettre:** *letre* (980) est issu du latin *littera* (lettre de l'alphabet) qui sous l'influence du grec *grammata* a pris le sens de missive puis d'ouvrage (*work*) écrit et, par suite, de littérature et, plus généralement, de culture et instruction. On parle de la "fac de lettres" pour se référer aux études de français.

1 Ce que ma grand-mère m'a raconté

Lisez la composition que Louise a écrite à l'école primaire, puis répondez aux questions.

Pour cette composition sur la vie d'autrefois j'ai interviewé ma grand-mère. Elle m'a raconté comment elle avait rencontré mon grand-père. De tous endroits possibles, elle l'a rencontré à la poste! Elle allait souvent à la poste pour envoyer des lettres et des livres à sa sœur. On n'avait pas accès à Internet et aux mails comme aujourd'hui. Pendant que le postier pesait son colis, mon grand-père lui a demandé ce qu'elle lisait parce qu'il la trouvait belle. Elle lui a répondu qu'elle était en train de lire un roman policier de Georges Simenon. Ils ont découvert qu'ils aimaient tous les deux cet écrivain. Mon grand-père a demandé à ma grand-mère d'écrire un message sur son aérogramme qu'il allait envoyer à son frère dans l'armée. Elle a écrit l'adresse parce qu'elle écrivait mieux que mon grand-père. Après, mon grand-père a accompagné ma grand-mère jusqu'à chez elle. Elle a offert de lui prêter son roman, et ils ont décidé de se retrouver plus tard au café.

1. Où est-ce que les grands-parents de Louise se sont rencontrés?
2. Qui a raconté à Louise l'histoire de la rencontre de ses grands-parents?
3. Quel objet de la grand-mère de Louise est-ce que son grand-père a remarqué?
4. Qu'est-ce que les grands-parents de Louise envoyaient ce jour-là?
5. Pendant que le postier pesait le colis de sa grand-mère, qu'est-ce que son grand-père a demandé à sa grand-mère?

2 À la poste

Dites ce qu'il vous faut.

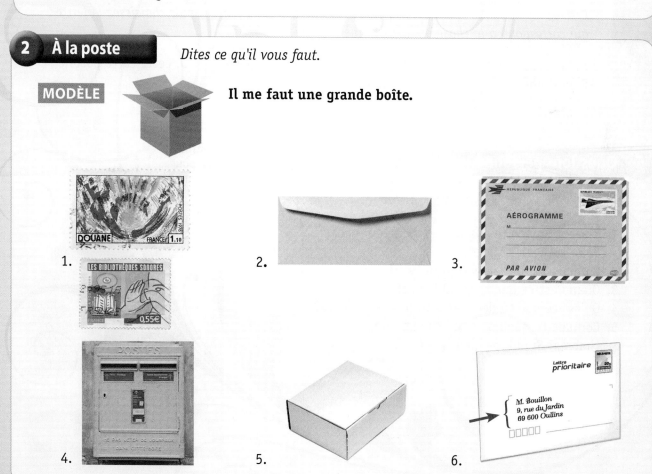

MODÈLE   **Il me faut une grande boîte.**

1.

2.

3.

4.

5.

6.

3 Clément va à la poste.

Complétez les phrases de Clément avec un mot de la liste.

envoyer	l'adresse	affranchir	postier	timbres	une enveloppe	peser

1. Je voudrais… une carte d'anniversaire au Canada.
2. Je mets la lettre dans… blanche.
3. J'écris… et je mets des….

4. Je donne la lettre au….
5. Je demande au postier, "Vous pouvez… mon colis?"
6. Il me donne le prix pour… mon colis.

Communiquez !

4 Le courrier

Interpretive Communication

Écrivez les numéros 1–6 sur votre papier. Écoutez chaque phrase, puis choisissez la lettre qui correspond à la chose ou la personne indiquée.

A. la factrice
E. le timbre

B. l'adresse
F. l'affranchissement

C. à la poste

D. cette carte postale

5 Questions personnelles

Répondez aux questions suivantes.

1. Y a-t-il une boîte aux lettres dans ton quartier? Peux-tu y aller à pied?
2. Connais-tu ton facteur ou ta factrice?
3. Quand est-ce que tu vas à la poste?
4. Qu'est-ce que tu demandes au postier de faire?
5. Connais-tu quelqu'un qui collectionne des timbres? Si oui, de quels pays?

J'vais surtout à la poste pour affranchir mes lettres.

Rencontres culturelles

À la poste

Léo et Justin sont à la poste.

Justin: Il me faut une assez grande boîte cartonnée comme cette boîte-ci pour envoyer mes livres.

Léo: Quels sont ceux que tu veux envoyer? J'ai des boîtes chez moi.

Justin: Ceux que j'ai achetés l'autre jour à la librairie du coin.

Léo: Alors, j'ai une boîte chez moi qui conviendrait....

Justin: En fait, j'ai aussi besoin d'une grande enveloppe pour les deux catalogues de la librairie.

Léo: Bon alors, on va chez moi pour tout préparer!

Justin: Et on revient après? La poste ferme à quelle heure?

Léo: À 18h00, mais on a le temps.

Justin: Et pour l'affranchissement....

Léo: Cet appareil ici fait très bien ça tout seul.

6 À la poste

Complétez les phrases.

1. Léo et Justin sont à....
2. Justin voudrait acheter une grande... et une grande....
3. La poste ferme à....
4. Avant d'envoyer ses boîtes et son enveloppe, Justin va... pour chercher une boîte.
5. On ne va pas parler au postier; on va se servir d'un... qui fait....

Extension Florence a besoin d'envoyer de l'argent.

Florence est à la poste pour envoyer de l'argent aux États-Unis.

Florence: Bonjour, monsieur! Je voudrais envoyer de l'argent à un ami aux États-Unis, s'il vous plaît.

Postier: Bonjour, mademoiselle! Le moyen le moins cher est par mandat international.

Florence: Combien de temps cela prendra-t-il?

Postier: À peu près autant qu'une lettre. Cinq à sept jours.

Florence: Euh... y a-t-il un moyen plus rapide?

Postier: Bien sûr, le mandat express international. C'est un peu plus cher mais votre ami recevra votre paiement en deux jours.

Florence: Y a-t-il un moyen encore plus rapide?

Postier: Le plus rapide, sans compte bancaire postal, c'est un transfert Western Union. L'argent est disponible immédiatement!

Extension Finalement, Florence va se servir de quel service?

La Poste

La Poste est l'héritière des relais de poste créés par Louis XI en 1477, et de l'office des messagers royaux* créé en 1576. L'administration des postes en France date du XVIIème siècle et à cette époque, c'est le destinataire qui payait le port*. À partir de 1946, les PTT (Poste, télégraphe et télécommunication) regroupent* deux administrations: la poste et les télécommunications.

Aujourd'hui la Poste est un service public qui compte 17.000 points de contact et qui emploie 270.000 personnes. Elle compte 11 millions de clients pour ses activités bancaires. Elle achemine* 28 milliards de documents par an, et elle est le deuxième opérateur européen en courrier distribué et en chiffre d'affaires* sur le colis express* en Europe.

La poste se reconnaît par son logo bleu et jaune.

Le bureau de poste est un des lieux symboliques de la continuité d'une vie administrative dans les plus petits villages et l'un des symboles de l'unité du territoire. La Poste est symbolisée par le facteur qui distribue le courrier, apporte les mandats*, les colis, et l'argent à domicile*. C'est un des personnages du service public le plus populaire.

Un camion de poste.

 Search words: la poste france, jour de fête jacques tati vidéo, bienvenue chez les ch'tis

---

messagers royaux *royal messengers*; **port** *postage*; **regroupent** *group together*; **achemine** *route*; **chiffre d'affaires** *revenue*; **colis express** *express mail for packages*; **mandats** *money orders*; **à domicile** à la maison

Le Minitel: précurseur* d'Internet

En 1982, la Poste propose un ordinateur, le Minitel, pour chaque maison. Le Minitel permet aux français de se brancher à un annuaire* électronique et à d'autres services. On pouvait ainsi acheter un bouquet de fleurs, faire des réservations (train, avion, théâtre...), voir les bulletins météo, et ainsi de suite*. L'invention de l'Internet a rendu le Minitel désuet*. Ce dernier a été amené à disparaître le 30 juin 2012.

---

précurseur *precursor*; **annuaire** *phone book*; **ainsi de suite** *and so on*; **désuet** *obsolete*

COMPARAISONS

Quels problèmes a la poste américaine? Quel rôle avait Benjamin Franklin dans la création de poste américaine?

Produits

Deux films témoignent (*testify*) de la popularité du facteur français. Jacques Tati a immortalisé le facteur dans *Jour de fête* (1947) et *Bienvenue chez les Ch'tis* (2008), dont l'un des héros est facteur, a obtenu le plus grand succès cinématographique de tous les temps en France.

7 **Activités culturelles**

Complétez les activités suivantes.

1. Dites à quel événement ces dates correspondent:
   - 1477
   - 1576
   - 1946
   - 1982
   - 2012
2. Allez sur le site officiel de la Poste. Recherchez le code postal de ces villes: Colmar, Pau, Aix-les-Bains.

 Search words: poste france site officiel

3. Allez sur le site officiel de la Poste. Nommez trois choses que vous pouvez voir au musée de la poste.
4. Allez sur le site officiel de la Poste. Comment est-ce que la Poste aide les gens qui visitent la France ou séjournent (*have a long stay*) en France?

À discuter

Quel est le rôle de la poste dans votre communauté? Dans votre vie?

Les facteurs et factrices se déplacent souvent à vélo en ville.

Du côté des médias Pre AP

Interpretive Communication

emcl.com
WB 12–13

Lisez cette page du site officiel de la Poste.

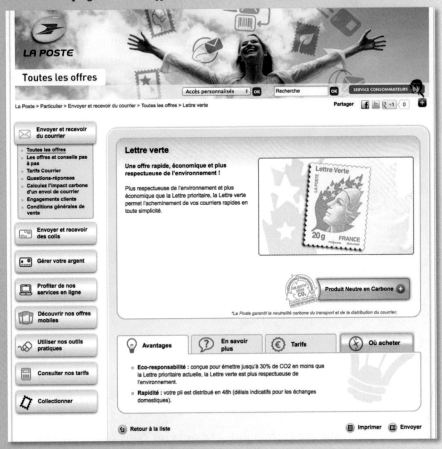

8 La Poste en France

Complétez les activités suivantes.

1. Dites où vous cliqueriez pour:
   - Acheter un smartphone
   - Trouver les prix pour les produits et services de la poste
   - Envoyer un colis
   - Acheter des timbres pour votre collection de timbres
2. Traduisez (*Translate*) la colonne à gauche (commençant avec "Envoyer et recevoir du courrier") en anglais pour les visiteurs qui parlent anglais.

La culture sur place

Question centrale

?

Comment s'intégrer à une autre culture?

Scénarios culturels
Introduction et Interrogations

Quand on voyage, on n'est pas toujours à l'aise dans toutes les situations. Quand il y a un moment de contact entre deux (ou trois ou quatre) cultures, les conflits sont inévitables. Cela ne veut pas dire que le résultat est forcément négatif. Comment vivre un scenario difficile dans une autre culture?

9 Première Étape: Répondre

Considérez chaque situation, ensuite pensez à votre réaction. Que feriez-vous? Décidez de votre réponse et faites un role-play avec un partenaire.

Scenario #1: À la banque ou vous avez une compte, vous voulez retirer de l'argent liquide. Vous donnez votre carte de crédit au banquier. Il vous dit que la carte est endommagée, et que vous ne pouvez pas l'utiliser. Que faites-vous? Que dites-vous au banquier?

Scenario #2: Vous avez besoin d'argent en France. Votre famille a un peu d'argent à vous envoyer, mais vous ne savez pas comment l'envoyer entre les deux localités. Où allez-vous pour vous renseigner? Que dites-vous?

Scenario #3: Vous faites la queue à la poste pour 45 minutes avec un colis à envoyer. Vous arrivez au postier, et il vous répond que vous vous êtes trompé de queue (*made the mistake of getting in the wrong line*). Il va vous falloir recommencer avec une nouvelle queue. Que faites-vous? Que dites-vous au postier?

Scenario #4: À un restaurant, vous commandez une carafe d'eau car vous avez très soif. Vous avez deux verres à votre place, et vous versez (*pour*) de l'eau dans un des deux verres. La serveuse arrive et vous gronde (*scold*) parce qu'elle dit que vous avez mis de l'eau dans le verre à vin. Quelle est votre réponse?

Scenario #5: En voyageant dans le sud de la France, vous prenez le train pour passer une journée dans une petite ville historique. La jolie petite ville n'a qu'une banque, et elle ferme de 12h00 à 14h00 pour le déjeuner. Malheureusement, vous avez besoin d'argent liquide pour acheter votre billet de train, la banque est fermée, et le train part à 14h00. Que faites-vous?

10 Faire le point!

Discutez les questions suivantes en classe.

1. Quel scénario était le plus difficile pour vous? Et le plus facile? Pourquoi?
2. Est-ce que ces scénarios pourraient se passer aux Etats-Unis aussi? Pourquoi ou pourquoi pas?
3. Y a-t-il d'autres scénarios difficiles dont vous voulez discuter?

Structure de la langue

emcl.com
WB 6–7
LA 2
Games

Révision: Demonstrative Adjectives

Demonstrative adjectives point out specific people or things. **Ce**, **cet**, and **cette** mean "this" or "that"; **ces** means "these" or "those." Demonstrative adjectives agree with the nouns that follow them.

Singular			Plural
Masculine before a consonant sound	**Masculine before a vowel sound**	**Feminine**	
ce colis	**cet** aérogramme	**cette** lettre	**ces** catalogues

Ce colis est arrivé hier.   *This package arrived yesterday.*
J'irai à **cette** poste pour envoyer ma lettre.   *I will go to that post office to mail my letter.*

To make a clear distinction between who or what is closer to the speaker and who or what is farther away, add **–ci** after the noun to mean "this" or "these" or **–là** after the noun to mean "that" or "those."

Cette adresse-**ci** n'est pas correcte.   *This address is not correct.*
Je dois envoyer **cet** aérogramme-**là** à mes parents.   *I have to send that aerogram to my parents.*

Communiquez!

11   **Des soldes au magasin**

Interpersonal Communication

À tour de rôle, demandez ce que votre partenaire aime. Suivez le modèle.

| ordinateur | chemise | casquette | portable |
| roman | chaussettes | accessoire | chaussures |

MODÈLE

(ci)   (là)

A: **Vous aimez cette chemise-ci ou cette chemise-là?**
B: **J'aime celle-là.**

1.   2.   3.

4.   5.   6.   7.

Demonstrative Pronouns

emcl.com
WB 8–11
Games

The demonstrative pronoun **celui** points out specific people or things and is often used to replace the demonstrative adjective **ce** plus a noun. The form of **celui** agrees in gender and in number with the noun it replaces. The singular forms mean "this one," "that one," or "the one." The plural forms means "these," "those," or "the ones."

	Singular	Plural
Masculine	celui	ceux
Feminine	celle	celles

C'est **celui** qui envoie le colis qui doit payer.

The one who sends the package has to pay.

Il y avait beaucoup de lettres dans ma boîte aux lettres, même **celles** de mes voisins.

There were a lot of letters in my mailbox even those of my neighbors.

A demonstrative pronoun is never used alone in a sentence. It is followed by **–ci** or **–là**, **qui** or **que**, or **de**.

Add **–ci** or **–là** after a form of **celui** to indicate a choice, to clarify, or to single out. To point out who or what is closer to the speaker (*this one, these*), add **–ci;** to point out who or what is farther away (*that one, those*), add **–là**.

Quels facteurs y travaillent? **Ceux-ci** ou **ceux-là**?

Which postal carriers work there? These or those?

Les enveloppes blanches? Vous préférez **celles-ci** ou **celles-là**?

The white envelopes? Do you prefer these or those?

Add **qui** or **que** after a form of **celui** for identification. Use **celui qui** as the subject and **celui que** as an object.

Les colis? **Ceux que** nous avons envoyés étaient les plus chers.	*The packages? Those that we sent were the most expensive.*
Celui qui habite près de la poste peut prendre le courrier.	*The one who lives near the post office can get the mail.*

Add **de** after a form of **celui** to express possession.

Simone a cherché son courrier et **celui de** ses parents aussi.	*Simone got her mail and her parents' too.*
Ces lettres-ci? Ce sont **celles de** Noah.	*These letters? They are Noah's.*

---

12 À la poste

Écrivez les numéros 1–6 sur votre papier. Écoutez les phrases. Choisissez la réponse logique.

1. A. ceux-ci   B. celle-là   C. celui-là
2. A. de ceux-ci   B. de celle-là   C. celui-là
3. A. ceux-ci   B. celles-là   C. celui-là
4. A. ceux-ci   B. celui-ci   C. celle-ci
5. A. ceux-ci   B. celui-ci   C. celle-ci
6. A. ceux-ci   B. celle-là   C. celui-là

---

13 Une Américaine à Paris

Vous voudriez mieux connaître Jennifer, une Américaine à Paris. Donc, vous posez des questions à son amie.

> **MODÈLE** Jennifer travaille pour une compagnie à Paris.
> **Pour celle-ci ou pour celle-là?**

1. Elle déjeune avec le directeur.
2. Elle va envoyer une carte postale à son ami américain.
3. Elle fait les courses chez les petits commerçants.
4. Elle va à une banque internationale.
5. Elle lit les mystères anglais.
6. Elle va assister à une première française d'un film.
7. Elle rêve de passer ses vacances d'hiver dans une station de ski.
8. Il lui faut des enveloppes.
9. Elle trouve les arts passionnants.

Communiquez!

Interpersonal Communication

À tour de rôle, posez des questions sur vos préférences pour mieux connaître votre partenaire.

MODÈLE les romans (*de Stephen Chbosky/de Stephen King*)
A: Tu préfères les romans de Stephen Chbosky ou de Stephen King?
B: Je préfère ceux de Stephen King. Et toi?
A: Moi, je préfère ceux de Stephen Chbosky.

1. les films (*de Brad Pitt/de Johnny Depp*)
2. les souvenirs (*d'enfance/d'adolescence*)
3. les contes (*du Maghreb/de l'Afrique*)
4. les voitures (*du Japon/de l'Italie*)
5. les tableaux (*des cubistes/des impressionnistes*)
6. la musique (*de la France/de l'Allemagne*)
7. les repas (*qu'on prépare à la maison/qu'on sert dans un restaurant français*)
8. les sports (*d'hiver/d'été*)
9. les maisons (*en banlieue/à la campagne*)
10. les CD (*de Taha/de St-Pier*)

Non, j'préfère ceux de Mihaileanu.

Tu préfères les films de Téchiné?

Celui-ci, celles-ci, celles-là... ?

À vous la parole

Communiquez!

15 Mon colis

Presentational Communication

Vous avez un(e) correspondent(e) francophone. Prenez un colis et mettez-y les choses qui vous identifient, par exemple, un album, un jeu vidéo, des photos, une balle de baseball…. Apportez votre colis en classe et expliquez à vos camarades de classe la signification de chaque chose dans votre colis.

Communiquez!

16 J'envoie mon colis.

Interpersonal Communication

Avec votre partenaire, jouez les rôles d'un(e) étudiant(e) américain(e) qui voudrait envoyer le colis de l'activité précédente et d'un postier/une postière qui l'aide à la poste. Mettez l'adresse du destinataire et votre adresse en France sur le colis.

Dites que vous voudriez envoyer ce colis, et donnez la destination.

Dites que vous allez le peser, puis indiquez le prix de l'affranchissement.

Dites qu'il vous faut des timbres pour six cartes postales à destination des États-Unis et trois aérogrammes.

Donnez le prix.

Payez.

Remerciez le/la client(e).

Persepolis

Rencontre avec l'auteur

Marjane Satrapi (1969–), d'origine iranienne, est un écrivain et une réalisatrice qui vit maintenant à Paris. Elle a fait ses études au lycée français de Téhéran. Sa famille l'a envoyée en Europe en 1984, à l'âge de 14 ans, pour qu'elle échappe (*escape*) à la guerre en Iran. Elle a écrit *Persepolis*, une bande dessinée en quatre tomes, qui raconte son expérience. Ayant obtenu un grand succès avec *Persepolis*, Satrapi a adapté son œuvre autobiographique en long métrage d'animation en français. Vous allez lire une sélection de son troisième tome quand elle vit à Vienne avec une famille autrichienne (*Austrian*). Comment est-ce que Marjane s'intègre dans la culture européenne?

Pré-lecture

Avez-vous jamais visité un pays où l'on ne parle pas anglais? Si oui, qui a parlé pour vous? Comment vous êtes-vous débrouillé(e)?

Stratégie de lecture

Narrator and Narration

Un narrateur/une narratrice est le personnage qui raconte une histoire. Il ou elle détermine les informations que le lecteur/la lectrice aura sur les événements et les autres personnages. Pendant que vous lisez, remplissez un tableau comme celui de dessous avec les faits que vous apprenez de la narratrice dans les parties où elle narre, c'est-à-dire les parties qui ne sont pas des dialogues.

Ce que Satrapi décrit	Ce que j'apprends de la narratrice
sa matinée	Elle n'aime pas se réveiller tôt.

Outils de lecture

Direct and Indirect Reporting

Il y a deux façons de rapporter ce qu'un personnage dit, en utilisant le discours direct, ou le discours indirect. Dans le discours direct, un personnage peut dire "Je suis passionnée des bandes dessinées." L'auteur utilise des guillemets (*quotation marks*) ainsi que les mots directements énoncés par celui qui parle. Dans le discours indirect, il n'y a pas de guillemets, par exemple, Michèle a dit qu'elle est passionnée des bandes dessinées. Quelle forme de discours Satrapi utilise-t-elle dans l'extrait suivant?

(suite)

Pendant la lecture

Lisez les questions avant de lire la bande dessinée. Après avoir lu l'histoire, répondez aux questions.

1. Avec qui est-ce que Marjane partage une chambre?
2. Qu'est-ce qui l'embête chaque matin?
3. Qui veut faire la connaissance de Marjane?
4. Le cousin de Lucia parle à Marjane en quelle langue?
5. Où a-t-il appris cette langue?
6. À table, comme au lycée, on ne parle pas de quels sujets?
7. Qu'est-ce que le parent de Lucia a fait pour Marjane?
8. Qu'est-ce qu'elle a mis dans le cadre?
9. Qu'est-ce que Marjane pense de Lucia maintenant?

Post-lecture

Basé sur ce que vous savez de la vie de Marjane, elle va où prochainement?

Le monde visuel

Satrapi a dessiné *Petropolis* elle-même. Comment décririez-vous son style—raffiné, primitif ou quelque chose d'autre? Comment a-t-elle montré son exaspération avec sa camarade de chambre? Son exclusion à l'école? La convivialité d'un repas partagé?

17 Activités d'expansion

Faites les activités suivantes.

1. Écrivez un paragraphe dans lequel vous expliquez ce que vous savez de l'adolescence de Satrapi en Europe. Est-ce que Satrapi l'adulte utilise le discours direct, le discours indirect, ou une combinaison, pour rapporter l'autobiographie de sa vie? Expliquez aussi sa façon d'écrire une bande dessinée.
2. Changez les propos au discours indirect dans les bulles de la sélection au discours direct, par exemple: *Elle dit qu'elle a bien mangé. Elle dit, "J'ai bien mangé."*
3. Satrapi est née en 1969. Dans la sélection que vous avez lue, elle est adolescente. Qu'est-ce qui se passe en Iran à cette-époque là (environ 1983)? Faites des recherches en ligne. Ensuite, écrivez un paragraphe dans lequel vous expliquez pourquoi les parents de Marjane l'ont envoyée en Europe. Selon vous, ont-ils pris une bonne décision? Justifiez votre réponse.

Projets finaux

A **Connexions par Internet: Le marketing**

Presentational Communication

Avec un ou deux partenaires, créez la page d'accueil d'une banque destinée aux jeunes français. D'abord, vous devrez décider quels services les jeunes recherchent. Quels messages attireraient les jeunes? Quel slogan choisiriez-vous? Comment s'appelle votre banque?

B **Communautés en ligne**

Les étudiants américains en France/Interpretive Communication

Beaucoup d'universités américaines et françaises offrent des échanges. Pour savoir si une telle expérience vous intéresserait, préparez cinq questions que vous voudriez poser sur les défis (*challenges*) de vivre et d'étudier en France. Ensuite, cherchez un blogue en ligne et contactez le blogueur/la blogueuse. Posez-lui vos questions. Discutez de ce que vous avez appris avec vos camarades de classe.

 Search words: **campus france, mon expérience d'étudiant en france**

C **Passez à l'action!**

Combattons l'analphabétisme!/Presentational Communication

Si vous et vos camarades de classe pensez que tout le monde a le droit de savoir lire, suivez ces étapes pour enquêter sur l'analphabétisme *(illiteracy)* dans le monde francophone, et proposez une solution.

- Faites une liste des pays francophones que vous avez étudiés, et cherchez le taux d'analphabétisme dans chaque pays.
- Choisissez un pays dans la liste.
- Trouvez une association avec laquelle vous pouvez travailler.
- Faites une collecte de livres dans votre école/communauté.
- Envoyez les livres à l'association.
- Peut-être qu'il faudra organiser une collecte de fonds pour payer l'expédition.

D **Faisons le point!**

Remplissez le schéma que votre a prof va vous donner.

Question centrale

?

Comment s'intégrer à une autre culture?

A Évaluation de compréhension auditive

Interpretive Communication

*Écrivez les numéros 1–8 sur votre papier. Écoutez David et Paulette discuter de la poste en France. Ensuite, écrivez **V** si les phrases que vous entendez sont vraies, ou **F** si elles sont fausses.*

B Évaluation orale

Interpersonal Communication

Avec un partenaire, jouez les rôles de deux étudiants français à la librairie À Tout Lire.

Dites que vous devez acheter un livre pour votre père parce que c'est bientôt son anniversaire.	Demandez ce qu'il aime lire.
Dites qu'il aime les romans policiers.	Indiquez où ils se trouvent.
Dites que vous n'arriverez jamais à prendre une décision.	Dites que, selon votre mère, ceux de Georges Simenon sont intéressants.
Remerciez votre ami(e).	Demandez s'il lui faut une carte d'anniversaire.
Dites que oui.	Dites que les cartes d'anniversaires sont près du comptoir.
Demandez à votre ami(e) s'il ou elle va venir fêter l'anniversaire de votre père.	Promettez de venir.

Vous allez comparer les cultures francophones à votre culture. Vous aurez peut-être besoin de faire des recherches sur la culture américaine.

1. **Les banques**
   Quelles banques françaises peut-on trouver à Paris? Quelles banques canadiennes peut-on trouver à Montréal? Comment s'appellent les banques dans votre ville? Toutes ces banques sont-elles des banques nationales, régionales, ou internationales?

2. **Les habitudes de lecture**
   Comparez les habitudes des lecteurs français à celles des lecteurs américains. Est-ce que vos habitudes ressemblent plutôt aux habitudes des Français ou des Américains? Justifiez votre réponse.

3. **Jean-Marie Gustave Le Clézio**
   Le comité Nobel considère Le Clézio comme un "écrivain de nouveaux départs, de l'aventure poétique et de l'extase sensuelle, explorateur d'une humanité au-delà et en dessous de la civilisation régnante." Qu'est-ce qui peut illustrer ce résumé dans ce que vous avez appris sur Le Clézio?

4. **La Poste**
   Quels services est-ce que la poste française offre? Comment est-ce que la poste américaine est différente de la poste française?

D **Évaluation écrite**

Votre correspondant français vous a écrit un e-mail. Lisez-le et répondez en utilisant des pronoms démonstratifs.

Il faut que je lise un roman américain et que j'en fasse un résumé. Quels livres est-ce que tu me conseillerais?

Je voudrais t'envoyer un colis avec des choses typiques d'ici. Qu'est-ce que tu préférerais? Des choses à manger, à regarder, ou à écouter?

A+,

Khaled

E **Évaluation visuelle**

Décrivez ce qui se passe à la poste.

F **Évaluation compréhensive**

Créez une histoire avec six illustrations qui montre un Américain en France qui visite la banque, la librairie, et, finalement, la poste.

Vocabulaire de l'Unité 6

un **aérogramme** air letter C

affranchir to stamp C

l' **affranchissement (m.)** postage C

un **appareil** machine C

l' **argent (m.): argent liquide** cash A

arriver: arriver à faire quelque chose to bring oneself to do something A

assez rather C

une **autobiographie** autobiography B

une **autorisation** permit A

avoir: avoir l'impression (de) to have the impression (of) A

le **banquier, la banquière** banker A

la **biochimie** biochemistry A

une **boîte** box C; **boîte aux lettres** mailbox C; **boîte cartonnée** cardboard box C

un **bouquin** book [inform.] B

le **bureau: bureau de change** foreign exchange counter A

c'est: c'est promis it's a promise A

le **caissier, la caissière** bank teller A

une **carte: carte bancaire** debit card A

un **catalogue** catalog C

celui, celle that/this one, the one C

un **certificat** certificate A

ceux the ones, these, those C

un **chèque** check A; **chèque de voyage** traveler's check A

un **chéquier** checkbook A

un **colis** package C

un **compte** account A

congolais(e) Congolese B

coupable guilty A

se **débrouiller** to get by A

se **décider** to make up one's mind B

déposer to deposit A

dernier, derniére: le dernier the latest B

une **dimension** dimension A

le **distributeur (automatique)** ATM A

dont about which/whom, of which/whom B

le **droit** law A

en: en ce moment at the moment A

encaisser to cash A

être: être amoreux/ amoreuse (de) to be in love (with) B; **être content(e) (de)** to be happy (about) B

évident obvious A

un **facteur, une factrice** mailman, mailwoman C

les **finances (f.)** finances A

futur(e) future A

le **génie civil** civil engineering A

la **gestion économique d'entreprise** economic business management A

graphique graphic A

l' **imaginaire (m.)** fantasy B

l' **infographie (f.)** computer graphics A

s' **intégrer (à)** to integrate (into) A

un **livre: livre de poche** paperback B

un **manga** manga B

la **médecine** medicine A

la **monnaie** change A

parler: parler de to be about B

peser to weigh C

une **pièce (de monnaie)** coin A; **pièce de théâtre** play B

la **poésie** poetry B

policier detective B

le **positionnement** positioning A

le **postier, la postière** postal worker C

une **première** première (of movie) A

la **psychologie** psychology A

réaliser to direct (movie) A

la **réalité** reality B

retirer to withdraw A

les **sciences (f.): sciences politiques (sciences po)** political science A

signer to sign A

la **tendresse** tenderness B

un **titre** title B

Reading material... See p. 339

Unité 6 Bilan cumulatif

I. Interpretive Communication: Print Texts

Lisez cet article sur les Français et l'argent aujourd'hui, puis répondez à la question.

Avec la dernière crise économique en Europe, beaucoup moins de touristes sont descendus dans les grands hôtels de la côte d'Azur en France et à Monaco. Évidemment, maintenant, les revenus des entreprises sont beaucoup moins importants. Pour répondre à la situation et pour encourager les touristes à profiter d'un séjour de plus longue durée sur la côte, les hôtels français et monégasques proposent des offres incroyables. Si on réserve une chambre dans un des hôtels participants, toutes sortes de prestations sans supplément sont disponibles, par exemple chambre avec climatisation, bain à remous, accès au centre d'affaires avec connexion Wifi et fax, et coffre-fort. En plus, le concierge de l'hôtel s'occupera de planifier les visites touristiques. On s'attend à ce que les revenus soient plus importants pour la saison à venir à cause de ces nouvelles prestations.

1. D'après le texte quel est le réflexe des entreprises en période de crise?
   A. de travailler différemment pour augmenter sa clientèle
   B. de faire semblant qu'il n'y a pas de problème
   C. de ne rien changer

II. Interpretive Communication: Audio Texts

Madison va en France pour les vacances. Avec son amie Sidney, elle regarde les guides touristiques. Écoutez le dialogue suivant deux fois, puis complétez les phrases.

1. La conversation a lieu....
   A. dans un office de tourisme
   B. au téléphone
   C. au cinéma
   D. dans une librairie

2. Madison décide d'acheter....
   A. un magazine de cuisine
   B. rien
   C. deux livres de poche
   D. un guide sur les régions de France

3. Sidney suggère à Madison....
   A. qu'elle achète plusieurs guides
   B. qu'elle regarde un documentaire avec elle
   C. d'acheter ses livres à sa destination et d'aller voir un film au cinéma
   D. qu'elle rentre à la maison

III. Interpersonal Writing: E-mail Reply

Vous allez écrire une réponse à un message électronique. Il faut répondre à toutes les questions et donner des détails à propos du sujet du message. Écrivez formellement. N'oubliez pas d'écrire une salutation au début et d'utiliser une formule de politesse (closing) à la fin de votre message.

Vous êtes responsable d'une librairie qui se trouve à la rue de Rivoli à Paris. Vous répondez à Antony Talbot, écrivain américain, que vous avez invité à une discussion sur le futur du livre et qui cherche à mieux connaître les habitudes de lecture des Français.

De: Antony Talbot

Objet: Les Français et les livres

Cher Monsieur,

Je vous remercie de m'avoir invité à participer à la "Table ronde des auteurs" qui aura lieu au mois de mars à la librairie "Aux Quatre Coins" que vous organisez chaque année pour vos lecteurs pendant la semaine de la Foire du Livre à Paris. Je comprends qu'il y aura une conférence suivie d'une discussion où je présenterai mon nouveau roman *Livre fragile*, et parlerai du futur du livre. Afin de préparer cette rencontre, j'aimerais en savoir plus sur l'importance du livre dans la vie des Français. Quelles sont leurs préférences? Livres de cuisine? Romans policiers? Essais? Mangas? Y a-t-il des émissions littéraires à la télé ou à la radio? Je sais que les prix littéraires ont une grande importance en France, mais influencent-ils vraiment les lecteurs? Combien de titres vendez-vous par an? Je vous remercie d'avance de répondre à mes questions. Ces précisions me seront très utiles et me permettront de mieux connaître les goûts et les habitudes de vos lecteurs afin de préparer ma présentation.

Bien cordialement,

Antony Talbot
11 Oak Drive
Greenwich, CT 06830
USA

IV. Presentational Speaking: Cultural Comparison

Vous êtes consultant en finances. Vous faites une présentation qui s'appelle "Comment vivre et voyager avec votre argent" à un groupe d'étudiants américains qui participeront à un échange en France. Leurs parents se rappellent l'époque où on était obligé de voyager en Europe avec des chèques de voyage, et la monnaie de plusieurs pays. Il faut leur expliquer que tout a changé et les renseigner sur comment organiser les finances de leurs enfants. Parlez de ce que leurs enfants doivent savoir pour ouvrir un compte et obtenir une carte bancaire. Les parents auront besoin de savoir comment ils peuvent envoyer de l'argent à leurs enfants.

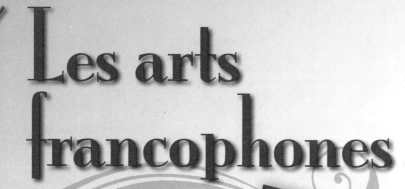

7 Les arts francophones

Unité 7

Les arts francophones

Question centrale

?

Comment l'art est-il un reflet de la culture?

"Comment s'appelle ce chanteur?"

De quel siècle date ce village?

Contrat de l'élève

Leçon A I will be able to:

>> say when a painting was painted, and describe an artist's painting.

>> discuss major art movements in France and traditional and contemporary art in West Africa.

>> use adjectives to describe, and in comparative and superlative constructions.

Leçon B I will be able to:

>> describe the development of an artist, say that an artist was successful, and describe an artist and his/her ability to connect with his or her audience.

>> talk about music, singers, and groups from France and Quebec.

>> use the verb **plaire**.

Leçon C I will be able to:

>> describe how an artist raises themes, fits into a culture, and what he or she worked on; describe how a work of art takes a position; attribute new inventions to an artist.

>> discuss **La Pléiade**, Romanticism and Victor Hugo, and Surrealism.

>> use **pour + infinitif** and the subjunctive after **pour que**.

Vocabulaire actif

emcl.com
WB 1–2
Games

La peinture et les mouvements d'art

La peinture

un pinceau | une toile

Musée des Beaux-Arts
20 Place des Terreaux. 69001 Lyon

un atelier

un atelier: pièce dans laquelle l'artiste travaille

un pinceau: une sorte de brosse pour appliquer des couleurs sur la toile

une toile: support sur lequel le peintre applique les couleurs

un musée des beaux-arts: un musée dans lequel on peut trouver des peintures, des objets d'art, des sculptures, etc.

Pour la conversation

How do I say when a painting was painted?

> *Les coquelicots* **a été peint en** 1873.
>
> *The Poppies* was painted in 1873.

How do I describe an artist's approach?

> **Avec ce tableau,** Renoir **recherche de plus en plus** les effets de lignes.
>
> *With this painting, Renoir is looking more and more into the effects of lines.*

> **Avec cette méthode,** Seurat **s'éloignait des** impressionnistes.
>
> *With this method, Seurat distanced himself from the Impressionists.*

How do I describe the colors used in a painting?

> **L'artiste a utilisé** le jaune pâle.
>
> *The artiste used pale yellow.*

Et si je voulais dire...?

une aquarelle	*watercolor*
un cadre	*frame*
un fusain	*charcoal*
un modèle	*model*
une palette	*palette*
graver	*to engrave*
poser	*to pose*

Les mouvements d'art (m.)

La salle rococo (1730–1789) →

à l'arrière-plan

au premier plan

Le rococo: un mouvement qui naît après le déclin du mouvement baroque dans la seconde moitié du XVIIIème siècle; ses sujets sont surtout des aristocrates

La salle néo-classique (1760–1830)

une perspective en gros plan

Le néo-classicisme: l'art du XVIIIème au XIXème siècles qui se sert de la mythologie pour ses sujets; inspiré par la Rome antique

La salle romantique (1775–1850) →

un paysage marin

Le romantisme: l'art du XVIIIème au XIXème siècles qui exprime l'idéal et les sujets exotiques

La salle réaliste (1830–1890)

Le réalisme: l'art du XIXème siècle qui montre les scènes de la vie courante, pas idéalisées

La salle impressionniste (1850–1900) →

une fête champêtre en plein air

L'impressionnisme (m.): l'art du XIXème siècle qui note les impressions fugitives avec une touche rapide; les paysages sont souvent peints en plein air

Le néo-impressionnisme: une technique qui oppose des petites touches de peinture de couleurs primaires et des couleurs complémentaires; c'est l'œil qui les mélange

La salle expressionniste (1888–)

une nature morte

L'expressionnisme (m.): un mouvement dont peintres montrent une vision émotionnelle et subjective du monde

1 Un jour au musée des beaux-arts

Lisez le blogue d'un étudiant, puis répondez aux questions.

Bon d'accord, je ne suis pas un spécialiste de l'art, mais cette exposition ne m'a pas impressionné! Tous les tableaux se ressemblent: des couleurs sombres, pas de couleur vive, pas de paysage, pas de nature morte, pas de portrait, juste des lignes. Il est évident que le peintre n'a pas besoin de travailler en plein air pour capturer ses sujets. Un atelier lui suffit! Pourquoi a-t-il créé ces peintures? Je ne pourrais pas le dire. J'ai observé les autres visiteurs, et ils semblaient s'intéresser aux œuvres d'art, mais je ne comprends pas pourquoi! Je préfère l'art qui représente quelque chose. Les nouvelles techniques, les nouvelles méthodes, et les effets de lignes—à quoi ça sert? J'ai quitté cette exposition pour en voir une autre sur la bande dessinée, un art que je peux comprendre.

Théo

1. Quelle est la réaction du blogueur aux tableaux qui sont exposés?
2. Préfère-t-il l'art moderne ou l'art qui représente quelque chose?
3. D'après le blogueur, où travaille le peintre?
4. Quelle était la réaction des autres visiteurs du musée?
5. Qu'est-ce que le blogueur a aimé de sa visite au musée des beaux-arts?

2 La peinture française

Complétez les phrases avec un mot ou une expression de la liste.

> un atelier   une peinture   un pinceau   la toile   en plein air
> un paysage   à l'arrière-plan   une fête champêtre   une nature morte   au premier plan

1. L'artiste-peintre utilise... pour étaler (*spread*) les couleurs sur la toile.
2. Le peintre met des couleurs vives sur....
3. Quand l'artiste travaille à l'intérieur, il est dans....
4. Un artiste qui peint dehors (*outside*) travaille....
5. L'œuvre au mur du musée s'appelle un tableau ou....
6. Les images qui semblent être à une certaine distance sont... et celles qui semblent être plus proche sont....
7. Une représentation de fruits, de fleurs, ou d'objets est....
8. Une scène avec une rivière au premier plan et des montagnes à l'arrière-plan est....
9. Une peinture du XVIIIème siècle avec des gens dans un jardin s'appelle....

Un tableau impressionniste

Complétez le paragraphe sur Le canal du Loing *par Alfred Sisley en vous servant d'un mot de la liste.*

en plein air   peinture   perspective   premier plan
paysage   peint   toile   l'arrière-plan

Cette… est par Alfred Sisley, un peintre impressionniste anglais du XIXème siècle. Sur la… il met des couleurs sombres. Il ne travaille pas dans un atelier, mais…. Le tableau, c'est essentiellement un…, qui montre la terre (*earth*) et la végétation. Ce n'est ni un portrait ni une nature morte. Au… on voit quelques arbres. Au centre, il y a une maison. À… on voit le ciel (*sky*) dans son immensité. Avec ce tableau, Sisley recherche un effet de…. Sisley a… ce tableau en 1892 quand il habitait dans cette région.

The Loing Canal, 1892. Alfred Sisley.

Communiquez!

Quel beau tableau! 🎧

Interpretive Communication

*Écrivez les numéros 1–7 sur votre papier. Écoutez Pablo et Chloé parler peinture. Ensuite, indiquez si les phrases que vous entendez sont vraies (**V**) ou fausses (**F**).*

Questions personnelles

Répondez aux questions.

1. Est-ce que tu fais de la peinture? Si oui, qu'est-ce que tu aimes peindre?
2. Est-ce que tu as déjà visité un musée des beaux-arts? Quelles peintures as-tu aimées?
3. Est-ce que tu suis un cours d'art maintenant? Qu'est-ce que tu étudies?
4. Comment s'appelle ton artiste préféré(e)?
5. Travaille-t-il ou travaille-t-elle dans un atelier ou en plein air?

Rencontres culturelles

Quelques grands maîtres de la peinture française

On vous présente quatre tableaux de grands maîtres de la peinture française. Ces tableaux ont été peints au XIXème siècle.

Claude Monet a peint *Impression, soleil levant* en 1872. Ce tableau donne son nom à un nouveau mouvement artistique: l'impressionnisme. Monet a peint de nombreux paysages, notamment* des scènes de bateaux sur l'eau, qui sont parmi ses œuvres les plus caractéristiques. Il peignait en plein air sur un bateau qu'il avait transformé en atelier. Il étudiait les nuances de l'atmosphère et de la lumière sous les touches de pinceau. *Les coquelicots* (1873) montre un paysage de collines, sur lesquelles un champ de fleurs s'épand* tel une mer jusqu'à l'horizon; ce tableau représente un pas* supplémentaire de l'artiste vers l'abstraction, tendance qui se retrouvera dans ses célèbres *Nymphéas* de Giverny.

Les coquelicots, 1873. Claude Monet.

Au premier plan, on voit deux femmes avec leurs enfants traversant les hautes herbes* par une journée d'été. Mais ces personnages ont peu de détails et leur expression ne se voit pas. Pour Monet, qui finira par abandonner la figure humaine*, l'homme n'était qu'une partie de la nature. Selon ses propres* mots, le maître de l'impressionnisme a voulu saisir l'éphémère*: "Ce que je ferai ici aura au moins le mérite de ne ressembler à personne, parce que ce sera l'impression de ce que j'aurai ressenti*, moi tout seul."

---

notamment *namely*; **s'épand** *spreads*; **pas** *step*; **herbes** *grass*; **figure humaine** *human figures*; **propres** *own*; **éphémère** *fleeting moment*; **j'aurai ressenti** *I will have felt*

Pierre Auguste Renoir s'éloigne du mouvement impressionniste pour rechercher une expression plus réaliste par des effets de lignes, des contours, et des contrastes. Dans le *Bal du moulin de la Galette* (1876), les lignes diagonales prolongent* le champ de vision de la table aux personnages de l'arrière-plan, alors que les couleurs vives et les contours nets des objets de la table, inanimés, contrastent avec les couleurs pastelles et les touches plus impressionnistes des personnages. L'effet recherché est une atmosphère d'éclatement*, de spontanéité, et de fête. Il s'agit ici d'une fête champêtre moderne qui regroupe les

Bal du moulin de la Galette, 1876

amis et proches* du peintre: sa fiancée, Aline Charigot, au premier plan à gauche; puis à droite son ami Gustave Caillebotte. Dans ce tableau on retrouve l'amour de la vie populaire et de la sensualité propres* au peintre, et les femmes typiques de Renoir: le visage rond, la peau blanche, les joues rougeâtres*, la forme ronde. Le paysage, les arbres aux touches lumineuse et floues*, le canot*, rappellent les caractéristiques de l'impressionnisme, mais les nature mortes et l'importance des personnages distinguent Renoir de Monet. Avant sa mort, Renoir aura peint à peu près six mille tableaux, un record avant Picasso.

---

prolongent *extend*; **éclatement** *bursting*; **proche** *close friend or relative*; **propre** *typical*; **rougeâtre** *reddish*; **floues** *blurry*; **canot** bateau

Georges Seurat est un peintre pointilliste, connu surtout pour son tableau d'un taille inouïe* *Un dimanche après-midi sur l'île de la Grande Jatte* (1886). Il s'agit d'une scène de plein air au bord de la Seine lors* d'une belle journée d'été. Le sujet comprend une quarantaine de personnages s'abritant à l'ombre* au premier plan, par une journée ensoleillée*. L'œuvre montre la bourgeoisie qui se livre* à ses loisirs… promenade, voile, pêche. L'art de Seurat est le résultat de recherches scientifiques sur les couleurs et les théories de la vision. Sur cette toile il a posé de petites touches séparées de couleurs pures qui se confondent* à

Un dimanche après-midi sur l'île de la Grande Jatte,
1886. Georges Seurat.

une certaine distance. On appelle cette technique le "pointillisme" ou le "néo-impressionnisme." Elle se distingue de l'impressionnisme qui recherche la sensation changeante de la lumière, plutôt que les images figées*. Seurat a dit, "Les littérateurs et les critiques voient de la poésie dans ce que je fais. Non, j'applique ma méthode, et c'est tout." Seurat a exercé une influence indéniable sur Gauguin, Van Gogh, et Pissarro, mais aussi sur les fauves, les cubistes, et les futuristes.

---

inouïe *unbelievable*; **lors** *pendant*; **s'abritant à l'ombre** *sheltered by the shade*; **ensoleillée** *sunny*; **se livre** *gives itself to*; **se confondent** *merge*; **figées** *stilted, stiff*

Vincent Van Gogh, un Néerlandais qui a passé ses dernières années dans le sud de la France, a réalisé ce tableau à Arles, une ville provençale, en septembre 1888. Il s'agit d'une terrasse de café en pleine nuit. Dans ce tableau, Van Gogh utilise des couleurs chaudes au premier plan, pour donner de la profondeur* à la perspective. Le blanc des tables du café dirige* l'œil vers la partie obscure du tableau. À l'arrière-plan, les bâtiments sont sombres, mais le ciel étoilé d'un bleu vif qui remplace le noir de la nuit est le centre d'attention de cette peinture, qui se veut* tranquille et non opprimante*. Les personnages dans la rue ajoutent* à la tranquillité du lieu. On retrouvera le sujet de la nuit étoilée chez Van Gogh dans *Nuit étoilée sur le Rhône* et *Nuit étoilée*. Dans une lettre adressée à sa sœur Wilhelmina, le peintre a dit: "Cela m'amuse énormément de peindre la nuit sur place. Autrefois on dessinait et peignait le tableau le jour d'après le dessin. Mais moi je m'en trouve bien de peindre la chose immédiatement." Son usage de couleur arbitraire souligne* ses sentiments fort, la raison pour laquelle Van Gogh est désigné précurseur* de l'expressionisme.

Terrasse du café le soir, 1888. Vincent Van Gogh.

---

profondeur *depth*; **dirige** *direct*; **se veut** *is meant to be*; **opprimante** *oppressing*; **ajoutent** *add*; **souligne** *underlines*; **précurseur** *forerunner*

6 Quelques grands maîtres de la peinture française

Répondez aux questions suivantes.

Monet
1. Comment s'appelle le mouvement que Monet a créé?
2. Qu'est-ce qu'il étudiait de son bateau-atelier?
3. Comment est-ce qu'il a peint les personnes dans *Les coquelicots*?
4. Quel était le but de Monet dans *Les coquelicots*?

Renoir
1. Renoir faisait partie de quel mouvement?
2. Si ce tableau représente l'œuvre du peintre, à quoi s'intéressait-il comme sujet, à la nature comme Monet ou à autre chose?
3. Comment sont peintes les femmes?
4. Comment est l'ambiance du tableau?

Seurat
1. Seurat représente quelle classe sociale dans son chef-d'œuvre?
2. Qu'est-ce que ces personnes sont en train de faire? Où?
3. Comment est sa méthode, plutôt artistique ou scientifique? Expliquez.
4. Quel est le sujet de ce tableau?

Van Gogh
1. Van Gogh est associé à quelle région de la France?
2. Comment est-ce que l'artiste se sert de la perspective?
3. Pour quelle raison principale est-ce qu'on associe Van Gogh à l'expressionisme?

On peut admirer les peintures de Monet, Renoir, Seurat, et Van Gogh au musée d'Orsay.

L'impressionnisme

L'impressionnisme était un mouvement de la seconde moitié du XIXème siècle. Les peintres exprimaient* dans leurs tableaux les impressions que les objets et la lumière suscitent. Les impressionnistes aimaient peindre en plein air, pas dans un atelier. Les peintres de ce mouvement sont Claude Monet, Pierre-Auguste Renoir, l'Américaine Mary Cassatt, Camille Pissarro, Berthe Morisot, Edgar Degas, l'Anglais Alfred Sisley, et Frédéric Bazille.

 Search words: impressionnisme france, (nom de l'artiste) + impressionnisme, mouvements artistiques france

_____
expriment *expressed;* **suscitent** *spark*

Mère et enfant, 1897. Mary Cassatt.

Produits

Impression, soleil levant (1872) est le tableau de Monet qui a donné le nom "impressionnisme" à ce nouveau mouvement artistique.

COMPARAISONS

Est-ce que le mouvement impressionniste aux États-Unis est venu avant ou après l'impressionnisme en France? Qui sont les maîtres de l'impressionnisme américain?

Impression, soleil levant, 1872. Claude Monet.

Le néo-impressionnisme

Le néo-impressionnisme a suivi l'impressionnisme entre 1885 et 1915. Les peintres néo-impressionnistes peignaient par petite touches*, par points de ton* pur juxtaposés*. Un autre nom de ce mouvement est le pointillisme ou le postimpressionnisme. Les peintres de ce mouvement se nomment* des pointillistes, dont les plus grands sont Georges Seurat et Paul Signac.

Le pin, St-Tropez, 1909. Paul Signac.

 Search words: néo-impressionnisme, post-impressionnisme, (nom de l'artiste) + néo-impressionnisme, mouvements artistiques france

---

touche *stroke*; **ton** *shade of color*; **juxtaposés** *side by side*; **se nomment** s'appellent

---

Le tableau *Un dimanche après-midi sur l'île de la Grande Jatte* (1886) est devenu le sujet du music-hall *Sunday in the Park with George* en 1984, un siècle après l'œuvre de Seurat. Le créateur, Sondheim, a pour thème de montrer les tourments de l'artiste qui crée de l'art.

 Search words: sunday in the park with george you tube

L'expressionnisme/Le fauvisme

L'expressionisme était surtout un mouvement artistique du début du XXᵉᵐᵉ siècle. Ce sont des artistes allemands qui en sont à l'origine. Les peintres expressionnistes utilisent une intensité de l'expression et souvent des couleurs vives. Le précurseur de ce mouvement est Vincent Van Gogh. Dans ce groupe il faut aussi mentionner les fauves qui ont créé le fauvisme. Les fauves comme Maurice de Vlaminck et André Derain touchent* par moments à l'expressionnisme. Il ne faut surtout pas oublier les contributions d'Henri Matisse.

Vase à bone sur une table. Matisse (1869–1954).

 Search words: expressionnisme europe, fauvisme, vlaminck, derain, matisse, mouvements artistiques france

---

touchent *reach*

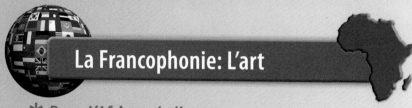

La Francophonie: L'art

✳ Dans L'Afrique de l'ouest

L'art africain traditionnel est essentiellement composé de produits artisanaux*. L'artisanat correspond à la fabrication d'objets, principalement en bois ou en bronze, tels des masques, statues, armes, ou d'autres objets traditionnels comme des poteries ou encore les vêtements. Ces arts sont considérés des Arts premiers. Ils sont à l'image des thèmes ou scènes de la vie de tous les jours de groupes ethniques particuliers, telles les statues tribales Ashanti du Ghana, ou Bambara du Mali. Il en est de même* pour la fabrication d'instruments de musique: les congas* en bois et peau de chèvre*, les balafons*, les cloches*, reflètent un lien entre l'expression artistique et la nature dans les cultures africaines.

La peinture africaine a toujours été décorative, privilégiant* les bas-reliefs plutôt que les représentations bidimensionnelles* propres aux cultures occidentales*. De l'art traditionnel, dit "naïf," aux formes géométriques simples et aux couleurs primaires, à l'art populaire qui donne de nouvelles formes aux matériaux naturels (fresques, portraits, posters), la peinture africaine contemporaine reflète l'évolution et les contradictions des réalités urbaines. La peinture africaine est à l'origine des grands mouvements occidentaux tels le cubisme (Pablo Picasso), le néo-impressionnisme, et la peinture murale. Il est important de comprendre les liens indissociables entre l'Afrique et l'Occident dans la peinture moderne, car bien souvent, les peintres africains contemporains s'inscrivent dans les mouvements occidentaux de peinture, tel Chéri Samba, peintre Congolais, dont l'art figuratif a été exposé à Paris et à New York.

 Search words: l'art africain traditionnel, produits artisanaux affricains, peintres africains, chéri samba

---

produits artisanaux *crafts*; **Il en est de même** *It is the same*; **conga** *drum-like instrument*; **peau de chèvre** *goat skin*; **balafon** *xylophone-like instrument*; **cloches** *bells*; **privilégiant** *favoring*; **bidimensionnelle** *two-dimensional*; **occidentales** *Western*

L'art africain est connu pour ses sculptures et objets artisanaux.

Le Nid dans le nid, 1996. Chéri Samba.

Complétez les activités suivantes.

1. Faites des recherches et décrivez un tableau impressionniste, néo-impressionniste, ou expressionniste que vous aimez beaucoup. Vous pouvez choisir un tableau de la section *Points de départ*.

2. Regroupez dans un album les tableaux qui montrent le développement et l'évolution de l'impressionnisme à l'expressionnisme/fauvisme à travers les œuvres de peintres français. Pour chaque tableau, incluez une légende avec le titre, le nom de l'artiste, le style, et l'année de son exécution.

3. Faites une chronologie (*time line*) qui montre les périodes artistiques en France ainsi que leurs dates:
   - impressionnisme
   - réalisme
   - fauvisme
   - cubisme
   - néo-impressionnisme

4. Recherchez dans quels musées les tableaux des artistes cités précédemment sont exposés aujourd'hui. Attention: ils ne sont pas tous à Paris.

5. Recherchez combien coûte un Monet, un Renoir, ou un Degas. Est-ce que la valeur de leurs tableaux augmente ou diminue?

6. Recherchez deux peintres contemporains d'Afrique de l'Ouest et notez:
   - leur nom et pays d'origine
   - leur style de peinture (couleurs, formes, matériau de travail, etc.)
   - un tableau particulier (nom et description)

7. Trouvez un exemple d'art contemporain populaire en Occident influencé par les cultures africaines.

Perspectives

Au début, les impressionnistes ont beaucoup été critiqués parce qu'ils osaient (*dared*) modifier les standards de l'époque: des tableaux détaillés, peints en ateliers, représentant des paysages ou des scènes d'événements historiques. Après avoir vu le tableau *Impression, soleil levant* de Monet, un critique l'a critiqué, ainsi que les tableaux de ses amis, en nommant leur collection "L'exposition des impressionnistes." Quelle est la réputation des impressionnistes maintenant? Pourquoi est-ce que ce critique ne pouvait pas apprécier les tableaux impressionnistes? Pourquoi est-ce que les goûts artistiques changent avec le temps?

Du côté des médias Pre AP

Lisez les informations sur les expositions.

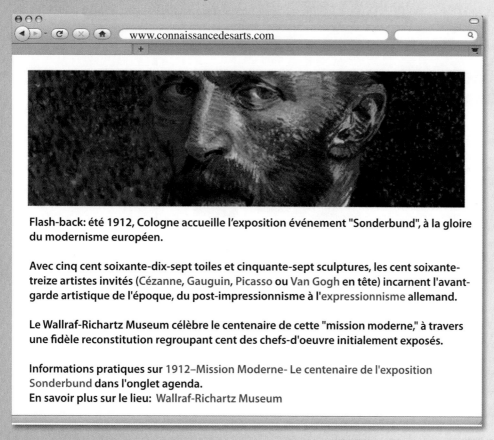

www.connaissancedesarts.com

Flash-back: été 1912, Cologne accueille l'exposition événement "Sonderbund", à la gloire du modernisme européen.

Avec cinq cent soixante-dix-sept toiles et cinquante-sept sculptures, les cent soixante-treize artistes invités (Cézanne, Gauguin, Picasso ou Van Gogh en tête) incarnent l'avant-garde artistique de l'époque, du post-impressionnisme à l'expressionnisme allemand.

Le Wallraf-Richartz Museum célèbre le centenaire de cette "mission moderne," à travers une fidèle reconstitution regroupant cent des chefs-d'oeuvre initialement exposés.

Informations pratiques sur 1912–Mission Moderne- Le centenaire de l'exposition Sonderbund **dans l'onglet agenda.**
En savoir plus sur le lieu: Wallraf-Richartz Museum

8 L'exposition Sonderbund en flash-back

Votre prof va vous donner une carte postale. Imaginez que vous avez assisté à cette exposition. Écrivez une carte postale qui:

- dit où vous êtes.
- décrit ce que vous avez vu.
- explique l'importance de cette exposition historiquement.

Du côté des médias *Pre AP*

Lisez l'article sur la production Sunday in the Park with George *au Châtelet-Théâtre.*

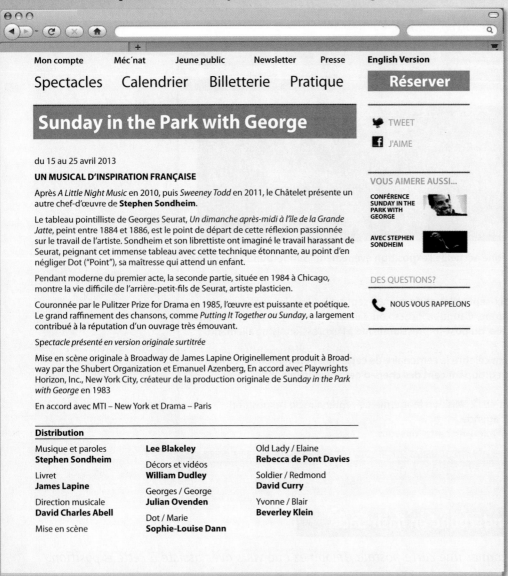

Mon compte   Méc´nat   Jeune public   Newsletter   Presse   **English Version**

Spectacles   Calendrier   Billetterie   Pratique

Réserver

Sunday in the Park with George

TWEET
J'AIME

du 15 au 25 avril 2013

UN MUSICAL D'INSPIRATION FRANÇAISE

Après *A Little Night Music* en 2010, puis *Sweeney Todd* en 2011, le Châtelet présente un autre chef-d'œuvre de **Stephen Sondheim**.

Le tableau pointilliste de Georges Seurat, *Un dimanche après-midi à l'île de la Grande Jatte*, peint entre 1884 et 1886, est le point de départ de cette réflexion passionnée sur le travail de l'artiste. Sondheim et son librettiste ont imaginé le travail harassant de Seurat, peignant cet immense tableau avec cette technique étonnante, au point d'en négliger Dot ("Point"), sa maîtresse qui attend un enfant.

Pendant moderne du premier acte, la seconde partie, située en 1984 à Chicago, montre la vie difficile de l'arrière-petit-fils de Seurat, artiste plasticien.

Couronnée par le Pulitzer Prize for Drama en 1985, l'œuvre est puissante et poétique. Le grand raffinement des chansons, comme *Putting It Together* ou *Sunday*, a largement contribué à la réputation d'un ouvrage très émouvant.

Spectacle présenté en version originale surtitrée

Mise en scène originale à Broadway de James Lapine Originellement produit à Broadway par the Shubert Organization et Emanuel Azenberg, En accord avec Playwrights Horizon, Inc., New York City, créateur de la production originale de Sund*ay in the Park with George* en 1983

En accord avec MTI – New York et Drama – Paris

VOUS AIMERE AUSSI...

CONFÉRENCE
SUNDAY IN THE PARK WITH GEORGE

AVEC STEPHEN SONDHEIM

DES QUESTIONS?

NOUS VOUS RAPPELONS

Distribution

Musique et paroles **Stephen Sondheim**	**Lee Blakeley** Décors et vidéos **William Dudley**	Old Lady / Elaine **Rebecca de Pont Davies** Soldier / Redmond **David Curry**
Livret **James Lapine** Direction musicale **David Charles Abell**	Georges / George **Julian Ovenden** Dot / Marie **Sophie-Louise Dann**	Yvonne / Blair **Beverley Klein**
Mise en scène		

---

9   *Sunday in the Park with George*

Complétez les phrases.

1. *Un dimanche après-midi à l'île de la Grande Jatte* est un tableau... de Seurat.
2. L'œuvre est une... passionnée sur le travail de l'artiste, notamment Seurat et son....
3. La seconde partie a lieu en... à New York.
4. *Sunday in the Park with George* a gagné le... *for Drama* en 1985.
5. ... a écrit la musique et les paroles, et... est responsable de la mise en scène.

Révision: Agreement and Position of Adjectives

French adjectives usually follow the nouns they describe.

C'est une peinture **expressionniste**.   *It's an expressionist painting.*

To form a feminine adjective, all you often have to do is add an **–e** to the masculine adjective.

Voilà une scène **intéressante**.   *There is an interesting scene.*

The following groups of adjectives have irregular feminine forms.

	Masculine	Feminine
no change	moderne	moderne
-eux→ -euse	paresseux	paresseuse
-er→ -ère	dernier	dernière
double consonant + **-e**	bon	bonne

Some adjectives are invariable and don't change, even when modifying something feminine: **orange**, **marron**, **super**, **sympa**, **bon marché**.

Some masculine adjectives have irregular forms in the feminine: **blanc→ blanche**, **frais→ fraîche**, **long→ longue**.

The adjectives **beau**, **nouveau**, and **vieux** have irregular feminine forms as well as irregular forms before a masculine noun beginning with a vowel sound.

Masculine	Masculine before a Vowel Sound	Feminine
beau	bel	belle
nouveau	nouvel	nouvelle
vieux	vieil	vieille

Some short, common adjectives precede the nouns they describe. These are the BANGS adjectives that express beauty, age, number, goodness, and size:

Beauty: **beau, joli**

Age: **nouveau, vieux, jeune**

Numbers: **premier, deuxième**

Goodness: **bon, gentil, mauvais**

Size: **grand, petit, court, long, gros**

J'comprends pas, c'est une peinture moderne unique?

10 L'art 🎧

Formez des phrases avec deux adjectifs selon le modèle.

> **MODÈLE**   peinture/beau/française
> **C'est une belle peinture française.**

1. toile/nouveau/japonais
2. portrait/réaliste/joli
3. musée de beaux-arts/impressionniste/petit
4. tableau/grand/expressionniste
5. fête champêtre/français/vieux
6. nature morte/mauvais/sombre
7. peintre/moderne/bon

emcl.com
WB 10
Games

Révision: Comparative of Adjectives

Use the following constructions to compare people and things in French:

plus (*more*)	+	adjective	+	**que** (*than*)
moins (*less*)	+	adjective	+	**que** (*than*)
aussi (*as*)	+	adjective	+	**que** (*as*)

The adjective being compared agrees in gender and in number with the first noun in the comparison.

> Les couleurs sont **aussi sombres** dans ce tableau **que** dans cet autre tableau.
>
> *The colors are as dark in this painting as in the other (one).*

The comparative of **bon/bonne** is **meilleur/meilleure**.

> Ce tableau est **meilleur** que l'autre.

Comparez ces deux HLM. Utilisez les indices donnés et les adjectifs entre parenthèses.

1. Le HLM au premier plan... le HLM à l'arrière-plan. (*propre*)
2. L'ado qui porte le tee-shirt orange... l'ado en bleu. (*diligent*)
3. Les enfants... les passants. (*vieux*)
4. Les enfants... leurs parents. (*énergique*)
5. Jeanne... son frère. (*sportif*)
6. La sculpture du HLM au premier plan... celle du HLM à l'arrière-plan. (*laid*)
7. L'ambiance du HLM au premier plan... celle du HLM à l'arrière-plan. (*accueillant*)

emcl.com
WB 11 –12
LA 2
Games

Révision: Superlative of Adjectives

Use the superlative construction to say that a person or thing has the most of a certain quality compared to all others.

| le/la/les + plus + adjective |

Le musée d'Orsay est le musée impressionniste **le plus célèbre**.

Both the definite article and the adjective agree in gender and in number with the noun they describe. Remember that if an adjective precedes a noun, its superlative form also precedes it. If an adjective follows a noun, so does its superlative form.

Le Louvre est **le plus grand** musée d'art.   *The Louvre is the biggest art museum in Paris.*

The superlative of **bon(s)** is **le/la/les meilleur(s)**.

À mon avis, c'est **le meilleur** tableau du musée.   *In my opinion, it's the best painting in the museum.*

12 Je connais Paris!

Formez des phrases au superlatif en utilisant les indices donnés.

MODÈLES le musée d'Orsay/fréquenté/musée impressionniste
Le musée d'Orsay est le musée impressionniste le plus fréquenté.

le musée d'Orsay/grand/musée impressionniste
Le musée d'Orsay est le plus grand musée impressionniste.

1. la tour Eiffel/célèbre/monument
2. le Louvre/ancien/musée
3. la *Joconde*/connu/œuvre du Louvre
4. le quartier Latin/vieux/quartier
5. les Champs-Élysées/large/avenue
6. la place de la Concorde/grand/place
7. Notre-Dame/beau/cathédrale
8. le jardin des Tuileries/joli/jardin

La *Joconde* est le tableau le plus connu au Louvre.

Communiquez!

13 Les plus grands peintres!

Interpretive Communication

Écrivez les numéros 1–7 sur votre papier. Écoutez les phrases. Ensuite, indiquez si chaque phrase que vous entendez représent un fait (F) ou une opinion (O).

Après la tour Eiffel, le Sacré-Cœur est le plus haut monument de Paris.

Curieusement, le pont Neuf est le pont le plus ancien de Paris.

À vous la parole

Comment l'art est-il un reflet de la culture?

14 Au musée des beaux-arts

Interpersonal Communication

Jouez les rôles d'un(e) ado qui visite un musée avec son père ou sa mère. L'exposition n'intéresse pas du tout l'ado qui commence par critiquer les deux premiers tableaux qu'il/elle voit. Ce sont des peintures que son père ou sa mère adore. Le parent a alors une idée: il emmène son ado voir un tableau qu'il ou elle est sûr que son fils ou sa fille va aimer. Ils discutent alors de la peinture en détail. Ils parlent du mouvement, de ce que le peintre a mis au premier plan, au centre, et à l'arrière-plan, des couleurs, et de ce qui se passe dans le tableau.

15 Un calendrier artistique

Presentational Communication

Créez un calendrier artistique en vous servant d'un outil en ligne. Pour chaque mois, mettez l'image d'une peinture française. Pour chaque peinture, écrivez une courte description en français (50 mots maximum) qui identifie le mouvement, le peintre, la date, le titre, et les caractéristiques de l'œuvre de qui sont visibles sur le tableau.

 Search words: calendar maker

16 Le musée du quai Branly

Interpretive/Presentational Communication

Le musée du quai Branly a des objets d'art de l'Afrique, de l'Asie, de l'Océanie, et des Amériques. Imaginez que vous faites un stage (*internship*) au musée et que vous êtes chargé(e) de créer une application pour Smartphone qui décrive 15 objets de la collection africaine. Pour votre objet préféré, enregistrez (*record*) un commentaire. Ecrivez un texte simple.

 Search words: musée du quai branly promenades à la carte

Prononciation 🎧

Pronouncing the Letter "h"

- Sometimes the letter "h" is pronounced, and sometimes it is not.

  Exemples: un_n hôtel: liaison du "n"

  les_z hommes: liaison du "s"

  une histoire: enchaînement consonantique

  Note the pronunciation of the letter "h" in the examples below.

  Exemples: en haut

  les Halles

A   L'artiste

Répétez les phrases suivantes. Faites attention à la prononciation des mots qui commencent avec un "h."

1. Cet_t homme est un peintre.
2. Il habite la haute montagne, dans un_n hôtel.
3. Les_z hommes du village l'admirent.

B   Vous entendez le "h" muet ou aspiré?

Écrivez M (muet) si vous n'entendez pas le "h," et A (aspiré) si vous l'entendez.

1. Il est de bonne humeur.
2. C'est le héros du livre.
3. Quelle est la hauteur de la tour Eiffel?
4. Cette histoire est incroyable.
5. Regarde vers le haut!

The Nasal and Non-Nasal "n"

- Sounds represented by the letter "n" can be nasal or non-nasal.

C   La nasalisation et la dénasalisation

Répétez les phrases et expressions avec des exemples de la prononciation de "n." Des exemples de nasalisation sont suivis d'exemples de dénasalisation.

1. Il peint – Ils peignent
2. Il craint – Ils craignent
3. Le bain – Il se baigne

D   Nasal ou pas nasal?

Écrivez le nombre de phrases que vous entendez qui n'ont pas de son nasal.

Leçon B

Vocabulaire actif

emcl.com WB 1

La musique

Le jazz

Le swing

La salsa

La pop

un album concept

"**Quoi que tu dises**" de Melissa.
Album: *Avec tout mon amour*

Je sais que t'es l'homme qu'il me faut,
Et pas un autre que toi
Mon avenir je ne le vois,
Qu'aux creux de tes bras

les paroles

la mélodie

La chanteuse est sur scène. Elle est en tournée.

DICTIONNAIRE DE LA MUSIQUE:

un auteur-compositeur-interprète: artiste qui écrit les paroles, compose la musique, et chante la chanson, par exemple, Serge Gainsbourg

un album concept: album où les chansons forment une histoire, surtout populaire dans les années 60 et 70 dans la musique rock britannique

une chanson réaliste: chanson dramatique de l'entre-guerres, interprétée par une femme, sur des thèmes dramatiques, par exemple, les chansons d'Édith Piaf

une chanson poétique: chanson dont les paroles ressemblent à un poème et qui fait ressentir une émotion, par exemple, "Le Temps des cerises" d'Yves Montand

une chanson engagée: chanson qui parle d'un problème de la société, par exemple, "Le déserteur" de Boris Vian

Pour la conversation

Ⓗow do I describe the development of an artist?

> **Il passe de** la caricature **à** la chanson engagée.

He moves from caricatures to political issue songs.

Ⓗow do I say that an artist was successful?

> **Ses chansons** du temps qui passe et des amours tristes **lui ont valu d'immenses succès.**

His songs of passing time and sad love were valued as immense successes.

Ⓗow do I describe an artist's emphasis?

> Brel **c'est le goût pour** la musique populaire.

Brel is about a taste for popular music.

Ⓗow do I describe an artist's ability to connect with his or her audience?

> Elle **a séduit** plusieurs générations **qui se sont reconnues dans** le lyrisme intimiste de ses textes.

She seduced several generations who saw themselves in the intimate lyricism of her texts.

Et si je voulais dire...?

un air	*tune*
un chœur	*choir*
un morceau	*composition*
la musique de chambre	*chamber music*
un opéra	*opera*
diriger	*to conduct*

---

1 | Les définitions

Complétez les phrases suivantes avec un mot ou une expression de la liste.

> réaliste   mélodie   un album concept   la pop   interprète
>
> paroles   compositrice   compositeur   poétique

1. Un CD avec une idée thématique s'appelle....
2. Une chanson... offre une représentation de la vraie vie.
3. La personne qui compose la musique est le... ou la....
4. Un... chante les chansons des autres avec sa propre (*own*) interprétation.
5. Les chansons ont une musique et des....
6. Par définition, ... est écoutée par un grand nombre de personnes.
7. Une chanson... a des paroles lyriques.
8. Tout le monde connaît la... de "Frère Jacques."

2 Moi, je connais la musique!

Associez un mot ou une expression de la liste avec les indices ci-dessous.

> la salsa   le swing   le jazz   la pop   la mélodie   un interprète   une chanson
> engagée   une chanson poétique   un auteur   un auteur-compositeur-interprète

1. la Nouvelle-Orléans, Duke Ellington, Louis Armstrong, les boîtes de Paris
2. les Beatles, les meilleurs hits de l'année, les Top 50
3. Adele, Lady Gaga, Taylor Swift
4. la politique, les idées pour changer une société, lutter pour une cause, les années 1960
5. les notes, le compositeur, la compositrice
6. le chanteur, la chanteuse de chansons popularisées par quelqu'un d'autre
7. les paroles, les poèmes, le lyricisme
8. Leonard Cohen, qui a écrit "Hallelujah" (interpreté par Jeff Buckley, k.d. lang, Rufus Wainwright, etc.)
9. Jimmy Dorsey et son orchestre, la Deuxième guerre mondiale (*WWII*)
10. musique pour la danse, exportation de la culture hispanique

3 Questions personnelles

Répondez aux questions suivantes.

1. Quel(s) type(s) de musique aimes-tu écouter? Et tes amis? Et tes parents? Et tes grands-parents?
2. Quels musiciens est-ce que tu admires? Pourquoi?
3. Est-ce que tu as déjà assisté à un concert? Si oui, de quelle sorte de musique?
4. Est-ce que tu joues d'un instrument? Si oui, duquel?
5. Tu aimerais devenir musicien/musicienne célèbre? Pourquoi, ou pourquoi pas?
6. Penses-tu que la mélodie soit la chose la plus importante dans une chanson?

Je préférerais devenir actrice que chanteuse.

Communiquez!

4 Qu'est-ce que tu préfères?

> Alors, tu préfères les chanteurs-compositeurs français ou anglais?

Interpersonal Communication

À tour de rôle, demandez ce que votre partenaire préfère.

> **MODÈLE** A: **Préfères-tu la pop, la world, ou le hip-hop?**
> B: **Je préfère le hip-hop.**

1. la pop, la world, le hip-hop
2. les chansons réalistes, poétiques, ou engagées
3. les interprètes ou les auteurs-compositeurs-interprètes
4. le jazz, la musique classique, le rock, la musique alternative
5. les chansons engagées ou les chansons romantiques
6. les paroles ou la composition musicale
7. le swing ou la salsa

Communiquez!

5 Ce que j'écoute

Écrivez les numéros 1–6 sur votre papier. Écoutez Amina et Antoine discuter de leurs interprètes préférés. Puis choisissez la réponse qui correspond aux questions posées.

1. Qu'est-ce qu'Amina écoute?
   A. une chanson d'Édith Piaf
   B. une chanson de Serge Gainsbourg
   C. une chanson de Jacques Brel
2. Pourquoi écoute-t-elle cet artiste?
   A. Parce qu'elle est triste.
   B. Parce qu'elle adore cet auteur et interprète.
   C. Parce qu'elle aime la musique classique.
3. Quel auteur-compositeur-interprète Antoine préfère-t-il?
   A. Boris Vian
   B. Serge Gainsbourg
   C. Charles Aznavour
4. Qui aime Charles Aznavour?
   A. Antoine
   B. Amina
   C. Antoine et Amina
5. Comment sait-on que Charles Aznavour est un bon auteur-compositeur-interprète?
   A. Parce qu'il écrit de belles chansons.
   B. Parce qu'on l'a nommé "Artiste de variétés du siècle."
   C. Parce qu'Amina l'a vu en concert et pense qu'il chante bien.
6. Qu'est-ce qu'Amina sait faire?
   A. danser le swing
   B. jouer du saxophone
   C. créer des albums concept

Rencontres culturelles

Les grands auteurs-compositeurs-interprètes français

On vous présente cinq auteurs-compositeurs-interprètes de la chanson française.

C'est **Boris Vian** (1929–1959) qui va donner le tempo (celui du swing et du jazz) et la couleur sonore* (celle de sa trompette) à l'après-guerre*. Ingénieur, écrivain, journaliste, peintre, il est surtout fou* de musique, de jazz, et de chanson en général. Dans son seul album *Chansons possibles et impossibles*, 1956, il passe de la caricature ("J'suis snob") à la chanson engagée ("La java des bombes atomiques," et "Le Déserteur"). Réputé pour son militantisme provocateur*, "Le déserteur" est probablement la chanson de Vian la plus connue, dont on a fait un album par la suite.

***

sonore *sound-effect*; **après-guerre** *post-war (WWII)*; **fou** *crazy about*; **provocateur** *agitated*

Serge Gainsbourg (1928–1991) qui ne cachera* jamais son admiration pour Boris Vian, fait partie de la même lignée*: jongleur* de mots, curieux de sonorités* venues d'ailleurs* (jazz, mambo, reggae, new wave, rap) et ne s'attachant à aucun genre* pour mieux réussir dans chacun. Tout lui réussit: la chanson réaliste ("Le poinçonneur des lilas"), la chanson poétique ("La Javanaise," "Je suis venu vous dire que je m'en vais"), la pop ("Poupée de cire, poupée de son"), l'album concept (*Histoire de Melody Nelson*) qui influencera aussi bien Air que Beck ou Jarvis Cocker, et la provocation politique (avec une version de *La Marseillaise* en reggae).

Mais Serge Gainsbourg est aussi l'auteur-compositeur d'un nombre impressionnant de succès interprétés pour nombre d'entre eux par des femmes: Vanessa Paradis, Brigitte Bardot, Jane Birkin (sa muse), Isabelle Adjani, Anna Karina, Catherine Deneuve, Juliette Greco, et Françoise Hardy.

Serge Gainsbourg a été très populaire chez les jeunes.

***

cachera *hide*; **lignée** *tradition*; **jongleur** *juggler*; **sonorité** *sound, tone*; **d'ailleurs** *from elsewhere*; **ne s'attachant à aucun genre** *belonging to no specific genre*

Charles Aznavour (1924–), lui aussi l'auteur-compositeur d'un nombre important de chansons à succès interprétées par Edith Piaf, Frank Sinatra, Liza Minnelli, et Dianne Reeves, est surtout l'interprète du temps qui passe et des amours tristes qui lui ont valu d'immenses succès: "Tu t'laisses aller," "Il faut savoir," "La Mamma," "For Me Formidable," "La Bohême," "Emmenez-moi," "Désormais," "Hier encore," "Comme ils disent." Ajouter à cela que Charles Aznavour est un formidable *homme de scène**, élu* par *Time Online* et *CNN* "Artiste de variétés du siècle," rassemblant* plus de 100.000 spectateurs sur le site des Plaines d'Abraham en 2008 à Québec. Enfin Charles Aznavour a joué au cinéma dans plus de 50 films.

***

homme de scène *performer*; **élu** *chosen*; **rassemblant** *gathering*

Charles Aznavour.

Jacques Brel (1929–1978) est lui aussi auteur-compositeur-interprète. Il est d'origine belge. Brel c'est la puissance lyrique du texte*, le goût pour la musique populaire dans les mélodies et une interprétation très dramatique. Parmi ses grands succès, "La valse à mille temps," "Bruxelles," et "Jef," appartiennent* de cette esthétique réaliste et populaire alors que "Le Moribond," "Ne me quitte pas," "Quand on a que l'amour," "Le Plat Pays," et "Les Vieux," sont d'un lyrisme plus intimiste et musicalement plus économe*. Reste le Brel critique social, celui des "Bourgeois," des "Flamandes," ou encore des "Bigotes," et de "Ces gens-là."

---

puissance lyrique du texte *lyrical power of the text*; **appartiennent** *belong*; **économe** *frugal*

Barbara (1930–1997) est la chanteuse qui a séduit plusieurs générations qui se sont reconnues* dans le lyrisme intimiste de ses textes, l'émotion très personnelle qui s'en dégage*, la mélodie piano comme une confidence. Pianiste chantante, elle passe de longues années à chanter dans les cabarets de la rive gauche. De cette relation particulière avec le public, elle écrira une chanson: "Ma plus belle histoire d'amour c'est vous" que le public lui renvoie en miroir au cours de ses concerts. "Dis, quand reviendras-tu?," "Nantes," "Göttingen," "Pierre," "Le mal de vivre," "La solitude," "Une petite cantate," "Au bois de Saint-Amand," "La Dame brune," "Marienbad," mais aussi "L'Aigle noir," "L'homme en habit rouge" forment comme un récit de vie dans lequel chacun, chacune choisit son parcours*.

---

reconnues *recognized*; **s'en dégage** *comes out*; **parcours** *chemin*

6 Des auteurs-compositeurs-interprètes français

Répondez aux questions.

Boris Vian

1. On associe Boris Vian à quels genres de musique?
2. Qu'est-ce qu'il faisait comme métier?
3. Comment s'appelle sa chanson d'un soldat?

Serge Gainsbourg

4. Serge Gainsbourg chantait quelles sortes de chansons?
5. Il a été maître de quels genres de musique?

Charles Aznavour

6. Charles Aznavour se concentre sur quels thèmes principaux (citez-en deux)?
7. À part chanteur, qu'est-ce qu'il fait comme métier?

Jacques Brel

8. Comment est-ce que Jacques Brel interprétait ses chansons?
9. On peut associer quels titres à son pays d'origine?
10. Comment était sa musique?

Barbara

11. Barbara préférait quel instrument de musique?
12. Où a-t-elle commencé sa carrière?
13. Quel était son rapport avec le public?

emcl.com
WB 6

Comment l'art est-il un reflet de la culture?

La chanson française

C'est une des caractéristiques de la chanson française: le chanteur fait tout. Il écrit les paroles (auteur), il compose la musique (compositeur), et bien sûr il chante ses propres textes et ses propres musiques (interprète). Le phénomène a commencé après la Seconde Guerre mondiale dans les clubs de Saint-Germain des Prés de Paris, et il demeure important: de Charles Trenet et Boris Vian à Vincent Delerm, de Barbara à Émilie Simon, de Jacques Brel et Charles Aznavour à Bénabar et jusqu'aux slameurs comme Grand Corps Malade, sans oublier Serge Gainsbourg.

 Search words: **charles trenet, vincent delerm, émilie simon, bénabar, grand corps malade**

Produits

"La vie en rose" est une chanson bien connue hors de (*outside of*) la France. Chantée par Édith Piaf en 1947, elle est vite devenue un hit. Beaucoup de chanteurs anglophones, tels que Louis Armstrong, Diana Krall, et KT Tunstall, l'ont fait connaître (*made it known*) par leurs fans. Écoutez la chanson en ligne.

FRANCE 0,89 €

FRANCE | ÉTATS-UNIS

EDITH PIAF

Édith Piaf, chanteuse légendaire.

La Francophonie: La musique contemporaine

✳ *En France*

Ils sont aujourd'hui nombreux les héritiers* de cette tradition d'auteur-compositeur-interprète. Comme leurs prestigieux aînés*, ils sont passés par les caves*, les bars, les clubs, les petits festivals où se retrouvent les gens curieux et attentifs. Et ils revendiquent* tout l'héritage. Parmi les multiples descendants, en voici quelques représentants de divers genres, qui témoignent* de l'influence des plus grands de la chanson française, tout en observant une ouverture sur la scène internationale: Vanessa Paradis (jazz pop), Raphaël (pop), Calogéro (pop rock), Youssoupha (rap), et Melissa (R'n'B).

héritiers *heirs;* **aînés** *elders;* **caves** *basement music halls;* **revendiquent** *claim;* **témoignent** *pay witness to*

Le chanteur Raphaël a commencé sa carrière aux concerts de Vanessa Paradis et David Bowie.

❊ Au Québec

Vent du nord est un groupe folklorique québécois fondé en 2003. Certains de leurs chansons évoquent* l'influence celtique de l'Irlande et la Bretagne. Ils ont reçu de nombreux prix. Ils vont souvent en tournée. Leur premier album s'appelle *Maudite moisson!* Leur dernier est intitulé *Symphonique*. Ce groupe est bien connu, pas seulement au Canada, mais dans le monde entier.

 Search words: vent du nord

évoquent *recall*

---

7 | Activités culturelles

Faites les activités suivantes.

1. Décrivez le grand chanteur français. Qu'est-ce que ça veut dire, "il fait tout"?
2. Trouvez le lieu associé avec les origines de cette tradition sur un plan de Paris.
3. Composez une playlist personnelle de vos chansons préférées d'un des chanteurs contemporains mentionnés ci-dessus.
4. Choisissez une chanson de Vent du nord ou d'un autre groupe ou musicien québécois sur Internet. Présentez-la à la classe; dites pourquoi vous l'aimez et faites-la écouter.

Perspectives

Le célèbre chanteur français Georges Brassens a dit, "Pourquoi philosopher alors qu'on peut chanter?" Que pense-t-il du rôle et de l'influence du chanteur français?

La musique québécoise est connue pour ses instruments traditionnels.

Du côté des médias

Lisez la présentation de l'association "Les Restos du Cœur."

PRÉSENTATION DE L'ASSOCIATION "LES RESTOS DU CŒUR"

Fondés par Coluche en 1985, les Restos du Cœur sont une association française, sous le régime juridique de la loi de 1901, reconnue d'utilité publique et fondée sous le nom officiel de **"Les Restaurants du Cœur- les Relais du Cœur."**

Ils ont pour but "**d'aider et d'apporter une assistance bénévole aux personnes démunies**, notamment dans le domaine alimentaire par l'accès à des repas gratuits, et par la participation à leur insertion sociale et économique, ainsi qu'à toute l'action contre la pauvreté sous toutes ses formes."

Durant la première campagne des Restos, l'hiver 1985-1986, ce sont 8,5 millions de repas qui ont été servis. À l'hiver 2006-2007, ce sont 81,7 millions de repas qui ont été distribués par l'association. Lors de cette 22e campagne, les Restos ont franchi la barre **d'un milliard de repas servis depuis leur création**…. En France, 3,7 millions de personnes gagnent moins de 645€ par mois (plus de 7 millions si l'on se réfère au seuil de pauvreté européen).

Même si vingt ans plus tard, les carences alimentaires les plus graves ont presque disparu, la pauvreté a pris un autre visage. Et les Restos ont toujours cruellement leur place.

Au-delà de l'aide alimentaire, les Restos du Cœur étendent depuis dix ans leurs actions à l'aide à la personne et à l'insertion. **Car pour sortir durablement de l'exclusion, un repas ne suffit pas.** Il faut aussi retrouver un emploi et avoir un toit.

La plus grande partie des ressources de l'association provient des donateurs et des concerts des Enfoirés. Elles sont complétées par des subventions des collectivités publiques, nationales, et européennes. Les Restos du Cœur sont très soucieux d'utiliser au mieux ces fonds publics et prives: les frais généraux sont réduits (moins de 10%) et les dépenses superflues éliminées.

En conséquence, plus de 90% des ressources sont consacrées aux actions de l'association. L'activité de l'association ne s'exerce que sur le territoire français métropolitain. Il n'existe aucune association agréée en dehors de l'Hexagone, car cela nécessiterait des structures beaucoup plus lourdes et donc plus onéreuses. Et, parce que les législations et les règles fiscales sont différentes, aucune association basée ou opérant a l'étranger ne relève de l'association française.

---

8   Les Enfoirés et les Restos du Cœur

Faites les activités suivantes.

1. Expliquez qui sont les Enfoirés.
2. Expliquez le lien entre les Enfoirés et les Restos du Cœur.
3. Lisez le témoignage de Jean-Jacques Goldman et la déclaration de Coluche sur son initiative. (Allez à la page d'ACCUEIL ou à la page LES ENFOIRES sur le sit en bas.) Qu'est-ce que Coluche lui a demandé de faire?
4. Allez plus loin: faites une recherche sur Internet sur Coluche. Quel était son métier? De quelle façon était-il engagé?

   Search words: www.enfoires.com

Regardez les albums de Raphaël et lisez les titres de ses chansons.

Une Nuit Au Châtelet

(2007)
Happe (Live 2006)
C'est Bon Aujoud'hui (Live 2006)
1900 (Live 2006)
Ceci N'est Pas Un Adieu (Live 2006)
Elisa (Live 2006)
Caravane (Live 2006)
Sur Mon Cou (Live 2006)
Les Petits Bateaux (Live 2006)
Saint-Etienne (Live 2006)
Des Mots (Live 2006)
Sur La Route (Live 2006)
Poste Restante (Live 2006)
Une Petite Cantate (Live 2006)
Et Dans 150 Ans (Live 2006)

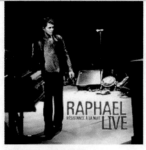

Résistance A La Nuit

(2006)
1900 - Live
Au Temps Des Colonies - Live
C'est Bon Aujoud'Hui - Live
Caravane - Live
Ceci N'Est Pas Un Adieu - Live
Chanson Pour Patrick Dewaere - Live
Et Dans 150 Ans - Live
Funambule - Live
La Ballade Du Pauvre - Live
La Route De Nuit - Live
Les Petits bateaux - Live
Ne Partons Pas Fachés - Live
O Compagnons - Live
Peut Etre A-T-Il Rêvé - Live

Caravane

(2005)
Caravane
Ne Partons Pas Fâchés
Et dans 150 ans
C'est Bon Aujourd'hui
Chanson Pour Patrick Dewaere
Les Petits Bateaux
La Route De Nuit
Schengen
Peut-Etre A-T-Il Rêvé?
La Ballade Du Pauvre
Funambule

La Réalité

(2003)
O Compagnons
Sur La Route
Comme Un Homme A La Mer
Il Ira Loin
La Memoire Des Jours
Il Y A Toujours
Au Temps Des Colonies
Etre Rimbaud
1900
La Réalité
Des Mots
Suivez La Musique
Poste Restante
Une Journée Particulière

Hotel De L'univers

(2000)
Libre Service

---

9 **Discographie de Raphaël**

Choisissez un album et donnez l'équivalent en anglais de ses titres pour un futur album en anglais.

Present Tense of the Irregular Verb *plaire*

> Le concert te plaît?
>
> Oui, il me plaît beaucoup!

The verb **plaire** (*to please*) is irregular. Only two of its present tense forms are frequently used: **il/elle/on plaît** and **ils/elles plaisent**. To express likes or dislikes, **plaire** is often used instead of **aimer**. **Plaire** takes an indirect object, using the pronoun à with a person or an indirect object pronoun.

Le jazz et le swing **plaisent** à mes grands-parents.	*Jazz and swing please my grandparents.*
Est-ce que la musique de Jacques Brel te **plaît**?	*Do you like Jacques Brel's music?*
Oui, sa musique me **plaît**.	*Yes, I like his music.*

The irregular past participle of **plaire** is **plu**.

Est-ce que cette chanson engagée vous a **plu**?	*Did you like the protest song?*
Oui, elle nous a beaucoup **plu**.	*Yes, we liked it a lot.*

COMPARAISONS

Le rock lui plaît. In the English version of this sentence, what are the subject and direct object?

> Ce rouge à lèvres ne me plaît pas!

COMPARAISONS: In the English version ("He/She likes rock"), the subject is "he"or"she" (the person doing the liking) and the direct object is "rock" (music), the thing that is liked. In French **le rock** is the subject (it does the "pleasing") and **lui** is an indirect object.

Communiquez!

10 Ça plaît à Cassandre?

Interpretive Communication

À tour de rôle, demandez à votre partenaire si tel ou tel vêtement plaît à Cassandre ou ne lui plaît pas. Votre partenaire va répondre selon les indices donnés.

MODÈLES

A: **Le bonnet en laine plaît à Cassandre?**
B: **Oui, il lui plaît.**

A: **Le pantalon rose plaît à Cassandre?**
B: **Non, le pantalon rose ne lui plaît pas.**

1.

2.

3.

4.

5.

6.

7.

8.

Voici les résultats d'un sondage que le Club de Musique a fait à la MJC. Qu'est-ce qui plaît à ses membres?

	Annie	Lindsay	moi	Karim	toi	Dylan
+ = plaire – = ne pas plaire						
le swing	-	+	+	-	-	+
le jazz	-	-	-	+	+	-
la pop	+	+	+	+	+	+
le hip-hop	+	-	+	-	-	+
le reggae	-	-	-	+	+	+
la musique folklorique	+	+	-	-	-	+
la musique classique	+	-	+	+	+	-
la salsa	+	-	-	+	-	+

MODÈLES Karim: le jazz, la musique folklorique
Le jazz lui plaît, mais la musique folklorique ne lui plaît pas.

moi: le jazz, le reggae
Le jazz et le reggae ne me plaisent pas.

1. Karim et toi: le swing, le hip-hop
2. Lindsay: la musique folklorique, la pop
3. Dylan et Annie: le jazz, le hip-hop
4. Annie et moi: la musique classique, le reggae
5. moi: le swing, la pop
6. Lindsay: le hip-hop, le reggae
7. Lindsay et moi: la salsa, le swing

12 **J'interviewe mon partenaire!**

À tour de rôle, demandez à votre partenaire si les choses suivantes lui plaisent.

MODÈLES les sports d'hiver
A: **Les sports d'hiver te plaisent?**
B: **Oui, les sports d'hiver me plaisent (beaucoup).**
         ou
Non, les sports d'hiver ne me plaisent pas.

1. les émissions de musique
2. les sports d'hiver
3. les paysages
4. les devoirs de maths
5. les cours de science
6. les peintures impressionnistes
7. les chansons romantiques
8. les interprètes
9. les fêtes champêtres
10. les escargots

13 **La musique qui leur plaît**

Écrivez les numéros 1–6 sur votre papier. Écoutez les conversations. Puis, mettez un + si la personne aime la chose mentionnée dans la question, ou un – si elle ne l'aime pas.

À vous la parole

 Communiquez!

14 Ma musique préférée

Interpersonal Communication

Avec un partenaire, parlez de votre musique préférée. Adaptez le dialogue ci-dessous.

A: Moi, j'adore les chansons de Jacques Brel.

B: Brel c'est le goût de la musique populaire.

A: À vrai dire, il passe de la musique populaire à la musique engagée.

B: Il a séduit plusieurs générations de Français et de Flamands.

A: Tu préfères quelles chansons de Brel?

B: J'aime beaucoup ses chansons romantiques telles que "Ne me quitte pas" et "Quand on n' a que l'amour." Et toi?

A: Moi, ce sont les chansons en français et en flamand que j'aime le plus.

Communiquez!

15 Un podcast pour les Restos du cœur

Presentational Communication

Les Restos du cœur est une association qui distribue des repas aux personnes dans le besoin. Imaginez que l'association organise un événement pour encourager les gens à faire un don. Pour cela ils organisent un concours (*contest*) de chanson. Ils vont choisir dix podcasts musicaux sur le site web. Peut-être qu'ils choisiront votre interprétation d'une chanson en français. C'est à vous de trouver une chanson, de la pratiquer, et de filmer votre groupe en train de la chanter. Avant de chanter, il faut que vous présentiez le chanteur et la chanson. N'oubliez pas de dire pourquoi vous avez choisi cette chanson pour le concours.

Communiquez!

16 Ma playlist de chansons francophones

Interpretive/Presentational Communication

Faites une playlist de 12 chansons chantées par des musiciens francophones en ordre de vos préférences. Il est possible que vous trouviez aussi des chansons de différentes époques. La première chanson de votre liste sera celle que vous aimez le plus.

 Search words: nrj radio, victoires de la musique, le top 50, tops songs france, paroles (+ titre de la chanson ou le nom de l'artiste)

Stratégie communicative PreAP

Write a Comparison-Contrast Essay

Comparer quelque chose c'est montrer les similarités qui existent entre deux choses. Contraster c'est montrer ce qui les différencie. Lorsque l'on écrit une rédaction, on compare et on contraste. C'est très simple, il y a deux manières d'organiser ses idées; vous pouvez comparer et contraster un élément à la fois (*point par point*) ou tout écrire sur le premier élément et ensuite passer au second (tout d'un bloc).

1. Choisissez deux tableaux ou deux artistes que vous comparerez et opposerez. Préparez un diagramme de Venn dans lequel vous montrerez les similarités et les différences qui existent selon les deux.

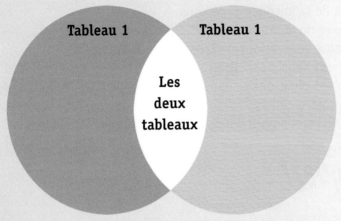

2. Complétez votre organigramme en utilisant les mots ci-dessous pour comparer et contraster:

Similarités	Différences
ressemble à	par contre
les deux	cependant
aussi	mais
également	bien que/qu'
(tout) comme	s'opposer: Les couleurs s'opposent.
comparé(e) à	pendant que
tel, telle: Elle est grande, telle sa mère.	contrairement à
le même, la même	en comparaison de: Il est triste, en comparaison de la fille.

3. Il est également utile d'utiliser le comparatif dans ce type de rédaction.

   Le tableau de Monet est plus joli que le tableau de Renoir en ce qui concerne l'atmosphère.

   Vous pouvez aussi comparer des noms en utilisant la structure suivante:

   Il y a autant de personnages dans le tableau de Renoir que dans l'autre, mais ceux du tableau de Renoir ont l'air plus heureux.

4. Remettez votre rédaction à un(e) camarade de classe. Il s'assurera que vous avez:

   - suivi le schéma d'organisation.
   - inclu une thèse et un fait sur le sujet.
   - inclu votre point de vue.
   - conclu.

5. Mettez au propre et publiez en ligne ou partagez votre rédaction avec votre classe.

Leçon C

Vocabulaire actif

emcl.com
WB 1–3
LA 1
Games

La littérature

Pour parler de la littérature

un recueil

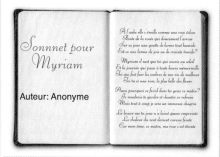

un sonnet (une strophe)

un recueil: une collection de poèmes, par exemple *Paroles* par Jacques Prévert

la poésie: un genre littéraire qui utilise les images, les rimes, et les sonorités pour exprimer une idée ou un sentiment

un sonnet: un poème de quatorze vers, composé de deux quatrains (quatre vers) et deux tercets (trois vers)

une strophe: ensemble de vers qui forment un paragraphe dans un poème

Les écrivains

un poète
une femme poète

Mme de Stael
une romancière
un romancier

une fable

MOLIÈRE
la satire

une fable: un récit imaginaire écrit en vers, avec une morale

une morale: une leçon dans une œuvre, par exemple: "Tout flatteur vit aux dépens de celui qui l'écoute" (Jean de La Fontaine)

la satire: une œuvre (pièce, texte, ou récit oral) critique et comique

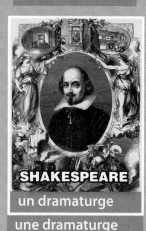

SHAKESPEARE
un dramaturge
une dramaturge

Le corbeau et le renard

Le renard ment au corbeau et prend son fromage!

Anna et la rose

Anna doit se cacher jusqu'à l'aube pour cueillir la rose magique!

Le sorcier déjoué

... et le brouillard touche le magicien qui demeure dans la vieillesse pour toujours.

Pour la conversation

How do I describe how an artist raises themes?

> Ses *Amours* **donnent lieu à des variations sur les thèmes de** la plainte, du soupir, de l'aveu, et de la mélancolie.

His Amours *(book of poetry) gives rise to a variation of the themes of complaint, sighing, the confession, and melancholy.*

How do I describe how a work of art takes a position?

> **C'est une œuvre** politique **qui prend position sur** la guerre.

It's a political work that takes a position on war.

How do I describe the focus of an artist's work?

> La poésie **est la partie la plus volumineuse de l'œuvre de** Victor Hugo.

Poetry is the most voluminous part of Victor Hugo's work.

How do I attribute new inventions?

> **C'est à** Apollinaire **que l'on doit l'invention du** mot "surréalisme."

It's Apollinaire to whom one owes the invention of the word "surrealism."

How do I describe how an artist fits into a culture?

> **C'est une figure de la culture** populaire.

He is a figure of popular culture.

Et si je voulais dire...?

une ballade	*ballad*
une comparaison	*simile*
une explication de texte	*formal critique of literary selection*
le lyrisme	*lyricism*
une métaphore	*metaphor*
une ode	*ode*

1 | Mon cours d'anglais

Selon la phrase, choisissez l'auteur de la liste et complétez cette phrase: **C'est l'écrivain américain(e)/anglais(e)/irlandais(e)....**

Emily Dickinson	Mark Twain	William Shakespeare	Bram Stoker
Edgar Allen Poe	Sir Arthur Conan Doyle	Charles Dickens	Jack London	Harper Lee

1. Son héroïne, Scout, dont le père est avocat, demeure dans le sud des États-Unis; l'œuvre pour laquelle elle est connue est un roman qui prend position sur les droits des afro-américains.
2. Il aimait la satire et l'humour; son héros Huckleberry Finn a voyagé sur le fleuve Mississippi.
3. Il a écrit des recueils de nouvelles et des romans qui ont lieu en Alaska. Il aime décrire les paysages et les animaux sauvages.
4. Elle est demeurée en Nouvelle-Angleterre au XIXème siècle, et elle est connue pour sa poésie simple.
5. Il a écrit beaucoup de pièces comme *Roméo et Juliette* et des sonnets d'amour.
6. Son héros habite dans une ville où il y a souvent du brouillard; il travaille avec Docteur Watson.
7. Il est connu pour un conte de Noël avec le personnage Scrooge; la partie la plus volumineuse de son œuvre, ce sont des romans comme *Oliver Twist*.
8. C'est à lui qu'on doit l'invention des nouvelles fantastiques.
9. Son héros, un vampire, est en difficulté s'il voit l'aube.

2 | Mon dico littéraire

Choisissez un mot de vocabulaire de la liste pour remplacer les mots en italiques.

un recueil	la poésie	une fable	satires	sonnets	une morale

1. Les bandes dessinées dans les magazines et journaux sont souvent des *critiques* politiques.
2. On peut lire des nouvelles ou des poèmes dans *un livre qui réunit ces textes*.
3. *Ce genre d'écriture* (writing) peut avoir des rimes ou peut être en vers libre (*free verse*).
4. À la fin d'*une histoire allégorique avec des animaux comme personnages* (characters), il y a souvent *une leçon*.
5. Shakespeare est connu pour ses *poèmes de 14 vers qui suivent une forme traditionnelle*.

3 Complétez!

Complétez les phrases.

1. Le... est un oiseau noir qui fait "crôa, crôa."
2. Les... sont des animaux roux qui habitent à la campagne et qui aiment manger les poules de la ferme.
3. Après la jeunesse et la cinquantaine (*middle age*), on arrive à....
4. Pinocchio aime....
5. Le Petit Chaperon Rouge (*Little Red Riding Hood*) veut... des fleurs avant de rendre visite à sa grand-mère.
6. Quand le soleil se lève, on appelle ça....
7. À Londres il y a souvent du... et il pleut souvent.
8. Un auteur peut montrer directement son message, mais on le... plus souvent.
9. Le jeune écrivain... dans un quartier où il y a beaucoup d'artistes et de musiciens.

Le brouillard indique qu'il s'agit d'un roman policier.

4 Ah, la poésie!

*Écrivez les numéros 1–5 sur votre papier. Écoutez la conversation entre Manon et son père, puis indiquez si la phrase que vous entendez est vraie (**V**) ou fausse (**F**).*

5 Questions personnelles

Répondez aux questions.

1. Quel est ton auteur préféré? Il ou elle écrit quel genre de littérature?
2. Qui te propose le plus souvent des livres?
3. Est-ce que la poésie te plaît? Pourquoi, ou pourquoi pas?
4. Préfères-tu les nouvelles avec une morale ou une intrigue (*plot*) intéressante?
5. Est-ce que tu comprends la satire politique de Stephen Colbert ou Jon Stewart?
6. Si tu allais écrire un texte et le publier (*publish*), quel en serait le genre? Pourquoi?

Mon père aime m'offrir des livres.

emcl.com
WB 4

La poésie française

Voici quelques poètes français et un exemple de leur poésie.

Pierre de Ronsard (1524–1585)

Ronsard ouvre la tradition de la poésie amoureuse. Ses *Amours* ("À Cassandre," 1552; "À Marie," 1555–1556; "À Hélène," 1578) donnent lieu à des variations sur les thèmes de la plainte, du soupir, de l'aveu, et de la mélancolie. Ils forment encore aujourd'hui un héritage culturel partagé. Voici quelques lignes de son sonnet "À Cassandre," qui se sert du thème *carpe diem*:

À Cassandre

...Tandis que vôtre âge fleuronne*
En sa plus verte nouveauté,
Cueillez, cueillez votre jeunesse:
Comme à cette fleur, la vieillesse
Fera ternir* votre beauté.

Avec le sonnet, Ronsard impose une forme poétique qui est la marque de fabrique de la poésie française de Ronsard jusqu'aux surréalistes, une "machine" à créer de nouveaux rapports entre les mots et finalement une nouvelle réalité.

plainte *complaint;* **fleuronne** *blooms;* **ternir** *tarnish*

Jean de La Fontaine (1621–1695)

C'est le plus populaire des écrivains, celui dont chacun* peut au moins réciter quelques vers "par cœur" ou reprendre l'une des célèbres morales. Jean de La Fontaine était un ami des bêtes et un écologiste avant l'heure*.

Les Fables, écrites entre 1668 et 1694, ont connu tout de suite un immense succès. Elles sont tout à la fois une œuvre politique qui prend position sur la guerre ("Le Lion" ou "Le Renard anglais"), contre l'esprit de conquête ("Le Paysan du Danube"), dénonce avec ironie et humour la vie de la Cour* avec ses flatteurs* ("Les Animaux malades de la peste"). Dans son œuvre philosophique il montre sa méfiance* sur la prétendue* supériorité de la race humaine, de "l'animal qu'on appelle homme" (*La Discorde*). C'est surtout une œuvre de moraliste qui voit l'homme esclave* de ses passions, de ses ambitions, et aussi de l'amour. Cette morale est passée dans le sens commun: elle dit que "nul n'est prophète en son pays" ou que "tel est pris qui croyait prendre". Lisez la fable suivante:

Le Corbeau et le Renard

Maître Corbeau, sur un arbre perché*,
Tenait en son bec* un fromage.
Maître Renard, par l'odeur alléché*,
Lui tint à peu près ce langage:
"Hé! bonjour, Monsieur du Corbeau.

Que vous êtes joli! que vous me semblez beau!
Sans mentir, si votre ramage*
Se rapporte à* votre plumage,
Vous êtes le Phénix des hôtes de ces bois*."

avant l'heure *before his time;* **Cour** *royal court;* **flatteurs** *people who flatter;* **méfiance** *suspicion;* **prétendue** *claimed;* **esclave** *slave;* **perché** *sitting in a tree;* **bec** *beak;* **alléchée** *tempted;* **ramage** *warbling;* **se rapporte à** *is in keeping with;* **bois** *woods*

continued...

À ces mots le Corbeau ne se sent pas de joie;
Et pour montrer sa belle voix,
Il ouvre un large bec, laisse tomber* sa proie*.
Le Renard s'en saisit*, et dit: "Mon bon Monsieur,
Apprenez que tout flatteur
Vit aux dépens de celui qui l'écoute:
Cette leçon vaut bien un fromage, sans doute."
Le Corbeau, honteux et confus,
Jura, mais un peu tard, qu'on ne l'y prendrait plus*.

---

laisse tomber *let's fall/drops*; **la proie** *prey*; **s'en saisit** *seizes it*; **ne l'y prendrait plus**
would not trick him again

"Le corbeau et le renard" de Jean de La Fontaine.

Victor Hugo (1802–1885)

C'est le plus universel des écrivains français. Il a touché à tout: au roman, au théâtre, au pamphlet, à la satire, et bien sûr à la poésie.

La poésie est la partie la plus volumineuse de l'œuvre de Victor Hugo dont les principales sont *Les Orientales* (1829), *Les feuilles d'automne* (1831), *Les Chants du crépuscule* (1835), *Voix intérieures* (1837), *Les rayons et les ombres* (1840), et *Les Contemplations* (1856).

La poésie de Victor Hugo passe par le regard: un regard qui rend compte* du "spectacle du monde" avec ses merveilles* et ses pièges*; qui renvoie* à la mémoire, aux souvenirs de l'enfance; qui capte* aussi la simplicité du quotidien; qui cherche enfin à percer* le secret du visible, à trouver la lumière au-delà de* l'ombre et des profondeurs*.

Voici un poème qu'il a écrit après la mort* de sa fille:

Demain, dès l'aube

Demain, dès l'aube, à l'heure où blanchit* la campagne,
Je partirai. Vois-tu, je sais que tu m'attends.
J'irai par la forêt, j'irai par la montagne.
Je ne puis demeurer loin de toi plus longtemps.

Je marcherai les yeux fixés sur mes pensées*,
Sans rien voir au dehors, sans entendre aucun bruit,
Seul, inconnu, le dos courbé*, les mains croisées*,
Triste, et le jour pour moi sera comme la nuit.

Je ne regarderai ni l'or* du soir qui tombe,
Ni les voiles* au loin descendant vers Harfleur,
Et quand j'arriverai, je mettrai sur ta tombe
Un bouquet de houx* vert et de bruyère* en fleur.

Victor Hugo.

---

rend compte *réalise*; **merveille** *marvel*; **piège** *trap*; **renvoie** *takes you back*; **capte** *captures*; **percer** *to pierce*; **au-delà** *beyond*; **profondeur** *depth*; **blanchit** *whitens*; **pensée** *thought*; **courbé** *bent*; **croisées** *crossed*; **or** *gilding*; **voiles** *mists*; **houx** *holly*; **bruyère** *heather*

Guillaume Apollinaire (1880–1918)

C'est à Apollinaire que l'on doit l'invention du mot "surréalisme." Mais Apollinaire est d'abord celui qui a sorti le poète de la bibliothèque et qui a regardé le monde moderne qu'il avait sous les yeux: la publicité, les automobiles, les tramways, l'électricité. Pourtant la poésie d'Apollinaire puise* largement dans les grands thèmes de la poésie: amours de hasard*, regrets de jeunesse, fuite du temps*, sentiments contradictoires, souvenirs douloureux*, mélancolie, rejet du monde. *Alcools* (1913), *Calligrammes* (1918), *Poèmes à Lou* sont les recueils les plus célèbres d'Apollinaire.

Paysage d'automne.

Automne

Dans le brouillard s'en vont un paysan* cagneux*
Et son bœuf* lentement dans le brouillard d'automne
Qui cache les hameaux* pauvres et vergogneux*

Et s'en allant là-bas le paysan chantonne
Une chanson d'amour et d'infidélité
Qui parle d'une bague et d'un cœur que l'on brise*

Oh! l'automne l'automne a fait mourir l'été
Dans le brouillard s'en vont deux silhouettes grises

---

puise *draws from*; **hasard** *chance*; **fuite du temps** *passage of time*; **douloureux** *painful*; **paysan** *fermier*; **cagneux** *knock-kneed*; **bœuf** *ox*; **hameau** *village*; **vergogneux** *shameless*; **brise** *break*

Jacques Prévert (1900–1977)

Tous les Français apprennent les poèmes de Jacques Prévert à l'école.

Jacques Prévert est un poète français très célèbre. Il fait partie du bagage poétique de tous les lycéens et est une figure de la culture populaire. Ses recueils se sont vendus à des millions d'exemplaires* et de nombreux collèges et lycées portent le nom de Jacques Prévert.

Qu'est-ce qui a fait le succès de Jacques Prévert? Sa poésie du quotidien, son hymne permanent à la liberté de penser et de parler, et bien sûr son style: jeux de mots, lieux communs, stéréotypes, inventions burlesques, jeux sur les sons, humour, Jacques Prévert cuisine sa poésie avec tous ces ingrédients. *Paroles* (1945), *Histoires* (1946), *Spectacle* (1951), *La pluie et le beau temps* (1955), et *Fatras* (1966) forment l'itinéraire poétique de Jacques Prévert.

Mis en musique par Joseph Kosma, les poèmes de Prévert ont été aussi popularisés par des interprètes comme Juliette Greco ("Barbara," "Je suis comme je suis") ou Yves Montand ("Les feuilles mortes") et chantés aussi en anglais. Vous pouvez lire un poème de Prévert dans la section *Lecture thématique*.

---

exemplaire *copy*

6 La poésie française

Répondez aux questions suivantes.

Ronsard
1. Ronsard a écrit quelle sorte de poésie?
2. De quoi Ronsard avertit (*warns*) la jeune fille dans son poème?

La Fontaine
3. La Fontaine est surtout connu pour quel recueil?
4. Qu'est-ce que le renard apprend au corbeau?

Hugo
5. Qu'est-ce que Victor Hugo a écrit?
6. Quelle est la destination du sujet dans le poème? Qu'est-ce qu'il va y faire?

Apollinaire
7. Apollinaire faisait partie de quel mouvement littéraire?
8. Quels étaient ses thèmes?
9. Quel est le thème du poème "Automne"?

Prévert
10. Qu'est-ce que Jacques Prévert mettait dans sa poésie?
11. Pourquoi peut-on dire que les poèmes de Prévert touchent les étudiants?

Question centrale

Comment l'art est-il un reflet de la culture?

La Pléiade

C'est au XVIème siècle que la Pléiade, un groupe de sept poètes, a vu le jour. La Pléiade va commencer un renouvellement* de la littérature française. Pierre de Ronsard, Joachim du Bellay, Jacques Peletier du Man, Rémy Belleau, Antoine de Baïf, Pontus de Tyard, et Étienne Jodelle veulent enrichir et défendre la langue et la littérature françaises par la redécouverte de la culture antique, et combattre l'ignorance populaire par l'art et la connaissance. *La Pléiade* désigne* le groupe des poètes, mais aussi leur mouvement poétique, dont la maxime* *carpe diem*, une expression latine, signifie* "Cueille le jour sans te soucier* de quoi demain sera fait." Cette règle morale est bien illustrée dans le poème "À Cassandre."

Le village de Grignan, au sud de la France, date du XVIème siècle.

 Search words: la pléiade, poèmes ronsard

------
renouvellement *renewal;* **désigne** *designates;* **maxime** *saying;* **signifie** *means;* **soucier** *to worry*

COMPARAISONS

Il y a un grand nombre de poètes anglophones qui faisaient partie d'un groupe. Par exemple, il y avait les poètes américains noirs de la Renaissance de Harlem. Quel était leur but principal?

Le romantisme de Victor Hugo

Victor Hugo était le chef du mouvement du romantisme. Les romantiques voulaient rompre* avec les strictes règles du classicisme et se concentrer sur les sentiments. Hugo a dit, "Tout est sujet, tout relève* de l'art; tout a droit de citer en poésie." Il se servait de tous les genres, écrivant des recueils de poésie, des romans, et des pièces, tout en s'engageant politiquement pendant toute sa vie. C'était l'homme du siècle.

 Search words: le romantisme, victor hugo biographie, poèmes victor hugo

------
rompre *to break from;* **relève** *rises up*

Le surréalisme

Le surréalisme est un mouvement littéraire et artistique né après la Première Guerre mondiale*. Le but de ces écrivains était de refuser toutes les constructions logiques de l'esprit, de valoriser* l'irrationnel, l'absurde, le rêve, le désir, et la révolte.

 Search words: **surréalisme littéraire, surréalisme artistique, calligrammes apollinaire**

Première Guerre mondiale *World War I*; **valoriser** *promote*

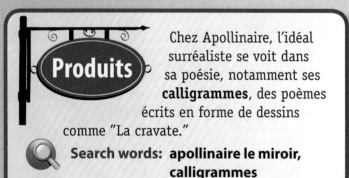

Produits Chez Apollinaire, l'idéal surréaliste se voit dans sa poésie, notamment ses **calligrammes**, des poèmes écrits en forme de dessins comme "La cravate."

 Search words: **apollinaire le miroir, calligrammes**

La première Guerre Mondiale (Verdun) a drastiquement changé le mode de pensée de la société française.

La Francophonie: La poésie

✳ En Haïti

La tradition littéraire en Haïti est très riche. L'histoire d'Haïti est souvent le sujet de poèmes, écrits soit en français, soit en créole. James Noël, poète-écrivain, est considéré aujourd'hui comme une voix majeure de la littérature haïtienne. Il écrit en créole et en français. Voici l'un de ses poèmes:

Le nom qui m'appelle

Je suis celui qui se lave les mains
Avant d'écrire
Ne me demande pas comment je m'appelle
Je n'ai pas de nom
Je viens de là
De ce non-lieu qui cherche lune*
Pour s'exhumer* de son point d'ombre*
Un nom d'auteur me fait bien mal
Parce que poète

Ça m'est égal
Ni tapis rouge ne saura rendre
La justesse du sang* qui me fait
Passer
Pour un vitrier* qui vaut* sa mort
Je suis saigné*
Donc
Je me lave
Voilà mon nom qui vient de là

---

qui cherche lune *looking for the moon*; **s'exhumer** *disappear*; **son point d'ombre** *his shadow*; **sang** *blood*; **vitrier** *glazier*; **vaut** *deserves*; **saigné** *bled like an animal*

Complétez les activités suivantes.

1. Associez un poète à chaque tendance littéraire:
   - la vie moderne
   - les sentiments amoureux
   - le thème *carpe diem*
   - le désir de valoriser l'irrationnel
2. Dites où vous avez déjà rencontré le thème du *carpe diem*—un poème, une chanson, un film, une émission de télé?
3. Même si vous n'avez pas lu *Notre-Dame de Paris* de Victor Hugo, vous en connaissez certainement certains détails. Remplissez ce schéma:
   - milieu
   - période
   - intrigue
   - conflit
4. Écrivez à votre tour un calligramme après avoir choisi un objet.
5. Parlez avec votre partenaire de ce que James Noël révèle de l'identité haïtienne dans son poème.

Perspectives

Dans son roman *Les Misérables*, Victor Hugo a dit, "On jugerait bien plus sûrement un homme d'après ce qu'il rêve que d'après ce qu'il pense." Ce sentiment reflète la philosophie de quel(s) mouvement(s) littéraire(s)?

Pour James Noël et de nombreux auteurs haïtiens, le héros doit être révolutionnaire.

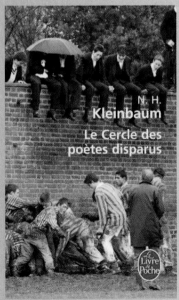

Carpe diem fait partie du message de ce film américain.

Du côté des médias

Lisez le programme pour Poésie en liberté.

Prix Poésie en liberté

Le Prix poésie en liberté est un concours international de poésie en langue française. Il s'adresse aux jeunes de 15 à 25 ans de tous les pays. Il se déroule sur internet autour d'un sujet libre. Ce concours donne lieu à la parution annuelle d'une anthologie publiée depuis 2004 par les éditions Le Temps des Cerises.

Il est piloté par l'association "Poésie en liberté", sous l'autorité du ministère chargé de l'éducation, en collaboration avec le CRDP de Créteil, et avec le soutien du rectorat de l'académie de Créteil.

| Modalités de participation au Prix poésie en liberté
| Qui peut participer ?
| Calendrier du Prix poésie en liberté
| Télécharger le règlement du Prix poésie en liberté

Modalités de participation au prix Poésie en liberté

Le concours se déroule sur le site www.poesie-en-liberte.com
Le participant **envoie un poème inédit, en vers ou en prose, de 30 vers ou lignes, maximum**. La participation est limitée à un seul poème par candidat.
Un comité de lecture, composé des organisateurs, de professionnels de l'édition, de la culture, de l'éducation, de lycéens, d'étudiants et de poètes, établit un choix d'environ 300 textes qui sont soumis au jury.

Le jury est composé de onze lycéens et étudiants venus des quatre coins de la France et de l'étranger. S'ils le souhaitent, les lauréats de l'année précédente peuvent être membres du jury. Il est présidé par un poète assisté de deux organisateurs du concours.
Le jury établit le palmarès parmi ces textes. Il en propose une sélection pour l'anthologie annuelle du concours.

Qui peut participer ?

Le concours est ouvert :

- aux lycéens et étudiants en France
- aux lycéens des établissements français à l'étranger
- aux lycéens des pays francophones et non francophones
- aux étudiants jusqu'à 25 ans

Trois lauréats sont sélectionnés dans chaque catégorie :

- en seconde
- en première
- en terminale
- et parmi les étudiants

Deux palmarès spécifiques sont établis pour :

- l'enseignement agricole
- l'Île-de-France. Ce classement est organisé en partenariat avec le conseil régional. Il récompense un lycée francilien au titre de la meilleure participation ainsi que trois lycéens : seconde, première et terminale.

EN SAVOIR PLUS

Sites à consulter
Poésie en liberté
Concours 2012, modalités de participation, règlement complet et archives
▸ Poésie en liberté

Éduscol
La poésie à l'école
Dossier à télécharger
▸ La poésie à l'école

Le Printemps des Poètes
Le Printemps des Poètes, association loi de 1901, coordonne la manifestation nationale en mars. Elle assume tout au long de l'année un rôle de centre de ressources permanent pour la poésie par l'information, le conseil, la formation et le soutien à la création.
▸ Le Printemps des Poètes

CRDP de l'académie de Créteil

---

8   Poésie en liberté

Complétez les activités suivantes.

1. Écrivez un sommaire qui décrit le concours (*contest*), explique qui peut participer, et explique les règles.
2. Écrivez un poème pour ce concours.

Lisez l'article sur le prix Goncourt des Lycéens.

Académie Goncourt

Accueil > Le Goncourt des Lycéens

Présentation

Le Prix Goncourt des Lycéens offre au public un choix défendu avec engagement et passion par de jeunes lecteurs à partir de la sélection de romans effectuée en septembre par l'Académie Goncourt.

Lancé en 1988 dans une dizaine de lycées bretons, ce prix, maintenant national, est organisé par la Fnac et le Ministère de l'Éducation Nationale, en coopération avec l'Académie Goncourt, pour donner aux jeunes l'envie de la lecture, le goût de l'écriture et du partage des idées.

Cinquante-deux classes de lycéens âgés de 15 à 18 ans, issus de seconde, première, terminale ou BTS, généralistes, scientifiques ou techniques, lisent et étudient en deux mois, avec l'aide de leurs professeurs et l'Association Bruit de Lire, la douzaine de romans de la sélection de rentrée de l'Académie .

La Fnac offre l'ensemble des livres dès la rentrée. Les classes et leurs professeurs sont ensuite invités à rencontrer les auteurs de la sélection.

À l'issue de ce marathon incluant lecture, fiches et débats, a lieu la première phase du vote (chaque région choisissant ses représentants et son tiercé de livres gagnants), à laquelle succède la finale à Rennes, berceau du Prix, en présence des représentants de l'Académie Goncourt.

À ce jour 17150 élèves ont été associés au prix et 37604 exemplaires de 216 romans contemporains différents ont été lus.

Le Goncourt des lycéens étant maintenant décerné quelques jours après le prix Goncourt proprement dit, il est rare aujourd'hui que les deux couronnent le même livre (ce qui s'était assez souvent produit dans le passé, d'Erik Orsenna en 1988 à Andreï Makine en 1995).

9 Le Goncourt des Lycéens

*Indiquez si la phrase est vraie (**V**) ou fausse (**F**). Changez les phrases qui sont fausses pour qu'elles soient vraies.*

1. Le Goncourt est un prix littéraire uniquement pour les lycéens.
2. Le prix des lycéens a débuté en Bretagne.
3. Le but du prix est de donner aux jeunes l'envie de la lecture, le goût de l'écriture, et du partage des expériences.
4. Chaque année, une douzaine de romans est considérée par des lecteurs adultes.
5. Plus de 39.000 exemplaires de 216 romans contemporains différents ont été lus jusqu'à présent.

La culture sur place

La musique française
Introduction et Interrogations

Écouter de la musique est l'un des passe-temps favoris des adolescents dans le monde. Quel lien y a-t-il entre la musique que vous écoutez, et la musique préférée des jeunes en France?

10 Première Étape: Imaginer/Observer

Écrivez trois hypothèses concernant la musique que les jeunes Français aiment. Aiment-ils écouter de la musique exclusivement en français, en anglais, ou bien dans d'autres langues? Les chansons populaires en France parlent de quoi? Les thèmes de la musique française ressemblent-ils à ceux de la musique américaine? Sont-ils un reflet de la culture française ou de la culture des jeunes?

11 Deuxième Étape: Rechercher

Sur Internet, recherchez la chanson populaire en France.

1. Utilisez un outil de recherche et tapez les mots "Top 50 chanson," "Top 50 musique," "Top Tubes France," ou "Top Hits France."
2. Examinez la liste des chansons, surtout notez la langue et le pays de l'interprète. Combien de chansons est-ce que vous reconnaissez? Combien d'interprètes? Combien de chansons sont en français?
3. Avec l'aide de votre professeur, choisissez une chanson française de la liste.
4. Recherchez les paroles de la chanson avec l'aide d'un outil de recherche.
5. Lisez les paroles et essayez d'en comprendre le sens.
6. Écoutez la chanson ou regardez la vidéo si elle est disponible sur Internet.

12 Faire l'inventaire!

Discutez des questions suivantes en classe.

1. Que pensez-vous de la chanson populaire parmi les jeunes en France?
2. Est-ce que vos hypothèses/observations étaient correctes? Pourquoi, ou pourquoi pas?
3. Comparez la musique populaire en France et chez vous. Est-ce que les chansons sont plutôt similaires ou différentes? Pourquoi, selon vous?
4. Que pensez-vous des paroles de la chanson française que vous avez choisie? Y a-t-il des chansons que vous connaissez sur le même thème en anglais? Comment s'appellent-elles?

Révision: *Pour* + infinitive

In sentences where the subject is the same in both clauses, use **pour** plus an infinitive to express "in order to."

Je suis allé(e) à la librairie **pour** trouver un recueil de Prévert.

I went to the book store (in order) to find a collection by Prévert.

13 Pour + infinitif

*Faites des phrases avec **pour** + infinitif selon le modèle.*

> pouvoir offrir un cadeau d'anniversaire   apprendre à jouer de la guitare   rester en forme
> mieux apprécier les tableaux au musée   parler le français   faire du bricolage
> faire du ski alpin   réveillonner avec sa famille

> **MODÈLE**   je/acheter une carte-cadeau
> **J'achète une carte-cadeau pour pouvoir offrir un cadeau d'anniversaire.**

1. les étudiants américains/voyager en France
2. tu/suivre un cours d'art
3. Mégane et Sébastien/aller à la MJC
4. je/faire du sport
5. Saskia/faire une dinde aux marrons
6. Éric et toi/fréquenter les stations de ski
7. mes copains et moi/acheter un pot de peinture

COMPARAISONS

In English, what form of the verb is used after "in order to"?

Je lis **pour me renseigner**.
*I read **in order to** be informed.*

COMPARAISONS: Like in French, the infinitive form of the verb is used after "in order to."

Myriam apprend le piano pour devenir chanteuse et interprète.

Subjunctive After *pour que*

WB 7–9
Games

Les musiciens jouent beaucoup pour que la ville de Lyon les invite à leur festival.

You have already learned that the subjunctive is used after many different expressions.

Expressions	French	English
necessity	**Il faut que** tu **lises** la poésie de Ronsard.	*You need to read Ronsard's poetry.*
impersonal expressions	**Il est bon qu'**il **comprenne** la satire.	*It is good that he understand satire.*
wish, will, or desire	Notre prof **exige que** nous **étudiions** les sonnets.	*Our teacher requires us to study sonnets.*
doubt or uncertainty	**Croyez-vous qu'**Hugo **soit** plus intéressant qu'Apollinaire?	*Do you believe that Hugo is more interesting than Apollinaire?*
emotion	**Ça me surprend qu'**ils n'**aillent** pas lire les fables.	*It surprises me that they aren't going to read the fables.*

Pour que expresses a purpose. It is used with the subjunctive when the subject of the first clause is different from that of the second clause.

Je discute des fables avec Marco **pour qu'**il **puisse** comprendre les morales.

I'm discussing the fables with Marco so that he can understand the morals.

Maman a caché les cadeaux **pour que** les enfants ne les **voient** pas.

Mom hid the gifts so that the children wouldn't see them.

Dansons pour qu'on soit en forme!

14 Les gens que je connais

*Lisez la citation et la phrase qui suit. Ensuite, formez des phrases avec **pour que** selon le modèle.*

MODÈLE Ma tante: "Il faut que tu connaisses ton pays."
Elle m'a inscrit à une visite guidée des châteaux de la Loire.

Ma tante m'a inscrit(e) à une visite guidée des châteaux de la Loire pour que je connaisse mon pays.

1. Maman: "Je voudrais que tu fasses les courses." Elle m'a donné 50 euros.
2. Ma grand-mère: "Il faut que je te parle chaque semaine." Elle m'a offert un portable.
3. Mon copain: "Je doute que tu sois engagé(e)." Il m'a donné le lien pour le site des Jeunes verts.
4. Ma cousine: "Il est essentiel que tu m'accompagnes au concert de rock." Elle m'a offert un billet de concert.
5. Mon oncle martiniquais: "Je veux que tu prépares une spécialité martiniquaise pour mon anniversaire." Il m'a expliqué comment préparer les accras de morue.

15 Pour vs. Pour que

Écrivez les numéros 1–5 sur votre papier. Écoutez les phrases. Choisissez la réponse logique.

A. Pour que tu me prêtes le recueil que tu as caché.
B. Pour mieux comprendre la prose de Victor Hugo.
C. Pour que tu apprécies ses poèmes simples.
D. Pour se rappeler de sa jeunesse.
E. Pour montrer que les gens dans leurs romans ne sont pas heureux.

16 La lecture

*Formez des phrases qui utilisent **pour que**.*

1. je/lire une fable de La Fontaine/mon neveu... apprendre la morale
2. ma mère/me prêter un roman de Le Clézio/je... pouvoir voyager sans quitter mon fauteuil
3. mon prof de littérature/nous montrer les caligrammes d'Apollinaire/nous... écrire des poèmes originaux
4. mon grand-père/me recommander "À Cassandre"/je... apprécier ma jeunesse

À vous la parole

Communiquez!

17 J'interprète un poème.

Presentational Communication

Trouvez un poème francophone que vous aimez. Présentez ce poème devant votre classe. Soyez sûrs de (d'):

- choisir un poème de huit vers (*lines*) minimum.
- lire le poème plusieurs fois.
- chercher les mots que vous ne comprenez pas dans un dictionnaire.
- écrire une introduction qui donne le titre, le nom du poète, et le sujet ou le thème du poème.
- pratiquer devant un miroir.

Communiquez!

18 Je suis poète, et j'ai une licence poétique.

Presentational Communication

Quand un poète change la prononciation ou l'orthographe dans un poème pour des raisons artistiques, ça s'appelle la "licence poétique." Dans ce cas licence signifie "autorisation." Si les poètes avaient vraiment l'autorisation d'agir comme un vrai poète, que feraient-ils? Créez un poème qui énumère vos droits. Un exemple suit.

Je suis poète. Cette licence me permet de faire les actions suivantes:
- **de danser sous la pluie**
- **de crier sur le sommet de la colline**
- **de collecter de l'argent des gens qui n'utilisent pas la grammaire correctement**

Communiquez!

19 La poésie: Un conte numérique

Presentational Communication

Vous allez écrire un conte numérique en vous servant de six mots de vocabulaire de la liste de la *Leçon C*: **cueillir**, **la vieillesse**, **un corbeau**, **un renard**, **mentir**, **l'aube**, **demeurer**, **le brouillard**, **cacher**. Après l'avoir écrit, choisissez des images et de la musique pour embellir (*to embellish*) votre conte. Finalement, mettez votre conte en ligne avec ceux de vos camarades de classe.

Lecture thématique

Familiale

Rencontre avec l'auteur

Jacques Prévert (1900–1977). Avec plus de 2,5 millions d'exemplaires vendus, *Paroles* (1945) est le recueil de poésie le plus lu en France. Il le doit à son langage émouvant (*moving*) et simple. Il le doit aussi au talent de Jacques Prévert dont la poésie est celle de la vie quotidienne, de l'humour, et de la facétie (*play on words*). Chaque poème est l'affirmation d'une exigence de liberté et proclame l'amour de la vie. Prévert y dénonce toutes les contraintes sociales. Qu'est-ce que le poète dénonce dans ce poème?

Pré-lecture

Aurez-vous envie de faire la même chose que vos parents?

Stratégie de lecture

Develop a Theme

Dans ce poème, on aborde (*approach*) le thème du conformisme. Prévert dénonce le conformisme en juxtaposant une série d'actions sans lien ni transition. Pendant la lecture du poème, remplissez la grille avec les actions décrites. S'agit-il d'une famille conformiste ou non-conformiste? Les émotions des personnages sont-elles bouleversantes (*overwhelmed*) ou monotones? Comment réagissent (*react*) la mère et le père quand leur fils meurt? Notez l'effet des répétitions.

Actions	Signification
La mère fait du tricot	Une femme typique qui fait ce qu'elle a appris à faire; ce n'est pas le genre de mère qui pleure quand son fils part pour l'armée; elle accepte son sort comme quelque chose de "naturel."

Outils de lecture

Recognize Oxymorons

Un oxymore est une alliance de mots dont le rapprochement est inattendu (*unexpected*). L'oxymore fait coexister deux termes de sens contraires à l'intérieur d'une même expression, par exemple, "un silence éloquent." L'oxymore permet de donner une réalité à ce qui semble absurde. Comment le dernier vers du poème est-il un oxymore? Quelles idées s'opposent? Quel est le sens de ce vers? Quel est le message du poète?

La mère fait du tricot*

Le fils fait la guerre

Elle trouve ça tout naturel la mère

Et le père qu'est-ce qu'il fait le père?

Il fait des affaires*

Sa femme fait du tricot

Son fils la guerre

Lui des affaires

Il trouve ça tout naturel le père

Et le fils et le fils

Qu'est-ce qu'il trouve le fils?

Il ne trouve rien absolument rien le fils

Le fils sa mère fait du tricot son père des affaires et lui la guerre

Quand il aura fini* la guerre

Il fera des affaires avec son père

La guerre continue la mère continue elle tricote*

Le père continue il fait des affaires

Le fils est tué* il ne continue plus

La mère et le père vont au cimetière

Ils trouvent ça naturel le père et la mère

La vie continue la vie avec le tricot la guerre les affaires

Les affaires la guerre le tricot la guerre

Les affaires les affaires et les affaires

La vie et le cimetière.

Pendant la lecture
1. La mère et le fils font quelles activités?

Pendant la lecture
2. Quelle est la réaction de la mère en voyant son fils en danger?

Pendant la lecture
3. Que fait le père?

Pendant la lecture
4. Que fera le fils dans l'avenir?

Pendant la lecture
5. Qu'est-ce qui arrive au fils?

Pendant la lecture
6. Comment est-ce que la mort de leur fils change la vie quotidienne des parents?

Pendant la lecture
7. Où vont la mère et le père?

fait du tricot *knits*; **aura fini** *will have finished*; **tricote** fait du tricot; **tué** *killed*

Post-lecture

Qu'ajoute au thème de Prévert l'usage du présent comme temps grammatical?

Le monde visuel

Soldat 1939. Walter Lichtenstein.

Walter Limot, né Walter Lichtenstein (1902–1984), était photographe en Allemagne avant d'immigrer à Paris en 1933 pour fuir (*flee*) le régime nazi. Là, il a contribué aux progrès techniques du cinéma français en travaillant avec de grands réalisateurs tels que Carne, Delannoy, Christian-Jacques Duvivier, et René-Clair. Il était expert en tout – trucages (les effets spéciaux), solarisations (technique par laquelle on utilise la chaleur naturelle sur le film pour créér des effets spéciaux), découpages (la façon dont on coupe le film pour créér des effets dramatiques), montages (le choix et l'arrangement des éléments visuels et auditifs pour créér un film). Dans cette photographie de la Deuxième Guerre Mondiale, Limot utilise des images fantômes (*ghost*) pour représenter la vie d'une sentinelle (soldat qui surveille l'ennemi) près d'un rail. Comment est-ce que cette photographie vous aide à comprendre ce que dit Prévert au sujet du fils dans le poème?

Projets finaux

A | Connexions par Internet: La poésie

Presentational Communication

Écrivez un poème original. Peut-être que vous écrirez un calligramme ou un sonnet. Peut-être que vous voudriez écrire un poème qui ressemble à un des poèmes que vous avez lus dans cette unité. Publiez votre poème en ligne avec les autres poèmes de votre classe ou présentez-le dans un slam devant la classe. N'oubliez pas de donner un titre à votre poème et, si vous le publiez, de mettre votre nom en-dessous du titre.

🔍 **Search words: comment faire un calligramme vidéo, cartable et récré**

B | Communautés en ligne

La Fédération Française de Slam Poésie/Interpretive/Presentational Communication

Le slam est un phénomène mondial. La Fédération Française de Slam Poésie a comme but de "faire de la poésie un spectacle vivant" pour les poètes et les spectateurs. Faites des recherches en ligne pour trouver:

- la date d'origine de la ffdsp
- le nom du concours
- si la ffdsp est en contact avec les écoles
- les thèmes choisis par les poètes
- votre vidéo préférée

🔍 **Search words: ffdsp, slamsncfconcours, le slam interscolaire, le grand slam de poésie, coupe du monde slam poésie vidéos**

C | Passez à l'action!

Pour soutenir les arts dans les écoles/Presentational Communication

Votre lycée au Québec a décidé de ne pas continuer les cours d'art et de musique pour des raisons budgétaires. Mais vous et vos amis aimez ces cours et certains de vos amis comptent travailler dans le domaine des arts un jour. Votre groupe a donc pris la décision de lutter contre ces changements. Vous avez pensé à tout: une lettre à l'éditeur de votre journal, une manifestation devant le lycée, une pétition signée par les élèves, un poème sur ce que cette perte (*loss*) représente, etc. Décidez qui dans votre groupe va s'occuper de quoi pour faire la lettre à l'éditeur, l'affiche qui indique la date et le lieu de la manifestation, le slogan, et un paragraphe qui explique l'importance des arts.

Faites un diagramme comme celui de dessous et remplissez-le pour montrer vos connaissances de l'art comme reflet de la culture. Un exemple a été fait pour vous.

Question centrale

?

Comment l'art est-il un reflet de la culture?

Leçon A
Rencontres culturelles: Les impressionnistes montrent la société de quel siècle?

→ Les impressionnistes montrent comment vivaient les gens du XIXème siècle.

Leçon A
Rencontres culturelles: Pourquoi est-ce que le tableau impressionniste *Impression, soleil levant* était-il révolutionnaire?

→

Leçon A
Points de départ: Le néo-impressionnisme: Qu'est-ce que les néo-impressionnistes ont ajouté au processus artistique?

→

Leçon A
Points de départ: La Francophonie: Quels objets les artistes africains fabriquent-ils?

→

Leçon B
Rencontres culturelles: Quels genres de musique les Français ont-ils apprécié de 1945 jusqu'à aujourd'hui? C'est la musique de quelles générations?

→

Leçon B
Points de départ: Les musiciens contemporains en France s'intéressent à quels genres de musique?

→

Leçon B
Points de départ: Quel est un genre de musique québécois?

→

Leçon B
Points de départ: Perspectives: Quel est le rôle et l'influence du chanteur français, selon Georges Brassens?

→

Évaluation

A Évaluation de compréhension auditive

Interpretive Communication
Deux artistes

*Écoutez Kevin et Annie discuter de leurs intérêts artistiques. Ensuite, indiquez si chaque phrase que vous entendez est vraie (**V**) ou fausse (**F**).*

B Évaluation orale

Interpersonal Communication

À tour de rôle, jouez les rôles d'un(e) ado américain(e) et d'un(e) ado français(e). Avant de commencer, l'élève qui joue le rôle de l'ado américain(e) doit écrire des notes sur ce qu'il/elle sait d'un chanteur/d'une chanteuse américain(e) de son choix. L'élève qui joue le rôle de l'ado français(e) doit rechercher un chanteur ou une chanteuse français(e) pour ses notes.

Dans votre conversation, comparez vos artistes en ce qui concerne:

- leurs genres • les albums ou les chansons qui leur ont valu d'immense succès
- le public qu'ils ont séduit (les ados? les adultes? leurs pays?) • leurs thèmes

Finalement, choisissez un album de votre artiste à prêter à votre ami(e) et dites pourquoi il faut qu'il/elle l'écoute. Servez-vous des expressions dans Pour la conversation.

C Évaluation culturelle

Vous allez comparer les cultures francophones à votre culture. Vous aurez peut-être besoin de faire des recherches sur la culture américaine.

1. **L'impressionnisme**
   Qui sont les maîtres de l'impressionnisme en France? Comment ces peintres ont-ils transformé la façon de peindre? Quel impressionniste préférez-vous? Pourquoi? Qui sont les impressionnistes de l'école américaine? Lesquels aimez-vous? Pourquoi?

2. **L'art traditionnel**
   Comparez les objets traditionnels fabriqués en Afrique de l'Ouest aux objets fabriqués en Amérique par les Amérindiens.

3. **Les auteurs-compositeurs-interprètes contemporains**
   Qui sont les grands auteurs-compositeurs-interprètes contemporains en France et en Amérique? Comparez-les.

4. **Deux chansons célèbres**
   Comment s'appelle la chanson enregistrée par Édith Piaf qui est connue aux États-Unis? Expliquez pourquoi beaucoup de chanteurs l'ont enregistrée, selon vous. Nominez une chanson américaine à exporter en France. Justifiez votre choix.

5. La musique traditionnelle
Quel est le nom du groupe folklorique québécois que vous connaissez maintenant?
Connaissez-vous un groupe folklorique américain qui lui ressemble?

6. Les groupes littéraires
Pourquoi la Pléiade est-elle importante dans l'évolution de la littérature française?
Quels groupes d'écrivains anglophones connaissez-vous?

D Évaluation écrite

Écrivez une composition sur un écrivain américain que vous admirez. Expliquez:

- le ou les genres qu'il ou elle aime.
- l'intrigue (*plot*) ou le thème d'une de ses œuvres.
- quand il ou elle a écrit cette œuvre.
- pourquoi vous aimez cette œuvre.

Servez-vous des expressions de Pour la conversation.

E Évaluation visuelle

Imaginez que vous devez écrire un paragraphe sur ce tableau. Expliquez:

- le mouvement auquel cette œuvre appartient (*belongs*).
- quand ce mouvement a eu lieu.
- qui est l'artiste.
- ce que le peintre recherche dans cette œuvre ou son œuvre en général.
- comment l'artiste s'éloigne des peintres qui l'ont précédé.
- ce qu'il a peint dans ce tableau.
- pourquoi vous aimez cette peinture ou pourquoi vous ne l'aimez pas.

Servez-vous des expressions de Pour la conversation.

F Évaluation compréhensive

Créez une planche de bande dessinée d'environ huit vignettes pour raconter ce qui se passe dans une autre fable de La Fontaine. Dessinez l'histoire et racontez-la avec des descriptions et des dialogues en utilisant vos propres mots.

Vocabulaire de l'Unité 7

à: à l'arrière-plan in the background *A*

un **album: album concept** concept album *B*

appliquer to apply *A*

un **atelier** studio *A*

l' **aube (f.)** dawn *C*

un **auteur** author *B*

l' **aveu (m.)** confession *C*

les **beaux-arts (m.)** fine arts *A*

le **brouillard** mist *C*

cacher to conceal, to hide *C*

se **cacher** to hide *C*

la **caricature** caricature *B*

une **chanson: chanson réaliste** chanson réaliste *B*

les **coquelicots (m.)** poppies *A*

le **corbeau** crow *C*

cueillir to pick *C*

de: de plus en plus more and more *A*

demeurer to live *C*

devoir to owe *C*

donner: donner lieu à to give rise to *C*

un(e) **dramaturge** playwright *C*

s' **éloigner (de)** to distance oneself (from) *A*

en: en gros plan in a close-up *A*; **en tournée** on tour *B*

l' **expressionnisme (m.)** expressionism *A*

expressionniste expressionist *A*

une **fête: fête champêtre** garden party *A*

une **figure** figure *C*

immense immense *B*

l' **impressionnisme (m.)** Impressionism *A*

un(e) **impressionniste** Impressionist *A*

un **interprète** performer *B*

intimiste intimate *B*

l' **invention (f.)** invention *C*

des **lignes (f.)** lines *A*

le **lyrisme** lyricism *B*

la **mélancolie** melancholy *C*

la **mélodie** melody *B*

mentir to lie *C*

une **méthode** method *A*

une **morale** moral *C*

le **néo-classicisme** neoclassicism *A*

néoclassique neo-classic *A*

le **néo-impressionnisme** Neo-impressionism *A*

pâle pale *A*

la **partie** part *C*

passer: passer de… à to move from… to *B*

la **peinture** painting *A*

un **pinceau** paintbrush *A*

la **plainte** complaint *C*

plaire (à) to please *B*

un **poète, une femme poéte** poet *C*

poétique poetic *B*

populaire popular *B*

pour: pour que so that *C*

prendre: prendre position (sur) to take a position (on) *C*

le **réalisme** realism *A*

rechercher to look for/into *A*

se **reconnaître** to see oneself as *B*

un **reflet** reflection *A*

le **renard** fox *C*

le **rococo** rococo style *A*

rococo rococo *A*

un **romancier, une romancière** novelist *C*

romantique Romantic *A*

le **romantisme** Romanticism *A*

la **salsa** salsa music *B*

la **satire** satire *C*

séduire to seduce *B*

un **sonnet** sonnet *C*

le **sorcier** wizard *C*

le **soupir** sighing *C*

le **succès** success *B*

sur: sur scène on-stage *B*

le **surréalisme** surrealism *C*

le **swing** swing music *B*

un **texte** text *B*

les **thèmes (m.)** themes *C*

une **toile** canvas *A*

valoir to be valued as/at *B*

des **variations (f.)** variations *C*

la **vieillesse** old age *C*

volumineux, volumineuse voluminous *C*

8 La France d'hier et d'aujourd'hui

Unité 8

La France d'hier et d'aujourd'hui

Question centrale

Comment le passé influence-t-il le présent?

Quel est ce bâtiment parisien?

Que représente ce drapeau?

Contrat de l'élève

Leçon A I will be able to:

>> express obligation and say what I was made to do.

>> talk about the last French king and queen, the **États généraux de l'Ancien Régime**, and the French declaration of citizens' rights.

>> use expressions with **faire** and the construction **faire + infinitive**.

Leçon B I will be able to:

>> say there is a lot of something and what I did in vain.

>> talk about the institutions of the European Union.

>> use expressions with **avoir** and the past infinitive.

Leçon C I will be able to:

>> express my rights, discuss what I can afford, and say I want to discuss something in more detail later.

>> talk about the rights of French citizens and their entitlement programs.

>> use expressions with **être** and the pluperfect tense.

Vocabulaire actif

emcl.com
WB 1–3
LA 1
Games

La Révolution française

les citoyens et citoyennes
faire un discours
un aristocrate
les députés (m.)
le clergé

L'Ancien Régime: une référence au régime monarchique, du XVIème siècle au XVIIIème siècle, de la Renaissance à la Révolution, et ses institutions.

Les États généraux de l'Ancien Régime: des assemblées convoquées par le roi afin de traiter d'une crise politique ou financière; ils comprenaient le clergé, les aristocrates, les députés

une perruque
un roi
une reine
faire ses adieux

guillotiner
mourir

Pour la conversation

How do I express obligation?

> **Il était obligé de** faire venir les députés....
> *He was obligated to have the deputies come....*

How do express what I am made to do?

> **On te fait** étudier tout ça?
> *They make you study all that?*

Et si je voulais dire...?

la bourgeoisie	*middle class*
le dauphin	*king's successor*
la monarchie	*monarchy*
la noblesse	*nobility*
le royaume	*kingdom*
régner	*to rule, reign*
succéder à	*to succeed (king)*

Regardez les illustrations, puis répondez aux questions.

Caralie de Meaux

le président

le pape

Jean-Jacques

M. et MMe Delamain

le roi

les aristocrates

la reine

1. Qui est mort pendant la guerre?
2. Qui fait un discours au public français?
3. Que font M. et Mme Delamain?
4. Qui porte une perruque quand elle travaille?

5. Où habitent les aristocrates?
6. Qui écoute son public?
7. Où se réunit le clergé?
8. Qui aime danser?

2 Louis XVI

Lisez à haute voix les phrases suivantes en substituant les mots ou expressions en italique par des mots ou des expressions de vocabulaire appris dans cette leçon.

(1) *Le chef d'état et sa femme* sont emprisonnés en 1791. Louis XVI a (2) *présenté son point de vue* à l'Assemblée Nationale. Mais (3) *le clergé, les aristocrates, et les députés* n'ont pas aimé ce qu'il a dit. Le nouveau gouvernement (4) *l'a forcé* à passer ses derniers jours en prison. Condamné à (5) *être exécuté*, il (6) *a dit au revoir* à sa famille. Il (7) *a quitté la vie* brutalement sur la place de la Concorde.

Communiquez !

3 L'histoire de France

Interpretive Communication

*Écrivez les numéros 1–6 sur votre papier. Écoutez Camille et sa mère parler de la Révolution française. Ensuite, indiquez si les phrases sont vraies (**V**) ou fausses (**F**).*

1. La mère de Camille a acheté un livre de maths à sa fille.
2. Camille est allée aux États généraux avec sa classe l'année dernière.
3. Camille a visité le château où le dernier roi et la dernière reine de France ont vécu.
4. Camille peut bien prononcer le verbe "guillotiner."
5. La mère de Camille est contente parce que sa fille s'est rappelée de l'histoire de la Révolution française.
6. Camille a remarqué les perruques que Marie-Antoinette portait.

Communiquez !

4 Qui te fait...?

Interpersonal Communication

À tour de rôle, demandez à votre partenaire qui lui fait faire les choses suivantes.

MODÈLE	conduire au supermarché
	A: Qui te fait conduire au supermarché?
	B: Ma mère me fait conduire au supermarché.

1. lui rendre visite
2. faire le plein
3. étudier les maths
4. sortir le weekend
5. faire la vaisselle
6. tondre la pelouse
7. nourrir ton chat ou ton chien
8. s'habiller bien pour les fêtes

Communiquez !

5 Questions personnelles

Interpersonal Communication

Répondez aux questions.

1. Est-ce que tu aimerais vivre comme un aristocrate? Pourquoi, ou pourquoi pas?
2. Quels événements de l'histoire américaine est-ce que tu connais?
3. Quelle est ta réaction quand tes grands-parents font leurs adieux après une visite?
4. Qu'est-ce que tu es obligé de faire pendant le weekend?
5. Qui te fait faire des corvées à la maison?

Une leçon d'histoire

Karim travaille devant son ordinateur et sa petite sœur Aïcha vient lui parler.

Aïcha: C'est qui la dame avec une perruque?

Karim: D'abord, ce n'est pas une dame, c'est un monsieur.

Aïcha: C'est un monsieur? Qu'est-ce qu'il fait? Il s'est déguisé pour le Carnaval?

Karim: Non, il ne s'est pas déguisé! C'est le Roi de France, Aïcha.

Aïcha: Le Roi de France? Mais il est très vieux!

Karim: C'est Louis XVI, le dernier Roi de France avant la Révolution française.

Aïcha: Il fait un discours?

Karim: Là? Non, il assiste à l'ouverture des États généraux; il est obligé de faire venir les députés parce que le gouvernement n'avait plus d'argent. Là, il fait ses adieux à sa femme, Marie-Antoinette, et ses enfants.

Aïcha: Pourquoi? Il part en voyage?

Karim: Non, il va mourir. Il est condamné à être guillotiné.

Aïcha: Et après, qu'est-ce qui se passe?

Karim: Après, il y a Napoléon, il y a de nouveau des rois, de nouveau des révolutions, et puis il y a la République.

Aïcha: Et on te fait étudier tout ça?

Karim: Oui, jusqu'à la cinquième République.

Aïcha: Eh bien, moi, je sais toutes mes tables de multiplication!

---

6 Une leçon d'histoire

Identifiez la personne décrite.

1. Cette personne porte une perruque.
2. Cette personne est mariée à Louis XVI.
3. Cette personne étudie l'histoire de France.
4. Cette personne sait toutes ses tables de multiplication.
5. Cette personne assiste à l'ouverture des États généraux.
6. Cette personne a été guillotinée.

La grande scène de l'histoire

Quatre élèves discutent à propos du choix d'un personnage historique à présenter en classe d'histoire.

Chloé:	D'abord, qu'est-ce qu'on veut faire passer comme message?
Amidou:	Oui, Chloé a raison, on ne va pas lancer des noms.
Samuel:	Il faut que le personnage ait un rapport avec la liberté....
Guillaume:	Une figure de combattant?
Amidou:	Oui, mais combattant de quoi?
Samuel:	Je ne sais pas, quelqu'un qui revendique la dignité pour son peuple, le respect de son identité!
Guillaume:	Et si on prenait Aimé Césaire?
Amidou:	Poète, résistant, homme politique....
Samuel:	Noir, martiniquais....
Chloé:	Et puis ça tombe bien, il vient d'entrer au Panthéon... on est dans l'actualité.
Amidou:	C'est lui qui a invité les autres peuples à "laisser entrez les peuples noirs sur la grande scène de l'Histoire."
Chloé:	Eh bien voilà, ça fait notre titre.

Extension Pour quelles raisons les élèves ont-ils choisi Aimé Césaire pour leur projet d'histoire?

Comment le passé influence-t-il le présent?

Portrait de Louis XVI

Louis XVI (1754–1791) est le dernier Roi de France avant la Révolution française. Il succède à Louis XV. Conscient de l'état du Royaume, Louis XVI s'entoure de* personnalités réformatrices, en particulier en matière financière et économique. Mais, il s'oppose à la noblesse* qui ne veut pas de réformes ou renoncer à certains de ses privilèges.

Louis XVI, roi de France.

C'est Louis XVI qui décide de soutenir la guerre d'indépendance américaine* pendant son règne et envoie le général La Fayette. La victoire des armées américaines appuyées* par les troupes royales aboutit* à la signature du traité de Versailles en 1783.

La convocation des États généraux (1789) pour résoudre la crise économique déclenche* la Révolution. Méfiant* pourtant* à l'égard de* la noblesse, Louis XVI se montre incapable d'accepter une évolution de la monarchie absolue vers une monarchie constitutionnelle. Il refuse de signer l'abolition des privilèges et la Déclaration des Droits de l'Homme. Prisonnier du peuple qui le ramène* de Versailles à Paris (1789) pour mieux le contrôler, sa fuite manquée* à Varennes (1791) et la menace* des armées royales européennes conduisent Louis XVI à la prison du Temple (1792). Déclaré "coupable de conspiration contre la sûreté* de l'État", il est guillotiné le 21 janvier 1793 sur l'actuelle place de la Concorde.

🔍 **Search words: chronologie des rois de france, histoire de France, rois de France**

---

s'entoure de *surrounds himself with*; **noblesse** *nobility*; **guerre d'indépendance américaine** *American Revolution*; **appuyées** *backed up*; **aboutit** *leads to*; **déclenche** *prompts*; **Méfiant** *suspicious*; **pourtant** *though*; **à l'égard de** *regarding*; **ramène** *brings back*; **fuite manquée** *failed escape*; **menace** *threat*; **sureté** *security*

1776
Déclaration d'indépendance des États-Unis

1781

Le marquis de Lafayette aide l'armée américaine à gagner la bataille de Yorktown

1783
Traité de Paris entre les États-Unis et la Grande-Bretagne

 1789
Convocation des États-généraux

Prise de la Bastille, début de la Révolution française

Déclaration des droits de l'homme et du citoyen

1792

Louis XVI est mis en prison.

1793

Louis XVI est guillotiné.

Marie-Antoinette est guillotinée.

Produits

Jacques Prévert a écrit un poème "**Les belles familles**" sur les rois de France qui avaient le même prénom. Lisez-le en ligne et répondez à la question. Est-ce que le père et le fils de Louis XVI s'appelaient aussi Louis?

COMPARAISONS

Quels mots anglais, dérivés de *règne* et *regnum* (*reign*), ont plus ou moins le même sens?

C'est en France qu'est née **la guillotine**. Le Docteur Guillotin voulait éviter la souffrance (*suffering*) pendant les exécutions. Pendant la Révolution, les exécutions par guillotine ont eu lieu sur la place de la Révolution (maintenant la place de la Concorde). C'est en 1977 qu'a eu lieu la dernière exécution par guillotine en France.

La guillotine.

COMPARAISONS

Les Français ont mis fin à la peine de mort (*capital punishment*) en 1981. Faites une liste de dix pays. Combien d'entre eux continuent d'appliquer la peine de mort? Et les États-Unis?

Portrait de Marie-Antoinette

Archiduchesse d'Autriche, fille de Marie-Thérèse d'Autriche et de l'Empereur François 1er, Marie-Antoinette (1755–1793) devient Reine de France en 1770 quand elle épouse Louis XVI. Elle aura quatre enfants dont le futur Louis XVII qui disparut dans des conditions mystérieuses pendant la Révolution.

De Marie-Antoinette, on a gardé la réputation d'une reine légère*, dépensière*, mêlée à* des intrigues politiques et amoureuses et à des affaires frauduleuses (l'affaire du collier de la Reine). Conservatrice, elle est peu favorable à l'Esprit des Lumières* et elle influence beaucoup le Roi dans son refus d'une évolution de la monarchie. Elle persuade le Roi de s'en remettre à une intervention des armées des Cours étrangères pour sauver le Royauté. Honnie* et calomniée*, celle qu'on surnomme alors "l'Autrichienne" est exécutée le 16 octobre 1793.

Marie Antoinette avant son exécution.

Search words: reines de france, marie-antoinette

légère *careless*; dépensière *quelqu'un qui dépense trop*; mêlée *involved in*; Esprit des Lumières *Ideas of the Age of Enlightenment*; Honnie *held in contempt*; calomniée *slandered*

Produits

Marie-Antoinette a passé la fin de sa vie emprisonnée dans deux cellules de **la Conciergerie**, une prison parisienne de 1391 à 1914.

 Search words: conciergerie centre des monuments nationaux

Aujourd'hui, la Conciergerie fait partie du palais de justice de Paris.

Les États généraux

Avant la Révolution française, la population était divisée en trois ordres: le clergé (qui avait le plus grand pouvoir), la noblesse (qui avait un peu moins de pouvoir), et le Tiers État* (qui avait un pouvoir minime). Le Tiers État est représenté par de députés aux états-généraux; une de leurs fonctions était de voter l'impôt. La dernière convocation des États généraux a eu lieu en 1789. Louis XVI les a invités en leur disant:

"De par le Roi,
Notre aimé et féal*.
Nous avons besoin du concours de nos fidèles sujets* pour Nous aider à surmonter* toutes les difficultés où Nous Nous trouvons relativement à l'état de Nos finances, et pour établir*, suivant Nos vœux*, un ordre constant et invariable dans toutes les parties du gouvernement qui intéressent le bonheur* de Nos sujets et la prospérité de Notre royaume*...."

C'était la dernière convocation des États généraux. Elle représentait une révolution juridique: finalement, le groupe s'est proclamé Assemblée nationale et il n'y avait plus de rôle pour le roi.

 Search words: états généraux de l'ancien régime

Tiers État *commoners;* **féal** *faithful (king);* **fidèles sujets** *faithful subjects;* **surmonter** *to overcome;* **établir** *establish;* **vœux** *wishes;* **bonheur** *happiness;* **royaume** *kingdom*

La *Déclaration des Droits de l'homme et du citoyen*

Ayant aidé les Américains pendant la Révolution américaine, les Français étaient conscients de la *Déclaration d'indépendance des États-Unis* de 1776 et elle a influencé la *Déclaration des Droits de l'homme et du citoyen* qu'on a rédigée 13 ans plus tard. Elle énonce* des droits naturels individuels et collectifs du peuple français.

énonce *sets forth*

Produits

La *Déclaration des Droits de la femme et de la citoyenne*, écrite par la féministe Olympe de Gouges en 1791, avait comme but d'appliquer les droits des hommes aux femmes. Malgré ses efforts vaillants pour faire accepter sa *Déclaration*, tout le monde n'était pas d'accord, et l'Assemblé a voté contre.
Accusée d'être l'auteur d'une affiche offensive contre le gouvernement, elle a été guillotinée en 1793.

 Search words: olympe de gouges

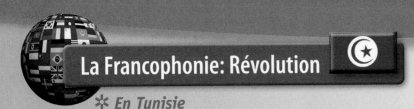

La Francophonie: Révolution

✳ En Tunisie

En 2010–11, le peuple tunisien s'est révolté et a renversé* l'homme à la tête du régime, le Président Ben Ali. La Tunisie est ainsi devenue une démocratie en tenant ses premières élections libres en Octobre 2011. Cette révolution s'appelle la "révolution de jasmin." Essentiellement une révolution non-violente, la Révolution de jasmin a influencé les peuples dans d'autres pays arabes à se révolter aussi.

a renversé *overthrew*

7 Activités culturelles

Faites les activités suivantes.

1. Faites un axe chronologique de la vie de Louis XVI et Marie-Antoinette, indiquant à quoi correspondent ces dates: 1754, 1770, 1783, 1789, 1791, 1792, 1793.
2. L'histoire de La Fayette marque le début des relations amicales entre les États-Unis et la France. Faites des recherches sur cette amitié et présentez une petite histoire à la classe.

 Search words: relations france états-unis, histoire des relations franco-américaines

3. Recherchez les modifications apportées par Marie-Antoinette à Versailles.
4. Marie-Antoinette est un personnage qui fascine le cinéma: faites des recherches sur les films français et américains où la reine apparaît. Choisissez en ligne un extrait à montrer à la classe.
5. Trouvez des tableaux de Marie-Antoinette et écrivez des légendes en-dessous qui décrivent sa vie.

 Search words: élisabeth vigée le brun

6. Trouvez le tableau *Le Serment du Jeu de paume* par Jacques-Louis David en ligne et décrivez-le. Ou cherchez une autre image de la Révolution française, par exemple, l'exécution de Louis XVI ou la Prise de la Bastille, et décrivez-la.

 Search words: serment du jeu de paume jacques-louis david, histoire-image

7. Faites un organigramme Venn sur la *Déclaration des Droits de l'homme et du citoyen* et la *Déclaration d'indépendance des États-Unis*. En quoi est le début du document français similaire et différent du début de la déclaration des droits américaine?
8. Recherchez pourquoi on appelle la révolution en Tunisie la Révolution de "jasmin."

Pendant la Révolution de Jasmin.

À discuter

La Révolution française, était-elle inévitable, selon vous? Pourquoi, ou pourquoi pas?

Du côté des médias

Interpretive Communication

Lisez le préambule de la Déclaration universelle des droits de l'homme des Nations Unies.

Préambule

Considérant que la reconnaissance de la dignité inhérente à tous les membres de la famille humaine et de leurs droits égaux et inaliénables constitue le fondement de la liberté, de la justice et de la paix dans le monde.

Considérant que la méconnaissance et le mépris des droits de l'homme ont conduit à des actes de barbarie qui révoltent la conscience de l'humanité et que l'avènement d'un monde où les êtres humains seront libres de parler et de croire, libérés de la terreur et de la misère, a été proclamé comme la plus haute aspiration de l'homme.

Considérant qu'il est essentiel que les droits de l'homme soient protégés par un régime de droit pour que l'homme ne soit pas contraint, en suprême recours, à la révolte contre la tyrannie et l'oppression.

Considérant qu'il est essentiel d'encourager le développement de relations amicales entre nations.

Considérant que dans la Charte les peuples des Nations Unies ont proclamé à nouveau leur foi dans les droits fondamentaux de l'homme, dans la dignité et la valeur de la personne humaine, dans l'égalité des droits des hommes et des femmes, et qu'ils se sont déclarés résolus à favoriser le progrès social et à instaurer de meilleures conditions de vie dans une liberté plus grande.

Considérant que les Etats Membres se sont engagés à assurer, en coopération avec l'Organisation des Nations Unies, le respect universel et effectif des droits de l'homme et des libertés fondamentales.

Considérant qu'une conception commune de ces droits et libertés est de la plus haute importance pour remplir pleinement cet engagement.

---

8 La *Déclaration universelle des droits de l'homme* des Nations Unies

Faites les activités suivantes.

1. Faites un "word cloud" en soulevant les mots les plus importants de ce document.
2. Recherchez comment les Nations Unies font la promotion des droits de l'homme actuellement. Présentez un exemple à la classe.

 Search words: l'onu et les droits de l'homme

Structure de la langue

Révision: Expressions with *faire*

The verb **faire** is one of the most frequently used verbs in French.

Tu **fais** un projet en histoire?   *Are you doing a history project?*

Faire is called a "building block" verb because it is used to form so many expressions in French. Some of the most common expressions with **faire** deal with various activities, the weather, shopping, and traveling. Here are some examples where **faire** is used in French but a different verb is used in English.

Louis XVI ne **faisait** pas **attention** aux besoins du peuple de la France.   *Louis XVI was not paying attention to the needs of the people of France.*

Louis XVI a **fait ses adieux** à sa famille.   *Louis XVI said good-bye to his family.*

C'était en janvier que Louis XVI est mort; il **faisait froid**.   *It was in January that Louis XVI died. It was cold.*

9 Qu'est-ce qu'ils font?

Dites ce que tout le monde fait en choisissant une expression de la liste.

faire semblant d'être un super-héros   faire grève   faire de la planche à voile
faire ta valise   faire ses adieux à sa femme   faire partie d'un groupe de musiciens
faire du ski de fond   faire don de 10 euros

1. M. Delattre

2. les enfants

3. les pilotes

4. tu

5. Saleh et moi

6. Coralie et Amadou

7. Salim

8. Pierre et ses copains

Communiquez!

Interpersonal Communication

*À tour de rôle, demandez à votre partenaire s'il ou elle a fait ou faisait les activités suivantes. Attention: il faut utiliser le **passé composé** ou l'**imparfait**.*

> **MODÈLE**   faire du ski alpin/pendant les vacances d'hiver
> A: **As-tu fait du ski pendant les vacances d'hiver?**
> B: **Oui, j'ai fait du ski pendant les vacances d'hiver.**
>   ou
> **Non, je n'ai pas fait de ski pendant les vacances d'hiver.**
>
> faire du snowboard/quand tu avais dix ans
> A: **Faisais-tu du snowboard quand tu avais dix ans?**
> B: **Oui, je faisais du snowboard quand j'avais dix ans.**
>   ou
> **Non, je ne faisais pas de snowboard quand j'avais dix ans.**

1. faire ton lit/quand tu avais cinq ans
2. faire la lessive/le weekend dernier
3. faire du scooter des mers/l'été dernier
4. faire un tour de montagnes russes/quand tu es allé(e) au parc d'attractions
5. faire de la gym/quand tu étais enfant
6. faire du shopping/pendant ton voyage
7. faire du patinage artistique/quand tu étais jeune

Faire + infinitive

emcl.com
WB 8–9
LA 2
Games

Ma mère a fait venir mon prof d'anglais pour le dîner.

To express the idea of having someone do something or having something done, use a form of the verb **faire** followed by an infinitive. Notice the differences in the following two sentences.

Jean **fait** une omelette.   *Jean makes an omelette.*
La reine **fait faire** une omelette.   *The queen has an omelette made (for herself).*

In the first sentence, Jean makes an omelet himself. In the second sentence, the queen has an omelet made for her by someone else (one of her cooks).

The form of **faire** can be in any tense.

M. Lebrun **a fait enregistrer** ses bagages.   *M. Lebrun had his luggage checked.*

When object pronouns are used, they precede the form of **faire**. There is no agreement between the past participle **fait** and a preceding direct object pronoun.

Les Français ont **fait guillotine**r Marie-   *Did the French (people) have*
Antoinette?   *Marie-Antoinette guillotined?*

Oui, ils **l'ont fait** guillotiner.   *Yes, they had her guillotined.*

Les députés des États généraux?   *The deputies of the Estates General? Louis XVI*
Louis XVI **les a fait** venir.   *made them come.*

In an affirmative command, object pronouns are attached with hyphens to the form of **faire.**

Faites-le faire un discours!   *Have him make a speech!*

Papa fait toujours pleurer les bébés.

11 Voyage d'affaires

M. Poux est un homme d'affaires important qui voyage beaucoup avec son assistante. Il fait une liste pour préparer son prochain voyage. D'après sa liste, est-ce qu'il fait les choses indiquées lui-même ou est-ce qu'il les fait faire par son assistante?

- téléphoner à ma femme
- retirer de l'argent du distributeur
- trouver mon passeport
- acheter des billets de théâtre
- écrire mon discours

- réserver une chambre
- louer une voiture à Paris
- enregistrer mes bagages
- faire ma valise
- acheter les billets d'avion

MODÈLE **M. Poux trouve son passeport.**

 **M. Poux fait louer une voiture à Paris.**

1.

2.

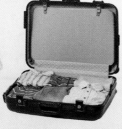
3.

4.

5.

6.

7.

8.

Le Clos Bellini a de nouveaux résidents qui font embellir leurs appartements par des bricoleurs professionnels. Dites ce qu'ils font.

MODÈLE	tu/accrocher des peintures
	Tu fais accrocher des peintures.

1. M. Legrand/installer le four
2. maman et moi/poser le papier peint dans le salon
3. les Dufour/repeindre la salle à manger
4. je/planter des fleurs sur le balcon
5. Nadine et Fatima/réparer le frigo
6. Bruno et toi/mettre le nouveau canapé dans le séjour

Les Dupré font réparer l'évier.

Communiquez!

Interpretive Communication

Écrivez les numéros 1–6 sur votre papier. Écoutez les phrases, et associez-les à la bonne illustration.

À vous la parole

Communiquez!

Question centrale

?

Comment le passé influence-t-il le présent?

14 La Conciergerie

Interpretive/Presentational Communication

Vous êtes un nouveau guide pour une compagnie de bateaux-mouches à Paris. C'est à vous de développer le texte pour décrire la Conciergerie quand le bateau passe devant le monument et les touristes vous écoutent. Faites des recherches sur la Conciergerie et écrivez un texte qui décrive l'extérieur et explique ce qu'il y a à voir à l'intérieur. Votre gérante (*manager*) voudrait que vous parliez pendant 90 secondes. Finalement, enregistrez ou filmez votre présentation.

🔍 **Search words: conciergerie paris, conciergerie centre des monuments nationaux**

Communiquez!

15 La grande scène de l'histoire

Interpretive/Presentational Communication

D'abord, lisez le dialogue "La grande scène de l'histoire" (*Extension*) dans lequel des élèves français cherchent un personnage historique à présenter. Ensuite, choisissez une catégorie qui vous intéresse: l'environnement, les droits de l'homme, le féminisme, la protection des animaux, l'unification des pays européens, ou l'aide humanitaire dans les pays en crise. Ensuite, trouvez une personne francophone qui a eu une influence dans cette catégorie, par exemple, Jacques Cousteau, Brigitte Bardot, Bernard Kouchner, Olympe de Gouges, Jacques Delors, ou Toussaint Louverture. Ensuite, écrivez un dialogue similaire à celui de l'Extension. Finalement, enregistrez ou filmez votre présentation.

🔍 **Search words: la fondation brigitte bardot, médecins sans frontières, la declaration des droits de la femme et de la citoyenne, l'histoire de l'union européenne**

Communiquez!

16 La Déclaration des Droits des adolescents

Interpersonal/Presentational Communication

Lisez le début de la *Déclaration des Droits de l'homme et du citoyen*. En groupes, écrivez le préambule pour une *Déclaration des Droits des adolescents*. Faites une version en anglais et donnez les deux documents à vos profs, au proviseur, aux profs de sport, et aux conseillers d'éducation de votre école avec votre signature et celles de vos camarades de classe.

Prononciation

Pronouncing the French /R/

- Remember, the letter "r" is pronounced differently than in English and is usually pronounced at the end of words, except in cases like "Monsieur" and verbs ending in **-er**.

A Je peux prononcer /R/!

Répétez les phrases suivantes.

1. Pardon, je suis encore en retard!
2. On regrette de devoir partir....
3. Pourquoi faut-il leur dire au revoir?

Mandatory Liaisons

- In general, liaison is mandatory in interior rhythmic groups. Look at the three liaisons in this sentence:

   Ils‿ont réservé dans‿un petit‿hôtel.

   Note the three final consonants that connect to the vowels or vowel sounds that follow.

   Note that "d" becomes /t/ before a vowel sound:

   Quand/ *t* /on écoute, on‿apprend beaucoup.

B Liaison obligatoire

Écoutez, puis répétez ces exemples de liaison obligatoire.

1. Il y a de nombreux‿exemples de petits‿appartements dans ce quartier.
2. C'est‿un excellent‿endroit et je suis tout‿à fait d'accord.
3. C'est un grand/ *t* /écrivain.
4. Il faut de grandes‿idées et de nouvelles‿attitudes!

C Comptez!

Écoutez les petits dialogues et, pour chaque phrase, mettez le nombre de liaisons que vous entendez.

1. —Tes amis ont trouvé de bonnes entreprises?
2. —Oui, ils en ont trouvé plusieurs.

3. —Ils ont posté des lettres de motivation?
4. —Oui, ils en ont posté plusieurs.

Vocabulaire actif

Le monde du travail

Alex cherche un emploi.

Alex trouve une petite annonce en ligne pour un poste qui l'intéresse.

Il rédige une lettre de motivation/de candidature.

Il accompagne son CV d'une photo.

Il envoie son CV à l'entreprise.

Il est convoqué pour un entretien.

L'emploi lui convient.

L'entreprise embauche Jean-Luc.

Il va travailler à plein temps, pas à mi-temps.

Abida fait un stage à TechMode.

Une stagiaire

Elle a signé un contrat avec le Chef du Personnel de la compagnie.

Elle met en pratique les connaissances acquises au cours de ses études universitaires.

Elle reçoit un salaire pendant sa formation en entreprise.

Pour la conversation

ow do I indicate there is a lot of a certain item?

> **Il y a plein de** modèles....
> *There are a lot of models....*

ow do I say I did something in vain?

> **J'ai beau** chercher des modèles pour la lettre de motivation....
>
> *I've been looking in vain for models for writing my cover letter....*

Et si je voulais dire...?

un apprentissage	*apprenticeship*
un atelier	*workshop*
un cadre	*executive manager*
les débouchés(m.)	*job openings*
un(e) gérant(e)	*manager*
la période d'essai	*trial period*
faire carrière	*to make a career*
occuper une fonction	*to occupy a position*
poser sa candidature	*put in one's application*

1 Tu imagines?

Lisez le mail de Romain à son frère au sujet d'un stage. Puis, répondez aux questions.

À	Olivier
Cc:	
Sujet:	On m'a pris!

Salut, Olivier!

Après avoir fait mes études à l'université, j'étais prêt à ne pas trouver de travail à cause de l'économie. Mais ma prof m'a proposé de rédiger une lettre de motivation pour un stage. Alors j'ai rédigé ma lettre, je l'ai envoyée avec mon CV accompagné d'une photo, et on m'a convoqué pour un entretien. On m'a pris! J'ai signé un contrat hier dans le bureau du Chef du Personnel, et je commence mon stage avec salaire dans quinze jours. Tu imagines? Et toi, comment vas-tu? Dans ton nouveau poste, est-ce que tu mets en pratique les connaissances acquises au cours de tes études universitaires?

À plus,
Romain

1. Pourquoi est-ce que Romain pensait qu'il ne trouverait pas de travail?
2. Qu'est-ce que sa prof lui a suggéré de faire?
3. Qu'est-ce que Romain a fait après?
4. Quel a été le résultat de son entretien?
5. Que va-t-il faire dans deux semaines?

2 Je cherche du travail.

Choisissez une expression de la liste pour complétez les phrases suivantes. Attention: il est parfois nécessaire que vous vous serviez du subjonctif.

rédiger	se présenter	embaucher	mon CV
une annonce	mettre en pratique	plein temps	un contrat

MODÈLE Mes copains veulent que je recherche en ligne... qui m'intéresse.
Mes copains veulent que je recherche en ligne <u>une annonce</u> qui m'intéresse.

1. Mon prof souhaite que je... les connaissances acquises dans son cours.
2. Mon père préfère que je signe... avant de travailler.
3. Ma mère voudrait que mon père m'....
4. Mes grands-parents désirent que je... une lettre de motivation pour mon annonce préférée.
5. Ma mère exige que j'envoie... à TechMode.
6. Le Chef du Personnel de TechMode veut que je... à 10h15 pour un entretien.
7. Il souhaite que je travaille à....

Mon beau-père veut que j'écrive une bonne lettre de candidature!

Communiquez!

3 Jeanne dans le marché du travail 🎧

Interpretive Communication

*Écrivez les numéros 1–6. Écoutez le parcours de Jeanne pour trouver un emploi. Si l'ordre des deux phrases est logique, écrivez **oui**; sinon, écrivez **non**.*

4 Questions personnelles

Répondez aux questions.

1. Est-ce que tu travailles? Si oui, où? Depuis combien de temps?
2. As-tu déjà écrit un CV? Où l'as-tu envoyé? Avec ou sans photo?
3. Quels postes t'intéressent?
4. Voudrais-tu travailler à plein temps en été?
5. Quelles sont les connaissances que tu as acquises à l'école qui te préparent pour le monde du travail?

Moi, j'ai envoyé mon CV à la BNP pour un poste d'assistante marketing.

Karim fait une demande d'emploi.

Élodie et Karim sont au café; ils travaillent devant leurs ordinateurs portables.

Élodie: Qu'est-ce que tu fais?

Karim: Je suis en train de rédiger une lettre de candidature pour un stage.

Élodie: Un stage cet été? Où ça?

Karim: Un stage d'assistant junior à Bruxelles.

Élodie: À la Commission européenne? À plein temps? Wahou!

Karim: Oui! Mais je dois commencer par rédiger la lettre de motivation.

Élodie: Regarde sur Internet, il y a plein de modèles, j'en suis sûre.

Karim: Après avoir trouvé un modèle pour le CV, j'ai beau chercher des modèles pour la lettre de motivation, ça doit quand même être *perso*....

Élodie: Ce n'est pas difficile avec toutes les qualités que tu as: tu écris bien, tu parles plusieurs langues, tu es sympa, tu t'intéresses aux autres, tu te débrouilles... tu as fait plein de petits boulots!

Karim: N'en jette plus! Tu vas me faire rougir....

---

5 **Karim fait une demande d'emploi.**

Complétez les phrases.

1. Karim doit écrire une....
2. Il aimerait faire un... à la... à Bruxelles.
3. C'est pour devenir un... junior.
4. Il travaillerait à... temps.
5. Selon Élodie, Karim a une bonne expérience parce qu'il a eu....

Au bureau Gabrielle et Jean-Pierre doivent choisir un candidat après réception des lettres de motivation.

Gabrielle:	Moi, j'en ai sélectionné trois: au moins eux, ils ont bien lu la petite annonce du site.
Jean-Pierre:	Donc, ça fait cinq. Oui, moi aussi j'ai fait attention à ça: que la lettre de motivation réponde aux exigences du poste à pourvoir.
Gabrielle:	Après, il y a les petits plus... parce que côté formation, ils ont à peu près tous le même profil.
Jean-Pierre:	Toutes et tous des forts en langues....
Gabrielle:	Oui, et puis comme on cherche un junior, l'expérience professionnelle, c'est plutôt limité.
Jean-Pierre:	Moi, j'en ai un... il a été charpentier.
Gabrielle:	Pas mal! Moi, j'en ai une qui a travaillé dans une unité de soins palliatifs.
Jean-Pierre:	Dur... il y en a un, là, qui a une belle expérience... il a fait plein de boulots. Il a travaillé en Guinée, à Djibouti, en Tunisie... côté formation universitaire, il a un parcours plus chaotique.
Gabrielle:	Pas grave, on le formera.
Jean-Pierre:	On sent qu'il a de l'énergie à revendre... il ne doit demander que ça....
Gabrielle:	Tu le convoques pour l'entretien.

Extension Quelles sont les qualifications du candidat que Gabrielle et Jean-Pierre choisissent pour l'entretien?

Comment le passé influence-t-il le présent?

Les institutions de l'Union européenne (UE) en quelques villes

Bruxelles

C'est à Bruxelles que siège* **la Commission** et **le Conseil européen**.

La Commission européenne est le symbole de l'administration européenne. C'est une administration fédérale de 27.000 personnes environ. La Commission est d'abord la "gardienne des Traités" –à Rome en 1958, Bruxelles en 1967, Luxembourg en 1970, La Haye en 1986, Maastricht en1993, Amsterdam en 1999, Nice en 2003, et Lisbonne en 2009. Elle veille* à leur bonne application, et elle fait respecter l'intérêt général. Le président de la commission, nommé par le Conseil européen, nomme lui-même les commissaires (un par état membre). Leur mandat est de cinq ans. La Commission représente et défend les intérêts de l'UE dans sa globalité. Elle gère* et met en œuvre* la politique de l'UE. Ainsi elle propose de nouvelles lois, gère le budget, veille à l'application du droit, et représente l'UE auprès des autres nations.

 Search words: **le site web official de l'union européenne, commission européenne, europa traité européens, histoire union européenne**

---

siège *sits*; **veille** *watches over*; **gère** *manages*; **met en œuvre** *carries out (to carry out)*

Le Conseil européen a été créé en 1974. Il réunit les chefs d'État et de gouvernement des pays membres de l'Union européenne. Il définit les grandes orientations*, décide des politiques à mettre en œuvre. Son rôle est de plus en plus important et consacre* la supériorité d'une union des États.

 Search words: **conseil européen, siège du conseil européen**

---

grandes orientations *directions*; **consacre** *recognizes*

Strasbourg

C'est à Strasbourg que siège **le Parlement européen**. Il examine et adopte les lois. Il contrôle le fonctionnement des autres institutions et adopte le budget. Ses membres sont élus* au suffrage direct* par les citoyens de tous les États membres.

C'est le Parlement européen qui a le contrôle des dépenses.

 Search words: **parlement européen europa, parlement européen toute l'europe**

élus *elected*; **suffrage direct** *direct vote*

Luxembourg

La Cour de justice des Communautés européennes se trouve à Luxembourg. Elle règle* les relations entre les Institutions européennes, les États, et les citoyens. Ses jugements dans le règlement* des conflits s'imposent à tous et le droit européen prime* sur le droit national.

 Search words: cours de justice curia

***règle** sets;* **règlement** *settlement;* **prime** *takes precedence*

Francfort

Francfort accueille la **Banque européenne** qui, depuis le Traité de Lisbonne, est devenue une institution indépendante à part entière, au même titre que la Cour de Justice ou le Parlement. Elle garantit la stabilité de l'euro.

 Search words: europa banque centrale européenne, toute l'europe banque centrale européenne

Schengen ou l'espace Schengen

Ce petit village au bord de la Moselle est situé entre les frontières allemande, luxembourgeoise, belge, et française. Il est le symbole de **l'espace Schengen** qui regroupe tous les pays qui constituent un espace sans frontière intérieure et qui confient* la surveillance des frontières terrestres*, aériennes, et maritimes aux pays qui en sont limitrophes*.

 Search words: convention de schengen, toute l'europe l'espace schengen, carte espace schengen

***confient** entrust;* **frontière terrestre** *land border;* **limitrophe** *adjacent*

COMPARAISONS

Le traité North American Free Trade Agreement (NAFTA) entre le Canada, les États-Unis, et le Mexique fait penser à quel traité européen?

 Union est un mot emprunté au latin classique *unio* vers 1225. C'est en bas latin que *unio* a pris le sens de unité et union. Le mot désigne d'abord la jonction de plusieurs choses pour former un tout (1380); puis la concorde, la bonne entente entre plusieurs personnes; et enfin une liaison d'affection (XVème siècle).

 **Le drapeau de l'Union européenne** est orné de 12 étoiles dorées disposées en cercle sur fond bleu, représentant la solidarité et l'union entre les peuples d'Europe. Il date de 1955.

Ce drapeau devant la Commission européenne de Bruxelles représente l'Union européenne.

La Francophonie: Institutions

✳ Au Maghreb

Les pays maghrébins—la Tunisie, le Maroc, et l'Algérie—font partie de la Ligue arabe, ou La Ligue des États arabes. Fondée en 1945, la Ligue arabe a maintenant 22 pays membres. Son but est solidifier les relations entre pays membres et d'en surveiller* la collaboration. Elle doit aussi assurer la protection de leur indépendance et leur souveraineté, et, de façon plus générale, elle est censée* protéger les affaires et les intérêts des pays arabes.

C'est au Caire, en Égypte, qu'a été créée la Ligue Arabe.

———
surveiller *to watch over;* **censée** *supposed to*

La Francophonie: Citoyens de l'UE?

✳ Les Basques

Euskadi est le nom d'une région autonome en Espagne où les citoyens sont des Basques. Les aspirations de cette communauté indépendante comprennent la représentation directe dans les institutions de l'UE, par exemple, le droit d'interjeter appel à* la Cour de Justice à Luxembourg. Même si la langue basque n'est pas une langue officielle dans l'UE, elle est reconnue comme minoritaire, tout comme le breton. Il y a aussi des Basques en France. Ils habitent dans le département des Pyrénées Atlantiques. Les Basques sont très attachés à leurs maisons, à la famille, et à la communauté. De nos jours, il y a des clubs gastronomiques où les hommes préparent des spécialités basques comme le cidre, l'agneau, le ragoût*, et le paprika. Un sport populaire Basque est la pelote.

La pelote basque.

———
interjeter appel à *to appeal to;* **ragout** *stew*

Produits

Le comité Nobel a décerné (*awarded*) **le prix Nobel de la paix** à l'UE en 2012 pour avoir "contribué pendant plus de six décennies à promouvoir la paix et la réconciliation, la démocratie, et les droits de l'homme en Europe."

6 Activités culturelles

Complétez les activités suivantes.

1. Retrouvez à quelles institutions de l'Union européenne appartiennent ces attributions:
   A. Ses jugements s'imposent à tous.
   B. Elle met en œuvre les politiques communautaires.
   C. Il définit les grandes orientations.
   D. Il constitue un espace sans frontière intérieure.
   E. Elle garantit la stabilité de la monnaie.
2. Faites un plan de l'Europe avec tous les pays membres. Indiquez les capitales et les langues qu'on y parle.
3. Sur le site officiel de l'Union européenne vous trouverez des jeux et quiz pour en apprendre plus sur l'UE. Jouez à ces jeux.

 Search words: jeux et quiz strasbourg europe, coin des enfants jeux et quiz sur l'ue europa

4. Formez huit groupes. Chaque groupe se charge de faire des recherches sur les spécificités d'un traité: Rome (1958), Bruxelles (1967), acte union européenne de Luxembourg (1970), La Haye (1986), Maastricht (1993), Amsterdam (1999), Nice (2003), Lisbonne (2009).
5. Organisez une visite dans une ville avec une institution européenne.
6. Recherchez ce que la Ligue arabe a fait ou a décidé de faire cette année ou l'année dernière.

Perspectives

Jacques Delors, ancien président de la Commission européenne, a dit, "Il me semble qu'à 27, à 30, ou 32 pays européens, nous pouvons avoir trois ambitions communes: un espace de paix active, un cadre pour le développement durable et une manière particulière de gérer-valoriser notre diversité culturelle." Qu'est-ce que Delors a prévu pour l'Union européenne? A-t-on réalisé ses ambitions?

Du côté des médias

Interpretive Communication

Lisez les questions du quiz sur l'Union européenne.

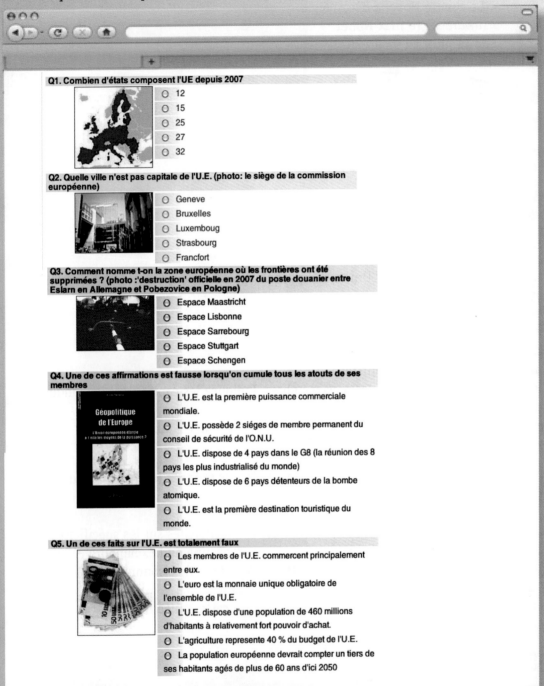

Q1. Combien d'états composent l'UE depuis 2007
- ○ 12
- ○ 15
- ○ 25
- ○ 27
- ○ 32

Q2. Quelle ville n'est pas capitale de l'U.E. (photo: le siège de la commission européenne)
- ○ Geneve
- ○ Bruxelles
- ○ Luxemboug
- ○ Strasbourg
- ○ Francfort

Q3. Comment nomme t-on la zone européenne où les frontières ont été supprimées ? (photo :'destruction' officielle en 2007 du poste douanier entre Eslarn en Allemagne et Pobezovice en Pologne)
- ○ Espace Maastricht
- ○ Espace Lisbonne
- ○ Espace Sarrebourg
- ○ Espace Stuttgart
- ○ Espace Schengen

Q4. Une de ces affirmations est fausse lorsqu'on cumule tous les atouts de ses membres
- ○ L'U.E. est la première puissance commerciale mondiale.
- ○ L'U.E. possède 2 siéges de membre permanent du conseil de sécurité de l'O.N.U.
- ○ L'U.E. dispose de 4 pays dans le G8 (la réunion des 8 pays les plus industrialisé du monde)
- ○ L'U.E. dispose de 6 pays détenteurs de la bombe atomique.
- ○ L'U.E. est la première destination touristique du monde.

Q5. Un de ces faits sur l'U.E. est totalement faux
- ○ Les membres de l'U.E. commercent principalement entre eux.
- ○ L'euro est la monnaie unique obligatoire de l'ensemble de l'U.E.
- ○ L'U.E. dispose d'une population de 460 millions d'habitants à relativement fort pouvoir d'achat.
- ○ L'agriculture represente 40 % du budget de l'U.E.
- ○ La population européenne devrait compter un tiers de ses habitants agés de plus de 60 ans d'ici 2050

---

7 **Quiz: L'Union européenne**

Répondez aux questions sur le quiz.

 Search words: quizz biz union européenne

Structure de la langue

Révision: Expressions with *avoir*

The verb **avoir** is another frequently used verb in French.

> **J'ai** un entretien demain pour un stage.   *I have an interview tomorrow for an internship.*

Also called a "building block" verb, **avoir** is used in many expressions in French. Some of the most common expressions with **avoir** deal with age, physical ailments, or being hot/cold/hungry/thirsty/afraid. Can you think of others?

> Marame **avait** vingt **ans** quand elle a travaillé à plein temps pour cette entreprise américaine.   *Marame was 20 years old when she worked full-time for this American company.*

> Je ne pourrais jamais travailler pour Air France parce que j'**ai peur** en avion!   *I could never work for Air France because I'm afraid of flying!*

A new **avoir** expression is **avoir beau** plus an infinitive *(to do something in vain)*.

> Nous **avons beau** chercher dans les petites annonces.   *We've been trying in vain to find something in the want ads.*

---

8   Les gens de mon quartier

Faites des phrases qui décrivent les illustrations en vous servant d'une expression de la liste.

> avoir de la chance   avoir hâte de partir en vacances   avoir l'air sérieux
> avoir envie d'envoyer un texto   avoir lieu   avoir treize ans
> avoir peur du vide   avoir raison   avoir faim

MODÈLE le concert
Le concert a lieu le 16 mai.

1. M. et Mme Besnard   2. Diane   3. Docteur Giraud et toi   4. Timéo

5. je   6. Brigitte et Marie-Alix   7. Madiba   8. Maelis

---

*Complétez les phrases avec la forme correcte du verbe **avoir** + expression.*
Attention au temps! L'histoire est au passé.

1. Marie-Antoinette... toujours besoin de s'amuser.
2. Elle n'... pas de quitter l'Autriche et sa famille.
3. Mais Louis, le fils du roi de France, ... de se marier avec elle.
4. Quand Louis XVI... 16 ans, il s'est marié avec Marie-Antoinette.
5. Marie-Antoinette... de la chance parce qu'elle a eu de beaux enfants.
6. La prise de la Bastille... lieu le 14 juillet 1789 et tout a changé.

avoir...	ans
	besoin
	de la chance
	lieu
	envie de

emcl.com
WB 8–11
LA 2
Games

Past infinitive

To say that one action in the past happened before another one, use the past infinitive. After the preposition **après**, add the helping verb **avoir** or **être** and the past participle of the main verb.

Après avoir convoqué Damien pour un entretien, le chef du personnel l'a embauché.

| après | + | { avoir / être } | + | past participle |

Après avoir trouvé une petite annonce, Thierry a envoyé son CV à l'entreprise.

After finding a want ad, Thierry sent his résumé to the company.

Après être arrivé en France, Abdel y a fait un stage en entreprise.

After having arrived in France, Abdel interned at a French company there.

Agreement of the past participle is the same as in the **passé composé**.

Après s'être présentée pour un entretien, Faustine a signé le contrat.

After showing up for an interview, Faustine signed the contract.

COMPARAISONS

Both of the following sentences are correct in expressing the past infinitive in the negative in French. What is the rule in English?

Maman m'a critiqué pour **ne pas** avoir fait mes corvées.
Maman m'a critiqué pour **n'**avoir fait **pas** mes corvées.

COMPARAISONS: In English both French sentences would be expressed thus: "Mom criticized me for **not having done** my chores." The negative word "not" is placed in front of "having," the auxiliary verb form used in the past infinitive, as in: "After not having gotten dressed," "After not having come to the concert," "After not having eaten," etc. Unlike in English, French has two ways to make the past infinitive negative.

Faites des phrases logiques pour décrire l'histoire de Marie-France.

MODÈLE lire une petite annonce en ligne/envoyer son CV
Après avoir lu une petite annonce en ligne, Marie-France a envoyé son CV.

1. écrire sa lettre de motivation/trouver une petite annonce
2. recevoir une convocation pour un entretien/se présenter au Chef du personnel
3. signer un contrat/recevoir un offre de travail
4. s'installer dans son bureau/faire la connaissance des autres stagiaires
5. recevoir son premier chèque/travailler deux semaines
6. être embauché à plein temps/faire un stage

Regardez la chronologie de la vie de Marie-Antoinette. Écrivez des phrases avec l'infinitif passé et le passé composé pour décrire ce qui s'est passé.

MODÈLE **1755: Marie-Antoinette est née** (*was born*)
Elle vit en Autriche.

Après être née en 1755, Marie-Antoinette a vécu en Autriche.

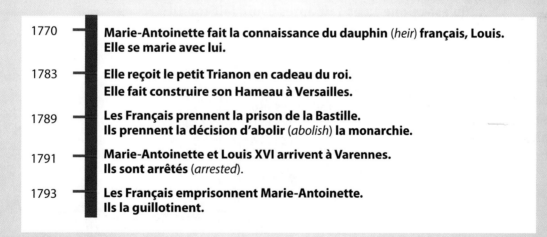

1770	**Marie-Antoinette fait la connaissance du dauphin** (*heir*) **français, Louis.** **Elle se marie avec lui.**
1783	**Elle reçoit le petit Trianon en cadeau du roi.** **Elle fait construire son Hameau à Versailles.**
1789	**Les Français prennent la prison de la Bastille.** **Ils prennent la décision d'abolir** (*abolish*) **la monarchie.**
1791	**Marie-Antoinette et Louis XVI arrivent à Varennes.** **Ils sont arrêtés** (*arrested*).
1793	**Les Français emprisonnent Marie-Antoinette.** **Ils la guillotinent.**

12 **Qu'est-ce qui s'est passé après?**

Écrivez les numéros 1–6. Ensuite, écoutez les phrases. Si la phrase est logique, écrivez **L**. *Sinon, écrivez* **I** *pour illogique.*

13 **Samedi dernier**

Interpersonal Communication

À tour de rôle, demandez à votre partenaire ce qu'il ou elle a fait après avoir fait les activités ci-dessous.

MODÈLES   se lever
A: **Qu'est-ce que tu as fait après t'être levé(e)?**
B: **Après m'être levé(e), j'ai pris mon petit déjeuner.**

faire ton lit
A: **Qu'est-ce que tu as fait après avoir fait ton lit?**
B: **Après avoir fait mon lit, j'ai rangé ma chambre.**

1. s'habiller
2. faire les corvées
3. déjeuner
4. sortir
5. dîner
6. faire la vaisselle

Qu'est-ce qu't'as fait après avoir vu le concert?

À vous la parole

Communiquez!

Question centrale

?

Comment le passé influence-t-il le présent?

14 Un entretien d'information

Presentational Communication

Un entretien d'information permet au candidat de trouver des informations sur le travail de son choix. Pour préciser, un entretien d'information permet au chercheur (*seeker*) d'emploi de trouver des informations sur un travail, un secteur d'activité, ou une entreprise en parlant avec des personnes qui travaillent dans ce domaine. Comme ce n'est pas un "vrai" entretien, il y a moins de stress. Un autre avantage est que vous créez un réseau de contacts (*network*). Faites une liste de boulots qui vous intéressent. Choisissez-en un. Préparez six questions au minimum que vous poseriez à quelqu'un qui connaît vos ambitions professionnelles ou qui travaille dans ce domaine.

Communiquez!

15 J'écris une lettre de motivation.

Presentational Communication

Imaginez que vous avez 24 ans et que vous cherchez votre premier boulot. Regardez des exemples de lettres de motivation en ligne. Finalement, préparez une lettre de motivation pour le poste de vos rêves.

 Search words: modèle de lettre de motivation, lettre de motivation exemples

Communiquez!

16 Je fais passer un entretien.

Interpersonal Communication

Avec un partenaire, jouez les rôles d'un gérant/d'une gérante d'entreprise et d'un candidat à un poste. Il faut que ce dernier ou cette dernière choisisse une profession ou trouve une petite annonce en ligne. Le gérant/la gérante lui pose des questions pour en savoir plus sur sa formation, ses qualifications, et ses objectifs professionnels. Enregistrez ou filmez l'entretien.

Writing a Résumé

Tout d'abord trouvez un stage qui vous paraît intéressant. Ensuite, rédigez votre CV dans lequel vous décrirez votre parcours scolaire et vos centres d'intérêts. Le but du CV est de décrocher (*to land*) un entretien d'embauche. Imaginez que vous ayez déjà obtenu un diplôme universitaire avec la spécialité de votre choix. Le CV à la page 479 pourra vous servir de modèle.

Search words: **infostages, stages en entreprises, expériences professionelles pour jeunes diplômés, stage rémunérés, stages non rémunérés, expériences en entreprises, stagiaires, stages en entreprises**

Petites annonces stages

Assistant web designer/graphiste	Me contacter	Paris

Entreprise spécialisée dans la vente en ligne de bijoux et accessoires féminins cherche stagiaire pour webdesign/graphiste

Stage rédacteur/rédactrice Internet	Me contacter	Marseille

Recherche stagiaire h/f pour rédaction et administration de contenu web pour un musée d'art

Les étapes pour écrire un CV:

- Indiquez votre objectif professionnel clairement.
- Fournissez toutes les informations pour que le recruteur puisse vous contacter, y compris votre adresse e-mail.
- Incluez vos compétences et votre formation et expérience et les résultats universitaires s'ils sont bons.
- Rédigez. Le contenu doit tenir (*fit*) sur une page.

Charlotte Hoffman
Tel: 06.21.83.52.22

101 rue Paradis 13006 Marseille
charlotte.hoffman@iae-paris.com

22 ans
Candidate pour un poste de gestion de projet intranet nouvelle génération
en apprentissage

Formation
–2011/2012 Master d'informatique 2- traitement de données, IAE Aix-en-Provence
–2010 Master 1- Science du Management, IAE Aix-en-Provence
  Enseignements: Communication, Marketing, Stratégie, Économie, Anglais.
–2007 DUT GEA Option Petites et Moyennes Organisations, IUT de Marseille
–2005 Baccalauréat Economique option Mathématique Mention AB, Lycée Marcel Pagnol
  Marseille.

Connaissances acquises
Bilingue français-anglais, italien: réactualisable.
Informatique
Excellente culture web et grand intérêt pour les nouvelles technologies

Expériences professionnelles et associatives
Capgémini: analyse du besoin du client, conception, développement et
intégration de produits et de solutions technologiques pour les systèmes
d'informations

Emplois étudiants
Hôtesse de Caisse, Carrefour, Marseille, France
Vendeuse, Magasin de vêtements Zara, Marseille, France

Passetemps
Équitation (galop 6), footing, lecture

Leçon C

Vocabulaire actif

emcl.com
WB 1–2
LA 1
Games

L'assurance maladie et le débat

Qui a droit à l'assurance maladie?

Mme Tautou est tombée et elle s'est cassé la cheville.

Elle avait besoin d'accéder à des soins.

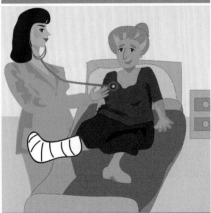

Elle est allée à l'hôpital où elle s'est fait soigner.

Avec la sécu et son assurance maladie complémentaire privée, elle a les moyens de payer ses factures médicales.

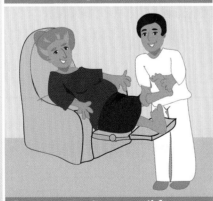

Pour tout traitement, il faut qu'elle aille chez le kiné pour des séances de rééducation.

Quelques mois plus tard, elle est guérie.

Une méthode de débat:

1. Pour introduire votre position:
   - A. Je suis pour/contre… pour deux raisons principales.
   - B. Premièrement,….
     Deuxièmement,….
2. Pour répondre aux arguments de la première personne:
   - A. Tu as raison. Je suis entièrement de ton avis.
   - B. Tu as tort. J'ai un autre point de vue.
3. Pour répondre aux arguments de la deuxième personne:
   - A. par contre - *on the other hand*
     au contraire - *on the contrary*
     cependant - *however*
     néanmoins - *nevertheless*
     évidemment - *evidently*
     d'ailleurs - *moreover*
   - B. Je continue avec un deuxième argument.
   - C. Une citation de… illustre….
     Les chiffres indiquent….
     Par exemple, j'ai une anecdote qui montre….

emcl.com
WB 3–5

Pour la conversation

How do I express that someone has a right?

> ❯ Mamy **a droit à** une voiture médicalisée….
> *Grandma has the right to medical transportation.*

How do I express that someone can afford something?

> ❯ Elle **a les moyens de** payer un taxi normal.
> *She has the means to pay for a normal taxi.*

How do I express I want to discuss something in more detail later?

> ❯ **On peut en discuter davantage plus tard.**
> *We can discuss it more later.*

Et si je voulais dire…?

un cabinet médical	*medical practice*
l'état de santé (m.)	*state of health*
une ordonnance	*prescription*
consulter	*to consult*
prescrire	*to prescribe*

1 Les arguments

Complétez les phrases suivantes logiquement.

1. Une personne avec les moyens peut payer son traitement médical; ..., une personne pauvre sans assurance maladie ne peut pas.
   A. d'ailleurs   B. par contre   C. par exemple
2. Une personne pauvre a... droit aux services médicaux.
   A. au contraire   B. contre   C. néanmoins
3. Je ne veux pas en discuter maintenant, mais on peut en discuter... plus tard.
   A. davantage   B. cependant   C. d'ailleurs
4. Cette citation de l'article illustre la valeur du kiné, ... j'ai encore des doutes.
   A. deuxièmement   B. d'ailleurs   C. cependant
5. Mais non, tu as tort, je ne suis pas contre l'assurance maladie. ..., je suis pour.
   A. Tu as raison   B. Au contraire   C. Les chiffres

2 Quel débat!

Interpretive Communication

Écrivez les numéros 1–5. Écoutez le débat entre Juliette et Luc sur l'assurance maladie. Puis, identifiez la personne décrite.

1. Cette personne commence avec deux arguments contre l'assurance maladie privée.
2. Il est important pour cette personne que les gens âgés puissent se faire soigner quand ils tombent malades.
3. Cette personne a un argument économique.
4. Cette personne pense que les abus par rapport à l'assurance maladie doivent être contrôlés.
5. Cette personne propose de continuer la conversation plus tard.

3 Questions personnelles

Interpersonal Communication

Répondez aux questions suivantes.

1. Dans un débat, est-ce que tu perds ou tu gagnes plus souvent?
2. Comment est-ce que tu préfères illustrer ta position, avec une citation, des chiffres, ou une anecdote?
3. À quoi est-ce qu'on devrait avoir droit, selon toi?
4. Es-tu pour ou contre l'assurance maladie pour tous?
5. Qu'est-ce qui se passe dans ton pays quand une personne malade n'a pas les moyens de se faire soigner?

Mamy a pris rendez-vous chez le kinésithérapeute.

Léo téléphone à sa sœur.

Léo: Tu ne viens pas?

Élodie: Non, je ne peux pas, je dois accompagner Mamy. Elle va chez le kiné. Elle m'a téléphoné parce qu'elle était tombée hier.

Léo: Mais tu n'as pas ton permis.... Tu y vas comment?

Élodie: T'inquiète pas. Mamy a droit à une voiture médicalisée pour l'emmener, ça lui coûte 2,40 euros....

Léo: Quoi? Mais Mamy, elle a les moyens de payer un taxi normal!

Élodie: Oui, c'est vrai, tu as raison. Mais c'est un service de la sécu et comme elle a des difficultés à marcher, elle y a droit....

Léo: Quel pays! Rien que des droits! Eh bien, moi, je suis contre... pas contre Mamy, mais contre ce système qui accorde la même chose à tout le monde: premièrement, ça coûte très cher à la collectivité et deuxièmement, il y a des choix dans la manière de se faire soigner qui dépendent de chacun.

Élodie: Et que chacun doit payer selon ses moyens, j'ai compris.

Léo: Oui, il y a des assurances individuelles pour ça.

Élodie: Je ne suis pas d'accord, mais on peut en discuter davantage plus tard. Maintenant je file!

---

4 **Mamy a pris rendez-vous chez le kinésithérapeute.**

Répondez aux questions.

1. Qu'est-ce qu'Élodie fait aujourd'hui?
2. Qu'est-ce qui est arrivé à sa grand-mère?
3. Qui va la soigner?
4. Comment est-ce qu'on va au cabinet du kinésithérapeute?
5. Qu'est-ce que Léo pense de l'assurance maladie pour tous? Pourquoi?

Au lycée, pendant le cours d'économie, les élèves participent à une discussion sur la prise en charge des dépenses sociales par l'État.

Prof: Bon, j'espère que vous avez préparé vos arguments. Qui commence?

Marielle: Moi. Moi, je suis pour la prise en charge des dépenses sociales par l'État. Premièrement, c'est une question de solidarité; deuxièmement, c'est une question de justice sociale....

Hugo: Bonjour la langue de bois! Moi, ce n'est pas tout à fait mon point de vue. Soyons concrets: si je fume toute ma vie et que j'ai un cancer, c'est la société qui est responsable et qui doit payer?

Théo: Évidemment, toujours le même exemple: le coup du fumeur. Par contre on peut aussi éduquer....

Caro: Entièrement de ton avis: c'est ça une société de solidarité, on fait progresser tout le monde en même temps.

Sophie: Certes. Néanmoins tout ça a un prix: qui paie?

Hugo: D'ailleurs, vous connaissez le montant du déficit des régimes sociaux? Quinze milliards d'euros....

Marielle: Qu'est-ce que c'est par rapport à un budget de mille milliards?

Théo: Si c'est le prix à payer pour conserver notre système... ce n'est pas cher payer!

Hugo: Eh bien moi, je préférerais qu'on me donne cet argent avec mon salaire et je ferai comme je veux. Ma santé, c'est mon choix.

Extension   Quels élèves voudraient changer le système de l'assurance maladie en France?

Question centrale

?

Comment le passé influence-t-il le présent?

Les droits sociaux

Issu* directement de la *Déclaration des Droits de l'homme et du citoyen* de 1789 et de la notion de "garantie sociale envers les citoyens malheureux," le modèle social français est celui de l'État-Providence. Il fait partie du programme du Conseil national de la Résistance, et il a été mis en place en 1945: il gouverne encore aujourd'hui la société française. Les Français y sont très attachés, et il est donc difficile à réformer. Il constitue aujourd'hui une véritable ligne d'affrontement* politique entre conservateurs qui veulent conserver l'État-Providence et réformateurs qui dénoncent l'État-Assistance.

Les Français manifestent contre les réformes sociales.

Ce modèle est fondé sur le principe de la solidarité collective. Cette solidarité collective touche les domaines suivants: la protection sociale (chômage, invalidité*, retraite); la santé publique (sécurité sociale); l'éducation (gratuité du système éducatif jusqu'à l'université), et la politique familiale (allocations familiales, accueil garanti à l'école maternelle*). L'ensemble des prestations* sociales financées pour l'essentiel par les revenus du travail et de l'entreprise représentent aujourd'hui 2.000 milliards*.

Les prestations sociales sont de quatre types: les prestations de santé (maladie, invalidité, infirmité, accidents du travail); les prestations familiales (allocations selon le nombre d'enfants, congé de maternité*, congé parental, allocation logement); les prestations d'emploi (allocations chômage, allocations de préretraite); les prestations vieillesses (retraites* et pensions).

 Search words **ameli l'assurance maladie en ligne, le portail du service public de la sécurité sociale, école maternelle ministère de l'éducation nationale, prestations familiales, toutes les prestations**

---

issu *stemming from*; **affrontement** *confrontation*; **invalidité** *disability*; *école maternelle nursery school—pre-K*; **prestations** *benefits*; **milliard** *billion*; **congé de maternité** *maternity leave*; **retraites** *retirement*

Moins de 20% des Français mettent leurs enfants à la crèche, préférant les élever eux-mêmes.

Produits

Pour les parents qui travaillent, **les crèches** s'occupent des bébés de deux mois et demi jusqu'à l'âge de trois ans. Les parents paient en fonction de leurs moyens.

Mots-clé

Droit est dérivé de *dreit* (842), issu du bas-latin *directum*, substantivation (*noun form*) de l'adjectif *directus*. Attesté au VIème siècle au sens général de justice, puis au VIIIème siècle au sens de règles ou d'ensemble des lois. Quelle est la signification de chacune de ces expressions qui incorpore le mot *droit*? *Je suis dans mon droit. J'y ai droit. Les droits et les devoirs.*

COMPARAISONS

Quel système d'assurance, celui de votre pays ou celui de la France, est meilleur?

---

5 **Activités culturelles**

Complétez les activités suivantes.

1. Expliquez l'importance de ces dates en ce qui concerne l'État-Providence:
   - 1789
   - 1945

2. Indiquez à quel domaine appartiennent les protections sociales suivantes:
   - éducation
   - allocations familiales
   - invalidité
   - retraite
   - sécurité sociale

En France, on préfère l'aide à domicile aux institutions publiques.

3. Indiquez les prestations auxquelles ces personnes ont droit en France:
   A. M. Dujardin a eu un accident de voiture et a mal au cou.
   B. M. et Mme Diop ont un bébé.
   C. M. et Mme Jussieu ont quatre enfants.
   D. M. Piedbœuf n'a pas les moyens de payer son loyer.
   E. Mme Chapelle a pris sa retraite.
   F. Mlle Hergy a perdu son emploi et elle a besoin d'argent pour vivre.

4. Comparez le système de protection sociale français et le système de protection sociale américain.

À discuter

À votre avis, est-il plus facile d'élever (*raise*) ses enfants en France ou aux États-Unis?

Du côté des médias

Interpretive Communication

Lisez ces informations sur les écoles maternelles à Évry, en France.

Ecoles maternelles et élémentaires

- Inscrire mon enfant à l'école

Dès 3 ans, votre enfant a l'âge de faire ses premiers pas à l'école maternelle. A partir de 6 ans, il fait sa rentrée à l'école élémentaire. Pour l'inscrire, les démarches sont simples et entièrement gérées par la Ville. Pour les enfants nés en 2009, les inscriptions auront lieu du 13 février au 31 mai 2012 pour la rentrée scolaire de septembre 2012.

En savoir plus

- Les écoles d'Evry

Evry compte 17 écoles maternelles publiques et 21 écoles élémentaires publiques. Retrouvez toutes les coordonnées avec notre annuaire malin.

---

6 Écoles pour les enfants d'Évry

Complétez les phrases suivantes.

1. Ce site web accueille les parents qui habitent à….
2. Un parent peut inscrire son enfant dans une école maternelle quand l'enfant a… an(s).
3. Il ou elle va à l'école élémentaire à l'âge de… ans.
4. Il y a… écoles maternelles à Évry.
5. Il y a… écoles élémentaires publiques.

La culture sur place

Question centrale
? Comment le passé influence-t-il le présent?

La presse en danger
Introduction et Interrogations

La fameuse *Déclaration des Droits de l'homme et du citoyen* de 1789 est issue (*came out of*) directement de la Révolution française. Les révolutions récentes dans les pays tels que la Tunisie, l'Égypte, la Libye, et la Syrie soulignent l'importance des médias. Dans cette *Culture sur place*, nous allons discuter de la liberté de la presse et du danger qui est associé à cette liberté, surtout dans des situations comme les révolutions.

7 Première Étape: Réfléchir

1. Pensez aux actualités que vous lisez, regardez, ou écoutez. Quand est-ce que les journalistes sont en danger quand ils font leurs reportages?
2. Regardez le **Baromètre de la liberté de la presse** sur le site "Reporters sans Frontières." Combien de reporters sont emprisonnés? Combien ont été tués?
3. Avec un partenaire, faites une liste de situations graves pour les reporters. Ensuite, répondez à ces questions avec votre classe:
   - Qu'est-ce que les journalistes peuvent faire pour minimiser le danger pendant qu'ils travaillent?
   - Qui est-ce qui décide des droits des journalistes à l'étranger? Y a-t-il un traité international?

8 Deuxième Étape: Étudier

Lisez les objectifs de l'organisation "Reporters sans Frontières." Sur leur site, cliquez sur "Qui sommes-nous?/Présentation de Reporters sans frontières." Regardez la liste sous **Enquêter, agir, soutenir**. Faites un sommaire de ces idées.

9 Faire le point!

Discutez des questions suivantes en classe.

1. Quel est le rôle du reporter sur la scène mondiale?
2. La liberté de la presse est-elle un droit inaliénable? Un journaliste a-t-il le droit de tout dire? Est-ce un droit universel? Pourquoi, ou pourquoi pas? Qu'est-ce que vous pensez de cette réalité?
3. Est-ce que la censure est toujours la même? Quelles sont quelques différences qui existent?
4. Est-ce que la censure entre dans votre vie? Comment? Comment est-ce que vous réagissez en général?
5. Est-il possible d'éliminer les "frontières," d'être un véritable "reporter sans frontières"? Pourquoi, ou pourquoi pas?

Structure de la langue

Révision: Expressions with *être*

The verb **être** is another frequently used verb in French.

Par contre, je **suis** pour la sécu médicale.	*On the other hand, I am for national health insurance.*

Also called a "building block" verb, **être** is used in a number of expressions in French where a different verb is used in English. You have already learned some common expressions with **être** that deal with agreeing with someone, giving the day/date, and saying that you are busy doing something.

Néanmoins, elle n'**est** pas **d'accord**.	*Nevertheless, she doesn't agree.*
Nous **sommes** dimanche.	*It's Sunday.*
Marc et Koffi **sont en train de** faire les corvées.	*Marc and Koffi are busy doing chores.*

To show ownership, use the expression **être à** (*to belong to*). A stress pronoun or a noun follows **être à**.

Pardon, monsieur! Ce portefeuille **est à** vous?	*Excuse me, sir! Is this wallet yours?*
Oui, merci! Il **est à** moi.	*Yes, thank you! It is mine.*

10 La fête d'anniversaire

*Complétez chaque dialogue avec une expression de la liste. N'oubliez pas de conjuguer le verbe **être** et d'accorder l'adjectif (masculin? féminin?), si nécessaire.*

être en train de	c'est	être en retard	être de	être au courant
être d'accord	être occupé	être chargé de	être prêt	

MODÈLE —Christelle s'occupe des décorations?
—Oui, elle **est chargée des** décorations. Elle a choisi le thème "jardins" parce que l'anniversaire de Fatima est en mai.

1. —Quand est l'anniversaire de Fatima?
   —... le 14 mai.
2. —Qui enverra les invitations?
   —Les sœurs de Fatima... le faire maintenant.
3. —Fatima... Paris?
   —Non, sa famille vient du Maroc.
4. —La fête, ... à quelle heure?
   —À 18h30.
5. —Tu... à m'aider avec le gâteau d'anniversaire, Annie?
   —Oui, je suis déjà allée à l'épicerie.
6. —Christian, tu ne vas pas...?
   —Non, pas cette fois. Je serai à l'heure. C'est promis!
7. —Paul et Benoît, vous... de la fête pour Fatima?
   —Oui, nous venons d'acheter un cadeau et une carte d'anniversaire.
8. —Jacques et toi, vous... le 14 mai?
   —Non, nous sommes libres.
9. —La fête sera géniale!
   —Je....

À la fin de l'année scolaire, il y a beaucoup d'objets trouvés dans une boîte dans le bureau du proviseur. Dites-lui à qui est chaque objet.

 MODÈLE **Le lecteur mp3 est à Karim.**  **Les clés USB sont à Zakia.**

Karim   Zakia

1. Luc et moi

2. Didier

3. Mlle Magritte

4. M. Delacroix

5. Mme Leriche

6. Solange

Pluperfect Tense

emcl.com
WB 10–13
LA 2
Games

The **plus-que-parfait** (*pluperfect, past perfect*) is a tense used to tell what had happened in the past before another past action. It may be used to express "cause and effect." Like the **passé composé**, the **plus-que-parfait** consists of a helping verb and a past participle. To form the **plus-que-parfait**, use the imperfect tense of the helping verb **avoir** or **être** and the past participle of the main verb. Agreement of the past participle in the **plus-que-parfait** is the same as in the **passé composé**.

Camille s'est fait soigner à l'hôpital parce qu'elle était tombée sur la piste de ski!

	répondre	tomber
j'	**avais répondu**	**étais tombé(e)**
tu	**avais répondu**	**étais tombé(e)**
il/elle/on	**avait répondu**	**était tombé(e)**
nous	**avions répondu**	**étions tombé(e)s**
vous	**aviez répondu**	**étiez tombé(e)(s)(es)**
ils/elles	**avaient répondu**	**étaient tombé(e)s**

Quand je suis rentré, j'ai rappelé à Ava de téléphoner au kiné. Mais, elle l'**avait** déjà **appelé**. Sa nièce **s'était déjà fait soigner**.

When I got home I reminded Ava to call the chiropractor. But, she had already called. Her niece had already received medical treatment.

12 Un été en France

Des élèves de votre classe de français sont restés avec des familles françaises pendant l'été. Dites ce qu'ils vous ont raconté.

MODÈLE   Jamie/voir la *Joconde* au Louvre.
Jamie m'a dit qu'il avait vu la *Joconde* au Louvre.

1. vous/nager dans la mer Méditerranée
2. Heather et Amber/passer une semaine dans les Alpes
3. Zach/se promener sur les Champs-Élysées
4. tu/prendre une photo du château d'If à Marseille
5. Ashleigh/faire la connaissance des ados français
6. Justin et Tyler/prendre le métro souvent à Lyon
7. Madison/ne jamais s'ennuyer
8. Matt et Justin/aller à Cannes

COMPARAISONS

What do these examples of the **plus-que-parfait** in French and English express?

Si tu avais écouté mes conseils!

If you had listened to my advice!

COMPARAISONS: These examples show that the **plus-que-parfait** can be used to express a wish about the past.

13 Papy à l'hôpital

Écrivez les numéros 1–6 sur votre papier. Écoutez le dialogue entre Chantal et son frère Théo. Ensuite, choisissez la bonne réponse à la question que vous entendez.

A. Oui, il l'avait mise dans son portefeuille avant de partir.

B. Elle s'était fait soigner par le kiné.

C. Il va rendre visite à son grand-père.

D. Il avait assisté à un concert en ville.

E. Elle était allée à l'hôpital avec Mamy.

F. Non, il avait déjà pris son dîner à la maison.

14 Qu'est-ce qui s'est passé avant…?

Pour chaque situation suivante, composez des phrases logiques au plus-que parfait indiquant ce qui a précédé. Pour chaque phrase qui n'est pas répétée par un autre groupe, votre groupe obtient un point.

MODÈLE   Christine est allée en Europe.

- **Elle avait fait ses valises.**
- **Elle avait retiré de l'argent à la banque.**
- **Elle était allée à l'aéroport.**
- **Elle avait obtenu un passeport.**
- **Elle avait acheté des chèques de voyage.**

Monsieur Durand est arrivé en retard parce qu'il ne s'était pas réveillé assez tôt.

1. J'ai été embauché(e) à TechMode.
2. Ma famille et moi, nous avons fait du camping.
3. Marco et toi, vous avez donné un concert.
4. Tu es descendu(e) dans un hôtel à Paris.
5. Dikembe a écrit une composition sur Jacques Prévert pour son cours de littérature.
6. Latifa a gagné un marathon.
7. Malick s'est engagé en faveur de l'environnement.
8. Notre prof est devenu(e) prof de français.

À vous la parole

Question centrale

?

Comment le passé influence-t-il le présent?

Communiquez!

15   **Mamy est malade.**

Interpretive/Presentational Communication

L'assurance maladie peut parfois payer les frais de transport en cas de maladie: domicile-hôpital, hôpital-domicile, domicile-lieu de traitement. La sécu est obligée de le faire avec une prescription médicale s'il y a des effets secondaires comme pour la chimiothérapie. Votre grand-mère souffre du cancer. Elle aura besoin de plusieurs traitements de chimiothérapie. Vos parents voyagent souvent; donc, c'est à vous, les petits-enfants, de trouver une solution. Votre grand-mère habite à Lyon. Écrivez un dialogue avec votre "frère" ou "sœur" qui parle du problème, de la solution, et explique qui va faire quoi. Enregistrez ou filmez votre dialogue.

🔍   **Search words:**   **vsl lyon, voiture médicalisée lyon**

Communiquez!

16   **Une anecdote sur la santé**

Presentational Communication

Une anecdote est une petite histoire. Écrivez une anecdote sur quelqu'un de votre famille qui est tombé malade. Décrivez sa maladie et dites ce qui s'est passé quand il ou elle est allé se faire soigner dans un hôpital, une clinique, ou chez le kiné. Est-ce que l'assurance a payé? Enregistrez ou filmez votre présentation.

Communiquez!

17   **Entre la crèche et l'école primaire**

Interpretive/Presentational Communication

Qui s'occupe des enfants entre la crèche et l'école primaire quand les parents travaillent? Faites une comparaison du système américain et du système français. Au lieu d'écrire un paragraphe, écrivez deux petites histoires ou conversations basées sur ce scénario: **Une mère et un père ont un fils de quatre ans. Ils travaillent tous les deux. Voici comment ils font pour s'occuper de leur enfant....**

   Search words: **jardin d'enfants, aide à domicile pour enfants de plus de 3 ans**

Le bourgeois gentilhomme Acte II, Scène IV

Rencontre avec l'auteur 🎧

Molière (1622–1673), pseudonyme pour Jean-Baptiste Poquelin, était un dramaturge classique du XVIIème siècle en France. Il a écrit des pièces pour le roi Louis XIV. Connu pour ses comédies de mœurs (*manners*), il a inventé une collection de "types," ou personnages stéréotypés comme le parvenu (*social climber*) M. Jourdain dans *Le bourgeois gentilhomme* dont vous allez lire un extrait. M. Jourdain voudrait se transformer en gentilhomme (*gentleman*) et pour y arriver il prend des maîtres pour l'instruire (*instruct*) et le former aux belles manières. Après avoir lu cet extrait, est-ce que vous pouvez faire un portrait de M. Jourdain? Quels sont les traits (*characteristics*) du parvenu?

Pré-lecture

Est-ce qui vous connaissez des gens qui ne sont pas contents de leur classe sociale? Qu'est-ce qu'ils font de comique?

Stratégie de lecture

Word Families

Pour élargir votre vocabulaire, il est bon que vous appreniez des mots appartenant à la même famille linguistique. Si vous reconnaissez la racine (*root*) d'un mot, vous pouvez deviner ce que d'autres mots veulent dire. Pendant que vous lisez l'extrait de cette pièce célèbre, remplissez le tableau avec les mots que vous savez déjà et les nouveaux mots que vous allez rechercher dans le dictionnaire. Pour tous les mots de la deuxième et de la troisième colonne, indiquez aussi la partie du discours (*part of speech*). Donnez la définition de chaque mot dans la première et troisième colonne. Un exemple a été fait pour vous.

Mot de la pièce	Mot(s) que je connais déjà	Nouveaux mots que j'ai recherchés
Modèle: un gentilhomme: gentleman	**gentil** **gentillesse**	**gentiment (adv.):** kindly, nicely
un savant		
raisonnable		
félicité		
traiter		
rouvrant (*from* rouvrir)		
doute		

Outils de lecture

Dans un sens général, le cadre de l'histoire permet de situer le moment et le lieu d'une sélection littéraire. Dans ses pièces, Molière nous offre un vaste tableau de la France du XVIIème siècle. Qu'est-ce que vous remarquez de cette époque en lisant cet extrait?

Maître de Philosophie.	… Que voulez-vous apprendre?
Monsieur Jourdain.	Tout ce que je pourrai, car j'ai toutes les envies du monde d'être savant*; et j'enrage que mon père et ma mère ne m'aient pas fait bien étudier dans toutes les sciences quand j'étais jeune.
Maître de Philosophie.	Ce sentiment est raisonnable, *Nam sine doctrina vita est quasi mortis imago.* Vous entendez cela, et vous savez le latin sans doute.
Monsieur Jourdain.	Oui, mais faites comme si je ne le savais pas: expliquez-moi ce que cela veut dire.
Maître de Philosophie.	Cela veut dire que *Sans la science, la vie est presque une image de la mort.*
Monsieur Jourdain.	Ce latin-là a raison.
Maître de Philosophie.	N'avez-vous point quelques principes, quelques commencements des sciences?
Monsieur Jourdain.	Oh! oui, je sais lire et écrire.
Maître de Philosophie.	Par où vous plaît-il que nous commencions? Voulez-vous que je vous apprenne la logique?
Monsieur Jourdain.	Qu'est-ce que c'est que cette logique?
Maître de Philosophie.	C'est elle qui enseigne les trois opérations de l'esprit*.
Monsieur Jourdain.	Qui sont-elles, ces trois opérations de l'esprit?
Maître de Philosophie.	La première, la seconde, et la troisième. La première est de bien concevoir* par le moyen des universaux. La seconde, de bien juger* par le moyen des catégories; et la troisième, de bien tirer* une conséquence par le moyen des figures *Barbara, Celarent, Darii, Ferio, Baralipton,* etc.
Monsieur Jourdain.	Voilà des mots qui sont trop rébarbatifs*. Cette logique-là ne me revient point. Apprenons autre chose qui soit plus joli.
Maître de Philosophie.	Voulez-vous apprendre la morale?
Monsieur Jourdain.	La morale?

Pendant la lecture
1. Avec qui est-ce que M. Jourdain a une leçon?

Pendant la lecture
2. Qu'est-ce que M. Jourdain regrette de son enfance?

Pendant la lecture
3. Qu'est-ce que la phrase en latin exprime?

Pendant la lecture
4. M. Jourdain a-t-il quelques connaissances des sciences?

Pendant la lecture
5. Quelle est la première matière que le Maître propose?

---

savant *learned person;* **esprit** *mind;* **concevoir** *to conceive;* **juger** *to judge;* **tirer** *to pull out;* **rébarbatifs** *forbidding*

Maître de Philosophie.	Oui.
Monsieur Jourdain.	Qu'est-ce qu'elle dit cette morale?
Maître de Philosophie.	Elle traite de la félicité, enseigne aux hommes à modérer leurs passions, et....
Monsieur Jourdain.	Non, laissons cela. Je suis bilieux comme tous les diables; et il n'y a morale qui tienne, je me veux mettre en colère tout mon soûl, quand il m'en prend envie.
Maître de Philosophie.	Est-ce la physique que vous voulez apprendre?
Monsieur Jourdain.	Qu'est-ce qu'elle chante cette physique?
Maître de Philosophie.	La physique est celle qui explique les principes des choses naturelles, et les propriétés du corps; qui discourt de la nature des éléments, des métaux*, des minéraux, des pierres, des plantes et des animaux, et nous enseigne les causes de tous les météores, l'arc-en-ciel*, les feux volants, les comètes, les éclairs, le tonnerre, la foudre*, la pluie, la neige, la grêle*, les vents et les tourbillons*.
Monsieur Jourdain.	Il y a trop de tintamarre* là-dedans, trop de brouillamini.
Maître de Philosophie.	Que voulez-vous donc que je vous apprenne?
Monsieur Jourdain.	Apprenez-moi l'orthographe.
Maître de Philosophie.	Très volontiers.
Monsieur Jourdain.	Après vous m'apprendrez l'almanach, pour savoir quand il y a de la lune et quand il n'y en a point.
Maître de Philosophie.	Soit. Pour bien suivre votre pensée et traiter cette matière en philosophe, il faut commencer selon l'ordre des choses, par une exacte connaissance de la nature des lettres, et de la différente manière de les prononcer toutes. Et là-dessus j'ai à vous dire que les lettres sont divisées en voyelles*, ainsi dites voyelles parce qu'elles expriment les voix; et en consonnes*, ainsi appelées consonnes parce qu'elles sonnent avec les voyelles, et ne font que marquer les diverses articulations des voix. Il y a cinq voyelles ou voix: A, E, I, O, U.
Monsieur Jourdain.	J'entends tout cela.
Maître de Philosophie.	La voix A se forme en ouvrant fort la bouche: A.
Monsieur Jourdain.	A, A. Oui.

Pendant la lecture
6. Quelles autres matières est-ce que M. Jourdain rejette?

Pendant la lecture
7. Qu'est-ce que M. Jourdain décide d'apprendre?

---

arc en ciel *rainbow*; **tonnerre** *thunder*; **foudre** *lightening*; **grêle** *hail*; **tourbillons** *whirlwinds*; **tintamarre** *hullaballoo*; **voyelles** *vowels*; **consonnes** *consonants*

Maître de Philosophie.	La voix E se forme en rapprochant* la mâchoire* d'en bas de celle d'en haut: A, E.
Monsieur Jourdain.	A, E, A, E. Ma foi! oui. Ah! que cela est beau!
Maître de Philosophie.	Et la voix I en rapprochant encore davantage les mâchoires l'une de l'autre, et écartant* les deux coins de la bouche vers les oreilles: A, E, I.
Monsieur Jourdain.	A, E, I, I, I, I. Cela est vrai. Vive la science!
Maître de Philosophie.	La voix O se forme en rouvrant* les mâchoires en rapprochant les lèvres par les deux coins, le haut et le bas: O.
Monsieur Jourdain.	O, O. Il n'y a rien de plus juste. A, E, I, O, I, O. Cela est admirable! I, O, I, O.
Maître de Philosophie.	L'ouverture de la bouche fait justement comme un petit rond qui représente un O.
Monsieur Jourdain.	O, O, O. Vous avez raison, O. Ah! la belle chose, que de savoir quelque chose!
Maître de Philosophie.	La voix U se forme en rapprochant les dents sans les joindre* entièrement, et allongeant* les deux lèvres en dehors, les approchant aussi l'une de l'autre sans les joindre tout à fait: U.
Monsieur Jourdain.	U, U. Il n'y a rien de plus véritable: U.
Maître de Philosophie.	Vos deux lèvres s'allongent comme si vous faisiez la moue*; d'où vient que si vous la voulez faire à quelqu'un, et vous moquer de lui, vous ne sauriez lui dire que: U.
Monsieur Jourdain.	U, U. Cela est vrai. Ah! que n'ai-je étudié plus tôt, pour savoir tout cela?
Maître de Philosophie.	Demain, nous verrons les autres lettres, qui sont les consonnes.
Monsieur Jourdain.	Est-ce qu'il y a des choses aussi curieuses qu'à celles-ci?
Maître de Philosophie.	Sans doute. La consonne D, par exemple, se prononce en donnant du bout de la langue* au-dessus des dents d'en haut: DA.
Monsieur Jourdain.	DA, DA. Oui. Ah! les belles choses! les belles choses!

Pendant la lecture
8. Que dit M. Jourdain de cette "science"?

Pendant la lecture
9. M. Jourdain est-il un étudiant sérieux?

---

rapprochant *bringing closer;* **mâchoire** *jaw;* **écartant** *moving apart;* **rouvrant** *re-opening;* **joindre** *to join;* **allongeant** *extending;* **faisiez la moue** *were pouting;* **bout de la langue** *tip of the tongue*

Maître de Philosophie.	L'F en appuyant les dents d'en haut sur la lèvre de dessous: FA.
Monsieur Jourdain.	FA, FA. C'est la vérité. Ah! mon père et ma mère, que je vous veux de mal!
Maître de Philosophie.	Et l'R, en portant le bout de la langue jusqu'au haut du palais*, de sorte qu'étant frôlée* par l'air qui sort avec force, elle lui cède, et revient toujours au même endroit, faisant une manière de tremblement: RRA.
Monsieur Jourdain.	R, R, RA; R, R, R, R, R, RA. Cela est vrai. Ah! l'habile* homme que vous êtes! et que j'ai perdu de temps! R, R, R, RA.
Maître de Philosophie.	Je vous expliquerai à fond toutes ces curiosités.
Monsieur Jourdain.	Je vous en prie. Au reste, il faut que je vous fasse une confidence. Je suis amoureux d'une personne de grande qualité, et je souhaiterais que vous m'aidassiez à lui écrire quelque chose dans un petit billet* que je veux laisser tomber à ses pieds.
Maître de Philosophie.	Fort bien.
Monsieur Jourdain.	Cela sera galant, oui.
Maître de Philosophie.	Sans doute. Sont-ce des vers que vous lui voulez écrire?
Monsieur Jourdain.	Non, non, point de vers.
Maître de Philosophie.	Vous ne voulez que de la prose?
Monsieur Jourdain.	Non, je ne veux ni prose ni vers.
Maître de Philosophie.	Il faut bien que ce soit l'un, ou l'autre.
Monsieur Jourdain.	Pourquoi?
Maître de Philosophie.	Par la raison, Monsieur, qu'il n'y a pour s'exprimer* que la prose, ou les vers.
Monsieur Jourdain.	Il n'y a que la prose ou les vers?
Maître de Philosophie.	Non, Monsieur: tout ce qui n'est point prose est vers; et tout ce qui n'est point vers est prose.
Monsieur Jourdain.	Et comme l'on parle qu'est-ce que c'est donc que cela?
Maître de Philosophie.	De la prose.
Monsieur Jourdain.	Quoi! quand je dis: "Nicole, apportez-moi mes pantoufles* et me donnez mon bonnet de nuit," c'est de la prose?

Pendant la lecture
10. Pourquoi M. Jourdain demande-t-il l'aide du Maître?

Pendant la lecture
11. Que dit M. Jourdain à propos de la prose?

---

palais *palate*; **frôlée** *brushed against*; **habile** *skillful*; **billet** *lettre d'amour*; **s'exprimer** *to express*; **pantoufles** *slippers*

Maître de Philosophie.	Oui, Monsieur.
Monsieur Jourdain.	Par ma foi! Il y a plus de quarante ans que je dis de la prose sans que j'en susse rien, et je vous suis le plus obligé du monde de m'avoir appris cela. Je voudrais donc lui mettre dans un billet: *Belle Marquise, vos beaux yeux me font mourir d'amour*; mais je voudrais que cela fût mis d'une manière galante, que cela fût tourné gentiment.
Maître de Philosophie.	Mettre que les feux de ses yeux réduisent* votre cœur en cendres*; que vous souffrez nuit et jour pour elle les violences d'un....
Monsieur Jourdain.	Non, non, non, je ne veux point* tout cela; je ne veux que ce que je vous ai dit: *Belle Marquise, vos beaux yeux me font mourir d'amour.*
Maître de Philosophie.	Il faut bien étendre* un peu la chose.
Monsieur Jourdain.	Non, vous dis-je, je ne veux que ces seules paroles-là dans le billet, mais tournées à la mode, bien arrangées comme il faut. Je vous prie de me dire un peu, pour voir, les diverses manières dont on les peut mettre.
Maître de Philosophie.	On les peut mettre premièrement comme vous avez dit: *Belle Marquise, vos beaux yeux me font mourir d'amour.* Ou bien: *D'amour mourir me font, belle Marquise, vos beaux yeux.* Ou bien: *Vos yeux beaux d'amour me font, belle Marquise, mourir.* Ou bien: *Mourir vos beaux yeux, belle Marquise, d'amour me font.* Ou bien: *Me font vos yeux beaux mourir, belle Marquise, d'amour.*
Monsieur Jourdain.	Mais de toutes ces façons-là, laquelle est la meilleure?
Maître de Philosophie.	Celle que vous avez dite: *Belle Marquise, vos beaux yeux me font mourir d'amour.*
Monsieur Jourdain.	Cependant je n'ai point étudié, et j'ai fait cela tout du premier coup*. Je vous remercie de tout mon cœur, et vous prie de venir demain de bonne heure.
Maître de Philosophie.	Je n'y manquerai pas....

> **Pendant la lecture**
> 12. Selon le Maître, laquelle des versions de la lettre est la meilleure?

---

réduisent *reduce;* **cendres** *ashes;* **ne... point** *none;* **étendre** *to extend;* **du premier coup** *at the first try*

Post-lecture

M. Jourdain est-il un étudiant doué? Pourquoi, ou pourquoi pas?

Le monde visuel

Serge De Sazo (1915–2012) est un photographe français d'origine russe. Il s'installe à Paris en 1922. Il devient soldat en 1942, et en 1944 il prend des photos de la Libération de Paris qui font le tour du monde et marquent sa renommée (*fame*). Dans la vie d'après-guerre, quand Paris se réanime, ses photos de cabaret, jazz, music-hall, et cinéma paraissent (*appear*) dans de nombreuses publications. Plus tard, il se consacre aux photos sous-marines. Sur cette photo on voit le célèbre acteur Jacques Charon jouer le personnage de M. Jourdain. Comment De Sazo rend-il hommage à la pièce de Molière? Pense-t-il que la manière dont "M. Jourdain" s'habille et se tient soit importante? Qu'est-ce qu'il aurait pu dire à Jacques Charon pour qu'il prenne une telle pose?

"*Jacques Charon dans* **Le bourgeois gentilhomme**," 1974. Serge De Sazo.

18 Activités d'expansion

Faites les activités suivantes.

1. Faites un sommaire de ce qui se passe dans cette scène en vous servant des mots de la grille que vous avez remplie.
2. Présentez une partie de la sélection devant la classe. Travaillez avec un groupe. Distribuez les rôles. Vous aurez besoin de deux acteurs, de quelqu'un qui s'occupe des costumes, quelqu'un qui s'occupe des lignes, quelqu'un qui joue le rôle du metteur en scène, et de quelqu'un qui joue le rôle du scénographe (*set designer*).
3. Faites le portrait d'un parvenu d'aujourd'hui. Écrivez une pièce, un poème, une histoire, ou une anecdote.
4. Trouvez le lien qui existe entre Molière et La Comédie-Française à Paris.
5. Faites des recherches sur un des sujets suivants pour mieux connaître la France au XVIIème siècle. Faites une présentation à la classe.
   - la vie à la cour de Versailles
   - le règne de Louis XIV
   - la journée de Louis XIV

    Search words: versailles site officiel

   - l'importance de la bourgeoisie au le XVIIème siècle
   - la vie de Molière
   - l'intrigue (*plot*) d'une autre pièce de Molière

T'es branché?

Projets finaux

A **Connexions par Internet: L'art oratoire**

Interpersonal Communication

Avec un partenaire, choisissez l'un des thèmes ci-dessous. Il faut qu'une personne prenne la position pour l'argument et l'autre la position contre. Servez-vous du vocabulaire dans la *Leçon C*. Enregistrez ou filmez votre discours.

- Est-il important d'augmenter les impôts pour payer les cours d'art dans les écoles?
- Le gouvernement devrait-il payer pour la garde des enfants avant l'école primaire?
- Devrait-on avoir une assurance maladie pour tous aux États-Unis?
- Est-il important d'augmenter les impôts pour payer les programmes sportifs dans les écoles?

B **Communautés en ligne**

Europass/Presentational Communication

Europass aide les Européens à exprimer leurs compétences et qualifications pour trouver un emploi ou une formation. Faites des recherches sur Europass en ligne. Quels sont les cinq documents nécessaires à remplir? Quels documents doit préparer la personne qui cherche un travail? Quels autres documents sont nécessaires? Qui les prépare? On montre les cinq documents à qui? Quelles sont les principales fonctions des Centres nationaux Europass? Où se trouve le Centre national en France? Imaginez que vous êtes prof et que vous voulez que vos élèves se rendent compte que ce service existe. Faites une vidéo pour les informer sur Europass. Servez-vous de graphiques et de photos dans votre vidéo.

 Search words: europass

C **Passez à l'action!**

Passeport de langues Europass et mon portfolio/Presentational Communication

Pour chercher du travail en Europe, un employeur aura besoin de connaître vos compétences linguistiques. Cherchez un exemple d'un passeport de langues en ligne et préparez votre propre passeport linguistique. Mettez-le dans votre portfolio avec un enregistrement ou une vidéo d'une activité dont vous êtes fier/fière de *À vous la parole* de l'*Unité 8*.

 Search words: europass passeport de langues

D **Faisons le point!**

Votre prof vous donnera un organigramme à remplir.

A · Évaluation de compréhension auditive

Interpretive Communication

Voyage scolaire

Écoutez Benoît et Margot discuter de leurs projets et voyages d'études. Ensuite, complétez la phrase avec un mot ou une expression convenable.

1. Margot a déjà étudié... dans son cours d'histoire l'année dernière.
2. Margot fait une excursion à... en....
3. Benoît voudrait faire un stage à la....
4. Si on l'embauche, il recevra un....
5. Margot doit faire une présentation sur l'....

B · Évaluation orale

Interpersonal Communication

Vous voulez gagner une bourse (scholarship) pour faire des recherches sur l'Union européenne pour que vous puissiez l'expliquer aux Américains. Dites où vous voudriez aller pour comprendre les institutions de l'UE et décrivez le rôle de chacune.

C · Évaluation culturelle

Vous allez comparer les cultures francophones à votre culture aux États-Unis. Vous aurez peut-être besoin de faire des recherches sur la culture américaine.

1. **Les révolutions**
   Expliquez comment la France change à la fin du XVIIIème siècle. Que veulent les Français? Comparez cette partie de l'histoire de France avec les débuts des États-Unis. Avant la Révolution américaine, qui gouvernait les colonies? Comment les Américains ont-ils changé leur destin?

2. **La guillotine et la peine de mort**
   Comment les Français exécutaient-ils les gens pendant la Révolution française? Cette méthode a duré jusqu'à quand? La France a-t-elle toujours la peine de mort? Et l'état dans lequel vous vivez?

3. **Les sièges du gouvernement**
   Expliquez où se trouvent les sièges des institutions européennes. Où se trouve le gouvernement fédéral américain? Quelles sont ses institutions?

4. **Les documents des droits humains**
   Comparez le début de la *Déclaration des Droits de l'homme et du citoyen* à cette partie de la *Declaration d'indépendance des États-Unis*.

5. L'assurance médicale

Comparez l'assurance médicale en France avec l'assurance aux État-Unis. Comment les deux pays aident-ils leurs citoyens avec des soins gratuits? Qui sont exclus?

D Évaluation écrite

Votre grand-mère est tombée. Vous voudriez qu'elle se fasse soigner. Écrivez un mail à son médecin qui:

- explique ce qui s'est passé
- décrit ses symptômes
- demande ce que vous devriez faire

E Évaluation visuelle

Décrivez qui c'est et où elle est. Expliquez les événements qui avaient eu lieu avant qu'on l'a arrêtée.

MODÈLE   **On avait pris la Bastille, symbole de l'Ancien Régime....**

F Évaluation comprehensive

Créez six illustrations qui montrent l'histoire de France à la fin du XVIIIème siècle. Écrivez une description pour chaque image. Prenez le point de vue d'un personnage historique ou d'un citoyenne/d'une citoyenne dans la rue.

Vocabulaire de l'Unité 8

à: à mi-temps half-time *B*; **à plein temps** full-time *B*

accéder to access *C*

accorder to grant *C*

acquis(e) acquired *B*

une **anecdote** anecdote *C*

un(e) **aristocrate** aristocrat *A*

un(e) **assistant(e) junior** junior assistant *B*

l' **assurance (f.)** insurance *C*; **assurance maladie** health insurance *C*

au: au contraire on the contrary *C*; **au cours de** during, in the course of *B*

avoir: avoir beau to do (something) in vain *[inform.] B*; **avoir droit à** to be entititled to *C*; **avoir les moyens** to be able to afford, to have the means *C*; **avoir tort** to be wrong *C*

les **besoins (m.)** needs *A*

un **boulot** job *[inform.] B*

cependant however *C*

le **chef: chef du personnel** personnel manager *B*

chez: chez le kiné to the physical therapy office *C*

les **chiffres (m.)** figures, numbers *C*

la **chute** fall *A*

une **citation** quote *C*

un **citoyen, une citoyenne** citizen *A*

le **clergé** clergy *A*

la **collectivité** community, society *C*

la **compagnie** company *B*

complémentaire supplementary *C*

les **connaissances (f.)** knowledge *B*

un **contrat** contract *B*

un **CV** CV (Curriculum vitae) *B*

d'ailleurs moreover *C*

le **débat** debate *C*

se **débrouiller** to take care of things *B*

les **députés (m.)** deputies *A*

deuxièmement secondly *C*

des **difficultés (f.)** difficulties *C*

embaucher to hire *B*

entièrement completely, entirely *C*

un **entretien** interview *B*

un **état** state *A*

être: être à to belong to *C*; **être condamné(e)** to be condemned *A*; **être convoqué(e)** to be called *B*; **être obligé(e) (de)** to be obligated (to) *A*; **être perso** to be egotistical *[inform.] B*

des **factures (f.)** bills *C*

faire: faire ses adieux to bid farewell *A*; **faire un discours** to make a speech *A*; **faire un stage** to intern *B*

se **faire: se faire soigner** to seek (medical) treatment *C*

une **formation** education, training *B*

général(e) general *A*

gouverné ruled *A*

guéri(e) healed *C*

guillotiner to decapitate *A*

l' **hôpital (m.)** hospital *C*

illustrer to illustrate *C*

influencer to influence *A*

introduire to introduce *C*

le **kiné (kinésithérapeute)** physical therapist *C*

une **lettre: lettre de candidature** application letter *B*; **lettre de motivation** cover letter *B*

médical(e) medical *C*

médicalisé(e) medicalized *C*

mettre: mettre en pratique to put into practice *B*

mourir to die *A*

ne: N'en jette plus! Enough! Stop it! *[inform.] B*

néanmoins nevertheless *C*

on: on te fait they (one) make(s) you *A*

une **ouverture** opening *A*

par: par contre however, on the other hand *C*

partir: partir en voyage to take a journey *A*

se **passer** to happen *A*

un **permis (de conduire)** driver's license *C*

une **perruque** wig *A*

une **petite annonce** want ad *B*

la **peuple** people *A*

plein (de) a lot (of) *B*

une **position** position *C*

premièrement firstly *C*

le **présent** present *A*

privé(e) private *C*

une **qualité** quality *B*

rédiger to write *B*

la **rééducation** physical therapy *C*

un **régime** regime *A*

répondre to respond *C*

une **république** republic *A*

un **salaire** salary *B*

des **séances (f.)** sessions *C*

la **sécurité: sécurité sociale (sécu)** French national health and pension insurance *C*

des **soins (m.)** care, treatment *C*

un(e) **stagiaire** intern *B*

un **système** system *C*

une **table: table de multiplication** multiplication table *A*

tomber to fall *C*

un **traitement** treatment *C*

le **trône** throne *A*

wahou wow *B*

I. Interpretive Communication: Print texts

Lisez cet article sur les jeunes gens qui viennent de finir leurs études universitaires. Puis répondez à la question.

À l'heure actuelle, il y a de plus en plus de jeunes diplômés sur le marché du travail. Par conséquent, il devient extrêmement difficile de trouver un stage de quelques mois en entreprise car la compétition est grande et féroce. C'est pourquoi aujourd'hui de nombreux jeunes partent en direction d'autres pays tels que les États-Unis pour tenter leur chance et obtenir une expérience professionnelle unique et perfectionner par la même occasion leur compétence en anglais.

1. D'après le texte, quelle difficulté la jeunesse française rencontre-t-elle aujourd'hui?
   A. La nouvelle génération est très qualifiée mais a des difficultés à trouver des stages ou emplois.
   B. Elle ne peut pas parler anglais.
   C. Les jeunes ne sont pas très compétitifs.
   D. Il est difficile d'obtenir un visa pour travailler à l'étranger.

II. Interpretive Coummunication: Audio Texts

Écoutez le dialogue suivant deux fois, puis répondez aux questions.

1. La conversation a lieu....
   A. entre une Américaine et une Française
   B. entre une femme et son mari
   C. entre deux amies françaises
   D. entre une femme et sa sœur
2. Le sujet de conversation est....
   A. la vie de famille en Amérique
   B. le système médical en France par opposition au système américain
   C. le privilège de ne pas travailler au vingt-et-unième siècle
   D. le coût des médicaments en Amérique et en France
3. Les deux interlocuteurs....
   A. ne sont pas d'accord
   B. veulent vivre aux États-Unis
   C. n'aiment pas la sécu en France
   D. partagent le même point de vue sur l'assurance maladie

III. Presentational Writing: Persuasive Essay

Vous allez écrire un essai persuasif basé sur une source que vous allez lire d'abord. Votre but est de présenter les points de vue soulevés (raised) dans la source et de donner votre point de vue à la fin. Soutenez votre point de vue avec des exemples de la source ou de vos connaissances.

Votre thème: L'élargissement de l'Union européenne: Trop, c'est trop? Êtes-vous pour ou contre d'autres élargissements de l'UE?

En 1951, il y avait six pays fondateurs de la Communauté européenne: l'Allemagne, la Belgique, la France, l'Italie, le Luxembourg, et les Pays-Bas. Entre 1963 et 2007, il y a eu cinq élargissements. En 2012, l'Union européenne compte 27 membres (pays adhérents). Cinq autres pays sont candidats: l'Islande, l'Ancienne République yougoslave de Macédoine, le Monténégro, la Serbie, et la Turquie; et trois pays sont candidats potentiels (l'Albanie, la Bosnie-et-Herzégovine, et le Kosovo). On peut bien se demander où s'arrêtent les frontières de l'Europe.

Des européens répondent:

Janine, 21 ans (Bordeaux): Moi, ce que j'aime c'est la possibilité de partir étudier en Europe, d'aller travailler et habiter où on veut. Quoi de mieux pour renforcer les liens et apprendre à se connaître?

Patrick, 28 ans (Dublin): L'Europe forme un bloc qui agit comme un contrepoids face à l'hégémonie d'autres blocs. Ensemble, nous sommes plus puissants face aux autres pays. Pour la sécurité de tous, l'union est importante.

Miguel, 34 (Barcelone): Si nous acceptons la Turquie, nous ouvrons nos portes au Proche et au Moyen Orient. La Turquie ne fait pas partie de l'Europe géographiquement.

Suzanne, 30 ans (Salzburg): Admettre la Turquie est un moyen d'aider au rapprochement de l'Occident et l'Orient.

Jason, 45 ans (Londres): On ne peut pas pousser la frontière de l'Europe jusqu'à l'infini! Nous commençons déjà à avoir énormément de problèmes concernant l'assimilation des immigrants, le chômage, la disparité économique entre pays riches et pays pauvres....

Victoria, 32 ans (Stockholm): On ne peut pas prévoir les conséquences bonnes ou mauvaises de l'élargissement de l'Union européenne. Mais l'important, c'est de prendre le temps de bien évaluer tous les candidats. Chaque pays doit respecter les droits de l'homme, les principes de liberté et de démocratie, et avoir des institutions et une économie stables. Sinon, on ne doit pas l'admettre. J'ai confiance dans le processus.

Sources: europa.eu, lexpress.fr, cidem.org

IV. Interpersonal Speaking: Conversation

Vous avez une conversation avec votre petit frère qui suit le canevas ci-dessous.

Frère: Je dois présenter le portrait d'un peintre lundi prochain. Qu'est-ce que tu me conseilles?

Vous: **Dites-lui que les Impressionnistes ont changé les thèmes des tableaux et la manière de peindre. Donnez des exemples.**

Frère: Quel peintre impressionniste est-ce que tu préfères?

Vous: **Répondez, et expliquez pourquoi vous admirez cet artiste.**

Frère: Il faut que je choisisse un tableau aussi et que je le décrive.

Vous: **Recommandez une peinture et décrivez-la en le regardant. Identifiez le sujet et les couleurs. Expliquez ce qu'on voit au premier plan, au centre, et à l'arrière-plan. Dites que vous pouvez en discuter d'avantage ce soir.**

Unité

9 Récits de la vie contemporaine

Citation

"La plus grande faiblesse de la pensée contemporaine me paraît résider dans la surestimation extravagante du connu par rapport à ce qui reste à connaître."

The weakest point of contemporary thought seems to me to reside in the extravagant overestimation of the known with regard to what is left to be known.

—André Breton, écrivain et poète français

À savoir

Environ 50.000 étudiants français par an suivent des cours à l'étranger, et environ 250.00 étudiants internationaux suivent des cours en France.

Récits de la vie contemporaine

Question centrale

?

Quels sont les défis de la vie contemporaine?

Ces hommes travaillent pour quelle organisation?

À quel examen se préparent ces élèvest?

Contrat de l'élève

Leçon A I will be able to:

>> express what I was incapable of doing and how someone looked.

>> discuss the French educational system, including **le bac**.

>> use the past conditional tense, including in clauses with **si**.

Leçon B I will be able to:

>> say that I realized something.

>> discuss the French police and crime.

>> use possessive adjectives and possessive pronouns.

Leçon C I will be able to:

>> ask when someone had an idea to do something, say what I was expecting.

>> discuss teens and their connection to the Internet and social media.

>> use indefinite adjectives and indefinite pronouns.

Vocabulaire actif

emcl.com
WB 1–4
LA 1
Games

Ce que l'on évite et ce que l'on ressent

Ce que Carla ressent face à un problème:

Elle s'est sentie fière.

Elle s'est sentie honteuse.

Elle s'est sentie fâchée.

Elle s'est sentie encouragée.

Elle s'est sentie découragée.

Elle s'est sentie attristée.

Ce que Léo a évité....

… la grêle.

… la bagarre.

bla bla bla bla...

… les commérages (m.).

NON À la réforme!

… de se faire arrêter.

DVD

… de se faire bousculer.

… de trébucher.

fier
honteux
fâché
encouragé
découragé
attristé

fière
honteuse
fâchée
encouragée
découragée
attristée

Pour la conversation

ow do I express how someone looked?

> **Tu ne semblais pas** très bien.
> *You didn't seem very well.*

ow do I express what I was incapable of doing?

> **J'étais incapable de** décider quelle était la priorité….
> *I was incapable of deciding what the priority was.*

Et si je voulais dire…?

embarrassé(e)	*embarrassed*
soucieux, soucieuse	*worried*
être déçu(e)	*to be disappointed*
être dégoûté(e)	*to be disgusted*
passer un concours	*to take an exam*
refouler ses sentiments	*to repress one's feelings*

---

1 | **La première d'Ariane Azay!**

Lisez ce blogue dans lequel une star explique ce qui s'est passé pendant une première.

Okay. Maintenant que tout le monde a vu les photos de la première. Voici les explications. J'ai trébuché et je suis tombée sur le tapis rouge. La grêle a commencé à tomber, alors que j'étais encore par terre (*on the ground*), et elle a abîmé (*ruined*) ma belle robe Chanel en soie. Je me suis foulé la cheville. Un bel inconnu m'a aidée à me lever. Et, non, je ne sais pas qui il est, et il est encore moins mon petit ami. Je déteste tous ces commérages. Après, je me suis fait bousculer par la foule, mais finalement j'ai pu entrer dans la salle du théâtre. Si ma chute (*fall*) vous a fait rire, vous devriez vous sentir honteux. Je ne suis pas fière de ce qui s'est passé mais les messages de tous mes fans m'ont encouragée, et je serai prête pour ma tournée qui commence le mois prochain.

Ariane

---

1. Que montrent les photos d'Ariane?
2. Qu'est-ce qui s'est passé pendant la première?
3. Qu'est-ce qu'elle portait ce soir-là?
4. Pourquoi est-ce qu'il y a eu des commérages?
5. Qu'est-ce qu'elle dit aux gens qui ont ri?
6. Qu'est-ce qu'elle va faire dans un mois?

2 Comment est-ce qu'ils se sont sentis?

Dites comment les personnes suivantes se sont senties selon la photo. Choisissez un adjectif de la liste.

> encouragé   heureux   honteux   fier   attristé   découragé   fâché

MODÈLE  Nicolas
Nicolas s'est senti honteux.

1. Aïcha

2. les membres de
la famille Lacombe

3. Anna et Sabrina

4. Nadèje

3 Qu'est-ce qu'ils évitent?

Complétez les phrases pour dire ce que les personnes évitent (de faire). Choisissez une expression de la liste.

> les commérages   la grêle   se faire bousculer   la bagarre   trébucher   se faire arrêter

1. Romain est rentré sous la pluie, mais il s'est senti heureux d'avoir évité....
2. Anaïs essaie d'éviter... parce qu'elle déteste quand on parle des autres.
3. Valérie évite la foule parce qu'elle ne veut pas....
4. M. Simon a évité de... parmi les jouets (*toys*) de ses enfants quand il est rentré du travail.
5. Sébastien a évité de... par l'agent de police après avoir perdu son permis de conduire.
6. Julien a évité... entre deux garçons fâchés.

Communiquez!

4 Une mauvaise journée

Interpretive Communication

*Écrivez les numéros 1–5 sur votre papier. Écoutez Sandrine et Ahmed discuter de la matinée de Sandrine. Ensuite, dites si les phrases que vous entendez sont vraies (**V**) ou fausses (**F**).*

Élodie sèche ses cours.

Élodie parle à sa copine Coralie de sa journée.

Coralie: Lâcheuse! Tu m'as laissé seule dans le labo ce matin. Tu as séché tous tes cours?

Élodie: Écoute, il faut que je te raconte, je ne sais pas ce qui s'est passé....

Coralie: Oui, j'ai bien vu que tu ne semblais pas très bien.

Élodie: Oui, je me suis sentie très mal.

Coralie: Qu'est-ce qui t'es arrivé?

Élodie: Je suis arrivée à la maison, j'ai voulu commencer à travailler et j'étais comme tétanisée; incapable de décider quelle était la priorité.... J'étais paniquée; je me suis effondrée de fatigue.

Coralie: Et qu'est-ce que tu as fait alors?

Élodie: J'ai dormi... j'ai dormi pendant 18 heures!

Coralie: Dix-huit heures! Tu devrais être maintenant en pleine forme!

Élodie: À part le bac, qui me tourmente. Si j'avais bossé plus auparavant, j'aurais évité tous ces ennuis!

---

5 **Élodie sèche ses cours.**

Répondez aux questions suivantes.

1. Quand est-ce que Coralie a remarqué l'absence d'Élodie?
2. Qu'est-ce que Coralie a remarqué ce matin?
3. Comment se sentait Élodie une fois arrivée à la maison?
4. Elle a dormi combien de temps?
5. Qu'est-ce qui l'inquiète?

Le lycée de Coralie et d'Élodie.

Abdel-Cader et Louisa parlent du bac qu'ils ont passé.

Abdel-Cader:	Ben alors, ça va pas fort?
Louisa:	En effet, je n'arrête pas de penser à la dernière épreuve du bac... je me suis complètement plantée!
Abdel-Cader:	Tu sais, on a tous cette impression à la fin des épreuves.
Louisa:	Non, vraiment, le sujet en histoire était beaucoup trop dur, je n'avais pas assez révisé. Je dois sérieusement me préparer pour la session de rattrapage.
Abdel-Cader:	Mais, tu sais, les résultats sont déjà en ligne. Tu ne les as pas consultés?
Louisa:	Non, j'ai trop peur de savoir.
Abdel-Cader:	Écoute, il vaut mieux affronter les problèmes. Regardons ensemble. Ben, tiens donc... regarde....
Louisa:	Gautier, Louisa... admise, mention passable! J'y crois pas!
Abdel-Cader:	Ben, toi alors, et avec mention!

Extension　Louisa avait-elle besoin de s'inquiéter du bac? Pourquoi, ou pourquoi pas?

Le système scolaire français

Le budget de l'éducation nationale représente le premier budget de l'état français, soit 2.000€ par habitant.

Le système scolaire français est divisé en trois niveaux: le primaire, le secondaire, et le supérieur. Il repose sur trois principes: l'école est obligatoire, laïque*, et gratuite. Il présente souvent deux visages et de nombreuses contradictions: il oppose public et privé (pour l'essentiel dominé par les établissements* religieux qui scolarisent* environ 16% des élèves); l'université et les grandes écoles qui forment les élites; l'enseignement général (survalorisé*) et l'enseignement professionnel (marginalisé*). Il existe aussi une préscolarisation à partir de trois ans (la plus élevée au monde mais une scolarisation moins longue que la moyenne* des pays développés); un taux de réussite* dans les formations courtes supérieur (à la moyenne de ces mêmes pays mais beaucoup plus faible dans les formations longues); un pourcentage de diplômes scientifiques supérieur à la plupart des pays développés mais un pourcentage de doctorat* inférieur à la moyenne européenne.

Le lycée international des Pontonniers à Strasbourg est un établissement d'enseignement secondaire.

Ce sont toutes ces contradictions qui expliquent que le système éducatif français qui doute de lui-même et de son efficacité* en dépit de* ses réussites, soit aujourd'hui conduit à mettre en œuvre* des réformes qui provoquent* un fort clivage* idéologique: réformes qui touchent la sélection; l'autonomie des établissements secondaires (en cours) et universitaires (réalisée depuis 2007); la gratuité des études dans l'enseignement supérieur (les étudiants paient environ 2.000€ par an); le calendrier scolaire (la semaine de quatre jours et un emploi du temps de 8h30 à 16h30 dans l'enseignement primaire); le temps de présence des enseignants dans les établissements (15 à 18 heures dans les lycées, 108 heures par an à l'université), l'articulation entre enseignement et vie professionnelle.

Mais la plus grande difficulté pour réformer tient aux Français eux-mêmes. Tous ont une idée précise sur ce qu'il faut faire, un mélange savant de conservatisme et de modernisation.

 Search words: système éducatif français, budget du ministère de l'éducation, ministère de l'éducation nationale France

COMPARAISONS

Quel est le ministère qui a le budget le plus important aux États-Unis?

laïque *secular;* **établissement** *école;* **scolarisent** *educate;* **survalorisé** *overrated;* **marginalisé** *marginalized;* **moyenne** *average;* **réussite** *success;* **doctorat** *Ph. D;* **efficacité** *efficiency;* **en dépit de** *despite;* **mettre en œuvre** *to carry out;* **provoquent** *causent;* **fort clivage** *strong division*

Le baccalauréat

Des élèves de lycée se préparent à la session du bac.

"Passe ton bac d'abord!"—cette expression qui a donné son titre à un film de 1978, reste dans son ensemble le mot d'ordre de la société française. Au point qu'un ministre de l'éducation avait fixé comme objectif de conduire 80% d'une classe d'âge au bac. Aujourd'hui, 64,8% des jeunes d'une classe d'âge ont leur bac.

Et tous les ans, c'est la même chose, en juin, toute la France passe le bac. C'est toute la famille qui se mobilise, qui partage le stress avant l'épreuve, qui s'angoisse* au moment de l'ouverture des sujets, qui soupèse* les chances de réussite et d'échec*, qui commente ou crie à l'injustice, enfin qui se réjouit* ou qui pleure au moment des résultats. Les résultats: 88,8% de réussite des élèves qui passent le bac. Sur 100 diplômés, 54 ont un bac d'enseignement général; 26, un bac technologique; et 20 un baccalauréat professionnel.

 Search words: passer son bac, passer son bac vidéo, résultat bac (+ année), bac par correspondance

_____

s'angoisse _anguish_; **soupèse** _feels the weight of_; **échec** _contraire d'une réussite_; **se réjouit** _is delighted_

 **Produits**

Pour se préparer au baccalauréat, les étudiants français consultent les **annales du bac**; ce sont des sujets corrigés d'examens du baccalauréat d'années précédentes. On les trouve en ligne, ou sur des sites régionaux.

COMPARAISONS

Est-ce que vos frères, sœurs, et cousins ont dû passer un examen pour pouvoir obtenir un diplôme ou pour entrer à l'université? Si oui, était-ce facile ou difficile pour eux?

Bac de français

Annales 2012 Série ES/S

« Le roman et ses personnages »

LePetitLittéraire.fr

Des élèves de lycée se préparent à la session du bac avec les _Annales_.

 Mots-clé

École est un emprunté au latin classique _schola_, lui-même pris au grec _skholê_. Désigne en bas-latin, "la corporation," "la compagnie"; le grec renvoyant à jeu et à activité intellectuelle.

Mon dico scolaire

bachoter: _préparer un examen_
redoubler: _suivre le même cours ou année de scolarisation pour la deuxième fois_
l'école de la vie: _apprendre de l'expérience, pas d'un cours_

6 Activités culturelles

Complétez les activités suivantes.

1. Faites un dessin qui représente les trois niveaux du système scolaire en France.
2. Énumérez les principales contradictions du système scolaire français.
3. Comparez le système scolaire français et le système scolaire de votre ville ou état/province.
4. Créez une bande dessinée ou un dialogue qui montre les émotions dans une maison française où un ado va bientôt passer son bac.
5. Trouvez un lycée français en ligne et regardez leurs résultats au baccalauréat. Comparez les résultats avec ceux de l'école que votre partenaire a examinée.

Perspectives

Un homme de 45 ans voudrait passer son bac. Une jeune femme lui répond sur le blogue:

"Pour rien au monde je ne repasserais mon bac—stress, révisions de dernière minute, le vrai marathon! Mais l'avoir réussi m'a beaucoup aidée. J'ai maintenant le boulot de mes rêves. Alors, je vous conseille d'aller sur le site du CNED." Pourquoi est-ce que cette jeune femme essaie d'aider ce monsieur quand elle a eu une mauvaise expérience avec le bac?

Du côté des médias

Lisez les informations tirées du (pulled from the) site web du Ministère de l'Éducation en France.

Lycéens, vous souhaitez progresser en anglais?

Dans votre lycée ou un établissement à proximité, participez aux stages intensifs proposés gratuitement pendant les vacances scolaires d'hiver, de printemps, et d'été.

**Inscrivez-vous:
renseignez-vous auprès de votre établissement** pour obtenir toutes les informations nécessaires (lieu du stage, modalités d'inscription, dates, etc.).

Enseignez l'anglais pendant les vacances scolaires

Vous êtes:

- enseignants
- assistants d'anglais
- étudiants étrangers
- locuteurs natifs
- assistants pédagogiques
- assistants d'éducation anglophones

Vous êtes intéressés pour participer aux stages d'anglais gratuits pour les lycéens ?

Déposez votre candidature sur la plateforme de recrutement des intervenants de langue anglaise

➤ *education.gouv.fr/recrutlangues*

Tous renseignements sur les stages d'anglais gratuits sont fournis par le lycée où est scolarisé l'élève: lieu du stage, modalités d'inscription, dates, etc.

7 Stages intensifs d'anglais gratuits pour les lycéens pendant les vacances scolaires

Faites les activités qui suivent.

1. Vous êtes lycéen en France et vous voudriez suivre un stage intensif en anglais. Écrivez vos questions.
2. Vous êtes un(e) prof d'anglais américain(e) et vous aimeriez proposer un stage d'anglais intensif dans une école française. Écrivez votre CV ou une lettre de motivation.

Structure de la langue

emcl.com
WB 7–9
Games

Past Conditional Tense

M. Rivard aurait pu se faire arrêter.

The past conditional (**le conditionnel passé**) is a tense used to tell what would have happened in the past if certain conditions had been met. Like the **passé composé** and the **plus-que-parfait**, the past conditional consists of a helping verb and a past participle. To form the past conditional, use the conditional tense of the helping verb **avoir** or **être** and the past participle of the main verb. Agreement of the past participle in the past conditional is the same as in the **passé composé** and the **plus-que-parfait.**

	bosser	aller	se reposer
je/j'	**aurais bossé**	**serais allé(e)**	**me serais reposé(e)**
tu	**aurais bossé**	**serais allé(e)**	**te serais reposé(e)**
il/elle/on	**aurait bossé**	**serait allé(e)**	**se serait reposé(e)**
nous	**aurions bossé**	**serions allé(e)s**	**nous serions reposé(e)s**
vous	**auriez bossé**	**seriez allé(e)(s)(es)**	**vous seriez reposé(e)(s)(es)**
ils/elles	**auraient bossé**	**seraient allé(e)s**	**se seraient reposé(e)s**

Élodie **aurait bossé** plus auparavant.

Élodie would have worked more before.

Leïla ne **serait** pas **partie** du lycée sans son sac à dos.

Leïla would not have left school without her backpack.

Éric et son ami **se seraient dépêchés**.

Éric and his friend would have hurried.

COMPARAISONS: In English, the past conditional tense is usually formed by using the conditional "would" followed by the auxiliary "have" plus the past participle of the verb that gives the meaning of what would have happened. The words "could," "should," "might," and "ought" already include a conditional meaning, so you cannot combine them with "would," for example, there's Marlon Brando's famous line, "I could have been a contender."

COMPARAISONS

How is the past conditional formed in English?

I *would have worked* harder.
I *would have gone* before class.
I *would have rested* half an hour.

8 Où serait-on allé?

Dites où tout le monde serait allé et ce qu'ils y auraient vu avec un billet d'avion gratuit pour la France.

Je serais allée au concert avec toi si tu étais venu me chercher.

> le festival international du film   le Port de la Lune   la cathédrale
> les châteaux de la Loire   le Parlement européen
> le musée d'Orsay   les tableaux de Matisse

MODÈLE   Brent/Bordeaux
Brent serait allé à Bordeaux; il y aurait vu le Port de la Lune.

1. Jennifer/Paris
2. Madison et moi, nous/Cannes
3. moi, je/Tours
4. Zach et toi, vous/Strasbourg
5. tu/Strasbourg
6. Nora et Ashley/Nice

9 À ta place

Vous écoutez vos amis. Dites-leur ce que vous auriez fait à leur place.

> suivre un cours avec un moniteur   rédiger une lettre de motivation   aller en ville
> louer un vélo   se reposer   goûter la cuisine française   faire du ski nautique
> choisir une salade   bosser plus auparavant

MODÈLE   Zakia: "J'ai mangé de la pizza à la cantine."
À ta place, j'aurais choisi une salade.

À ta place, j'aurais goûté aux escargots!

Oh, non merci!

1. Amélie: "Je n'ai pas réussi au bac."
2. Jean-Luc: "Je suis tombé en faisant du ski alpin."
3. Momo: "J'ai vu une petite annonce en ligne qui m'intéresse."
4. Sonia: "J'ai vu les châteaux de la Loire en voiture."
5. Dikembe: "Je suis allé sur la côte d'Azur et je n'ai rien fait."
6. Mamadou: "Je suis allé à Paris et j'ai mangé à McDo."
7. Sandrine: "J'ai travaillé avant de courir dans le marathon."
8. Renée: "Je n'ai rien fait mercredi après-midi."

Communiquez!

10 **Un séjour en France**

Interpersonal Communication

Votre partenaire est allé à Paris. Dites-lui ce que vous auriez fait à sa place. Puis, échangez les rôles: vous êtes allé(e) sur la côte d'Azur. Votre partenaire vous dira ce qu'il ou elle aurait fait à votre place.

MODÈLES

(Paris)
visiter le musée du Louvre

A: **J'ai visité le musée du Louvre.**
B: **À ta place, je n'aurais pas visité le musée du Louvre. J'aurais visité le musée d'Orsay.**

(la côte d'Azur)
prendre des fruits de mer
A: **J'ai pris des fruits de mer.**
B: **À ta place, je n'aurais pas pris de fruits de mer. J'aurais pris de la ratatouille.**

1. Paris/se promener dans le jardin des Tuileries
2. Paris/aller à l'arc de triomphe
3. Paris/acheter des romans français
4. la côte d'Azur/séjourner dans une auberge de jeunesse
5. la côte d'Azur/faire du parachutisme ascensionnel
6. la côte d'Azur/bronzer

À ta place, j'aurais dit bonjour à ce jeune homme...

Oh, oui!

Past Conditional Tense in Sentences with *si*

emcl.com
WB 10
LA 2
Games

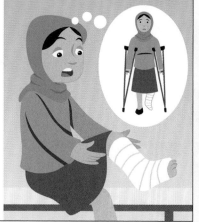

Si Alima n'avait pas trébuché, elle aurait évité tous ces ennuis.

Use the past conditional tense along with **si** and the **plus-que-parfait** to tell what would have happened *if* something else had already happened or *if* some condition contrary to reality had been met.

si	+	plus-que-parfait	past conditional

Si je n'**avais** pas **trébuché**, je ne **me serais pas cassé** la jambe.

If I hadn't tripped, I would not have broken my leg.

Est-ce que tu **te serais senti** encouragée s'il t'**avait parlé**?

Would you have felt encouraged if he had spoken to you?

The phrase with **si** + **plus-que-parfait** can either begin or end the sentence.

11 La mauvaise journée d'Élodie

Dites ce qu'Élodie aurait ou n'aurait pas pu faire si elle avait agit différemment.

> **MODÈLE** avoir une meilleure note
> **Si Élodie n'avait pas séché ses cours, elle aurait eu une meilleure note.**

1. ne... pas se sentir mal
2. ne... pas être tétanisée
3. être capable de décider quelles étaient ses priorités
4. ne... pas paniquer
5. ne... pas dormir pendant 18 heures
6. éviter tous ces ennuis

Si Élodie n'avait pas séché ses cours, elle aurait pu sortir avec Karim ce soir.

Communiquez!

12 Et si et si!

Interpretive Communication

Écrivez les numéros 1–6 sur votre papier. Écoutez les descriptions des situations. Ensuite, faites correspondre la photo avec la phrase que vous entendez.

A.

B.

C.

D.

E.

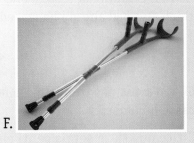

F.

Communiquez!

13 Logique ou illogique?

Interpersonal Communication

À tour de rôle, formez huit phrases logiques ou illogiques avec les sujets et verbes de la liste. Suivez le modèle.

le prof/perdre de l'argent	Marina et moi/aller en ville
moi/gagner à la loterie	Abdel et Ben/trébucher
tu/voyager	Sophia et toi/se faire arrêter
ma mère/faire la cuisine	Julie et Chloé/sécher leurs cours

MODÈLES

A: **Si j'avais gagné à la loterie, j'aurais acheté une décapotable.**
B: **C'est logique!**

A: **Si le prof avait perdu de l'argent, il se serait senti encouragé.**
B: **C'est illogique!**

Communiquez!

14 Situations imaginaires

Interpersonal Communication

À tour de rôle, dites à votre partenaire ce que vous auriez ou n'auriez pas fait selon les situations imaginaires qui vous sont proposées.

MODÈLE   avoir un accident
A. avoir peur   B. téléphoner à vos parents   C. quitter la scène

A: Qu'est-ce que tu aurais fait si tu avais eu un accident?
B: Si j'avais eu un accident, j'aurais eu peur d'abord. Puis, j'aurais téléphoné à mes parents. Je n'aurais pas quitté la scène.

1. avoir un examen d'histoire important à passer
   A. sécher le cours d'histoire
   B. étudier
   C. espérer le passer sans étudier

2. se fouler la cheville
   A. marcher avec des béquilles (*crutches*)
   B. demander à tes parents de t'emmener partout
   C. prendre rendez-vous chez le kiné

3. ne... pas gagner assez d'argent
   A. faire grève
   B. se plaindre
   C. essayer de trouver un nouveau job

4. tomber malade
   A. aller à l'école
   B. prendre de l'aspirine
   C. rester au lit

5. se réveiller très tard
   A. téléphoner à l'école
   B. manger des céréales
   C. prendre un taxi

Qu'est-ce que tu aurais fait si je n'étais pas venue avec toi?

J'aurais invité Stéphanie!

À vous la parole

Communiquez!

Quels sont les défis de la vie contemporaine?

15 Mon album: Moments de ma vie

Presentational Communication

Choisissez six à huit photos ou faites six à huit dessins qui montrent des moments de votre vie quand vous avez vécu une émotion forte. Choisissez une émotion différente pour chaque image. Écrivez des légendes qui expliquent comment vous vous êtes senti(e) et pourquoi. Prenez une image de votre album et écrivez un récit qui décrit ce jour-là. C'est à vous de choisir de partager votre récit ou de le garder pour vous-même (*yourself*).

Communiquez!

16 Mon lycée en France

Interpretive/Presentational Communication

Imaginez que vous allez faire votre terminale (*senior year*) dans un lycée français. Vous avez gagné une bourse (*scholarship*) qui paiera tout. C'est à vous de choisir la ville et le lycée. Selon vos critères (*criteria*), il faut que le lycée ait de bons résultats au bac parce que vous comptez aussi faire vos études universitaires en France. Il faut que vous vous assuriez que le lycée de votre choix prépare bien ses élèves aux études universitaires. Une fois que vous avez fait votre choix, présentez le lycée aux autres élèves: province, ville, voisinage, cours, etc.

 Search words: lycée (+ ville), résultats du bac (+ année)

Communiquez!

17 Mes études universitaires en France

Interpretive/Presentational Communication

Vous voulez faire des études universitaires en France pour une année. Vous comptez vous inscrire comme auditeur/auditrice libre (*auditor*) pour pouvoir suivre des cours dans plusieurs facultés. D'abord, faites une liste de vos critères pour choisir une université (spécialisations offertes, situation, bibliothèques, etc.). Ensuite, trouvez une université qui répond à la plupart de vos besoins. Expliquez votre choix à la classe.

Prononciation 🎧

When Liaison Can't Be Made

- Note these examples of sentences in which liaison can't be made.

Subject group + verb group

Ma formation⌢était adaptée.

Linking with *et* and *ou*

Je parle anglais⌢et français.

Verb plus word that follows

Je vais étudier⌢en France.

Noun plus adjective that follows

Tu étais un étudiant⌢exceptionnel.

A **Je fais une demande d'emploi.**

Répétez chaque phrase qui ne permet pas la liaison et trouvez la règle qu'on y associe.

1. Mes motivations⌢étaient très fortes.
2. J'ai une formation⌢internationale.
3. Je veux habiter⌢en Europe.
4. J'ai étudié les maths⌢et les langues.
5. Je suis le candidat⌢idéal!
6. J'accepte; je suis disponible en janvier⌢ou en février.

Distinguishing Feminine and Masculine

- To discern a feminine adjective, listen for the consonant that is pronounced when it is followed by an **–e**, for example, **Dominique est très surprise** indicates that the sentence is about a girl. With preceding direct objects, listen for the ending of the past participle, for example, **Tu l'as écrite?** This could refer to **une lettre**, for example, because the pronounced **–t** indicates the object is feminine.

B **Au féminin!**

Répondez à la question au féminin singulier.

1. Vous êtes satisfaits?   Moi, non mais Chloé est très satisfai**te**.
2. Vous êtes bien couverts?   Moi, non, mais Dominique est très bien couver**te**.
3. Vous avez dit votre pensée?   Enfin, je l'ai di**te**!
4. Vous avez ouvert l'enveloppe?   Enfin, je l'ai ouver**te**!

C **Masculin ou féminin?**

*Écrivez **M** si vous entendez un adjectif masculin ou une référence à un nom masculin. Écrivez **F** si vous entendez un adjectif féminin ou une référence à un nom féminin.*

Comment décrire une personne 🎧

Une jeune fille d'origine....

arabe
scandinave
méditerranéenne

asiatique
africaine

emcl.com
WB 1–3
LA 1
Games

Salon Yves-Coiffeur Visagiste

La texture: Vous avez les cheveux...?

frisés

bouclés

raides

Vous êtes...?

chauve

La longueur: Vous voulez les cheveux...?

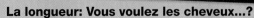

courts

mi-longs

longs

CLUB FITNESS

Pour vous remettre en forme!

Vous êtes....

Devenez un homme...!

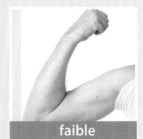
faible

fort

maigre

mince

gros

costaud

Une femme d'une... d'années

trentaine
vingtaine
quarantaine
cinquantaine

Pour la conversation

How do I ask if someone noticed something?

> **Tu ne t'es aperçu de rien?**
> *You didn't notice anything?*

How do I say that I realized something?

> **Je me suis rendu compte que** mon ordinateur n'était plus là.
> *I realized that my computer wasn't there.*

Et si je voulais dire...?

affreux, affreuse	*frightful*
baraqué(e)	*large and sturdy*
élancé(e)	*slender, slim*
intello	*intellectual*
svelte	*slender*
trapu(e)	*stocky*
en plumetis	*light dress fabric*
en vichy	*gingham*

L'argot des ados

Les gens

un type	*guy*
un mec	*guy*
une nana	*girl*
une meuf	*chick*

Les enfants portent des vêtements....

à rayures

à carreaux

à pois

1 Le cousin scandinave de Nils

Lisez le mail que Nils a écrit à sa sœur, puis répondez aux questions.

À	Asta
Cc:	
Sujet:	Quelle coïncidence!

Chère Asta,

Tu ne vas pas croire, mais j'ai vu notre cousin Johann au Café des Artistes. Il est venu à Paris pour un concours d'échecs (*chess competition*). Il n'a ni écrit, ni téléphoné, pourtant il sait que je suis sur Paris. Comme il a changé! La trentaine, et il est évident qu'il fréquente un club de fitness. Il est musclé et semble en pleine forme. Avant, il était trop mince et ne faisait pas d'exercice. Mais, je l'ai reconnu tout de suite parce qu'il a le même sourire et toujours les mêmes grands yeux bleus. Ses cheveux sont toujours aussi longs et raides, comme dans le passé, mais moins blonds. Il était vêtu d'une veste et d'une cravate à carreaux. Il joue bien son rôle de champion d'échecs et intello!

Grosses bises,

N.

1. Qui est-ce que Nils a rencontré au café?
2. Pourquoi cette personne est-elle venue à Paris?
3. Quel âge a cette personne?
4. Comment est-elle maintenant physiquement?
5. Qu'est-ce qu'elle portait?

2 Décrivez Dikembe!

Complétez les phrases pour faire le portrait de Dikembe.

1. Dikembe est un beau jeune homme d'origine....
2. Il a une... d'années.
3. Il a les cheveux... et les yeux....
4. Physiquement, il est....
5. Il est vêtu d'une chemise....

Décrivez les personnes ci-dessous en parlant de leur origine ethnique, leurs âges, leurs cheveux, leurs yeux, leurs corps, et ce qu'ils portent.

| 22 ans | 34 ans | 46 ans |
| Gong | Henrik | Alima |

MODÈLE   Mlle Aknouch est une jolie femme d'origine arabe. Elle a une trentaine d'années. Elle a de longs cheveux roux et les yeux verts. Elle est petite et mince. Elle est vêtue d'une robe à pois.

Communiquez !

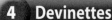

4 Devinettes

Interpersonal Communication

Écrivez les noms de dix personnes célèbres d'origines différentes. À tour de rôle, essayez de deviner l'identité des personnes sur la liste en posant des questions à votre partenaire. Il/Elle répondra par **oui** ou **non** uniquement.

MODÈLE   A: C'est un athlète?   B: **Oui.**
         A: Il a une vingtaine d'années?   B: **Oui.**
         A: Il est d'origine asiatique?   B: **Oui.**
         A: C'est Jeremy Lin?   B: **Oui.**

Communiquez!

5 **Comment sont-ils?**

Interpretive Communication

Écrivez les numéros 1–6 sur votre papier. Ensuite, écoutez les descriptions des personnes. Finalement, choisissez la bonne photo.

A.

B.

C.

D.

E.

F.

6 **Questions personnelles**

Répondez aux questions suivantes.

1. Quand tu fais la connaissance d'une personne, qu'est-ce que tu remarques d'abord?
2. De quelle origine es-tu? Et tes meilleurs amis?
3. Imagine que tu es au zoo avec ton ta petit(e) cousin(e) et que tu ne peux pas le la trouver. Quelle description donnerais-tu à l'agent de police?
4. As-tu des cousins qui sont plus âgés? Comment sont-ils?
5. Comment est ton meilleur ami ou ta meilleure amie?

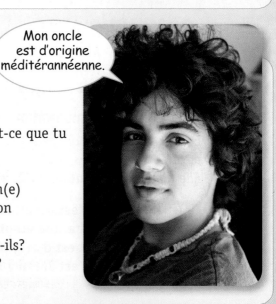

Mon oncle est d'origine méditéranéenne.

emcl.com
WB 6

Au voleur!

Karim et Léo passent le temps au café.

Karim: Mais tu ne t'es aperçu de rien?

Léo: De rien! Absolument de rien!

Karim: Mais tu l'avais posé où? Quand même, un ordinateur ça se voit!

Léo: Là, sur la chaise! Il ne pouvait pas être plus visible.

Karim: Tu n'as vu personne s'approcher, passer à côté de toi?

Léo: Je lisais quand tu es allé au comptoir.... Il y avait un couple à la table devant, c'est tout. Tout d'un coup, je me suis rendu compte que mon ordinateur n'était plus là!

Karim: Ils ressemblaient à quoi?

Léo: À des gens qui flirtent, qui se racontent des histoires dans le blanc des yeux, qui s'occupent d'eux-mêmes quoi! Pas la tête à voler mon ordinateur.

Karim: Lui, tu l'as vu?

Léo: Lui, mince, les cheveux courts, une vingtaine d'années. Elle, très jolie, d'origine asiatique, cheveux longs, noirs, même âge. Elle était vêtue d'un très joli chemisier à pois rouges, façon Marilyn dans *Les Misfits*, très vintage.... Et toi, tu surveilles toujours ton ordinateur? Où est le tien?

Karim: Il est dans mon sac à dos, mais où est mon sac à dos? Il a disparu!

Léo: Désolé.... Si on remplissait une déclaration de vol au commissariat?

Karim: Il y en a un à deux rues d'ici.

7 Déclaration de vol

Votre prof va vous donner une déclaration de vol à remplir. Remplissez-la pour Karim ou Léo.

Complétez les phrases suivantes.

1. Karim et Léo passent le temps....
2. Léo a mis son ordinateur portable sur....
3. Il était en train de....
4. Il a vu un couple à la table....
5. Le jeune homme avait une... d'années.
6. La jeune fille était d'origine....
7. Le jeune homme et la jeune fille ont... les deux ordinateurs.
8. Karim et Léo vont au commissariat pour....

Extension **Au commissariat de police**

Une femme parle à un policier.

Policier: Alors, qu'est-ce qui vous est arrivé?
Femme: Ça s'est passé dans le métro, très vite, entre deux stations.
Policier: Qu'est-ce qui s'est passé?
Femme: On m'a volé mon porte-cartes de crédit avec mon argent.
Policier: Vous l'aviez mis où?
Femme: Où vouliez-vous qu'il soit? Dans mon sac!
Policier: Oui, ça je m'en doute, mais il était dans une poche fermée par une fermeture éclair?
Femme: Non, mais il était bien au fond, je le mets toujours là et il ne m'est jamais rien arrivé....
Policier: Jusqu'à ce soir....
Femme: Je m'en suis rendu compte tout de suite.
Policier: Et vous vous souvenez de qui était autour de vous? Parce qu'on surveille une bande qui agit sur la ligne....
Femme: Ils étaient tout un groupe... comme d'habitude on était très serrés... jeunes, la vingtaine, plutôt grands, un d'entre eux était costaud, un très mince, avec les cheveux longs.
Policier: Et vous n'avez rien remarqué?
Femme: Serrés comme on était, vous croyez que je passais mon temps à surveiller mon sac? Vous, vous passez votre temps à surveiller le vôtre?
Policier: Moi je n'en ai pas! Mais vous, vous auriez dû!

Extension Comment est-ce que la femme aurait pu éviter le vol?

La sécurité publique

Il existe deux forces qui assurent la sécurité publique: la police et la gendarmerie. La gendarmerie, créée en 1337, devenue gendarmerie nationale en 1791, est une force armée qui dépend du ministère de la Défense et du Ministère de l'intérieur. Elle est chargée de mission de police dans les campagnes et dans les zones autour des grandes villes. La gendarmerie assure la sécurité de 50% de la population et de 95% du territoire. Elle assure des missions d'enquêtes*, de maintien de l'ordre*, d'assistance et de secours*, de circulation routière* et de police militaire.

Ces hommes travaillent pour la gendarmerie nationale.

🔍 **Search words: gendarmerie nationale, vidéos pour gendarmerie france**

enquêtes *investigations*; **maintien de l'ordre** *maintaining order*; **secours** *help*; **circulation routière** *road traffic*

COMPARAISONS

Quelles forces assurent la sécurité publique aux États-Unis?

La police

Le rôle de la police est définie dans la Déclaration des droits de l'homme et du citoyen (1789) comme "force publique pour l'avantage de tous." Il existe deux sortes de police: la police nationale et la police municipale. Chacune de ces forces portent des uniformes différents. Les policiers municipaux sont placés sous l'autorité du maire de la ville: ils sont chargés d'assurer l'ordre et la sécurité, mais leur compétence est très limitée. En cas

Ces hommes font partie de la police nationale.

de crimes et de délits*, ils doivent se reporter à la police nationale ou la gendarmerie. Notamment, quand il s'agit de maintenir l'ordre et la protection civile, par exemple lors de manifestations ou d'attentats*, la police nationale déploie* les CRS (Compagnies républicaines de sécurité). Ces policiers ont la permission d'utiliser la force pour arrêter les émeutes*.

🔍 **Search words: préfecture de police de (+ nom de la ville)**

délits *offenses*; **attentats** *murder attempts*; **déploie** *displays*; **émeutes** *riots*

Les chiffres de la délinquance

Après avoir beaucoup augmenté depuis les années 1950, la délinquance (c'est-à-dire tous les délits, toutes les fautes, et tous les crimes) diminue depuis 2003.

Nombre de vols en 2008	
5.000 vols par jour	
Vols à main armée	6.107
Autres vols avec violence sans arme à feu*	100.526
Vols avec entrée par ruse	9.571
Cambriolages*	198.173
Vols liés* à l'automobile et aux deux-roues à moteur	640.400
Autres vols simples	581.600
Recels*	41.329
Total des vols	**1.847.305**

arme à feu *firearm*; **cambriolage** *robbery*; **liés** *linked*; **Recels** *Receiving stolen goods*

Une **déclaration de vol** est une fiche à remplir au commissariat de police quand on vous vole quelque chose.

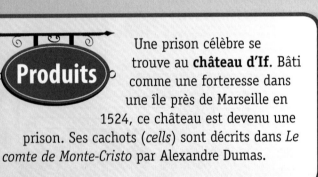

Une prison célèbre se trouve au **château d'If**. Bâti comme une forteresse dans une île près de Marseille en 1524, ce château est devenu une prison. Ses cachots (*cells*) sont décrits dans *Le comte de Monte-Cristo* par Alexandre Dumas.

La prison du château d'If devient un lieu public après la première Guerre Mondiale (*WWI*).

De la prison à la réinsertion sociale

Pour la prison, il y a 84.000 incarcérations par an et 62.000 prisonniers. Six pour cent des prisonniers sont condamnés à des peines incompressibles* de 30 ans (il n'y a pas de prison à vie), peine maximale. Il n'y a pas d'application de la peine de mort*, qui a été supprimée en 1981. De plus en plus la justice française insiste sur la réinsertion sociale*, croyant qu'une justice répressive perpétue une société criminelle, alors que pour mieux combattre le crime, il faut mieux s'occuper de la société.

peines incompréhensibles *sentences without parole*; **peine de mort** *death penalty*; **réinsertion sociale** *rehabilitation*

L'argot des ados

Voici des noms pour un agent de police en argot:

flic
poulet
poulaga

9 Activités culturelles

Complétez les activités suivantes.

1. Dessinez le look (costume) de la gendarmerie et la police de Paris.
2. Préparez un organigramme qui montre les missions de la gendarmerie et de la police, surtout les différences.
3. Faites un tableau qui montre les types de crime, y compris les types de vols.
4. Faites un tableau qui montre les crimes aux États-Unis (avec les mêmes catégories mentionnées dans le texte) et comparez-le au tableau pour la France.

À discuter

Y a-t-il trop de gens emprisonnés aux États-Unis? Faites des recherches et discutez de vos conclusions avec vos camarades de classe. Croyez-vous à la réinsertion sociale? Pourquoi, ou pourquoi pas?

Cet agent de police travaille pour la police municipale.

Du côté des médias

Lisez la liste de films et leurs descriptions.

La semaine des films policiers

SEARCH Q

FILMS CÉLÈBRES QUI FONT RÉFÉRENCE À LA POLICE OU À LA GENDARMERIE :

Tendre poulet (1977) de Philippe de Broca avec Philippe Noiret et Annie Girardot

Description: Comédie policière. Alors qu'elle poursuit une investigation sur des meurtres, Lise, commissaire de police, rencontre un ancien camarade de classe, Antoine. Crime et romance vont se mêler.

Les Keufs (1987) de Josiane Balasko avec Isaach de Bankolé

Description: Comédie policière. Mireille est une agente de police déguisée pour combattre la prostitution. Avec son partenaire Blaise, elle va s'acharner à libérer une jeune femme et son enfant.

Un flic (1972) de Jean-Pierre Melville avec Alain Delon et Catherine Deneuve

Description: Film d'action, policier, drame. Un gang attaque une banque. Le commissaire Édouard Coleman commence son enquête. Il s'aperçoit qu'il a plus en commun avec cette bande, car il est l'amant de la femme du chef du gang, Simon. Entre justice et loyauté, il s'ensuit une course qui vous laissera à bout de souffle.

Le Gendarme de Saint-Tropez (1964) de Jean Girault avec Louis de Funès, Michel Galabru, et Geneviève Grad

Description: La première d'une série de six comédies, Louis de Funès vous fera tordre de rire! Simple gendarme, Cruchot se laisse mener dans les mésaventures de sa fille qui ne cherche qu'un peu d'aventures dans sa vie, et en même temps découvrir une affaire de vol.

---

10 Films sur les flics

Faites les activités suivantes.

1. Faites une liste de titres en ordre chronologique.
2. Avec un partenaire, recherchez chaque film et écrivez une phrase d'introduction pour chaque film.
3. Choisissez un clip disponible en streaming et regardez-le. Dites si vous recommanderiez le film ou pas. Justifiez votre décision.

Révision: Possessive Adjectives

As you have already learned, possessive adjectives express ownership or relationship. They agree in gender and in number with the nouns that follow them.

	Singular		Plural
	Masculine		**Feminine before a Consonant Sound**
my	**mon**	**ma**	**mes**
your	**ton**	**ta**	**tes**
his, her, its, one's, its	**son** } stylo affiche	**sa** } trousse	**ses** } cahiers
our	**notre**	**notre**	**nos**
your	**votre**	**votre**	**vos**
their	**leur**	**leur**	**leurs**

Ma grand-mère m'a dit qu'une fille avait volé **son** portefeuille.

My grandmother told me that a girl had stolen her wallet.

Remember that before a feminine singular word beginning with a vowel sound, **ma**, **ta**, and **sa** become **mon**, **ton**, and **son**, respectively.

Émilie s'est rendue compte que **son** amie ne venait pas.

Émilie realized that her friend wasn't coming.

11 Le vol à Lyon

Votre équipe de foot a voyagé à Lyon pour un match. Pendant le match, quelqu'un est entré dans votre monospace. Il a volé beaucoup de choses! Dites ce qu'il a volé et n'a pas volé.

> **MODÈLE**
> Pierre: portable (*oui*)
> **Il a volé son portable.**
>
> Nadia: sac à dos (*non*)
> **Il n'a pas volé son sac à dos.**

1. Fabrice: lecteur MP3 (*oui*)
2. Jérémy et moi: maillots de foot (*non*)
3. Malika: jeux vidéo (*oui*)
4. toi: veste (*non*)
5. Delphine et Nora: portefeuilles (*oui*)
6. moi: carte cadeau (*oui*)
7. Assane et toi: cahiers (*non*)
8. toi: bouteille d'eau minérale (*non*)
9. je: guide touristique de Lyon (*non*)

Que va-t-il se passer quand les joueurs retourneront à leur monospace?

Possessive Pronouns

WB 8–10,
12–13
LA 2
Games

> **Tu porterais ce tee-shirt?**
>
> **Je préfère le sien.**

A possessive pronoun replaces a noun plus a possessive adjective.

Thibault et moi, nous avions perdu nos lunettes. **Les siennes** étaient chez moi, **les miennes** chez lui.

Thibault and I lost our glasses. His were at my house, mine at his house.

The possessive pronoun is composed of two words, each of which agrees in gender and in number with the noun it replaces.

	Singular		Plural	
	Masculine	**Feminine**	**Masculine**	**Feminine**
mine	**le mien**	**la mienne**	**les miens**	**les miennes**
yours	**le tien**	**la tienne**	**les tiens**	**les tiennes**
his, hers, its, one's	**le sien**	**la sienne**	**les siens**	**les siennes**
ours	**le nôtre**	**la nôtre**	**les nôtres**	
yours	**le vôtre**	**la vôtre**	**les vôtres**	
theirs	**le leur**	**la leur**	**les leurs**	

Thomas et Lucas ont acheté des chemises à rayures comme **les miennes**, mais **les leurs** étaient plus chères.

Thomas et Lucas bought some striped shirts like mine but theirs were more expensive.

Combien coûtent **les vôtres**?

How much do yours cost?

COMPARAISONS

What is different about the possession expressed in the French and English sentences?

À qui est cette vidéo? Elle est à moi.
Whose video is it? It's mine.

COMPARAISONS: The French sentence uses **être à** + stress pronoun rather than a possessive pronoun. In English a possessive pronoun is used. Possessive pronouns are used more in English than in French.

12 Carla vient de déménager.

Toutes les affaires de Carla sont encore dans des cartons. Vous habitez l'appartement d'à côté et vous lui proposez de lui prêter ce dont elle a besoin.

> **MODÈLE** "Je voudrais me laver les mains. Où est mon savon?"
> **Je te prête le mien.**

1. "Je voudrais préparer un steak. Dans quel carton peut être ma poêle?"
2. "Il faut que je prenne une douche. Mon shampooing, il est où?"
3. "Je vais faire du footing. Qu'est-ce que j'ai fait de mes chaussettes blanches?"
4. "J'ai envie de me détendre. Où peuvent bien être mes magazines?"
5. "J'invite mes parents à dîner. Mes fourchettes sont dans quel carton?"
6. "J'aimerais écouter de la musique. Mon lecteur MP3 est où?"

Merci de me prêter la tienne!

Communiquez!

13 Je décris les gens que je connais.

Interpersonal Communication

À tour de rôle, décrivez les personnes que vous connaissez en vous servant des indices donnés.

> **MODÈLE** mon meilleur ami/origine ethnique
> A: **Mon meilleur ami est d'origine asiatique.**
> B: **Le mien est d'origine arabe.**

1. ma meilleure amie/cheveux
2. mon cousin/physique
3. mes parents/âge
4. mon grand-père/yeux
5. ma grand-mère/cheveux
6. mon prof d'histoire/physique
7. ma tante/yeux
8. mon oncle/âge

Oui, ma mère est d'origine nord-africaine!

14 Richard se vante!

Richard écoute ses amis. Jouez le rôle de Richard, qui pense que ses affaires, animaux, et parents sont les meilleurs.

MODÈLE Julianne: "Abdel et Nicole ont deux beaux chiens."

Richard: **Les miens sont plus beaux que les leurs!**

La mienne est meilleure!

1. André: "J'ai acheté une belle chemise à carreaux."
2. M. et Mme Diouf: "Thomas conduit une nouvelle voiture."
3. Solange: "Marc et moi, nous avons fait une vidéo très intéressante pour notre cours d'histoire."
4. Monique: "Mes parents sont très amusants!"
5. Joël: "Mon prof de français est dynamique!"
6. Océane: "Adja a une jolie sœur."
7. Abdoulaye: "Les Dumont ont de beaux chevaux."
8. Lucien: "Les Vaillancourt ont de grandes pièces."

Communiquez!

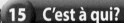

15 C'est à qui?

Interpretive Communication

Écrivez les numéros 1–5 sur votre papier. Écoutez les mini-dialogues. Dites à qui appartient chaque chose; écrivez son prénom.

À qui est ce chien adorable?

À vous la parole

16 **Une déclaration de vol**

Résumez l'histoire de Suzanne Weiler à Paris par écrit en lisant sa déclaration de vol. Où le crime a-t-il eu lieu? Quand? À quelle heure? La victime est de quelle nationalité? Qu'est-ce qu'on lui a volé? Comment étaient les voleurs? Où a-t-elle rempli la déclaration de vol?

Quels sont les défis de la vie contemporaine?

MINISTÈRE DE L'INTÉRIEUR ET DE LA SÉCURITÉ PUBLIQUE

DIRECTION GÉNÉRALE DE LA POLICE NATIONALE

RÉPUBLIQUE FRANÇAISE
Liberté Égalité Fraternité

Commissariat de Voie Publique
9, Rue Fabert
75007 PARIS
Tél.: 01 44 18 69 07
Fax: 01 44 18 33 87

CODE INSEE DU SERVICE	Dept	Commune	N° du Service
	75		

1 RÉCÉPISSÉ DE DÉCLARATION DE
- ❏ **VOL À LA TIRE**
- ❏ **VOL À L'ÉTALAGE OU DANS UN TIROIR-CAISSE**
- ❏ **VOL DANS UN APPAREIL AUTOMATIQUE**
- ❏ **AUTRE VOL SIMPLE**
- ❏ **FILOUTERIE**

2 L'an deux mil __douze__
le __Vingt-quatre mars__ à __Dix-sept__ heures __quinze__
Nous __CRAVEAU Éric, Gardien de la Paix__
__Officier __X__ Agent__ de police Judiciaire, en fonction à __Paris 7e__
dressons procès-verbal de la plainte ci-dessous

3 PLAINTE (L'ÉTAT-CIVIL DU PLAIGNANT DOIT ÊTRE RÉLEVÉ SUR UNE PIÈCE D'IDENTITÉ OFFICIELLE)

SERVICE DE RÉCEPTION DE LA PLAINTE __7e Arrdt__   DATE ET HEURE __17 heures 15__

PRÉNOM, NOM, GRADE DU RÉDACTEUR __CRAVEAU Éric, Gardien de la Paix__

(ÉVENTUELLEMENT NOM DE JEUNE FILLE SUIVI DU NOM D'ÉPOUSE ET PRÉNOMS)

Je soussigné(e) __WEILER Suzanne__
né(e) le __14/11/1995__ à __HOUSTON (Texas)__
nationalité __Américaine__ profession __Étudiante__
demeurant __P.O. Box 1235 BROOKSHIRE, TEXAS 77423 USA__

DÉPOSE PLAINTE CONTRE INCONNU POUR LES FAITS RELATES   (REMPLIR LA RUBRIQUE VICTIME SI LE PLAIGNANT AGIT POUR LE COMPTE D'AUTRUI)

VICTIME	NOM ET PRÉNOMS (OU RAISON SOCIALE) WEILER Suzanne			
DATE ET LIEU DE NAISSANCE	14/11/95 HOUSTON TEXAS	NATIONALITE Américaine		
ADRESSE	P.O. Box 1235 BROOKSHIRE TEXAS 77423 USA			
CODE POSTAL ET COMMUNE		TELEPHONE		
DATE EXACTE OU PRÉSUMÉE	JOUR, MOIS, AN, HEURE DU MOMENT 24/03 vers 16 heures			
NATURE DU JOUR	L M W J V X D ln	❏VEILLE DE FÊTE LÉGALE OU CONGÉS SCOLAIRES	❏PÉRIODE DE FÊTE LÉGALE OU CONGÉS SCOLAIRES	❏JOUR DE FÊTE OU DE MANIFESTATION LOCALE
LIEU INFRACTION	75 PARIS 7e Métro La Tour Maubourg			
	NATURE DU LIEU Métro	(EX. AUTOBUS, BUREAU DE POSTE, MARCHÉ...)		
OBJETS VOLÉS	DIFFERENCIER LES OBJETS PAR VICTIME: NATURE, MARQUE, NUMÉROS, CARACTÉRISTIQUES, ÉTAT-CIVIL COMPLET DE TOUTES LES VICTIMES Un passeport de nationalité américaine au nom de WEILER Suzanne N° 131082315, une somme de 18 dollars américains, 180 dollars en chèques de voyage, et 30 euros, une MasterCard Gold et un permis de conduire de Texas avec photographie.			
MODE OPÉRATOIRE PRÉCISIONS COMPLÉMENTAIRES	Deux individus de type méditerranéen d'environ une quinzaine d'années. L'un demande l'heure pendant que l'autre fouille dans le sac à dos.			

Communiquez!

17 Je suis témoin.

Alors, vous dites qu'il y avait deux types devant cet appartement?

Interpersonal Communication

Avec un partenaire, jouez les rôles d'un témoin d'un cambriolage dans la maison de ses voisins et d'un agent de police qui pose beaucoup de questions. L'agent voudrait savoir:

- l'heure du crime
- une description du voleur: sa taille, son âge, ses cheveux, son origine ethnique, ses vêtements
- une description de la voiture du voleur, y compris le numéro de sa plaque minéralogique (*license plate*)

Communiquez!

18 Ce jour-là, je me suis rendu compte que....

Presentational Communication

Pour l'écrivain irlandais James Joyce, une "épiphanie" est une sorte de révélation, d'ordre quasi mystique qui marque un moment de votre vie et qui change tout. Choisissez un moment de votre vie quand vous vous êtes rendu compte de quelque chose d'important. Qu'est-ce qui a mené (*led*) à cette révélation? Comment a-t-elle changé votre attitude, vos buts, ou peut-être votre vie en général? Répondez à ces questions dans un récit personnel.

Communiquez!

19 Comment éviter les crimes sur Internet

Interpretive/Presentational Communication

Avec des camarades de classe, faites une liste de règles pour vous protéger quand vous êtes sur Internet. Partagez les problèmes dont vous êtes au courant ou que vous avez vécus et donnez une solution pour chacun. Publiez votre liste et vos récits en ligne pour aider les autres élèves dans le monde francophone.

Telling a Story through Pictures

Vous allez raconter une histoire en regardant des illustrations. Dites de qui il s'agit, où l'action se déroule (*takes place*), ce qui se passe; donnez un maximum de détails. Pensez à ce qui a pu se passer avant, pendant, et après chaque scène. N'oubliez pas d'utiliser des conjonctions lorsque vous passez d'une scène à une autre. Par exemple, **Le lendemain Derek a pris un bus pour aller à l'aéroport.** L'histoire est racontée au passé. Pour la dernière scène, ajoutez un petit dialogue. Votre professeur vous dira s'il vous faudra raconter cette histoire par écrit ou oralement.

MODÈLE **Derek rêvait depuis longtemps de voyager à Paris. Quand il a finalement eu les moyens d'y aller, il a acheté un billet en ligne avec Air France et l'a imprimé chez lui. Il a beaucoup lu sur Paris; il veut surtout visiter le musée d'Orsay afin de voir les tableaux de Monet et des autres impressionnistes.**

Vocabulaire actif

emcl.com
WB 1–3
LA 1
Games

Réactions et vêtements

Ces filles ressentent les sensations suivantes:

Elle est complètement surprise.

Elle est tout à fait choquée.

Elle se sent vraiment accablée.

Abdoul a mis un jean délavé, une liquette, et des baskets (f.). Il a du charme, non?

Elle est quand même frustrée.

Elle est surexcitée.

Elle se sent seule.

Pour la conversation

How do I ask when someone had an idea to do something?

> **Vous avez eu l'idée de** mettre votre vidéo sur YouTube tout de suite?

Did you have the idea to put your video on YouTube right away?

How do I say I didn't expect something?

> **Je ne m'y attendais pas….**

I didn't expect it.

Et si je voulais dire…?

des bretelles (f.)	*suspenders*
des espadrilles (f.)	*rope-soled sandals*
des santiags (f.)	*cowboy boots*
un sweat à capuche	*hoodie*
courroucé(e)	*mad*
dépassé(e)	*over-excited*
survoltée(e)	*overwhelmed*

1 Une lettre de France

Lisez la lettre que Charlotte a écrite à sa prof de français, puis répondez aux questions.

> Madame,
>
> Tout va bien ici à Avignon. Je suis un peu frustrée par mon français, mais vous m'avez dit que ça viendra, n'est-ce pas? La bonne nouvelle est que je ne me sens plus seule. J'ai eu l'idée de faire une vidéo avec d'autres filles et de la mettre sur YouTube. Je suis vraiment surexcitée par la réaction. Je ne m'y attendais pas! Depuis, on m'a invitée à en faire d'autres et je me suis fait plein d'amis maintenant.
>
> J'étais un peu accablée par la chaleur (heat) les premiers jours parce que je n'avais pas pensé à emmener des shorts avec moi, juste un jean délavé et deux autres pantalons que je lave souvent. Il faut que je fasse du shopping! J'ai aussi fait la connaissance d'un garçon qui voulait savoir où j'avais acheté mes baskets et ma liquette. Philippe, c'est son nom, est très gentil et on sort ensemble très souvent.
>
> En espérant que vous m'écrirez bientôt,
>
> Jennifer

1. Qu'est-ce que la prof de Jennifer lui a dit pour l'encourager à propos de son français?
2. Que fait-elle avec d'autres ados?
3. Quelle était la réaction du public et la réaction de Jennifer face au succès de sa vidéo?
4. Comment est-ce qu'elle aurait fait sa valise différemment?
5. Comment a-t-elle fait la connaissance de Philippe?

2 Christian va en ville.

Complétez les phrases.

1. Christian est un type d'origine....
2. Physiquement, il est....
3. Il a les cheveux....
4. Aujourd'hui il porte....
5. Il a du..., non?

Regardez les illustrations pour identifier les réactions des personnes. Choisissez un adjectif de la liste.

MODÈLE

M. Dugas

M. Dugas est complètement accablé.

accablé   seul   surpris   surexcité   choqué   frustré

1. M. et Mme Laroche

2. Mme Dufour

3. Matthieu

4. M. Carré

5. Isabelle

Les élèves sont choqués par les résultats du bac.

Communiquez!

4 Quelle surprise!

Interpretive Communication

*Écrivez les numéros 1–5 sur votre papier. Ensuite, écoutez la discussion entre Aminata et l'animateur M. Aknouch sur un concours (competition) vidéo. Finalement, indiquez si les phrases que vous entendez sont vraies (**V**) ou fausses (**F**).*

5 Questions personnelles

Moi, les devoirs, ça me rend frustré!

Répondez aux questions.

1. À quoi est-ce que tu ne t'y attendais pas à l'école cette année?
2. Quels vêtements est-ce que les élèves à ton école portent en général?
3. Aimes-tu le style des vêtements délavés?
3. Qu'est-ce que tu fais quand tu vois un(e) élève qui est seul(e) à la cantine?
4. Qu'est-ce qui te rends surexcité(e)? frustré(e)? accablé(e)?

Moi, les concerts me rendent surexcitée!

Actuellement sur YouTube

6 Actuellement sur YouTube

Identifiez les personnes décrites.

1. Cette personne a un hit sur YouTube.
2. Cette personne interviewe Élodie.
3. Ces personnes ont fait un show.
4. Cette personne s'est mariée.
5. Ces personnes ont craqué en voyant la vidéo.
6. Cette personne ne s'attendait pas au buzz et au succès de la vidéo.

Un reporter interviewe Élodie au sujet de son hit sur YouTube.

Le reporter: Vous avez eu l'idée de mettre votre vidéo sur YouTube tout de suite?

Élodie: Non, pas du tout.

Le reporter: Ce groupe de garçons, où l'avez-vous rencontré?

Élodie: Au mariage de mon cousin.... Ce sont deux frères et un copain.

Le reporter: On les y avait invités pour chanter?

Élodie: Oui, mon cousin les avait vus chanter des gospels à l'église. Ils sont arrivés habillés comme sur la vidéo... jeans bleus délavés, liquettes, et baskets orange comme pour un show! En fait, j'ai appris par la suite qu'ils chantaient dans un chœur de gospel à Genève.

Le reporter: Et c'est après qu'ils ont fait le show?

Élodie: Pendant la soirée, ils se sont déchaînés, tous les trois! Un vrai show.... C'est là que j'ai commencé à les filmer et comme ils étaient très photogéniques, c'était plutôt agréable... en plus, je trouvais qu'ils avaient du talent et du charme.

Le reporter: Bref, c'est ça qui vous a décidé à les mettre sur YouTube?

Élodie: Oui, j'ai commencé à montrer la vidéo à mes copines; quelques-unes ont complètement craqué, et voilà comment la vidéo s'est retrouvée sur YouTube.

Le reporter: Vous avez dû être complètement surprise par le buzz et le succès.

Élodie: Surtout eux! Moi non plus, je ne m'y attendais pas, je n'avais pas fait ça pour ça: juste pour partager une petite émotion. Et maintenant, ils ont de vraies groupies!

Le reporter: Merci.

Alexandre skype avec son pote Jérémie.

Alexandre: Et, elle ressemble à quoi maintenant?

Jérémie: Les cheveux raides, longs maintenant, toujours aussi mignonne.

Alexandre: Et, elle fait quoi?

Jérémie: Elle vient de commencer à travailler en Allemagne dans une société internationale de services.

Alexandre: Tu l'as retrouvée comment?

Jérémie: J'ai commencé par Facebook, j'ai essayé Copains d'avant, j'ai fait un petit tour par Meetic....

Alexandre: Je ne pensais pas que tu tenais à elle à ce point!

Jérémie: Mais rien... pas de traces.... J'ai fini par m'inscrire sur LinkedIn, un site professionnel, et voilà comment j'ai finalement retrouvé sa trace... elle était là: photo très pro. Tu imagines le choc!

Alexandre: Bref, tu es de nouvel amoureux....

Jérémie: Je ne m'attendais quand même pas à ce que ça me fasse cet effet-là. Et elle m'a demandé de venir la voir en Allemagne pour Pâques!

Alexandre: Perdu, retrouvé. Quelle chance!

Extension Quelle est votre prédiction pour Jérémie et la jeune femme?

Quels sont les défis de la vie contemporaine?

Internet et les réseaux sociaux chez les jeunes

À l'occasion d'un sondage* de mille jeunes, on a découvert que dix seulement n'étaient jamais allés sur Internet: ils avaient tous huit ans!

On compte aujourd'hui plus de 68% des familles qui ont au moins deux ordinateurs à la maison et la plupart des jeunes de plus de 11 ans se connectent seuls sur Internet; quant aux* jeunes de 15 ans, ils sont la moitié* à passer plus de trois heures en ligne par jour. Ils sont 75% à utiliser les messageries instantanées dont 90% au lycée et déjà 25% en école primaire. Quatre-vingt-onze pour cent des lycéens sont sur Facebook. Soixante pour cent des jeunes ont un profil sur Internet et 30% ont un blogue.

Près de la moitié des jeunes Français ont un ordinateur dans leur chambre.

Les élèves utilisent massivement le web pour leurs devoirs: c'est le lieu principal de recherche de l'information. Les activités préférées des jeunes sur Internet sont dans l'ordre: échanger, télécharger, jouer, s'informer, chercher, publier, acheter.

Les jeunes s'affranchissent* volontiers* des droits et des interdits*: pour la musique et la vidéo, avec la loi HADOPI contre le téléchargement illégal, ils ont recours désormais* au streaming, préféré au P2P.

Il existe une campagne de mise en garde* qui invite les jeunes à ne pas poster n'importe quoi* sur Internet et à ne pas publier la photo d'un ami, camarade, ou d'une connaissance sans son accord. Ils sont aussi conscients des risques sur Internet: 93% d'entre eux pensent que la prévention est importante.

 Search words: sondage ados internet, internet et les jeunes, internet et la musique, jeunes et médias numériques, jeunes réseaux sociaux, protéger son image sur le web

sondage *survey*; **quant aux** *as far as*; **moitié** *50%*; **s'affranchissent** *free themselves*; **volontiers** *readily*; **interdits** *restrictions*; **désormais** *from now on*; **mise en garde** *warning*; **n'importe quoi** *anything*

Produits Le site **"loisirs ados"** invite les ados à chatter gratuitement sur leurs vies.

Mots-clé **Réseau** vient de *rets* (1155), issu du latin *retis* pour désigner un filet. Réseau est le dérivé et le diminutif de *rets*. De petit filet, il devient filet (tissu formé de petites mailles) avant de prendre le sens abstrait de "ensemble de choses emprisonnant un individu." Utilisé en physiologie pour les nerfs, les vaisseaux au XVIIIème siècle, c'est au XIXème siècle que réseau prend le sens de "ensemble de personnes qui ont des liens entre elles."

Complétez les activités suivantes.

1. Comparez votre rapport à Internet à celui des jeunes adolescents français.
2. Regardez l'ordre des activités des jeunes; faites une enquête dans la classe et comparez.
3. Faites une liste de vos activités préférées sur Internet dans l'ordre.
4. Écrivez une histoire avec une morale: la prévention sur Internet est importante. Ou bien, écrivez une liste des choses à ne pas faire.
5. Si vous avez un ou une amie francophone sur un média comme Facebook, racontez à la classe comment se passe ce contact.
6. Faites un graphique qui montre le profil digital des jeunes français.

Les jeunes Français passent jusqu'à deux heures par jour sur Internet.

Perspectives

"Écrire un blogue est une sorte de thérapie, me permettant de mettre des mots sur les maux. C'est un ami qui me soulage, me fait espérer et rêver." Pour quelles raisons est-ce que ce jeune blogueur écrit un blogue?

Du côté des médias   ^{Pre} **AP**

Lisez la liste de ressources numériques (digital) ci-dessous.

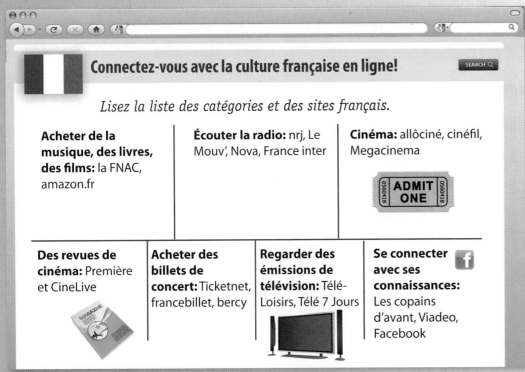

Connectez-vous avec la culture française en ligne!   SEARCH

Lisez la liste des catégories et des sites français.

Acheter de la musique, des livres, des films: la FNAC, amazon.fr	**Écouter la radio:** nrj, Le Mouv', Nova, France inter	**Cinéma:** allôciné, cinéfil, Megacinema

Des revues de cinéma: Première et CineLive	**Acheter des billets de concert:** Ticketnet, francebillet, bercy	**Regarder des émissions de télévision:** Télé-Loisirs, Télé 7 Jours	**Se connecter avec ses connaissances:** Les copains d'avant, Viadeo, Facebook

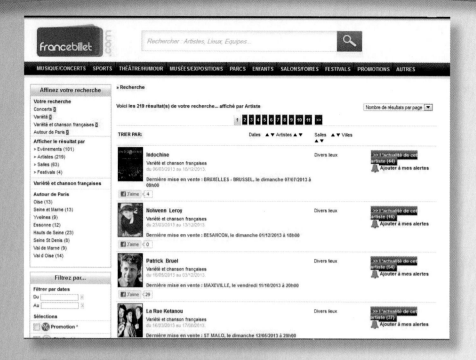

8 Sites Internet en France

Servez-vous des sites Internet mentionnés à la page 550 pour trouver:

- un CD en français que vous voudriez acheter
- un film en français que vous voudriez louer
- la chanson la plus populaire en France en ce moment
- un film américain qu'on passe en France cette semaine
- une revue d'un nouveau film français qui n'est pas un navet (*flop*)
- un concert auquel vous voudriez assister si vous étiez en France
- trois émissions de télé américaines à la télé en France actuellement
- quelques préférences d'un ado français tirées de (*pulled from*) son réseau social

9 Sites Internet

Consultez trois liens à la page 550 et présentez-les à la classe.

10 J'évalue les sites.

Dites quel site vous préférez dans chaque catégorie. Justifiez vos choix.

1. Première ou CineLive
2. allôciné ou cinéfil
3. la FNAC ou amazon.fr
4. Les copains d'avant, Viadeo, ou Facebook

5. nrj, Mouv', ou Nova
6. Ticketnet ou francebillet
7. Télé-Loisirs ou Télé 7 Jours

La culture sur place

Question centrale

?

Quels sont les défis de la vie contemporaine?

Les défis dans la Francophonie

Introduction et interrogations

Vous allez interviewer un(e) Francophone sur un sujet complexe et difficile:
les défis de la vie contemporaine.

En groupe, choisissez un sujet pour une interview. Ensuite, contactez un de vos correspondants francophones.

Les trois sujets possibles:

1. Ses expériences personnelles (ou les expériences d'un membre de sa famille) avec le bac. (S'il n'est pas français, vous pouvez poser des questions sur l'équivalent du bac dans son pays.)
2. Ses interactions avec la police et le crime dans son pays.
3. Son usage du chat et du forum sur Internet et les risques de l'internet dans son pays.

---

11 **Première Étape: Écrire des questions**

Avec votre partenaire, écrivez une liste de questions à poser à votre correspondant francophone. Posez des questions faciles et générales, mais aussi des questions plus spécifiques. Écrivez au moins dix questions.

---

12 **Deuxième Étape: Interviewer**

Complétez les activités suivantes:

1. Pendant l'interview, travaillez ensemble pour qu'une personne pose les questions et l'autre prenne des notes.
2. Après l'interview, résumez les réponses de votre ami(e) francophone dans une rédaction de 1-2 pages.
3. En classe, discutez avec les groupes qui ont choisi le même sujet que vous. Identifiez les points communs et les différences entre les interviews.

---

13 **Faire l'inventaire!**

Discutez des questions suivantes en classe après les interviews et les rédactions.

1. Est-ce que vos expériences se ressemblent?
2. Comment est-ce que la description des défis dans les interviews individuelles est différente des descriptions générales dans l'unité?
3. Est-ce que vous préférez étudier des généralisations ou baser vos recherches sur des expériences individuelles (anecdotes)?

Révision: Indefinite Adjectives

Marion Cotillard ne s'habille pas avec n'importe quelle robe.
Elle porte une robe Dior.

Indefinite adjectives are used to modify nouns in a non-specific sense. Like other adjectives, most indefinite adjectives agree in gender and in number with the nouns they describe. Here are some important indefinite adjectives to know; you have seen some of them before:

aucun(e)... ne (n')	not one, no
autre	other
certain(e)	certain
chaque	each, every
même	same
plusieurs	several
quelque	some
tout/tous/toute(s)	all, every

Nous avons eu l'idée de faire une vidéo avec **plusieurs** amis.	*We had the idea of making a video with several friends.*
Un **autre** ami n'aimait pas la vidéo.	*Our other friend didn't like the video.*

La plupart de means "most."

La plupart des ados français sont branchés.	*Most French teens are technologically savvy.*

Two additional indefinite adjectives are **n'importe quel/n'importe quelle** (*just any*) and **un tel/une telle** (*such a*).

Malik n'a pas mis **n'importe quel** jean.	*Malik didn't put on just any pair of jeans.*
Une **telle** chose n'arrivera jamais ici.	*Such a thing will never happen here.*

14 La journée de Maeva

Complétez la description de ce que fait Maeva régulièrement. Utilisez les indices donnés entre parenthèses.

Maeva a invité tous ses amis à la plage.

1. Maeva se lève... matin à 6h40. *(each)*
2. Pour le petit déjeuner, elle mange... tartines à la confiture. *(several)*
3. Elle va... les jours au club de fitness après les cours. *(every)*
4. Maeva achète toujours la... chose au supermarché: des yaourts, des pommes, du pain, du fromage. *(same)*
5. L'... jour, elle a rencontré Lucas au supermarché. *(other)*
6. Elle ne s'attendait pas à une...rencontre. *(such)*
7. Et, maintenant,... du temps, elle dîne avec Lucas. *(most)*

15 Des problèmes de maths: Solutions imprécises

Lisez chaque problème. Répondez à la question avec une phrase qui contient un mot ou une expression de la liste.

| plusieurs | aucun(e)... ne (n') | tout | autre | même |

MODÈLE Sophie et Max veulent acheter des poupées pour leur cousines. Ils ont 30€ et chaque poupée coûte 6€. Combien de poupées est-ce qu'ils achètent?
Ils achètent plusieurs poupées.

1. Laure veut inviter des copains à sa fête d'anniversaire. Ses parents lui disent qu'elle peut inviter cinq copains et cinq copines. Dans sa bande, il y a Michèle, Noah, Luc, Chantal, Céline, Anne, Dikembe, Martin, Lise, et Pierre. Combien de ses copains pourront venir? Combien de ses copines?
2. Pour gagner une médaille au marathon, il faut courir et finir en moins de cinq minutes par kilomètre. Claude a fait deux kilomètres en 12 minutes. Djamel a couru un kilometre en sept minutes. Stéphanie a couru trois kilomètres en dix-huit minutes. Combien de ces athlètes gagnent une médaille?
3. Fatima a besoin de nouveaux vêtements. Elle a 100€. Le manteau à carreaux coûte 145€. Le pantalon à rayures coûte 25€. La liquette coûte 12€, et la jupe côte 37€. Est-ce que Fatima peut acheter des vêtements?
4. Vous trébuchez et votre ordinateur portable tombe. Maintenant cet ordinateur ne marche plus. Pour le faire réparer, vous devez payer 600€. Pour acheter un nouvel ordinateur, vous devez payer 498€. Qu'est-ce que vous faites? Gardez-vous le portable original?

16 Je n'ai jamais vu....

Dites que vous n'avez jamais vu une telle chose ou personne.

MODÈLE

Je n'ai jamais vu un tel chœur.

1.

2.

3.

4.

5.

6.

7.

Indefinite Pronouns

WB 8–10
Games

La plupart des vidéos de chats sur YouTube sont mignonnes.

Remember that a pronoun replaces a noun which has been mentioned before, or which is obvious in the context of the sentence. Therefore, indefinite pronouns refer to people or things without identifying them. Here are some important indefinite pronouns to know:

aucun(e)... ne (n')	*not one*
un(e) autre	*another*
la plupart	*most*
plusieurs	*several*
quelqu'un	*someone, somebody*
quelque chose	*something*
tous les deux	*both*

COMPARAISONS

What are the indefinite pronouns in this story?

Anna checked her social network to see if there were messages from her friends, but not one had responded to her last posting. She knew most were at the game, but several of them weren't going out tonight.

Tu as déjà mis une vidéo sur YouTube?
Oui, **plusieurs**.

Have you already put a video on YouTube?
Yes, several.

Tous les deux sont dans la vidéo.

Both are in the video.

To describe **quelqu'un** or **quelque chose**, use the adjective's masculine singular form preceded by **de**.

J'ai vu **quelqu'un de grand** derrière l'actrice dans cette vidéo.

I saw someone tall behind the actress in this video.

Il y avait **quelque chose d'épicé** dans ce plat!

There was something spicy in this dish!

Two other indefinite pronouns are **n'importe qui** (*anyone*) and **l'un(e)... l'autre** (*the one... the other*).

N'importe qui pourra voir votre vidéo sur Internet.

Anyone will be able to see your video on the Internet.

À leur mariage, ils étaient assis **l'un** près de **l'autre**.

At their wedding, they were seated near each other.

> **COMPARAISONS:** The English indefinite pronouns are "not one," "most," and "several."

17 Un hit sur YouTube

Complétez chaque phrase pour résumer l'histoire de la vidéo d'Élodie. Utilisez un mot ou une expression de la liste.

aucun(e)... ne (n')	un(e) autre	la plupart	plusieurs
quelqu'un	quelque chose	tous les trois	

1. Un garçon, son frère, et leur copain ont chanté au mariage du cousin d'Élodie. ... savaient chanter des gospels.
2. Ils portaient... d'orange ce soir-là.
3. ... des garçons ne portait un costume noir.
4. ... des invités ont aimé le show.
5. ... ados ont vu la vidéo qu'elle a filmé au mariage.
6. ... qui a regardé la vidéo 75 fois est une vraie groupie.
7. Est-ce qu'Élodie mettra... vidéo sur YouTube? Ça reste à voir!

Communiquez!

18 Des descriptions

Interpersonal Communication

*Avec un(e) partenaire, faites des remarques sur les personnes et les choses suivantes en utilisant **quelqu'un** ou **quelque chose** et un adjective convenable.*

> À mon avis, avoir un réseau social, c'est quelque chose de nécessaire.

MODÈLE Albert Einstein
A: **À mon avis, c'est quelqu'un d'intelligent.**
B: **Selon moi, c'est quelqu'un d'amusant.**

1. conduire sans mettre une ceinture de sécurité
2. Johnny Depp
3. être malade pendant les vacances
4. Heidi Klum
5. ton/ta meilleur(e) ami(e)
6. être diplômé(e)
7. le proviseur
8. se présenter pour une interview

19 On est branché!

Interpretive Communication

Écrivez les numéros 1–5 sur votre papier. Écoutez les phrases. Faites correspondre la phrase à une image.

A.

B.

C.

D.

E.

À vous la parole

Question centrale

?

Quels sont les défis de la vie contemporaine?

Communiquez !

20 Un sondage

Interpersonal/Presentational Communication

Avec quelques camarades de classe, créez un sondage sur l'utilisation de l'internet par les Américains de votre âge. Interviewez les ados des autres classes de français et recueillez les réponses. Finalement, publiez vos recherches en ligne pour que d'autres Francophones puissent lire vos résultats concernant les ados américains.

Communiquez !

21 Nos blogues

Presentational Communication

Comme vous savez, il y a beaucoup de jeunes bloggeurs français. Avec vos camarades de classe, faites une liste de blogues qui intéresseraient les jeunes. Puis, formez des groupes pour chaque sujet de blogue et préparez une page d'accueil pour le blogue de votre groupe. À tour de rôle, écrivez un article pour votre blogue et demandez à des jeunes Francophones d'apporter leurs commentaires.

22 Interview

Regardez le sondage sur les "accros" (amoureux) des réseaux sociaux. Posez des questions à vos camarades pour trouver les pourcentages qui représentent les jeunes de votre classe ou de votre école.

Chiffres clés sur les utilisateurs accros

65 % pratiquent une activité sportive ou de loisirs

78 % annoncent plus de 200 amis

47 % dépassent les limites

70 % n'envisagent pas leur vie sans les RS

Lecture thématique

Les Misérables

Rencontre avec l'auteur

Victor Hugo (1802–1885) est poète, romancier, dramaturge, et dessinateur. Quand il meurt (*dies*), le pays lui rend hommage (*honors*) en organisant des funérailles nationales. Vous allez lire un extrait des *Misérables*, l'histoire de Jean Valjean, un ancien galérien (*forced labor prisoner*) qui a été emprisonné pour avoir volé du pain pour nourrir sa famille affamée (*starving*). La scène se passe en 1815. Juste après avoir été libéré, il se rend dans la ville de Digne où il reçoit l'hospitalité de l'évêque (*bishop*), monseigneur Myriel, qui l'accueille chez lui, lui donne à manger et un lit. Mais durant la nuit, Jean Valjean part en emportant les couverts en argent. Dans cet extrait, comment la scène se rapproche-t-elle (*approaches*) d'une scène de pièce de théâtre?

Pré-lecture

Est-ce que vous avez pardonné à quelqu'un? Était-ce facile ou difficile?

Stratégie de lecture

Characterization

La caractérisation d'un personnage de roman est la description des attributs physiques et moraux de ce dernier. Elle peut être indirecte, c'est-à-dire que l'auteur permet au lecteur de projeter un jugement subjectif sur un personnage, à travers ses paroles, ses pensées, ses gestes, et ses actions, ou de ce qui est dit de lui. La caractérisation directe est pour ainsi dire une image complète du personnage; le lecteur ne doit rien deviner.

Pour analyser le caractère de monseigneur Myriel, faites une grille comme celle de dessous. Pour chaque adjectif, choisissez le numéro qui exprime (*expresses*) le caractère de l'évêque ("5" indique qu'il montre le maximum de cette qualité). Mettez un X dans l'espace blanc approprié. Puis écrivez deux phrases avec chaque adjectif. Dans la première, faites une généralisation fondée sur la grille sur son caractère. Dans la deuxième, défendez votre généralisation avec un exemple du roman. À la fin de votre paragraphe, identifiez le type de caractérisation utilisé par Hugo.

	1	2	3	4	5
généreux					
aimable					
religieux					
matérialiste					
rusé					

Outils de lecture

Le passé simple

Le passé simple est un temps littéraire, utilisé dans l'œuvre de Victor Hugo. Il est important de pouvoir reconnaître les verbes conjugués à ce temps. Les verbes réguliers qui se terminent en **–er** ont les terminaisons suivantes: (**frapper**, *to knock*) **je frappai, tu frappas, il/elle/on frappa, nous frappâmes, vous frappâtes, ils/elles frappèrent.** Les verbes réguliers qui se terminent en **–ir** ont les terminaisons suivantes: (**accomplir**, *to accomplish*) **j'accomplis, tu accomplis, il/elle/on accomplit, nous accomplîmes, vous accomplîtes, ils/elles accomplirent.** Les verbes réguliers qui se terminent en **–re** ont ces terminaisons: (**répondre**, *to respond*) **je répondis, tu répondis, il/elle/on répondit, nous répondîmes, vous répondîtes, ils/elles répondirent.** Voici quelques verbes irréguliers au passé simple: (**avoir**) **il eut/ils eurent**; (**être**) **il fut/ils furent**; (**faire**) **il fit/ils firent.**

Jean Valjean, épisode des chandeliers. Anonyme. Édition des d'Eugène Hugues. Circa 1880.

Le lendemain, monseigneur Myriel déjeunait à cette même table où Jean Valjean s'était assis la veille*. Tout en déjeunant, monseigneur Bienvenu faisait gaîment remarquer à sa sœur qui ne disait rien et à madame Magloire qui grommelait* sourdement qu'il n'est nullement besoin d'une cuiller ni d'une fourchette, même en bois, pour tremper* un morceau de pain dans une tasse de lait.

—Aussi a-t-on ideé! disait madame Magloire toute seule en allant et venant, recevoir un homme comme cela! et le loger à côté de soi! et quel bonheur encore qu'il n'ait fait que voler! Ah mon Dieu! cela fait frémir* quand on songe*!

Comme le frère et la sœur allaient se lever de table, on frappa à la porte.

—Entrez, dit l'évêque.

La porte s'ouvrit. Un groupe étrange et violent apparut sur le seuil*. Trois hommes en tenaient un quatrième au collet*. Les trois hommes étaient des gendarmes; l'autre était Jean Valjean.

Un brigadier de gendarmerie, qui semblait conduire le groupe, était près de la porte. Il entra et s'avança vers l'évêque en faisant le salut militaire.

—Monseigneur...dit-il.

À ce mot Jean Valjean, qui était morne* et semblait abattu*, releva la tête d'un air stupéfait.

—Monseigneur! murmura-t-il. Ce n'est donc pas le curé*?

> **Pendant la lecture**
> 1. Que font l'évêque et sa sœur le lendemain (après le départ de Jean Valjean)?

> **Pendant la lecture**
> 2. Qui pense que monseigneur Myriel n'aurait pas dû accueillir Valjean?

> **Pendant la lecture**
> 3. Qui est à la porte?

> **Pendant la lecture**
> 4. Comment se sent Jean Valjean quand il revoit monseigneur Myriel?

> **Pendant la lecture**
> 5. Monseigneur Myriel est-il fâché avec Jean Valjean? A-t-il une bonne raison d'être fâché avec lui?

la veille le soir d'avant; **grommelait** *muttered*; **tremper** *to dunk*; **frémir** *to shudder*; **quand on songe** quand on y réfléchit; **seuil** *threshold*; **en tenaient un quatrième au collet** *had a fourth (man) by the neck*; **morne** *glum*; **abbattu** *shattered*; **curé** *priest*

—Silence! dit un gendarme. C'est monseigneur l'évêque.

Cependant monseigneur Bienvenu s'était approché aussi vivement* que son grand âge le lui permettait.

—Ah! vous voilà! s'écria-t-il en regardant Jean Valjean. Je suis aise de vous voir. Et bien mais! je vous avais donné les chandeliers* aussi, qui sont en argent comme le reste et dont vous pourrez bien avoir deux cents francs. Pourquoi ne les avez-vous pas emportés avec vos couverts?

Pendant la lecture
6. Qu'est-ce que l'évêque donne en plus à Valjean?

Jean Valjean ouvrit les yeux et regarda le vénérable évêque avec une expression qu'aucune langue humaine ne pourrait rendre.

—Monseigneur, dit le brigadier de gendarmerie, ce que cet homme disait était donc vrai? Nous l'avons rencontré. Il allait comme quelqu'un qui s'en va. Nous l'avons arrêté pour voir. Il avait cette argenterie*....

—Et il vous a dit, interrompit l'évêque en souriant, qu'elle lui avait été donnée par un vieux bonhomme de prêtre chez lequel il avait passé la nuit? Je vois la chose. Et vous l'avez ramené* ici? C'est une méprise*.

—Comme cela, reprit le brigadier, nous pouvons le laisser aller?

—Sans doute, répondit l'évêque.

Les gendarmes lâchèrent Jean Valjean qui recula*....

Puis se tournant vers la gendarmerie *[l'évêque dit]*:

—Messieurs, vous pouvez vous retirer*.

Les gendarmes s'éloignèrent*.

Jean Valjean était comme un homme qui va s'évanouir*.

L'évêque s'approcha de lui, et lui dit à voix basse:

—N'oubliez pas, n'oubliez jamais que vous m'avez promis d'employer cet argent à devenir honnête* homme.

Pendant la lecture
7. Qu'est-ce que monseigneur Myriel veut que Valjean devienne?

Jean Valjean, qui n'avait aucun souvenir d'avoir rien promis, resta interdit. L'évêque avait appuyé sur ces paroles en les prononçant. Il reprit avec une sorte de solennité:

—Jean Valjean, mon frère vous n'appartenez* plus au mal, mais au bien. C'est votre âme* que je vous achète; je la retire aux pensées noires et à l'esprit de perdition, et je la donne à Dieu.

Pendant la lecture
8. Pourquoi l'évêque est-il si généreux?

---

vivement énergiquement; **chandeliers** *candlesticks*; **argenterie** objets en argent; **ramené** *brought*; **méprise** erreur; **recula** *withdrew*; **retirer** partir; **s'éloignèrent** *moved away*; **s'évanouir** *to faint*; **honnête** *honest*; **appartenez** *belong*; **âme** *soul*

Post-lecture

Pensez-vous que monseigneur Myriel change la vie de Jean Valjean par son acte de générosité? De quelle façon?

Le monde visuel

On a assisté une hausse dramatique des illustrations des livres au 19ème siècle, dûe à l'arrivée de la lithographie et à l'impression offset. La popularité des livres et des histoires ont augmenté avec la sérialisation des magazines populaires et des ouvrages périodiques. La scène à la page 561 a été créée par un graveur sur bois anonyme. Avant 1860, les graveurs sur bois devaient couper le bois et peindre ou dessiner directement sur la surface taillée (*smooth*). Vous remarquez que plusieurs lignes parallèles se croisent à un angle afin de créer des tons contrastés. Qualifieriez-vous cette illustration du livre de classique, réaliste, ou impressionniste? Quels sont les deux personnages qui sont au point focal de l'image? Qu'est-ce que la porte ouverte pourrait symboliser pour Jean Valjean?

Activités d'expansion

Complétez les activités suivantes.

1. Écrivez un paragraphe dans lequel vous décrivez monseigneur Myriel et commentez la création de ce personnage par Victor Hugo. Servez-vous des détails de votre organigramme.
2. Lisez un résumé de la comédie musicale. Finalement, écrivez un paragraphe qui explique votre prédiction dans la question de Post-lecture et si vous aviez raison et de quelle manière.

 Search words: les misérables résumé

3. Transformé(e) par la générosité de monseigneur Myriel, vous voulez offrir un don à une fondation. Avec votre partenaire, recherchez des fondations francophones et faites votre choix. Faites une présentation à la classe dans laquelle vous:

   - expliquez le but de votre fondation
   - expliquez comment votre fondation aide les autres, peut-être avec un exemple
   - expliquez pourquoi le travail de cette fondation est important pour vous personnellement

 Search words: fondation brigitte bardot, médecins sans frontières, fondation 30 millions d'amis, fondation abbé pierre, fondation pour l'enfance, fondation groupama, fondation greffe de vie, fondation claude pompidou, fondation d'auteuil, fondation nicolas hulot

Projets finaux

A — Connexions par Internet: Planification de carrière

Identifiez vos qualités

Pour choisir une profession, un métier, ou une spécialisation universitaire après le bac, il faut que vous déterminiez vos aspirations et vos ambitions. Mais votre personnalité et vos habitudes jouent aussi un rôle majeur dans votre décision. Passez le test ci-dessous. Il va indiquer l'environnement professionnel dont vous aurez besoin. Après avoir passé ce test, trouvé sur Internet, faites une liste de cinq professions ou métiers qui correspondent à vos aspirations.

1. Au dernier moment ❏ ou Ponctuel ❏
2. Curieux ❏ ou Ordonné ❏
3. Aime l'improvisation ❏ ou Suit les règles ❏
4. Pas organisé ❏ ou Organisé ❏
5. Flexible ❏ ou Structuré ❏
6. Change de point de vue ❏ ou Décisif ❏
7. Aime découvre ❏ ou Aime produire ❏
8. Aime les changements ❏ ou Résiste les changements ❏

Résultats:

Si vous avez sélectionné la plupart de vos réponses dans la liste de droite, vous préféreriez un environnement traditionnel, peut-être hiérarchique, où la production et les résultats sont importants et où vous serez apprécié pour votre diligence, formation, et expérience. Si vous avez sélectionné la plupart de vos réponses dans la liste de gauche, vous préféreriez travailler dans une compagnie qui suit un nouveau modèle, par exemple, une coopérative; ce genre de compagnie apprécierait votre esprit de camaraderie, votre désir d'évoluer et de proposer de nouvelles idées.

B — Communautés en ligne

Aide aux devoirs/Interpretive and Presentational Communication

Créez une liste de cinq tâches (*tasks*) ou questions que vous avez sur le français (la grammaire, le vocabulaire, l'expression orale, le discours, etc.) ou la littérature francophone (les thèmes, comment écrire une composition, etc.). Faites semblant (*pretend*) d'être un(e) élève en France. Cherchez de l'aide sur Internet pour trouver des réponses. Qu'est-ce que vous avez appris? D'après vous, qui a le plus de soutien pour faire ses devoirs: les élèves français ou les élèves américains? Discutez en classe.

 Search words: aide aux devoirs, sos devoirs, soutien scolaire

C Passez à l'action!

Agir contre le harcèlement à l'école/Presentational Communication

Il n'est pas légal de harceler *(to bully)* ni à l'école, ni au travail. Le gouvernement français a répondu au problème du harcèlement à l'école en créant un site web, "Agir contre le harcèlement à l'école." Allez sur ce site, puis regardez les vidéos qui y sont proposées. Ensuite, avec quelques camarades de classe, écrivez un scénario qui montre une situation de harcèlement à l'école et proposez une solution pour le combattre. Filmez votre scénario et montrez votre vidéo aux autres classes de français de votre école.

 Search words: film les claques, film les injures, film les rumeurs

Question centrale
?
Quels sont les défis de la vie contemporaine?

Question centrale
?
Quels sont les défis de la vie contemporaine?

D Faisons le point!

Leçon A **Rencontres culturelles:** Quel est un défi pour beaucoup de lycéens français? →	Beaucoup de jeunes Français doivent étudier dur pour passer le bac en terminale.
Leçon A **Points de départ: Le système scolaire français.** Quelle dépense du gouvernement français est la plus élevée? Comment cette dépense représente-t-elle un fardeau pour la nation? Quels sont les atouts d'un peuple bien scolarisé? →	
Leçon A **Points de départ: Perspectives.** Qu'est-ce qui empêche le succès de ce monsieur? Y a-t-il une solution pour lui? →	
Leçon A **Du côté des médias.** Qu'est-ce que les élèves qui ont du mal à apprendre l'anglais peuvent faire? Pourquoi est-il important d'être bilingue dans le monde contemporain? →	
Leçon B **Rencontres culturelles.** Qu'est-ce qui s'est passé au café? →	
Leçon B **Point de départ: La Sécurité publique.** Quelles sont les deux forces qui assurent la sécurité publique en France? →	

A Évaluation de compréhension auditive 🎧

Interpretive Communication
Récit d'un vol

Écoutez Marion décrire à un policier le vol auquel elle vient d'assister. Ensuite, dites **oui** *ou* **non** *si elle a aidé avec les catégories ci-dessous.*

1. Description physique
2. Description des cheveux
3. Description d'âge
4. Description psychologique
5. Description de vêtements
6. Description de caractère
7. Description d'actions
8. Description de bijoux

B Évaluation orale

Interpersonal Communication

Vous parlez avec un(e) ami(e). Dans votre conversation:

Demandez pourquoi votre ami(e) n'était pas aux cours d'histoire et d'anglais ce matin. Dites que vous avez pris beaucoup de notes, et que vous pouvez les lui passer.
→ Dites que vous avez séché les cours. Racontez ce qui s'est passé: Vous étiez dans le métro quand vous avez trébuché et votre tablette est tombée. Deux garçons l'ont prise.

Demandez comment étaient les deux garçons.
→ Décrivez les garçons: âge, taille, cheveux, yeux.

Demandez leur ethnie et ce qu'ils portaient.
→ Répondez avec une description.

Dites qu'il faut remplir une déclaration de vol.
→ Dites que vous êtes déjà allé(e) au commissariat de police. Dites que vous avez besoin de votre tablette pour le cours de maths.

Dites que vous pouvez lui prêter la vôtre dont vous n'avez pas besoin aujourd'hui.
→ Remerciez votre ami(e) et dites qu'il faut fixer un rendez-vous pour lui rendre la tablette.

Donnez l'heure et le lieu du rendez-vous.
→ Dites que vous verrez votre ami(e) plus tard.

C Évaluation culturelle

Vous allez comparer les cultures francophones à votre culture. Vous aurez peut-être besoin de faire des recherches sur la culture américaine.

1. **Le système éducatif en France**
   Dites comment les Français veulent reformer le système éducatif en France. Puis, parlez des réformes que vous et vos amis désirez voir dans le système éducatif américain.

2. **Le bac**
   Est-ce que le bac marche bien pour les jeunes Français? Citez les statistiques. Est-ce que vous devez passer un examen à la fin du lycée? Donnez des arguments pour et contre.

3. **La sécurité publique**
   Dites de quoi s'occupent la police nationale et la police municipale en France. Puis, faites une liste d'agences qui s'occupent de la sécurité fédérale et au niveau de l'état, de la ville, et de la nation en Amérique.

4. **Les chiffres de la délinquance**
   Comparez les chiffres de la délinquance en France et aux États-Unis et formez des généralisations qui expliquent les différences.

5. **Internet et les réseaux sociaux**
   De quelles façons les ados français sont-ils branchés? Que pensez-vous des sites Internet français? Est-ce une bonne façon d'améliorer votre français? Comment?

D Évaluation écrite

Imaginez que vous allez bientôt passer le bac. Parlez de vos sentiments et dites pourquoi vous les ressentez.

E Évaluation visuelle

Décrivez les cambrioleurs (burglers) et le crime. Répondez à ces questions: Où? Quand? Qui? Que?

F Évaluation compréhensive

Créez six illustrations cadrées qui montrent comment les jeunes se servent d'Internet et des produits numériques dans leur scolarisation ou dans leurs passe-temps. Si vous préférez, vous pouvez parler de votre expérience personnelle.

Vocabulaire de l'Unité 9

à: à carreaux plaid *B*; **à part** aside from *A*; **à pois** polka dots *B*; **à rayures** striped *B*

accablé(e) overwhelmed *C*

africain(e) African *B*

s' **apercevoir (de)** to notice *B*

s' **approcher** to come closer *B*

l' **argot (m.)** slang *B*

arriver to happen *A*

asiatique Asian *B*

attristé(e) sad *A*

auparavant before *A*

le **bac (baccalauréat)** exam taken to obtain high school diploma *A*

la **bagarre** fight *A*

blanc: le blanc des yeux eye to eye *B*

bosser to work *[inform.] A*

bouclé(e) wavy (hair) *B*

bref in short *C*

le **buzz** buzz *C*

chauve bald *B*

un **chemisier** blouse *B*

un **chœur** choir *C*

choqué(e) shocked *C*

une **cinquantaine: d'une cinquantaine d'années** in one's fifties *B*

les **commérages (m.)** gossip *A*

le **commissariat** police station *B*

complètement completely *C*

costaud(e) stocky *B*

court(e) short (hair) *B*

craquer to lose it *C*

se **déchaîner** to get wild *C*

une **déclaration de vol** report of a theft *B*

découragé(e) discouraged *A*

les **défis (m.)** challenges *A*

délavé(e) washed out *C*

s' **effondrer** to collapse *A*; **s'effondrer de fatigue** to collapse from exhaustion *A*

encouragé(e) encouraged *A*

les **ennuis (m.)** trouble *A*

face à faced with *A*

la **façon** in the manner of *B*

se **faire: se faire arrêter** to get arrested *A*; **se faire bousculer** to get knocked into *A*

fier, fière proud *A*

filmer to film *C*

flirter to flirt *B*

frisé(e) curly (hair) *B*

frustré(e) frustrated *C*

le **gospel** gospel *C*

la **grêle** hail *A*

un(e) **groupie** fan *C*

honteux, honteuse ashamed *A*

incapable incapable *A*

interviewer to interview *C*

un **lâcheur, une lâcheuse** flake *[inform.] A*

une **liquette** shirt *C*

maigre skinny *B*

méditerranéen(ne) Mediterranean *B*

mi-long, mi-longue shoulder-length (hair) *B*

mince thin *B*

musclé(e) muscular *B*

n'importe: n'importe quel, quelle just any *C*; **n'importe qui** anyone *C*

paniqué(e) panicky *A*

par: par la suite consequently *C*

photogénique photogenic *C*

la **plupart de** most *C*

la **priorité** priority *A*

une **quarantaine: d'une quarantaine d'années** in one's forties *B*

raide straight (hair) *B*

une **réaction** reaction *C*

un **récit** account *A*

remplir to fill out *B*

se **rendre compte (de)** to realize *B*

ressentir to feel *A*

se **retrouver (sur)** to appear (on) *C*

rien nothing *B*

scandinave Scandinavian *B*

sécher to skip class *A*

se **sentir** to feel *A*

seul(e) alone, lonely *C*

un **show** show *C*

surexcité(e) overexcited *C*

surveiller to keep an eye on *B*

le **talent** talent *C*

un **tel, une telle** such a *C*

tétanisé(e) paralyzed *A*

la **tête** look *B*; **pas la tête à** not the type to *B*

tourmenter to torment *A*

tout(e): tout d'un coup all of a sudden *B*

trébucher to stumble *A*

une **trentaine: d'une trentaine d'années** in one's thirties *B*

un **type** guy *B*

l' **un(e)… l'autre** the one… the other *C*

vêtu(e) de dressed in *B*

une **vingtaine: d'une vingtaine d'années** in one's twenties *B*

vintage vintage *B*

visible visible *B*

voler to steal *B*

un **voleur** thief *B*

Possessive Pronouns… see p. 535

10 La culture des affaires

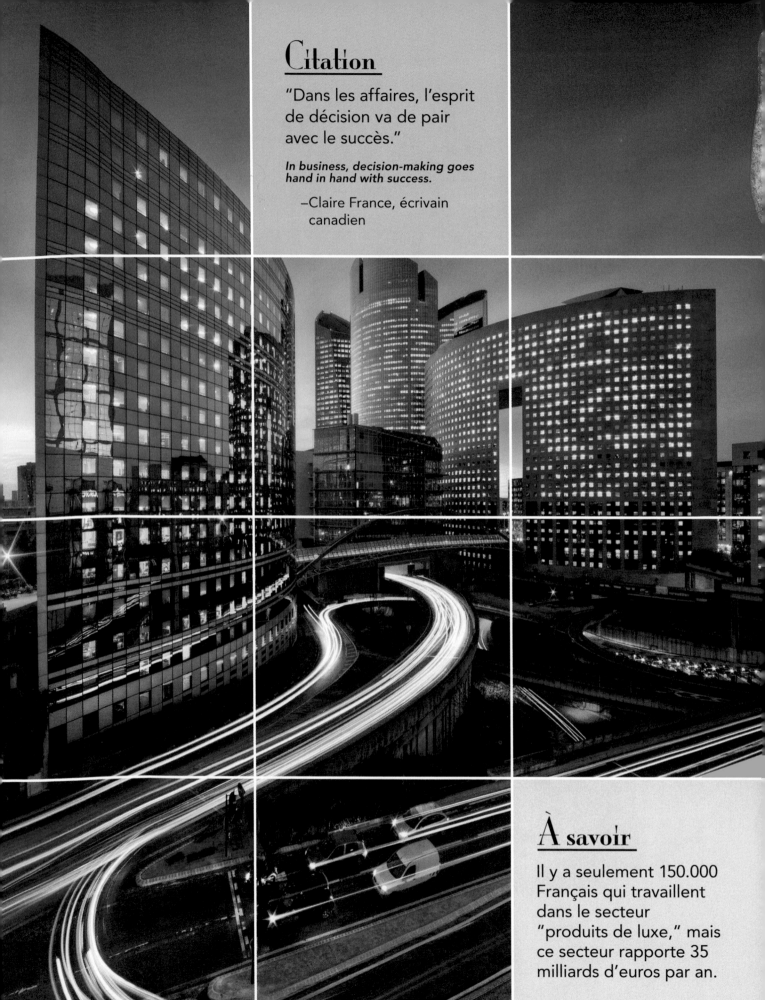

À savoir

Il y a seulement 150.000 Français qui travaillent dans le secteur "produits de luxe," mais ce secteur rapporte 35 milliards d'euros par an.

Unité 10

La culture des affaires

Question centrale

?

Qu'apprend-on de la culture d'un pays en étudiant son économie?

Quelle est la marque de ces bijoux?

Quel service est-ce que cette entreprise française offre?

Contrat de l'élève

Leçon A   I will be able to:

>> say where an item was made and express what I feared.

>> discuss globalization and French luxury exports.

Leçon B   I will be able to:

>> say that I want to get away and ask how long someone has been in a certain place.

>> discuss French trade competitiveness, French-U.S. trade, and manners in the French business environment.

Leçon C   I will be able to:

>> describe adaptability.

>> discuss French business organization and the history of marketing in France.

Vocabulaire actif

emcl.com
WB 1

Les produits et où ils sont fabriqués

Où les produits ont-ils été fabriqués?

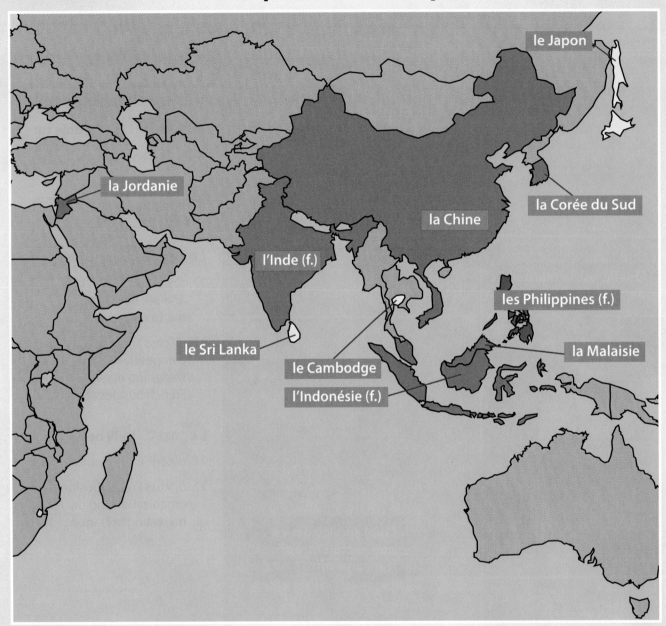

le Japon

la Jordanie

la Corée du Sud

la Chine

l'Inde (f.)

les Philippines (f.)

le Sri Lanka

le Cambodge

la Malaisie

l'Indonésie (f.)

Un produit fabriqué....	
en	Chine, Indonésie, Inde, Jordanie, Corée du Sud, Malaisie
au	Cambodge, Canada, Mexique, Sri Lanka, Japon, Honduras
aux	Philippines, États-Unis

Les grandes marques des produits de luxe

LES PRODUITS DE LUXE	 Les parfums: pour femmes, pour hommes	 Les produits de beauté: crème pour la peau, mascara, etc	 La joaillerie: bracelets, colliers, bagues, etc
LES MARQUES:	Chanel, Lancôme, Givenchy, Dior, Guerlain	Roc, Clarins, Caudalie, L'Oréal	Cartier, Dior

LES PRODUITS DE LUXE	 Les montres	 La mode: la haute couture	 La maroquinerie: bagages, sacs à main
LES MARQUES:	Cartier, Dior, Hublot, Gucci	Dior, Cardin, Lacroix, Saint Laurent, Nina Ricci, Chanel, Jean-Paul Gaultier	Louis Vuitton, Lancel, Longchamp, Hermès

LES PRODUITS DE LUXE	 La faïence: vases, figurines, etc.	 Les produits alimentaires: le pâté de foie gras	 Le champagne
LES MARQUES:	Limoges, Sèvres	Montfort et Bizac	Moët et Chandon

 Mots-clé

Marque vient du normand *merc* (1119) apparenté à l'ancien norrois *merki* qui vient lui-même du germanique qui a donné "marcher," "marche". Le mot reste proche de son sens original de signe apposé sur un objet pour le rendre reconnaissable. C'est à partir de la moitié du XVIIème siècle qu'il s'applique à une pratique professionnelle. Cherchez ces expressions en ligne et expliquez ce qu'elles veulent dire:

C'est son image de marque.
Il a trouvé ses marques.

Pour la conversation 🎧

How do I say where an item was made?

> **Il a été fabriqué en** Malaisie.

It was made in Malaysia.

How do I express what I was afraid of?

> **C'est bien ce que je craignais.**

That's exactly what I was afraid of.

Et si je voulais dire…? 🎧

un bijou-fantaisie	*costume jewelry*
le caviar	*caviar*
une cravate en soie	*silk tie*
un joyau	*jewel*
un mouchoir brodé	*embroidered handkerchief*
de la cam, du toc [*inform.*]	*fake or imitation*

1 Céline fait le tour du monde.

Lisez le blogue de Céline.

 Salut, tout le monde! Où suis-je? Dans la capitale de France!

Quand mon oncle et m'a tante m'ont proposé un voyage autour du monde, comment aurais-je pu résister? Nous sommes passé à Paris. Ma tante m'a emmenée à plusieurs boutiques et elle m'a acheté un sac à main Louis Vuitton, une montre Hublot, du parfum Givenchy, et un collier de perles Cartier. On part pour l'Asie demain. On va d'abord en Chine, puis au Japon, et finalement aux Philippines. Après ça on va à Honduras et au Mexique avant de rentrer à Montréal. J'ai l'impression d'être une princesse, mais bientôt ma vie réelle de serveuse et étudiante recommencera.

1. Qu'est-ce que Céline est en train de faire?
2. Qui l'accompagne?
3. Où est-elle maintenant?
4. Elle ira dans quels pays d'Asie?
5. Où ira-t-elle en Amérique du Sud?
6. Céline connaît quelles marques françaises après avoir fait du shopping avec sa tante?
7. Quel métier Céline fait-elle pendant qu'elle fait ses études?

2 Le lieu de fabrication

Indiquez le pays de fabrication de chaque produit.

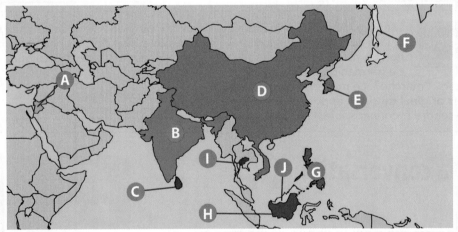

MODÈLE ce portable (**D.**)
Ce portable a été fabriqué en Chine.

1. cette stéréo (**F.**)
2. ces sandales (**G.**)
3. cet ensemble (**J.**)
4. cette voiture (**E.**)
5. ce sac à main (**A.**)
6. cette veste (**C.**)
7. ce thé (**H.**)
8. ce collier en or (**B.**)
9. ce bracelet (**I.**)

3 Fabriqué en France

Dites à quelle marque vous associez chaque produit français de luxe. Choisissez une marque de la liste.

Louis Vuitton	Clarins	Moët et Chandon	Hublot	Roc
Saint Laurent	Cartier	Lancôme	Limoges	Montfort et Bizac

MODÈLE   le maquillage
J'associe le maquillage à la marque Clarins.

1. la crème pour la peau
2. les montres
3. la haute couture
4. la maroquinerie
5. le champagne
6. la faïence
7. le parfum
8. le pâté de foie gras
9. la joaillerie

On associe ce parfum à Christian Dior.

4 Fabriqué au Maroc

Interpretive Communication

*Écrivez les numéros 1–8. Écoutez David et sa maman discuter des produits qu'ils achètent au Maroc. Ensuite, dites si les phrases que vous entendez sont vraies (**V**) ou fausses (**F**).*

5 Les produits de luxe

Interpretive Communication

Écrivez les numéros 1–8 sur votre papier. Écoutez Rachida et Caroline discuter de l'industrie de luxe française. Ensuite, écrivez une réponse brève pour chaque question que vous entendez.

6 Questions personnelles

Répondez aux questions.

1. Quelle marque préfères-tu pour ces produits: montres, produits de beauté, maroquinerie, mode, produits électroniques?
2. Où voudrais-tu voyager en Asie?
3. Es-tu jamais allé(e) au Mexique? Si oui, où? Pour combien de temps?
4. Est-ce que tu mets du parfum avant de sortir le weekend? Si oui, quel parfum préfères-tu?
5. Où est-ce que ta montre a été fabriquée?

Moi j'aime beaucoup les produits de Nina Ricci.

Rencontres culturelles

Un cadeau typiquement français

Élodie fait du shopping avec son amie Coralie.

Coralie: Tu ne vas pas offrir ça à ta correspondante américaine! Tu as regardé, ce n'est même pas du "made in France." Il a été fabriqué en Malaisie.

Élodie: Tu as raison. Il faut que je lui trouve quelque chose de typiquement français!

Coralie: Tu as quand même le choix entre un parfum, des produits de beauté, un bijou....

Élodie: Tu peux ajouter aussi les produits alimentaires, la mode, et la maroquinerie, et on aura fait le tour!

Coralie: Finalement, tu as l'embarras du choix.

Élodie: C'est bien ce que je craignais... mais tu connais les prix de tous ces produits de luxe?

Coralie: Tu veux dire que tu crois que Chanel, Cartier, Dior, Gaultier, Vuitton, Hermès... c'est au-dessus de nos moyens?

Élodie: Je ne crois pas, j'en suis sûre! En tout cas, moi, je n'ai pas les moyens de lui acheter ça.

Coralie: Reste l'imagination: moins convenu, moins marqué, et plus original.

Élodie: Je crois que j'ai trouvé.... Viens, on y va!

Coralie: Où?

Élodie: Tu verras... pourquoi pas un joli foulard en soie fabriqué ici?

---

7 Un cadeau typiquement français

Complétez les phrases avec un mot ou une expression.

1. Élodie a du mal à trouver un cadeau "made in France" pour....
2. D'abord, elle considère quelque chose... Malaisie.
3. Elle prend la décision d'acheter quelque chose de... français.
4. Les produits français sont dans ces catégories: ....
5. Finalement, elle va envoyer... à sa correspondante américaine.

La mondialisation à l'hypermarché

Un couple qui a pris la retraite cherche un produit qu'ils aiment à l'hypermarché.

Lui: Je ne trouve pas.

Elle: Mais il y en avait encore le mois dernier....

Lui: Mais tu vois bien il n'y a plus que des marques alimentaires que l'on ne connaît pas: ça vient d'où ça?

Elle: De Chine, d'Indonésie, de Malaisie....

Lui: Quand ils comprendront que ce n'est pas dix centimes qui feront la différence et que ce que l'on veut d'abord, c'est savoir d'où viennent les produits, surtout l'alimentaire.

Elle: Avec tout ce qu'on lit ou qu'on entend sur l'absence de contrôles, les produits frelatés reconditionnés, les conditions sanitaires pas toujours respectées, les mélanges douteux....

Lui: Ah! Elles sont là!

Elle: Comme d'habitude, ils les ont encore changées de place pour nous faire acheter autre chose.

Lui: J'en prends cinq boîtes d'un coup, comme ça on est sûr d'en avoir.

Elle: Ou moins on ne manquera pas de bonnes salades!

Lui: Y'en a marre de ces magasins où l'on passe plus de temps à chercher qu'à trouver!

Elle: Comme si on n'avait que ça à faire!

Extension De quoi est-ce que le couple de retraités se plaint? Pouvez-vous deviner ce qu'ils achètent?

Qu'apprend-on de la culture d'un pays en étudiant son économie?

La France et la mondialisation

La France a-t-elle peur de la mondialisation ou la France profite-t-elle de la mondialisation? La presse anglo-saxonne hésite toujours entre ces deux analyses. Si l'on se réfère aux* sondages*, on pourrait affirmer que les Français ont peur de la mondialisation: ils sont près des deux tiers (60%) à la considérer comme une menace* et seulement un tiers (30%) à la considérer comme une chance.

Ce qui fait peur dans la mondialisation, ce sont les déséquilibres*: dérégulation du commerce mondial; déséquilibres des échanges* commerciaux; délocalisation de l'industrie; crises de l'industrie financière spéculative qui menacent l'économie réelle; menaces agro-alimentaires avec les différentes épidémies*; menaces environnementales; menaces sur les cultures nationales.

Mais si l'on regarde la réussite* économique, on peut dire que la France profite de la mondialisation; elle reste la cinquième puissance mondiale, et elle est le sixième pays exportateur du monde. L'économie française est le cinquième exportateur mondial de biens* (principalement des biens d'équipement), le quatrième pour les services, et le troisième pour les produits agricoles et agroalimentaires (premier producteur et exportateur agricole européen).

Les compagnies françaises profitent de la mondialisation.

 Search words: mondialisation france, globalisation France

Si l'on se réfère aux *If one refers to;* **sondages** *surveys;* **menace** *threat;* **déséquilibres** *items with inequalities;* **échanges** *trade;* **épidémies** *epidemics;* **réussite** *achievement, success;* **biens** *goods*

COMPARAISONS

Quels produits fabriqués à l'étranger est-ce que votre famille achète?

Produits

Louis Vuitton (1821–1892) a fondé une maison française de maroquinerie en 1854. Au XIXème siècle ses malles (*trunks*) étaient populaires pour les voyages transatlantiques en bateau. En 1998 **la marque Louis Vuitton** entre dans le prêt-à-porter: sacs à main, sandales, foulards de soie, etc. Les produits Louis Vuitton sont connus pour la toile (*fabric*) "Monogramme LV." Cherchez ce produit en ligne.

L'Industrie du luxe

La France a 40% du marché mondial pour les produits de luxe.
L'Oréal exporte les produits cosmétiques. LVMH est connu pour 60
marques prestigieuses. PPR est lié à* la mode et les bijoux, parmi
autres produits. Ces compagnies contrôlent des marques comme
Vuitton, Hennessy, Moët et Chandon, Dior, Donna Karan, Tag Heuer,
Bulgari, Gucci, Yves Saint-Laurent, Bottega Veneta. Elles représentent
aussi beaucoup d'euros, 60 milliards* pour ces trois majors. Elles
se distinguent* aussi par des flagships spectaculaires sur les plus
grandes avenues du monde qui sont devenues de véritables usines
à rêve. Et des stars (Charlize Theron, Marion Cotillard, Jude Law)
prêtent leur image pour promouvoir* ces grandes marques. Si les États-Unis restent le premier
marché pour ces produits du luxe, la Chine arrive au quatrième rang* avec 13 milliards d'euros
de chiffre d'affaire, 550 boutiques pour les grandes marques, et une croissance* de 20 à 30%.

Créée en 1847, la joaillerie Cartier
fait des bijoux de luxe.

 Search words: dior parfum pub, dior homme sport jude law

liés à *tied to;* **milliards** *billions;* **se distinguent** *stand out;*
promouvoir *to promote;* **rang** *rank;* **croissance** *growth*

COMPARAISONS

Quelles sont les marques
américaines qui sont exportées
à l'étranger?

8 | Activités culturelles

Faites les activités suivantes.

1. Faites une liste des peurs des Français attachées à la
   mondialisation.
2. Faites un graphique qui montre les pays qui représentent la
   cinquième puissance mondiale à la première puissance mondiale.
3. Indiquez les produits qui sont liés à ces marques: Hennessy,
   Donna Karan, Bulgari, Bottega Veneta.
4. Liez un produit de luxe à chacune de ces vedettes: Charlize
   Theron, Marion Cotillard, Jude Law, Sharon Stone. Regardez
   leurs clips en ligne. Expliquez le marketing de ces produits.
5. Trouvez cinq produits de luxe que vous voudriez acheter.
   Imprimez des photos de ces produits.
6. Faites des recherches pour trouver des produits de luxe dans
   votre état ou région. Écrivez une liste.

L'actrice Michelle Monaghan porte
une robe Chanel.

Perspectives

L'écrivain québécois Marc Vachon a dit sur son blogue "Oser changer": "Sous l'effet de la
mondialisation, dans la plupart des pays industrialisés, on note une augmentation du Produit
intérieur brut (PIB) mais aussi une diminution du Bonheur intérieur brut (BIB)." (PIB = *GNP* en
anglais.) Êtes-vous pour ou contre cet argument? Pourquoi?

Du côté des médias
Interpretive Communication

Regardez les logos des boutiques du centre commercial Les quatre temps, situé à La Défense, à Paris.

---

9 **Les marques**

Faites les activités suivantes.

1. Faites une liste des marques françaises que vous connaissez.
2. Indiquez les domaines qu'elles couvrent (*cover*).
3. Tirez (*Draw*) des conclusions.

À vous la parole

Communiquez!

Question centrale

Qu'apprend-on de la culture d'un pays en étudiant son économie?

10 Un cadeau américain

Interpersonal Communication

Avec un partenaire, jouez les rôles d'un(e) élève américain(e) qui va passer l'été chez une famille française et son prof de français. L'élève voudrait offrir un cadeau typique des États-Unis à cette famille. Il/Elle propose des idées des produits fabriqués en Amérique et demande au prof si chacun sera une bonne idée pour une famille française. Le prof demande à l'élève ce qu'il sait de la famille française... où elle habite, les intérêts et les passe-temps de la famille. Ensemble, ils choisissent un bon cadeau fabriqué aux États-Unis pour la famille française.

Communiquez!

11 Un débat sur la mondialisation

Interpersonal Communication

Choisissez l'un de ces points de vue suivants: A. la mondialisation est bonne pour le consommateur ou l'économie; B. la mondialisation n'est pas bonne pour le consommateur ou l'économie. Révisez le vocabulaire du débat dans l'Unité 8, Leçon C. Finalement, trouvez quelqu'un qui a une opinion opposée à la vôtre et participez à un débat devant la classe.

Communiquez!

12 Produits pour lesquels les États-Unis sont connus

Interpretive/Presentational Communication

Recherchez les produits pour lesquels les États-Unis sont connus dans le monde. Préparez une table qui comprend les catégories, les types de produits, et les marques américaines, basée sur le modèle français à la page 573.

Prononciation 🎧

Liaisons in Standard French

- In the first- and second-person singular, liaison is avoided with **être** in standard French. In the third-person singular and plural, liaison is observed in standard French. More and more, French people are not making liaison with **euros** in standard French.

A Style standard et familier

Répétez les phrases, d'abord au style standard, puis au style familier.

Standard	**Familier**
1. Je suis‿en vacances.	Je suis‿en vacances.
2. Tu es‿allé en‿Allemagne?	Tu es‿allé en‿Allemagne?
3. On‿est‿en‿Angleterre.	On‿est‿en‿Angleterre.
4. Ils sont‿aux‿États‿-Unis.	Ils sont‿aux‿États‿-Unis.
5. Vingt‿euros?	Oui, ça coûte vingt euros.
6. Cent‿euros?	J'ai perdu cent euros.

B Je réponds affirmativement.

Écoutez les questions et répondez-y affirmativement en utilisant le français standard.

1. Où es-tu? (en vacances)
2. Où sont-ils? (aux États-Unis)
3. Ça coûte combien? (vingt euros)

Pronouncing –e After a Consonant

- The consonant at the end of some verbs is not pronounced, except in the plural. For example: **Elle part.** *but* **Elles part**ent.

C Transformez au pluriel!

Vous allez entendre le verbe au singulier. Changez la phrase au pluriel.

1. Il sort à 18h00.	Ils sort**ent** à 18h00.
2. Il perd les bagages.	Ils per**d**ent les bagages.
3. Elle met du parfum.	Elles met**t**ent du parfum.

D C'est singulier ou pluriel?

*Écoutez la phrase. Écrivez **S** si le pronom et le verbe sont au singulier, ou **P** s'ils sont au pluriel.*

Leçon B

Vocabulaire actif

emcl.com
WB 1–3
LA 1–2
Games

Les compagnies françaises

Les types de compagnies françaises

www.franceentreprise.fr

GUIDE ÉCONOME

une entreprise compagnie créé par des individus

une PME (Petite et Moyenne Entreprise) entreprise de 20 à 250 employés

une société compagnie créé par des groupes commerciaux

une SA (Société Anonyme) société avec des actionnaires

SEARCH

Une compagnie française

Danone est **une compagnie multinationale** française. C'est une Société Anonyme (SA).

C'est **un leader** dans **la production de** produits laitiers frais.

Son siège social est à Paris.

Il y a plusieurs **filiales** Danone aux États-Unis; leur siège social se trouve à White Plains dans l'état de New York.

Pour la conversation

How do I ask if someone's been here a long time?

> **Ça fait longtemps que** vous êtes en France?
> *How long have you been in France?*

How do I say I wanted to get away?

> **Je voulais m'éloigner de** la capitale.
> *I wanted to get away from the capital.*

Et si je voulais dire...?

un cadre	*company executive*
le comité directeur	*board of directors*
une firme	*firm*
un groupe	*concern*
un patron	*boss*
une succursale	*branch*

1 Je vis aux États-Unis!

Lisez le mail que Catherine écrit à sa copine, puis répondez aux questions.

À	Gabrielle
Cc:	
Sujet:	Devine où je suis!

Salut, Gabrielle!

Me voici à White Plains dans l'état de New York. On vient de déménager de Paris parce que mon père a un nouveau poste chez Danone… tu sais, la compagnie qui produit notamment des yaourts. C'est à White Plains où se trouve le siège américain des activités produits laitiers frais du groupe, appelé Dannon. Je vais à une vraie high school américaine. Après, je vais me spécialiser en affaires à New York. J'aime l'idée de vivre dans une autre culture. Il faut absolument que tu viennes me rendre visite! On fera les touristes à New York!

J'attends ta réponse,
Catherine

1. Où habitait Catherine, et où habite-t-elle maintenant?
2. Pour quelle compagnie son père travaille-t-il?
3. Quel âge a Catherine? Comment le savez-vous?
4. Qu'est-ce qu'elle va faire après être diplômée?
5. Qui est-ce qu'elle invite à lui rendre visite?
6. Quand Gabrielle lui rendra visite, qu'est-ce que les filles feront?

2 Danone

Complétez les phrases logiquement.

Danone est une… multinationale française. Cette société fabrique des… comme le…. Le … de Danone est à Paris. Danone a plusieurs… aux États-Unis, mais la compagnie est centralisée en Amérique dans l'… de New York à White Plains.

La compagnie Danone se trouve boulevard Haussmann à Paris.

3 Les synonymes

Des jeunes diplômés parlent de leurs premiers postes. Remplacez les mots en italique par des mots de vocabulaire de la liste.

entreprise	SA	production	leader	m'éloigner	filiales

1. Benoît: Je travaille pour une *compagnie qui n'est pas très grande.* Nous sommes le *numéro un* des compagnies qui fabriquent les sacs de provisions.
2. Marie-Alix: Je cherchais un poste pour une compagnie qui a des *bureaux dans beaucoup de pays.* J'ai trouvé un poste chez Danone, le leader dans la *fabrication* de produits laitiers frais, à Paris.
3. Jean-Pierre: Je travaille pour une *grande compagnie* dans le secteur de l'informatique à Paris. Plus tard, j'aimerais *me mettre à une distance* de la capitale pour travailler aux États-Unis.

Communiquez!

4 Tu travailles pour qui?

Interpretive Communication

Écrivez les numéros 1–6 sur votre papier. Écoutez les personnes décrire où elles travaillent. Ensuite, choisissez la lettre qui correspond au lieu de travail.

A. un siège social
B. une filiale
C. une PME
D. une grande multinationale

Communiquez!

5 Je travaille chez GM.

Interpretive Communication

Écrivez les numéros 1–6 sur votre papier. Écoutez l'histoire et, ensuite, répondez aux questions que vous entendez.

6 Questions personnelles

Répondez aux questions.

1. Quelles sociétés y a-t-il dans ta région? Est-ce que tu aimerais y travailler? Pourquoi, ou pourquoi pas?
2. Quel est le siège social des grandes compagnies dans ta région?
3. As-tu déjà travaillé pour une compagnie? Si oui, c'était quelle sorte de compagnie—une PME, une société, ou une compagnie multinationale?
4. Ça fait longtemps que tu choisis des grandes marques pour tes vêtements?
5. Quand ta famille veut s'éloigner de votre ville, où allez-vous?

Je travaille pour l'entreprise Altran Technologies.

Rencontres culturelles

Un Américain à Paris

Léo et Justin font la connaissance d'un jeune homme d'affaires au café.

Dennis: C'est donc une interview pour votre cours de marketing à l'université?

Léo: Oui, c'est ça. Je dois interviewer quelqu'un qui travaille pour une compagnie multinationale. Mon copain est auditeur libre et suit le même cours que moi.... Ça fait longtemps que vous êtes en France?

Dennis: Tu peux me tutoyer... ça fait deux ans.

Léo: Bravo pour l'accent!

Dennis: Ce n'est pas trop difficile... travailler tous les jours en français avec des Français, ça aide....

Justin: Tu travailles pour quelle compagnie?

Dennis: Un groupe agroalimentaire qui est le leader mondial dans la production de produits laitiers frais.

Léo: Laisse-moi deviner. C'est Danone?

Dennis: Oui, c'est ça.

Justin: C'est où, le siège social?

Dennis: À Paris, dans le 9ème arrondissement. Mais, ce weekend je voulais m'éloigner de la capitale et trouver du soleil.

Justin: Quelles sont tes responsabilités?

Dennis: Je travaille pour le département de marketing. Plus précisément, sur des stratégies pour lancer nos produits dans des pays anglophones.

Justin: Tu peux parler un peu de ta formation?

Dennis: Après mon B.A., j'ai fait ma maîtrise à Thunderbird en Arizona où je me suis spécialisé en gestion et en français. L'université m'a trouvé un stage à Danone, et le hasard a fait le reste.

---

7 Un Américain à Paris

*Indiquez si la phrase est vraie (**V**) ou fausse (**F**). Corrigez les phrases qui sont fausses.*

1. Il faut que Justin et Léo interviewent quelqu'un qui travaille pour une filiale américaine en France.
2. Justin et Léo suivent un cours de littérature à l'université.
3. Danone fabrique des produits chimiques.
4. Le siège social de Danone se trouve à Nice.
5. Dennis fait des stratégies pour lancer les produits de Danone dans des pays anglophones.
6. Il a fait ses études de gestion à Thunderbird, en Arizona.

L'émission de radio: "En France comme si vous y étiez"

Une journaliste interviewe des gens pour une émission de radio pour apprendre pourquoi ils ont choisi le français comme langue secondaire.

Historien italien: On ne peut pas faire de l'histoire si on ne connaît pas le travail de l'École des Annales: elle a changé l'approche de l'histoire. Ce qui n'est pas traduit en italien, je dois pouvoir le lire en français.

Prof allemande: Je suis spécialiste de Proust.... Même si il y a une excellente traduction en allemand... vous imaginez un *proustien* qui ne lirait pas le français!

Banquier britannique: Vous ne le savez peut-être pas, mais les français sont très forts dans la modélisation financière, leurs spécialistes sont très réputés et même si leurs cours sont en anglais, ils les donnent à Paris. Alors si vous voulez aussi profiter de la ville... et comment ne pas profiter de Paris!

Graphiste espagnole: Moi, je voulais être reçu à l'ENSAD, l'Ecole nationale des Arts décoratifs, parce que je voulais absolument travailler dans l'animation et vous savez que l'ENSAD est la meilleure porte d'entrée pour intégrer les grands studios d'animation... alors je suis passé par le français.

Extension Quelle raison pour étudier le français s'approche la plus de la vôtre?

? Question centrale

Qu'apprend-on de la culture d'un pays en étudiant son économie?

La France et la concurrence mondiale

La France a placé, dans tous les secteurs, de grands groupes parmi les leaders mondiaux: banque et assurances (BNP, Axa), distribution (Carrefour), industrie pétrolière (Total), énergie (EDF et GDF Suez pour le gaz et l'électricité, Areva pour le nucléaire, Air Liquide pour le gaz industriel), industrie agroalimentaire (Danone), aéronautique (Airbus), industrie aérospatiale (Ariane), télécommunication (France Télécom et Vivendi), services informatiques (Cap Gemini), automobile (Renault-Nissan), matériel* électrique (Schneider électrique), industries pharmaceutiques (Sanofi-Avantis), constructions et travaux publics* (Vinci, Bouygues, Eiffage), services collectifs* (Veolia environnement), ciment* (Lafarge), pneumatiques (Michelin), transport aérien (Air France-KLM)... mais aussi optique (Essilor), et la publicité (Publicis et JC Decaux). Au total, quatorze leaders mondiaux, huit numéros deux, cinq dans les cinq premiers, et six autres dans les dix premiers.

Le groupe EDF GDF offre l'électricité et le gaz en France et en Outre-Mer.

 Search words: insee commerce, insee économie

---

matériel *equipment*; **travaux publics** *public works projects*; **collectifs** *collective*; **ciment** *cement*

Produits La France a lancé plusieurs **fusées** (*rockets*) sous le nom d'**Ariane**. La France fait partie de l'Agence spatiale européenne, ou l'ESA. On lance les fusées Ariane du centre spatial de Kourou en Guyane française.

COMPARAISONS

Les États-Unis sont classés à quel rang de la concurrence internationale?

Le commerce entre la France et les États-Unis

La France est la deuxième nation commerçante de l'Europe de l'Ouest, derrière l'Allemagne, qui est son partenaire privilégié*. Récemment, l'échange des biens* et services entre la France et les États-Unis a atteint* 67 milliards de dollars. La France est le huitième partenaire commercial des États-Unis. Vous trouverez ci-dessous les neufs premiers produits échangés* entre ces deux pays.

Produits français vers les États-Unis	Produits américains vers la France
1 préparations médicales, dentaires*, et pharmaceutiques	1 moteurs pour avions civils
2 aviation civile	2 préparations médicales, dentaires, et pharmaceutiques
3 moteurs pour avions civils	3 aviation civile
4 collectibles (objets d'art, antiquités, timbres, etc.)	4 pièces aéronautiques pour avions civils
5 produits pétroliers	5 matériel médical
6 boissons alcoolisées autres que le vin	6 machines industrielles
7 vin	7 produits chimiques organiques
8 produits cosmétiques, produits d'entretien et d'hygiène	8 accessoires d'ordinateurs
9 pièces et outillage* automobiles	9 instruments de mesure et méthodes de test

 Search words: la diplomatie gouvernement france, insee commerce extérieur

---

partenaire privilégié *primary trading partner*; **biens** *goods*; **a atteint** *attained*; **échangé** *exchanged*; **dentaire** *dental*; **outillage** *tools*

COMPARAISONS

Quel est le partenaire privilégié des États-Unis? Qu'est-ce que vous remarquez de cet exemple et de l'exemple de France-Allemagne?

Les produits cosmétiques français l'Oréal sont distribués aux États-Unis depuis 1953.

Bonnes manières

Réunion*, repas d'affaires, invitations—à chaque moment ses codes pour réussir un rapport avec une entreprise française.

Rendez-vous et réunions: Depuis le Moyen-Âge*, les Français ont la réputation de n'être jamais à l'heure à un rendez-vous. Pourtant les rendez-vous et réunions commencent en général à l'heure dite. L'internationalisation a mis de la rigueur* dans la gestion du temps. Un écart* de cinq minutes reste toutefois toléré. Les Français ne fixent que rarement l'heure de fin d'une réunion. Dans les premiers rendez-vous, le "vous" est de rigueur au premier contact; si le "tu" doit s'imposer, il le fera naturellement, par consensus. Généralement, c'est dans les moments de convivialité, hors* l'officialité qu'il s'imposera. Attention, les Français respectent peu les tours de parole et ont tendance à couper la parole: c'est le produit d'une culture du débat et de la polémique*.

Repas d'affaire: Ils ont beaucoup évolué. Plus courts (une heure maximum), et réduits* à entrée-plat ou plat-dessert. Pas ou peu de vin (on travaille, ou on conduit après) et beaucoup d'eau minérale. On pratique aussi les déjeuners de travail avec plateau-repas*. L'homme précède la femme pour entrer dans le restaurant et pour monter un escalier*. Le paiement doit se faire discrètement, en se déplaçant à la caisse.

Invitation à domicile: Il faut arriver après l'heure (dix minutes à un quart d'heure maximum) pour une invitation amicale*, à l'heure si c'est un dîner privé. Selon le degré d'officialité, fleurs pas encombrantes* pour Madame ou une bouteille de vin si c'est un dîner plus amical. Reste le casse-tête* des manières de table pour lesquelles il faut éviter le "bon appétit" en début de repas; trinquer* ou ne pas trinquer, cela dépend du degré d'officialité et de proximité. Pour l'ordre des couverts, commencer par ceux qui sont le plus à l'extérieur et progresser vers ceux placés le plus proche* de l'assiette; distinguer le verre à eau (toujours le plus grand) des verres à vin.

Search words: customs taboos in france, etiquette in france

Reunion *Meeting*; **Moyen-Âge** *Middle-Ages*; **rigueur** *strictness*; **écart** *delay*; **hors** *outside of*; **polémique** *argument*; **réduits** *reduced*; **plateau-repas** *TV dinner*; **escalier** *staircase*; **invitation amicable** *invitation to the home*; **encombrantes** *cumbersome*; **casse-tête** *puzzle*; **trinquer** *to toast*; **plus proche** *closest*

Mots-clé **Manière:** féminin substantivé (1119) qui vient de l'adjectif *manier* qui signifie que l'on fait fonctionner à la main. Il est issu du latin *manuarus* lui-même dérivé de *manus* ("main"). C'est à partir de 1170 qu'il sera appliqué aux personnes avec le sens de "comportement considéré en société." Qu'est-ce que ces expressions veulent dire?

Ne fais pas de manières.
Il y a l'art et la manière.

Les repas d'affaire style cafétéria permettent de gagner du temps.

8 Activités culturelles

Faites les activités suivantes.

1. Recherchez une compagnie française et faites une présentation à la classe.
2. Montrez la présence des grands groupes leaders mondiaux français aux États-Unis.
3. Faites une liste des produits que les États-Unis importent de la France qu'ils n'y exportent pas, et vice-versa.
4. Faites la liste des choses à éviter dans les contacts avec les Français.
5. Écrivez un dialogue d'un repas d'affaire entre une femme d'affaires américaine et deux hommes d'affaires français.

Perspectives

"Auprès des politiciens, les finesses de l'étiquette, les subtilités de la diplomatie comptent moins que le succès."

—Robert Charbonneau, journaliste et écrivain québécois

Quel proverbe anglais exprime la même idée? Êtes-vous d'accord avec ce principe, ou pensez-vous que le moyen ou la méthode d'accomplir une chose est aussi important que le résultat?

Du côté des médias
Interpretive Communication

Regardez les graphiques ci-dessous qui montrent les destinations des exportations françaises.

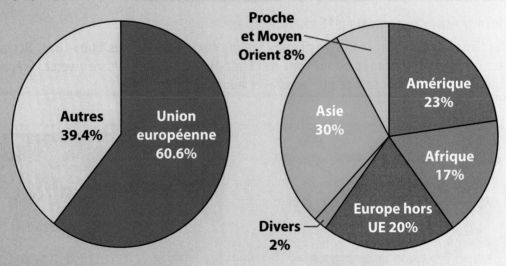

9 Exportations françaises

Faites les activités suivantes.

1. Dites à qui va le plus grand pourcentage de produits français à exporter.
2. Expliquez les généralisations que vous pouvez faire de ce tableau.
3. Faites un tableau semblable pour les domaines des exportations américaines.

À vous la parole

Communiquez!

Question centrale

?

Qu'apprend-on de la culture d'un pays en étudiant son économie?

10 Une compagnie multinationale américaine

Presentational Communication

Recherchez une compagnie multinationale américaine, par exemple une compagnie technologique, sportive, aéronautique, ou alimentaire. Préparez un profil de cette compagnie dans lequel vous:

- identifiez le secteur
- dites de quel(s) produit(s) elle est le leader
- dites où se trouve son siège social
- dites où se trouve ses filiales
- donnez votre opinion des produits de cette compagnie

Communiquez!

11 Le commerce entre le Canada et les États-Unis

Interpretive/Presentational Communication

Le Canada est le partenaire privilégié (*leading trade partner*) des États-Unis. Recherchez les dix principaux produits qui vont des États-Unis au Canada et vice-versa. Préparez un graphique pour montrer ce que vous avez appris.

Communiquez!

12 Bonnes manières en France

Presentational Communication

Imaginez que vous êtes en France et que votre compagnie américaine travaille avec une compagnie française. Hier soir un collègue français vous a invité à dîner chez lui. Écrivez un paragraphe dans votre journal qui décrit le dîner... l'heure de l'invitation, quand vous êtes arrivé(e) chez lui, ce que l'hôtesse vous a servi, et l'ordre des couverts dont vous vous êtes servi.

Storyboard

Un scénario dessiné (*storyboard*) est composé d'images et de textes; il s'agit d'une sorte de brouillon (*draft*) qui permettra au filmage d'une publicité.

Suivez les étapes suivantes afin d'apprendre comment réaliser une pub. Ensuite, vous créerez votre propre scénario dessiné afin de vendre un produit américain sur le marché français. N'oubliez pas d'utiliser vos connaissances sur la culture française et ce qui plaît aux consommateurs en France.

1. Recherchez quelles sont les techniques de commercialisation telles que: *celebrity endorsement, avant-garde, facts and figures, weasel words, magic ingredients, diversion, transfer, plain folks, snob appeal, testimonial, bandwagon*. Choisissez-en une.

2. Regardez quelques pubs françaises en ligne et demandez-vous: Quelles techniques de commercialisation fonctionneraient pour les Français? En quoi les pubs françaises diffèrent-elles des pubs américaines? Qu'est-ce qui est important pour les Français?

3. Réalisez votre scénario dessiné en vous basant sur le template ci-dessous.

 Search words: **publicités (+ année), culture pub, pubs tv, best of publicités françaises**

Produit: synthétiseur

Fait culturel: les jeunes en France aiment le rap
Technique: celebrity endorsement
Séquence: 1
Caméra: Un plan d'ensemble (*longshot*) montre les invités tous âgés d'une vingtaine d'années; ils sont tous bien habillés pour l'occasion; ils discutent et mangent des hors-d'œuvres. On surprend la conversation d'un jeune couple.

Durée: 5 secondes

Une soirée un peu nulle.

Oui, on a besoin de musique.

Produit: Synthétiseur
Fait culturel: les jeunes en France aiment le rap
Technique: celebrity endorsement
Séquence: 2
Caméra: Un gros plan (*close-up*): Dr. Dre allume sa boîte-son. Sa chanson préférée joue. Il parle à la caméra. Derrière lui les invités se mettent à danser comme des fous dès qu'ils entendent les premières notes de la chanson.
Durée: 5 secondes

Leçon C

Vocabulaire actif

emcl.com
WB 1–2
LA 1–2
Games

Les départements et les postes d'une compagnie

Page d'accueil

BIENVENUE À L'ENTREPRISE DELORS!

SEARCH

le, la PDG président(e) directeur/ directrice général(e), le chef, la cheffe d'entreprise, le directeur financier, la directrice financière

le service du marketing

le, la responsable marketing

Nos départements: Les postes:

la gestion

le chef, la cheffe de groupe

le service des ventes

le vendeur, la vendeuse

la comptabilité

le, la comptable

le secrétariat

le, la secrétaire (administratif, -ive)

les ressources (f.) humaines

le, la DRH (directeur, directrice des ressources humaines)

le service après-vente (m.)

le chef, la cheffe de service

Pour la conversation

How do I describe adaptability?

> McDo met du fromage français dans leurs sandwichs **pour s'adapter à** notre goût.

McDonald's puts French cheese on their sandwiches to adapt to our taste.

Et si je voulais dire...?

un(e) artisan(e)	*craftsman*
la conversion	*changeover*
la main d'œuvre	*manpower*
un ouvrier, une ouvrière	*blue-collar worker*
la restructuration	*restructuring*
la robotisation	*full automation*

1 Nettoyez-Bio

La compagnie Nettoyez-Bio fabrique des produits pour nettoyer la maison sans polluer la terre. Faites un dessin de la compagnie décrite ci-dessous.

La compagnie Nettoyez-Bio se trouve devant une forêt qui est visible des fenêtres du secrétariat. Quand on entre la compagnie, Mlle Duclerc, la secrétaire vous accueille. À droite sont les bureaux—celui du PDG d'abord (M. Tissot), suivi de la comptable, Mme Garnier; du DRH, Mme Delavigne; et du responsable marketing, M. Dumont. Les employés sont derrière la secrétaire dans des box (*cubicles*). Le nom de la compagnie se trouve sur le mur à gauche.

2 Les employés

Donnez le nom de plusieurs employés dans une compagnie française.

1. La (**A.**) voit tout le monde qui entre et qui part.
2. Le (**B.**) est le responsable de la gestion de la compagnie.
3. La (**C.**) imprime un document financier.
4. La (**D.**) prépare une publicité.
5. Le (**E.**) va essayer de vendre le nouveau produit.
6. La (**F.**) interviewe un candidat.

3 L'organisation de la compagnie

Complétez les phrases pour identifier les départements ou les personnes qu'on contacte dans les situations décrites.

1. Quand on téléphone à une compagnie, on parle souvent à un(e) employé(e) dans le....
2. Une personne qui veut acheter un produit contacte un... ou une....
3. Le PDG est responsable de la... de la compagnie.
4. Quand on accepte un poste dans une compagnie, on va aux... pour signer le contrat.
5. Pour comprendre les finances d'une compagnie, on contacte le comptable dans le département de....
6. Quand le PDG voudrait faire des publicités pour ses produits, il contacte le département de....

Communiquez!

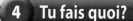

4 Tu fais quoi?

Interpretive Communication

Écrivez les numéros 1–6 sur votre papier. Écoutez les descriptions. Puis, faites correspondre la description avec la bonne illustration.

A

B

C

D

E

F

Communiquez!

5 **Le travail en France** 🎧

Interpretive Communication

*Écrivez les numéros 1–6 sur votre papier. Écoutez la conversation entre Marc et Henrike, une stagiaire allemande. Ensuite, indiquez si les phrases que vous entendez sont vraies (**V**) ou fausses (**F**).*

Communiquez!

6 **Questions personnelles**

Répondez aux questions.

1. Est-ce que tu as déjà travaillé pour une compagnie? Si oui, quel était ton poste?
2. As-tu jamais écrit à un PDG? Pour quelle raison?
3. Imagine que tu as fini tes études universitaires et tus cherches maintenant un poste. Qui est-ce que tu comptes contacter dans la compagnie où tu voudrais travailler? Pourquoi?
4. Qu'est-ce que tu ferais si tu travaillais pour le service du marketing?
5. Tu aimerais être vendeur ou vendeuse d'un produit que tu aimes? Si oui, duquel?

Moi, en fait, je suis stagiaire pour une SA.

Une compagnie multinationale américaine en France

Léo et Justin étudient ensemble.

Léo: Génial ce que la prof de marketing nous a raconté....

Justin: Vous travailliez sur quoi?

Léo: Sur l'adaptation des compagnies multinationales aux besoins des marchés locaux.

Justin: Ah oui, je vois... contre l'idée reçue que mondialisation égale uniformisation.

Léo: Exactement! Elle nous a raconté comment 3M... tu connais 3M?

Justin: Oui, les rouleaux de Scotch™!

Léo: Oui, si tu veux.... Et aussi les Post-it™ et les éponges Scotch-Brite™, comme ça on aura fait le tour du supermarché! Donc, je disais que 3M avait eu l'idée géniale d'adapter des sandales avec de l'éponge en dessous pour qu'elles servent de serpillières aux Philippines... pas bête, non?

Justin: C'est comme les constructeurs automobiles qui sont obligés d'adapter leurs voitures pour les pays où l'on conduit à gauche....

Léo: Et puis McDo et Subway qui mettent du fromage français dans leurs sandwichs pour s'adapter à notre goût... et qui nous servent de la bière et du café *expresso*.

Justin: En Allemagne, ils proposent des hamburgers au porc, j'en ai goûté!

Léo: Et l'Oréal? C'est bien connu, l'Oréal fait du marketing ethnique avec des produits qui ciblent certaines couleurs de peaux. Sans parler de Kleenex™ qui nous réserve son papier toilette découpé en petits carrés.

Justin: Eh oui, Léo, le marché devient régional. Dis, tu es bilingue, diligent, et doué pour le marketing; tu comptes travailler pour une compagnie multinationale?

Léo: Je n'ai pas encore pris ma décision, mais cette possibilité m'intéresse.

 Le **marketing** est un mot anglais et un mot franglais en France. Selon l'Académie française et quelques commissions, on devrait le remplacer avec "mercatique." Mais beaucoup de Français continuent à parler du "marketing."

 Search words: délégation générale à la langue française

7 **Une compagnie multinationale américaine en France**

Faites une liste des multinationales mentionnées dans le dialogue qui montrent la régionalisation dans la mondialisation.

Répondez aux questions.

1. De quoi est-ce que Léo et Justin parlent?
2. Qui leur a appris que le marché devient régional?
3. Quels sont les trois produits fabriqués par 3M mentionnés?
4. Qu'est-ce que 3M a inventé pour le marché philippin?
5. Comment est-ce que McDo et Subway s'adaptent au marché français? Et Kleenex?
6. Léo s'intéresse à quelle possibilité?

Extension **Brad discute de son travail dans un bureau français.**

Au bureau Raphaël et Brad prennent un café.

Raphaël: Alors Brad, pas trop difficile?

Brad: Non, c'est comme toi quand tu es venu travailler chez nous à San Diego, il faut s'adapter.

Raphaël: Je t'avais prévenu pourtant....

Brad: Mais la discontinuité! Impossible de rester sur une chose décidée; vous passez d'une chose à l'autre, revenez à la première, ça a changé entre temps, on ne sait pas pourquoi. Moi, j'aime faire une chose jusqu'au bout, puis l'autre et ainsi de suite.

Raphaël: Mais tout n'a pas besoin d'être dit; on comprend implicitement; chacun remplit les blancs... l'important c'est l'objectif, la manière, elle laisse la place à la créativité de chacun... chacun choisit sa voie pour y arriver.

Brad: C'est ça, c'est son affaire.

Raphaël: Notre foutu individualisme comme tu dis souvent!

Brad: C'est comme les réunions: on sait quand ça commence, mais on ne sait jamais quand ça finit... d'ailleurs ça ne finit pas.

Raphaël: Si! Ça finit!

Brad: Bon et bien, la suite au prochain café....

Extension Pourquoi Brad a-t-il des difficultés au bureau français? De quoi est-ce qu'il se plaint?

Qu'apprend-on de la culture d'un pays en étudiant son économie?

La structure de l'entreprise en France

Traditionnellement, la structure de l'entreprise française est hiérarchique, c'est-à-dire que le PDG, ou président-directeur général gère* la compagnie; c'est lui qui prend toutes les décisions importantes. Sous lui il y a des cadres supérieurs* et des cadres moyens* que le PDG dirige*. Un résultat de ce modèle est l'élitisme; l'entreprise embauche des diplômés des grandes écoles. Mais ce modèle, qui remonte à l'idée d'un gouvernement français centralisé depuis Napoléon, est en train de changer.

Le PDG d'une société à structure hiérarchique se tient au centre des décisions.

Un exemple de ce changement est la coopérative, qui, de l'autre côté, dépend des valeurs de partage*, d'humanisme, de transparence, et de participation. Les coopératives Scop redistribuent les profits aux employées et représentent environ 40.000 salariés.

Pour réussir dans le marché mondial, il faut changer le modèle traditionnel.

 Search words: hec paris, les scop

COMPARAISONS

Est-ce que vous connaissez une compagnie américaine? Comment est-elle structurée?

gère *manages*; cadres supérieur *senior executive*; cadre moyen *junior manager*; dirage *manages*; partage *sharing*

Le marketing en France

Les premières formes de marketing apparaissent* en France pendant le XVIIème et le XVIIIème siècles. La publicité est vraiment la "réclame*" après la guerre de 1870. "L'affichomanie" règne de 1850 à 1920 quand on voit les belles affiches artistiques comme celles de Toulouse-Lautrec qui réclament les cafés, les théâtres, et les cabarets de Paris. Entre les deux guerres arrive le "publicitaire" qui travaille dans une agence. Avant 1945, le problème le plus grave des entreprises est la capacité de production, pas la vente des produits pour lesquels les consommateurs ont déjà un appétit. L'invention de la radio pendant les années 1920 offre un autre champ pour la publicité; on répond avec le marketing de masse. "Les Trente Glorieuses" sont les années de 1950 à 1973 quand commencent les publicités télévisuelles. Les sondages d'opinion sont nouveaux en France pendant les 1950 et changent le marketing.

Avec les années 1960, un groupe de consommateurs importants viennent sur scène: les baby-boomers; c'est pendant cette époque que la publicité française se découvre parce que c'est une période de prospérité. Le marketing de nos jours se caractérise par l'émergence de nouveaux paradigmes tels que le marketing relationnel et électronique, même en ligne; les entreprises modernes doivent atteindre* la satisfaction de la clientèle.

 Search words: musée de la publicité, l'univers de la publicité, publicité (+ 1920, 1930, etc.)

apparaissent *appear*; réclame *advertisement*; atteindre *to meet*

Produits

La vache qui rit est un fromage français qui a changé son look à travers les années. Recherchez l'évolution de cette marque et regardez ses images changeantes.

 Search words: l'univers de la publicité marques et personnages

La vache qui rit.

9 Activités culturelles

Faites les activités suivantes.

1. Parlez à un(e) adulte qui travaille dans les affaires de la structure de sa compagnie. Ensuite, comparez la compagnie américaine à l'un des deux modèles français.
2. En travaillant avec un groupe, choisissez une décennie (de 1920 à 2010). Trouvez un exemple typique de la publicité de cette époque et présentez-la à la classe.
3. Comparez une publicité française à une publicité américaine de la même époque.

Perspectives

"Pour réussir sur le marché mondial, il faut changer le modèle traditionnel des affaires en France. Il vaut mieux que les entreprises françaises impliquent davantage les salariés et les cadres dans les processus de décision, favorisent l'initiative individuelle et la diversité, et aient une vision globale et une action locale." Ce point de vue, écrit par un jeune diplômé embauché par une compagnie traditionnelle, vous semble-t-il raisonnable? Justifiez votre avis et décrivez la sorte de compagnie pour laquelle vous voudriez travailler.

Du côté des médias

Lisez l'annonce ci-dessous.

Pre **AP**

LES GRANDES ENVIES N'ATTENDENT PAS !

Dès le 15 février 2012
Découvrez chaque semaine 2 recettes.

 MCDOORLEANS.COM

10 Un fast-food américain s'adapte au marché français.

1. *Identifiez l'entreprise qui fait cette publicité et donnez son origine nationale.*
2. *Comparez le choix de fromages à ce fast-food en France et aux États-Unis.*

La culture sur place

Mes expériences avec la mondialisation

Dans cette *Culture sur place*, vous allez rechercher les marques internationales dans votre vie. D'où viennent les produits que vous utilisez chaque jour? Quel est le lien entre ces produits et la culture?

11 Première Étape: Chercher et rechercher

Choisissez une catégorie de la liste suivante. Vous allez rechercher d'où viennent ces produits dont vous vous servez régulièrement.

- les vêtements
- l'équipement sportif
- la nourriture

- les boissons
- les produits électroniques
- les produits cosmétiques, produits d'entretien et d'hygiène

Faites une liste des produits, donnez le pays de fabrication et des marques pour chacun. Préparez des pourcentages où c'est possible, par exemple, "Soixante pourcent de mes vêtements viennent d'Asie."

12 Deuxième Étape: Comparer

Partagez les informations de votre liste avec celles de quelques camarades de classe. Si plusieurs élèves ont choisi la même catégorie, combinez vos listes de marques et de pays de fabrication. Ensuite, discutez de vos découvertes avec les autres élèves en répondant à ces questions:

1. Est-ce que la plupart de ces produits (dans la catégorie que vous avez choisie) viennent de la même région ou du même pays?
2. Remarquez-vous d'autres motifs?
3. Quelle est votre hypothèse économique pour expliquer ces motifs et pourquoi un tel pays fabrique ceci ou cela?

13 Faire l'inventaire!

Discutez ces questions en classe.

1. Après vos recherches, est-ce que vous pensez que vous vivez dans un marché mondial? Est-ce que votre point de vue a changé au cours de cette activité? Si oui, comment?
2. Est-ce que vous pensez qu'il y a un lien entre les produits et les cultures? Avez-vous trouvé, par exemple, un produit que vous pensez typiquement américain qui a été fabriqué à l'étranger?
3. Quelle est la fonction des frontières (*borders*) entre nations dans une époque de mondialisation? Trouvez-vous que les frontières entre les pays sont plus importantes, ou moins importantes, maintenant?
4. Selon vous, la mondialisation est-elle une menace ou un avantage?

À vous la parole

Communiquez!

Question centrale

Qu'apprend-on de la culture d'un pays en étudiant son économie?

14 La publicité en France

Presentational Communication

Préparez une présentation visuelle qui montre le développement de la publicité depuis l'époque de Toulouse-Lautrec. Écrivez de petits textes en-dessous de chaque image qui montrent votre compréhension des changements dans le marketing jusqu'à l'époque moderne.

Communiquez!

15 Un produit au fil des années

Presentational Communication

Choisissez un produit français pour lequel la publicité a changé de look à travers les années. Expliquez ces changements et montrez les pubs différentes à la classe.

Communiquez!

16 Ma pub pour le marché français

Presentational Communication

Faites une vidéo pour la pub pour laquelle vous avez fait le storyboard dans *Stratégie communicative*. Peut-être que vous aurez besoin d'aide de quelques camarades de classe. Montrez la vidéo à la classe.

14,99 €

Rencontre avec l'auteur 🎧

Frédéric Beigbeder (1965–) est un écrivain, un critique littéraire, un réalisateur et animateur de télévision français. Son roman *14,99 €*, intitulé, *99 francs* au début, est l'histoire d'Octave Parrango, un rédacteur publicitaire. Désenchanté par le marketing et conquis par la déception de la promesse d'une vie meilleure pour tous, il décide de se révolter contre son agence de pub en sabotant sa plus grande campagne. Quelles indications remarquez-vous qu'il va se rebeller dans cet extrait?

Pré-lecture

Comment êtes-vous influencé(e) par les publicités?

Stratégie de lecture

Tone

La tonalité, ou le ton d'un texte, est l'ensemble des procédés que l'auteur utilise pour provoquer des émotions particulières chez le lecteur, à travers les personnages, ou par le thème d'une œuvre littéraire. Dans un texte, on peut trouver différentes tonalités: familière, ironique, comique, sarcastique, sérieuse, sincère, ou cynique. Au fur et à mesure (*During*) de votre lecture, relevez au moins un exemple de la tonalité dans chaque paragraphe. Indiquez si cette tonalité est provoquée par les paroles du protagoniste, la réaction anticipée du lecteur, ou par le thème de la lecture. Un exemple a été fait pour vous.

Paragraphe	Provocation	Description du ton
1. "...eh oui, je pollue l'univers"	le protagoniste	dédaigneux, sarcastique
2.		
3.		

Outils de lecture

Addressing one's Audience in Fiction

De nos jours, il est rare qu'un écrivain s'adresse directement à ses lecteurs dans son œuvre de fiction. Mais, Beigbeder utilise le pronom "vous." À votre avis, quel genre de relation essaie-t-il de créer avec ses lecteurs? Quel est l'effet de cette intimité (*intimacy*)? Êtes-vous davantage attiré par l'histoire, ou vous sentez-vous plus distant? Pourquoi?

Je me prénomme Octave et m'habille chez APC. Je suis publicitaire: eh oui, je pollue l'univers. Je suis le type (...) qui vous fait rêver de ces choses que vous n'aurez jamais. Ciel* toujours bleu, nanas* jamais moches, un bonheur parfait, retouché sur PhotoShop. Images léchées*, musiques dans le vent. Quand, à force d'économies, vous réussirez à vous payer la bagnole* de vos rêves, celle que j'ai shootée dans ma dernière campagne, je l'aurai déjà démodée*. J'ai trois vogues d'avance, et m'arrange toujours pour que vous soyez frustré. Le Glamour, c'est le pays où l'on n'arrive jamais.

Je vous drogue à la nouveauté*, et l'avantage avec la nouveauté, c'est qu'elle ne reste jamais neuve*. Il y a toujours une nouvelle nouveauté pour faire vieillir* la précédente. Vous faire baver*, tel est mon sacerdoce*. Dans ma profession, personne ne souhaite votre bonheur, parce que les gens heureux ne consomment* pas.

Votre souffrance* dope* le commerce. Dans notre jargon, on l'a baptisée "la déception post-achat". Il vous faut d'urgence un produit, mais dès que vous le possédez, il vous en faut un autre. L'hédonisme n'est pas un humanisme: c'est du cash-flow. Sa devise? "Je dépense, donc je suis." Mais pour créer des besoins, il faut attiser* la jalousie*, la douleur*, l'inassouvissement*: telles sont mes munitions*. Et ma cible, c'est vous.

Je passe ma vie à vous mentir et on me récompense grassement*. Je gagne 13.000 euros (sans compter les notes de frais, la bagnole de fonction, les stock-options et le golden parachute). L'euro a été inventé pour rendre les salaires des riches six fois moins indécents. Connaissez-vous beaucoup de mecs qui gagnent 13K euros à mon âge? Je vous manipule et on me file la nouvelle Mercedes SLK (avec son toit qui rentre automatiquement dans le coffre) ou la BMW 78 ou la Porsche Boxter ou la Mazda MX5. (Personnellement, j'ai un faible pour le roadster BMW 78 qui allie esthétisme aérodynamique de la carrosserie* et puissance* grâce à* son 6 cylindres en ligne qui développe 321 chevaux, lui permettant de passer de 0 à 100 kilomètres/heure en 5,4 secondes.

J'interromps* vos films (...) à la télé pour imposer mes logos et on me paye des vacances à Saint-Barth ou Lamu ou Phuket ou Lascabanes (Quercy). Je rabâche* mes slogans dans vos magazines favoris et on m'offre un mas provençal*, ou un château périgourdin*, ou une villa corse*, ou une ferme ardéchoise*, ou un palais marocain, ou un

Pendant la lecture
1. Quelle est la profession du narrateur?

Pendant la lecture
2. Il parle de quel produit?

Pendant la lecture
3. Quels consommateurs le narrateur apprécie-t-il?

Pendant la lecture
4. Que sait le narrateur du consommateur?

Pendant la lecture
5. Est-ce que le narrateur vit bien? Quelle en est la preuve?

Ciel *Sky;* **nanas** filles; **léchées** *overpolished;* **bagnole** voiture; **démodée** pas à la mode; **nouveauté** nouveaux produits; **neuve** toute nouvelle; **vieillir** *to age;* **baver** *to drool;* **sacerdoce** *calling, vocation;* **consomment** *consume;* **souffrance** *suffering;* **dope** *dopes (like a drug);* **attiser** *to stir up;* **jalousie** *jealousy;* **douleur** *pain;* **inassouvissement** *built-up hunger;* **munitions** *ammunition;* **cible** *target;* **grassement** énormément; **carrosserie** *car body;* **puissance** *power;* **grâce à** *thanks to;* **interromps** *interrupt;* **rabâche** *rehearse;* **mas provençal** maison traditionnelle de Provence; **périgourdin** *from, of Périgord region;* **corse** *from, of Corsica;* **ardéchoise** *from, of Ardèche region*

catamaran antillais, ou un yacht tropézien*. Je Suis Partout. Vous ne m'échapperez* pas. Où que* vous posiez vos yeux, trône ma publicité. Je vous interdis* de vous ennuyer. Je vous empêche de penser. Le terrorisme de la nouveauté me sert à vendre du vide. Demandez à n'importe quel surfeur: pour tenir à la surface, il est indispensable d'avoir un creux* au-dessous. Surfer, c'est glisser sur un trou béant* (les adeptes d'Internet le savent aussi bien que les champions de Lacanau). Je décrète* ce qui est Vrai, ce qui est Beau, ce qui est Bien. Je caste les mannequins (...) À force de les placarder*, vous les baptisez top-models; mes jeunes filles traumatiseront toute femme qui a plus de 14 ans. Vous idolâtrez mes choix. (...) Plus je joue avec votre subconscient, plus vous m'obéissez. Si je vante un yaourt sur les murs de votre ville, je vous garantis que vous allez l'acheter. Vous croyez que vous avez votre libre arbitre*, mais un jour ou l'autre, vous allez reconnaître mon produit dans le rayonnage* d'un supermarché, et vous l'achèterez comme ça juste pour goûter, croyez-moi, je connais mon boulot.

Pendant la lecture
6. Avec quoi le narrateur joue-t-il?

---

tropézien de Saint-Tropez; **échapper** *to escape*; **Où que** *Wherever*; **interdis** *forbid*; **creux** *hollow*; **béant** *gaping*; **décrète** *decree*; **placarder** *to affix posters*; **le libre arbitre** *free will*; **rayonnage** *shelving*

FRÉDÉRIC BEIGBEDER

14,99 €

roman

Grasset

Post-lecture

Pourquoi est-ce que le narrateur avoue (*confesses*) le mauvais côté de son travail?

Le monde visuel

Publicité pour Longchamp, 2006. © LEBON/GAMMA.

La publicité a depuis toujours eu une relation privilégiée avec l'art et la photographie. Il arrive que certaines publicités trouvent une place à part entière au sein d'une culture déterminée, et peuvent même en traverser ses frontières; l'un des meilleurs exemples étant les posters de Toulouse-Lautrec. Il arrive que les mêmes techniques de composition propres à la peinture ou à d'autres formes artistiques s'appliquent aussi à la publicité. Pour cette publicité, le photographe a placé le produit sous la meilleure lumière possible puisqu'il est le centre d'attention et ses couleurs ressortent sur le fond neutre. Qu'est-ce que cette photo-publicité a d'artistique?

17 | Activités d'expansion

Faites les activités suivantes.

1. Écrivez un paragraphe qui décrit les exemples de tonalité dans la sélection, en vous servant des informations dans votre grille.
2. Discutez pourquoi le protagoniste implique le lecteur/la lectrice dans son histoire. Partagez vos théories avec la classe.
3. Écrivez une lettre au protagoniste dans laquelle vous donnez votre point de vue du consommateur contemporain.
4. Faites une liste de mots et d'expressions qui montrent l'orgueil du narrateur.
5. Faites une publicité pour la radio, la télévision, ou les médias en ligne pour l'un des produits mentionnés dans l'extrait que vous venez de lire.

Projets finaux

 A **Connexions par Internet: Les affaires**

Interpersonal Communication

Vous n'avez pas encore pris la décision de quelle sera votre spécialisation à l'université. Imaginez que vous vous intéressez à une profession dans laquelle vous pouvez travailler dans les affaires et communiquer en français. Recherchez une école d'affaires comme Thunderbird dans l'Arizona qui prépare ses étudiants pour une carrière en affaires et une deuxième langue. Discutez ce que vous avez appris avec des camarades de classe... le prix, les spécialisations, les cours, la formation en France, les stages, etc.

B **Communautés en ligne**

Une nouvelle idée pour le monde/Presentational Communication

TEDx est une organisation qui facilite des conférences globales où on peut présenter des idées et des inventions. Recherchez le site ci-dessous et décrivez deux ou trois de ces idées/inventions qui vous intéressent. Choisissez celle que vous préférez et présentez-la à la classe. Ou bien, présentez une idée/invention originale.

 Search words: tedx paris

C **Passez à l'action!**

Le marché français dans notre région/Interpretive/Presentational Communication

Quels sont les liens de votre région avec la France? Recherchez les compagnies françaises dans votre région et les filiales des compagnies américaines en France de votre région. Partagez le travail; vous aurez besoin de camarades de classe qui pourront:

- Téléphoner à la Chamber of Commerce et à la Trade Commission de votre état.
- Contacter le consulat français avec un mail ou une lettre.
- Interviewer des employés des compagnies américaines qui ont une présence en France.
- Ècrire un sommaire de ce que vous avez appris.
- Préparer des graphiques.
- Choisir de la musique pour la présentation.
- Partagez ce que vous avez appris avec un sketch (*skit*), une présentation PowerPoint™, ou un autre produit créateur.

Search words: chamber of commerce, trade commission (+ nom de l'état), consulat français

Remplissez les organigrammes pour montrer ce que vous avez appris dans cette unité.

Question centrale

?

Qu'apprend-on de la culture d'un pays en étudiant son économie?

Je comprends	Je ne comprends pas encore	Mes connexions

What did I do well to learn and use the content of this unit?	How can I apply what I have learned this year?
How can I effectively communicate to others what I have learned?	What was the most important concept I learned in this unit?

La compagnie AirFrance à Paris.

La chaîne d'hotels ibis fait partie du groupe français Accor.

A Évaluation de compréhension auditive

Interpretive Communication
Le travail et l'économie

Écrivez les numéros 1–8 sur votre papier. Écoutez une femme et un homme discuter des métiers des membres de leur famille. Ensuite, écrivez une réponse brève à la question que vous entendez.

B Évaluation orale

Interpersonal Communication

Avec un partenaire, jouez les rôles d'un(e) étudiant(e) américain(e) qui fait un séjour en France et son ami(e) français(e) qui va l'aider à faire du shopping pour sa mère, son père, et sa sœur. Les parents de l'Américain(e) ont envoyé $350 pour que leur fils ou fille puisse leur acheter des produits de luxe.

Demandez si votre ami(e) américain(e) doit faire du shopping pour toute sa famille. → Dites que oui et qu'ils veulent des souvenirs typiquement français.

Demandez si ça fait longtemps que votre ami(e) cherche des cadeaux. → Dites que vous avez regardé, mais il semble que tous les bons produits sont fabriqués ailleurs.

Demandez combien votre ami(e) peut dépenser. → Dites que vos parents vous ont envoyé $350.

Dites à votre ami(e) de considérer les produits du luxe qui sont fabriqués en France. Demandez si sa sœur aime se maquiller. → Dites que oui.

Dites que vous pouvez aller ensemble au grand magasin et acheter des produits de beauté pour elle de la marque Clarins que votre cousine aime beaucoup. → Dites que vous êtes d'accord, mais que vous avez besoin de quelque chose pour vos parents aussi.

Dites que votre ami peut leur envoyer du parfum français de Chanel ou de Givenchy. → Dites si vous aimez cette idée ou vous avez une meilleure idée.

C Évaluation culturelle

Vous allez comparer les cultures francophones à votre culture aux États-Unis. Vous aurez peut-être besoin de faire des recherches sur la culture américaine.

1. **La France et la mondialisation**
   Quelles sont les attitudes des Français envers la mondialisation? Faites un sondage de dix adultes américains pour pouvoir comparer les attitudes des deux pays.

2. **L'Industrie du luxe**
   Quel est le pourcentage du marché français pour les produits de luxe? Imaginez qu'on vous donne un coupon pour des produits de luxe qui vaut 4.000 euros. Quels produits de luxe achèteriez-vous? (Cherchez les prix en ligne.) Pouvez-vous trouver des produits similaires en Amérique? Si oui, quelles sont les marques?

3. **La France et la concurrence mondiale**
   Imaginez que vous allez travailler en France et que vous devez prendre beaucoup de décisions quand vous vous installez dans votre appartement. Faites une liste des compagnies dont vous allez vous servir pour ces services: bancaires, pétroliers, informatiques; vous devez aussi acheter une voiture. Faites une liste semblable pour les services dont vous vous servez aux États-Unis pour ces mêmes catégories.

4. **Le commerce entre la France et les États-Unis**
   En regardant la liste de produits que les deux pays échangent, faites une sommaire des secteurs qui sont forts en France et aux États-Unis. Expliquez les similarités et les différences marquantes.

5. **La structure des entreprises**
   Choisissez une compagnie américaine et dites si elle ressemble plutôt au modèle hiérarchique français ou à la coopérative française. Il est possible que la compagnie américaine ne suive ni le modèle hiérarchique ni le modèle coopérative. Dans ce cas, décrivez ce modèle américain.

6. **Les bonnes manières**
   Faites une liste de tabous (*taboos*) à éviter quand vous allez à une réunion, partagez un repas d'affaires, et allez chez un collègue en France. Faites une liste de tabous pour ces mêmes scénarios aux États-Unis.

D Évaluation écrite

Écrivez un paragraphe qui décrit comment une compagnie américaine s'adapte à la culture d'un pays francophone pour vendre ses produits. Pensez à un produit réel et faites des recherches en ligne pour regarder le site web de la compagnie ou ses publicités dans ce pays.

Méline, une chanteuse de musique pop, fait du shopping à sa boutique préférée. Dites ce qu'elle achète et de quelle marque.

F **Évaluation compréhensive**

Créez une publicité pour un produit de luxe français qu'on va lancer (launch) sur le marché américain. D'abord il faut que vous trouviez une stratégie (par exemple, bandwagon, glittering generalities, celebrity endorsement) et choisissez un groupe de consommateurs. Finalement, faites un storyboard avec quatre à six séquences.

Vocabulaire de l'Unité 10

un(e) **actionnaire** stockholder *B*
l' **adaptation (f.)** adaptation *C*
adapter to adapt, to adjust *C*
s' **adapter (à)** to adapt (to) *C*
administratif, administrative administrative *C*
agroalimentaire food-processing *B*
ajouter to add *A*
anglophone English-speaking *B*
un **arrondissement** district, quarter *B*
un **auditeur, une auditrice libre** auditor of a class *B*
un **B.A.** Bachelor of Arts degree *B*
la **bière** beer *C*
bilingue bilingual *C*
c'est: c'est bien it's/that's exactly *A*
le **Cambodge** Cambodia *A*
le **champagne** champagne *A*
un **chef, une cheffe: chef, cheffe d'entreprise** president *C*
la **Chine** China *A*
cibler to target *C*
la **comptabilité** accounting *C*
le, la **comptable** accountant *C*
un **constructeur, une constructrice automobile** car manufacturer *C*
convenu(e) conventional *A*
la **Corée du Sud** South Korea *A*
un(e) **correspondant(e)** pen pal *A*
la **crème** cream, lotion *A*
découpé(e) (en) cut up (in) *C*
le **directeur, la directrice: directeur, directrice des ressources humaines (DRH)** director of human resources *C*; **directeur financier, directrice financière** C.F.O. *C*
doué(e) talented *C*
égal(e) equal *C*
s' **éloigner (de)** to get away (from)
l' **embarras (m.): avoir l'embarras du choix** to have too many choices *A*
une **éponge** sponge *C*
ethnique ethnic, multicultural *C*
fabriqué(e) (au, aux, en) made (in) *A*
la **faïence** earthenware *A*
faire: faire le tour explore all the possibilities *A*
une **figurine** figurine *A*
une **filiale** branch, subsidiary *B*
le **hasard** fate, luck *B*
la **haute couture** high fashion *A*
le **Honduras** Honduras *A*
l' **imagination (f.)** imagination *A*
l' **Inde (f.)** India *A*
un **individu** individual *B*
l' **Indonésie (f.)** Indonesia *A*
une **interview** interview *B*

le **Japon** Japan *A*
la **joaillerie** fine jewelry *A*
la **Jordanie** Jordan *A*
lancer to launch *B*
un **leader** leader *B*; **leader mondial** world leader *B*
local(e) local *C*
le **luxe** luxury *A*
une **maîtrise** Master's degree *B*
la **Malaisie** Malaysia *A*
le **marketing** marketing *B*
la **maroquinerie** leather goods *A*
une **marque** brand *A*
marqué(e) brand name *A*
le **Mexique** Mexico *A*
la **mondialisation** globalization *C*
multinational(e) multinational *B*
le **papier: papier toilette** toilet paper *C*
la **peau** skin *C*
les **Philippines (f.)** Philippines *A*
prendre: prendre une décision to make a decision *C*
un(e) **président(e): président directeur général (PDG)** CEO *C*
la **production** production *B*
un **produit: produit alimentaire** food product *A*; **produit laitier** dairy product *B*
proposer to offer *C*
régional(e) regional *C*
réserver (pour quelqu'un) to make especially (for someone) *C*
une **responsabilité** responsibility *B*
le, la **responsable** director, manager *C*
les **ressources (f.) humaines** human resources *C*
le **reste** rest *B*
un **rouleau** roll *C*
sans: sans parler de not to mention *C*
le **secrétaire (administratif), la secrétaire (administrative)** secretary *C*
le **secrétariat** reception area *C*
une **serpillière** mop *C*
le **service** department *C*; **service après-vente** post-sale support *C*
un **siège: siège social** headquarters *B*
une **société: Société Anonyme (SA)** public (incorporated) company *B*
le **Sri Lanka** Sri Lanka *A*
des **stratégies (f.)** strategies *B*
tutoyer to use the informal "tu" to address someone *B*
typiquement typical of *A*
l' **uniformisation (f.)** standardisation *C*
un **vase** vase *A*
les **ventes (f.)** sales *C*

I. Interpretive Communication: Print Text

Lisez cet article sur le patrimoine français, puis répondez à la question.

C'est complètement fou à quel point les Français protègent leur patrimoine. Le gouvernement encourage les français à consommer français, à produire voitures françaises. Il se vante des produits de luxe français tels que la maroquinerie, le parfumerie, le vin, la champagne, et le foie gras. N'oubliez pas la langue! Le gouvernement est contre les mots anglais et invente des mots français pour les remplacer. Le gouvernement exige aussi que les radios françaises passe un minimum de chansons françaises pour préserver la langue et la culture française. De cette façon on ne fait pas partie de la globalisation.

1. D'après le texte que signifie le mot "patrimoine"?
   A. C'est une société matérialiste qui ne consomme que des produits chics et exclusifs.
   B. C'est l'ensemble des produits de luxe d'un pays.
   C. C'est ce qui constitue l'héritage culturel et linguistique d'un pays.
   D. C'est une philosophie née en France.

II. Interpretive Communication: Audio Text

Écoutez le dialogue entre Taylor et son meilleur ami, puis répondez aux questions.

1. Qu'est-ce que cet étudiant américain désire?
   A. Améliorer son français et sa compréhension de la culture française.
   B. Étudier à l'université en France.
   C. Louer un appartement à Paris.
   D. Se marier avec une Française.
2. Quelle est la solution?
   A. Voyager en France avec sa prof de français.
   B. Voyager en France avec son ami.
   C. Trouver un stage dans une compagnie américaine en France.
   D. Faire le touriste.
3. Comment l'ami de Taylor prend-il la nouvelle?
   A. Il est content. Il rêve de faire la même chose.
   B. Il est fâché. Il ne comprend pas la décision que son ami a prise.
   C. Il décide de partir avec lui.
   D. Il se sent attristé de voir partir son ami.

III. Interpersonal Writing: E-mail Reply

Vous allez écrire une réponse à un mail d'un homme d'affaires américain qui s'intéresse à importer des produits de luxe français. Il faut que vous répondiez à des questions sur votre gamme (line) de produits et aborder les questions de prix et de croissance (growth). Vous vous intéressez à entrer dans le marché américain. Vous voudriez faire la connaissance de l'Américain et propose une date de rendez-vous à Boston. Écrivez formellement et n'oubliez pas d'écrire une salutation au début et une formule de politesse (closing) à la fin de votre message.

De: Thomas Hamilton
Objet: Importation de produits de luxe aux USA

Monsieur,

Je suis à la recherche d'un exportateur français qui veut à son tour devenir partenaire dans la promotion de produits de luxe aux États-Unis. Nous sommes bien placés pour promouvoir les grandes marques en vogue puisque notre boutique et centre de distribution se sont situés dans la banlieue proche de Boston, entourés par un grand nombre de sociétés dans les domaines de technologie, d'assurances, et d'hôtellerie, aussi bien que les associations universitaires. Nos clients veulent à leur tour offrir des cadeaux promotionnels lors des conférences, des évènements, et des réunions. Nous nous intéressons à présenter plusieurs grandes marques sous un seul toit chez nous. Les parfums, les produits de beauté, les montres, les foulards et d'autres accessoires, les vêtements femme, et les fournitures bureau haut de gamme nous conviennent. Le marché est fort, et le secteur rapporte plusieurs milliards de dollars. Nous gardons l'espoir de pouvoir élargir notre territoire bientôt et répondre aux besoins de clients d'un grand nombre de villes américaines.

Pour toutes précisions complémentaires, je vous remercie de me contacter par messagerie électronique.

Veuillez agréer, Monsieur, mes sincères salutations.

Thomas Hamilton, propriétaire
Hamilton Highline Gifts
3400 Longwood Way
Burlington, Massachusetts
USA

IV. Interpersonal Speaking: Conversation

Vous allez avoir une conversation avec un agent de police au commissariat. Vous êtes touriste en France, et on vous a volé quelque chose d'important. Suivez les indications ci-dessous.

L'agent: Je peux vous aider, Monsieur?
Vous: **Dites ce qu'on vous a volé.**
L'agent: Et où ce vol a-t-il eu lieu?
Vous: **Dites qu'on vous a volé dans le métro en route vers la station Châtelet.**
L'agent: Et vous avez vu le voleur?
Vous: **Dites que oui, et décrivez le voleur: sa taille, son âge, la couleur de ses cheveux, son origine ethnique, ses vêtements.**
L'agent: (Il vous montre une photo.) C'est lui?
Vous: **Dites que vous êtes sûr que c'est lui, mais qu'il a les cheveux plus courts maintenant.**
L'agent: On l'a presque arrêté la semaine dernière. Ses vols sont toujours dans le métro. Comment est-ce qu'on peut vous contacter?
Vous: **Donnez-lui votre numéro de portable.**
L'agent: Auriez-vous le temps de remplir cette déclaration de vol?
Vous: **Dites que vous le remplirez à l'hôtel et que vous reviendrez demain matin.**
L'agent: Merci d'être venu. Je vous reverrai demain, alors.
Vous: **Remerciez l'agent et dites que vous le reverrez demain.**

Grammar Summary

The Grammar Summary is in alphabetical order.

Adjectives

Agreement of Regular Adjectives

Masculine	Masculine Plural	Feminine	Feminine Plural
	+ s	masculine adjective + e	masculine adjective + es
grand	grands	grande	grandes

Exceptions

Masculine	Masculine Plural	Feminine	Feminine Plural
Adjectives ending in **e** bête	+ s bêtes	no change bête	+ s bêtes
Adjectives ending in **n, l** bon intellectuel	+ s bons intellectuels	**double consonant + e** bonne intellectuelle	**double consonant + es** bonnes intellectuelles
Adjectives ending in **s** gros	no change gros	**double consonant + e** grosse	**double consonant + es** grosses
Adjectives ending in **eux** généreux	no change généreux	-euse généreuse	-euses généreuses

Irregular Adjectives

Masculine	Masculine Before a Vowel	Masculine Plural	Feminine	Feminine Plural
beau nouveau vieux frais cher blanc long	bel nouvel vieil	beaux nouveaux vieux } + s	belle nouvelle vieille fraîche chère blanche longue	+ s

Invariable Adjectives

Some adjectives do not change in the feminine or the plural form.

orange	marron	super	sympa	bon marché

Position of Adjectives

Article + Noun	+ Adjective
des stylos **bleus**	

Exceptions

beau, joli, nouveau, vieux, bon, mauvais, grand, petit, gros *(BAGS: beauty, age, goodness, size)*

Article + Adjective	+ Noun
une **belle** voiture	

Comparative of Adjectives

plus	*(more)*	**+ adj**	**+ que**	*(than)*
moins	*(less)*	**+ adj**	**+ que**	*(than)*
aussi	*(as)*	**+ adj**	**+ que**	*(as)*

Superlative of Adjectives

For regular adjectives placed after the noun

le/la/les + noun + **le/la/les** + **plus** + adjective

For adjectives placed before the noun

le/la/les + **plus** + adjective + noun

Exception: bon = le/la/les **meilleur**(e)(s)

Interrogative Adjective *quel*

Masculine	Masculine Plural	Feminine	Feminine Plural
quel	quels	quelle	quelles

Adjective *tout*

Masculine	Masculine Plural	Feminine	Feminine Plural
tout	tous	toute	toutes

Demonstrative Adjective

Singular			Plural
Masculine before a Consonant Sound	**Masculine before a Vowel Sound**	**Feminine**	
ce colis	**cet** aérogramme	**cette** lettre	**ces** livres

Indefinite Adjectives

aucun(e)… ne(n')	*not one, no*
autre	*other*
certain(e)	*certain*
chaque	*each, every*
même	*same*
plusieurs	*several*
quelque	*some*
tout/tous/toute(s)	*all, every*

Possessive Adjectives

Masculine	Feminine	Plural
mon	ma	mes
ton	ta	tes
son	sa	ses
notre	notre	nos
votre	votre	vos
leur	leur	leurs

Adverbs

assez	peut-être
beaucoup	souvent
bien	surtout
déjà	toujours
enfin	trop
mal	un peu
même	vite
peu	

Expressions of Quantity

assez de	une boîte de	une bouteille de
beaucoup de	un paquet de	un pot de
peu de	un morceau de	une tranche de
un peu de	un gramme de	un kilo de
trop de	un litre de	

Formation of Long Adverbs

Long adverbs are formed by adding **-ment** to the feminine form of an adjective.

Feminine Form of Adjective	+ ment
heureuse	heureusement
généreuse	généreusement

Position of Adverbs

Short Adverbs Qualifying Verbs

present tense	*passé composé*
J'aime **beaucoup** les animaux.	Tu as **trop** mangé.

Long Adverbs Qualifying Sentences

Modyfying Verbs	Modyfying Entire Sentence
Tu dessines **parfaitement**.	Nous avons fini, **heureusement**. **Heureusement**, nous avons fini.

Adverbial Expressions of Time

Tu vas à la teuf **demain soir**?

Ce matin, le prof a apporté des gâteaux.

Comparative of Adverbs

plus	(*more*)	**+ adverb**	**+ que**	(*than*)
moins	(*less*)	**+ adverb**	**+ que**	(*than*)
aussi	(*as*)	**+ adverb**	**+ que**	(*as*)

Some adverbs have an irregular form:

Adverb	Comparative
bien (*well*)	**mieux** (*better*)
beaucoup (*a lot, much*)	**plus** (*more*)
peu (*little*)	**moins** (*less*)
mal (*badly*)	**pire, plus mal** (*worse*)

Superlative of Adverbs

For regular adjectives placed after the noun

le + **plus** + adverb

To form the superlative of **bien**, **beaucoup** and **peu**, put **le** before these adverbs' irregular comparative forms.

Adverb	Comparative	Superlative
bien (*well*)	**mieux** (*better*)	**le mieux** (*the best*)
beaucoup (*a lot, much*)	**plus** (*more*)	**le plus** (*the most*)
peu (*little*)	**moins** (*less*)	**le moins** (*the least*)
mal (*badly*)	**pire, plus mal** (*worse*)	**le pire, le plus mal** (*the worst*)

Articles

Indefinite Articles

Singular		Plural
Masculine	**Feminine**	
un	une	des

Definite Articles

Singular			Plural
Before a Consonant Sound		**Before a Vowel Sound**	**les**
Masculine	**Feminine**		
le	la	l'	

À + Definite Articles

Singular			Plural
Before a Consonant Sound		**Before a Vowel Sound**	aux
Masculine	**Feminine**		
au	à la	à l'	

De + Definite Articles

Singular			Plural
Before a Consonant Sound		**Before a Vowel Sound**	des
Masculine	**Feminine**		
du	de la	de l'	
In the negative			
de			

Partitive Articles

Before a Consonant Sound		Before a Vowel Sound	In the Negative
Masculine	**Feminine**	**de l'**eau minérale	**pas de** coca **pas de** viande **pas d'**eau minérale
du coca	**de la** viande		

C'est vs. il/elle est

c'est	vs.	ce n'est pas
C'est un ballon de foot.		Ce n'est pas un gâteau.
c'est	**vs.**	**il/elle est**
C'est un garçon. C'est une fille.		Il s'appelle Karim. Elle s'appelle Amélie.
ce sont	**vs.**	**ils/elles sont**
Ce sont des étudiants. Ce sont des étudiantes.		Ils sont sportifs. Elles sont sympa.

Negation

ne (n')… pas	Il **ne** joue **pas**.
	Il **n'**a **pas** joué.
ne (n')… plus	Elle **n'**aime **plus** les frites.
ne (n')…jamais	Nous **ne** dansons **jamais**.
ne (n')… personne	Vous **n'**invitez **personne**?
ne (n')…que	Ils **ne** mangent **que** des pâtes.
ne (n')… rien	Ma grand-mère **ne** comprend **rien**.
ne … ni … ni	On **ne** joue **ni** au foot **ni** au tennis.

Nouns

Irregular Plural Nouns

	Singular	Plural
no change	un bus	des bus
-al → **aux**	un cheval	des chev**aux**
-eu → **eux**	un jeu	des jeu**x**
-eau → **eaux**	un bateau	des bat**eaux**

Numbers

Cardinal Numbers	Ordinal Numbers
un	premier, première
deux	deuxième
trois	troisième
quatre	quatrième
cinq	cinquième
six	sixième
sept	septième
huit	huitième
neuf	neuvième
dix, etc.	dixième, etc.

Prepositions

Prepositions before Cities, Countries, Continents

City (no article)	Masculine (le Japon)	Feminine (la France)	Plural (les États-Unis)
à	au	en	aux

Pronouns

Subject Pronouns

Singular	Plural
je	nous
tu	vous
il/elle/on	ils/elles

Direct Object Pronouns

Singular	Plural
me	nous
te	vous
le, la, l'	les

Indirect Object Pronouns

Singular	Plural
me	nous
te	vous
lui	leur

The Pronoun *en*

en replaces...	
de + Noun	Tu manges du pain? Oui, j'en mange. Prenez de la viande! Prenez-en!
de + Noun after Expression of Quantity	Vous voulez un peu de café? Oui, j'en veux un peu. Il a apporté trois assiettes? Oui, il en a apporté trois.

The Pronoun y

	*y* replaces…	
preposition + place	Ma grand-mère habite en Arizona. Ma grand-mère **y** habite.
certain verbs such as **penser à, réfléchir à** + thing	Je pense toujours aux falaises de Normandie. J'**y** pense toujours.

Order of Double Object Pronouns

Subject + **me te nous vous se** + **la les** + **lui leur** + **y** + **en** + Verb

In affirmative command, the order of pronouns is:

Verb + **le la l' les** + **lui leur** + **me toi nous vous** + **y** + **en**

Stress Pronouns

Singular	Plural
moi	nous
toi	vous
lui, elle	eux, elles

Possessive Pronouns

	Singular		Plural	
	Masculine	Feminine	Masculine	Feminine
mine	le mien	la mienne	les miens	les miennes
yours	le tien	la tienne	les tiens	les tiennes
his, hers, its, one's	le sien	la sienne	les siens	les siennes
ours	le nôtre	la nôtre	les nôtres	
yours	le vôtre	la vôtre	les vôtres	
theirs	le leur	la leur	les leurs	

Interrogative Pronouns

	Subject	Direct Object	Object of Preposition
People	{ qui { qui est-ce qui	{ qui { qui est-ce que	qui
Things	qu'est-ce qui	{ que { qu' estj-ce-que	quoi

Interrogative Pronoun *lequel*

Masculine	Masculine Plural	Feminine	Feminine Plural
lequel	lesquels	laquelle	lesquelles

Relative Pronouns *qui* and *que*

	Subject	Object
People	qui l'homme qui parle	que le pull que je porte
Things	qui la prof qui est française	que le garçon que je connais

Relative Pronoun *dont*

dont = **de** + noun

Relative Pronouns *ce qui* and *ce que*

	Subject	Object
Things	**ce qui** J'aime **ce qui** est beau.	**ce que** Tu comprends **ce que** tu lis?

Demonstrative Pronouns

	Singular	Plural
Masculine	celui	ceux
Feminine	celle	celles

Indefinite Pronouns

aucun(e)… ne(n')	not one
un(e) autre	another
la plupart	most
plusieurs	several
quelqu'un	someone, somebody
quelque chose	something
tous les deux	both

Questions

Forming Questions

using **n'est-ce-pas**	Il fait chaud, **n'est-ce pas**? Ils regardent un DVD, **n'est-ce pas**?
using **est-ce que**	**Est-ce qu'**il fait chaud? **Est-ce qu'**ils regardent un DVD?
using **inversion:** Verb-Subject	**Fait-il** chaud? **Regardent-ils** un DVD?

Telling Time

Il est une **heure** Il est midi. Il est minuit.	…et quart.	…et demie.	…moins le quart.

Verbs

Regular Verbs—Present Tense

-er aimer			
j'	aim**e**	nous	aim**ons**
tu	aim**es**	vous	aim**ez**
il/elle/on	aim**e**	ils/elles	aim**ent**

	-ir finir		
je	fin**is**	nous	fin**issons**
tu	fin**is**	vous	fin**issez**
il/elle/on	fin**it**	ils/elles	fin**issent**

	-re vendre		
je	vend**s**	nous	vend**ons**
tu	vend**s**	vous	vend**ez**
il/elle/on	vend	ils/elles	vend**ent**

Irregular Verbs—Present Tense

	acheter		
j'	ach**è**te	nous	achetons
tu	ach**è**tes	vous	achetez
il/elle/on	ach**è**te	ils/elles	ach**è**tent

	courir	
je cours		nous courons
tu cours		vous courez
il/elle/on court		ils/elles courent

	aller		
je	vais	nous	allons
tu	vas	vous	allez
il/elle/on	va	ils/elles	vont

	croire	
je crois		nous croyons
tu crois		vous croyez
il/elle/on croit		ils/elles croient

	avoir (avoir besoin de/avoir chaud/avoir faim/avoir froid/avoir soif)		
j'	ai	nous	avons
tu	as	vous	avez
il/elle/on	a	ils/elles	ont

	devoir		
je	dois	nous	devons
tu	dois	vous	devez
il/elle/on	doit	ils/elles	doivent

	boire		
je	bois	nous	buvons
tu	bois	vous	buvez
il/elle/on	boit	ils/elles	boivent

	dire	
je dis		nous disons
tu dis		vous dites
il/elle/on dit		ils/elles disent

	conduire		
je	conduis	nous	conduisons
tu	conduis	vous	conduisez
il/elle/on	conduit	ils/elles	conduisent

	dormir		
je	dors	nous	dormons
tu	dors	vous	dormez
il/elle/on	dort	ils/elles	dorment

	écrire		
j'	écris	nous	écrivons
tu	écris	vous	écrivez
il/elle/on	écrit	ils/elles	écrivent

	connaître		
je	connais	nous	connaissons
tu	connais	vous	connaissez
il/elle/on	connaît	ils/elles	connaissent

Irregular Verbs—Present Tense *continued*

être

je	suis	nous	sommes
tu	es	vous	êtes
il/elle/on	est	ils/elles	sont

partir

je	pars	nous	partons
tu	pars	vous	partez
il/elle/on	part	ils/elles	partent

faire

je	fais	nous	faisons
tu	fais	vous	faites
il/elle/on	fait	ils/elles	font

plaire

je plais		nous plaisons	
tu plais		vous plaisez	
il/elle/on plaît		ils/elles plaisent	

falloir

il faut

pouvoir

je	peux	nous	pouvons
tu	peux	vous	pouvez
il/elle/on	peut	ils/elles	peuvent

lire

je	lis	nous	lisons
tu	lis	vous	lisez
il/elle/on	lis	ils/elles	lisent

préférer

je	préf**è**re	nous	préférons
tu	préf**è**res	vous	préférez
il/elle/on	préf**è**re	ils/elles	préf**è**rent

mettre

je	mets	nous	mettons
tu	mets	vous	mettez
il/elle/on	met	ils/elles	mettent

prendre

je	prends	nous	prenons
tu	prends	vous	prenez
il/elle/on	prend	ils/elles	prennent

offrir

j'	offre	nous	offrons
tu	offres	vous	offrez
il/elle/on	offre	ils/elles	offrent

recevoir

je	reçois	nous	recevons
tu	reçois	vous	recevez
il/elle/on	reçoit	ils/elles	reçoivent

ouvrir

j'	ouvre	nous	ouvrons
tu	ouvres	vous	ouvrez
il/elle/on	ouvre	ils/elles	ouvrent

savoir

je	sais	nous	savons
tu	sais	vous	savez
il/elle/on	sait	ils/elles	savent

Irregular Verbs—Present Tense *continued*

sortir			
je	sors	nous	sortons
tu	sors	vous	sortez
il/elle/on	sort	ils/elles	sortent

vivre			
je	vis	nous	vivons
tu	vis	vous	vivez
il/elle/on	vit	ils/elles	vivent

suivre			
je	suis	nous	suivons
tu	suis	vous	suivez
il/elle/on	suit	ils/elles	suivent

voir			
je	vois	nous	voyons
tu	vois	vous	voyez
il/elle/on	voit	ils/elles	voient

venir			
je	viens	nous	venons
tu	viens	vous	venez
il/elle/on	vient	ils/elles	viennent

vouloir			
je	veux	nous	voulons
tu	veux	vous	voulez
il/elle/on	veut	ils/elles	veulent

Regular Imperatives

-er chanter	-ir choisir	-re pendre
Chante!	Choisis!	Prends!
Chantons!	Choisissons!	Prenons!
Chantez!	Choisissez!	Prenez!

Reflexive Verbs—Present Tense

se préparer	
je **me** prépare	nous **nous** préparons
tu **te** prépares	vous **vous** préparez
il/elle/on **se** prépare	ils/elles **se** préparent

Imperative of Reflexive Verbs

s'asseoir
Assieds-toi!
Asseyons-nous!
Asseyez-vous!

Expressing the Near Future

aller + Infinitive
Nous allons dîner.

Passé composé with *avoir*

avoir + past participle

-er verbs → é	-ir verbs → i	-re verbs → u
Nous avons gagné.	Tu as fini.	On a attendu.

Irregular Past Participles		
avoir—**eu**	boire—**bu**	conduire—**conduit**
connaître—**connu**	courir—**couru**	croire—**cru**
devoir—**dû**	dire—**dit**	écrire—**écrit**
être—**été**	faire—**fait**	falloir—**fallu**
lire—**lu**	mettre—**mis**	offrir—**offert**
ouvrir—**ouvert**	pleuvoir—**plu**	pouvoir—**pu**
prendre—**pris**	recevoir—**reçu**	savoir—**su**
suivre—**suivi**	vivre—**vécu**	voir—**vu**
vouloir—**voulu**		

Passé composé with *être*

Some of the verbs that use **être** as the helping verb in the **passé composé** are:

Infinitive	Past Participle
aller	**allé**
arriver	**arrivé**
descendre	**descendu**
devenir	**devenu**
entrer	**entré**
monter	**monté**
partir	**parti**
rentrer	**rentré**
rester	**resté**
retourner	**retourné**
revenir	**revenu**
sortir	**sorti**
vendre	**vendu**
venir	**venu**

Passé composé of Reflexive Verbs

se préparer	
je **me** suis couché(e)	nous **nous** sommes couché(e)s
tu **t'**es couché(e)	vous **vous** êtes couché(e)s
il **s'**est couché	ils **se** sont couchés
elle **s'**est couchée	elles **se** sont couchées
on **s'**est couché	

Present Participle

Verb	Present Participle
aller	allant
attendre	attendant
faire	faisant
finir	finissant
partir	partant

Some verbs have irregular present participles.

Verb	Present Participle
avoir	ayant
être	étant
savoir	sachant

Imperfect Tense

aller	
j'all**ais**	nous all**ions**
tu all**ais**	vous all**iez**
il/ elle/on all**ait**	ils/ elles/ all**aient**

Pluperfect Tense

	finir	rentrer
je (j')	**avais fini**	**étais rentré(e)**
tu	**avais fini**	**étais rentré(e)**
il/elle	**avait fini**	**était rentré(e)**
nous	**avions fini**	**étions rentré(e)s**
vous	**aviez fini**	**étiez rentré(e)(s)**
ils/elles	**avaient fini**	**étaient rentré(e)s**

Future Tense

finir	
je fini**rai**	nous fini**rons**
tu fini**ras**	vous fini**rez**
il/ elle/on fini**ra**	ils/ elles fini**ront**

Conditional Tense

choisir	
je choisi**rais**	nous choisi**rions**
tu choisi**rais**	vous choisi**riez**
il/ elle/on choisi**rait**	ils/ elles choisi**raient**

Past Conditional Tense

	mettre	**rentrer**	**se lever**
je (j')	**aurais mis**	**serais allé(e)**	**me serais levé(e)**
tu	**aurais mis**	**serais allé(e)**	**te serais levé(e)**
il/elle	**aurait mis**	**serait allé(e)**	**se serait levé(e)**
nous	**aurions mis**	**serions allé(e)s**	**nous serions levé(e)s**
vous	**auriez mis**	**seriez allé(e)(s)**	**vous seriez levé(e)(s)**
ils/elles	**auraient mis**	**seraient allé(e)s**	**se seraient levé(e)s**

Irregular Stems of Verbs in Future and Conditional Tense

Infinitive—Irregular stem		
aller—**ir**	s'asseoir—**assiér**	avoir—**aur**
courir—**courr**	devoir—**devr**	envoyer—**enverr**
être—**ser**	faire—**fer**	falloir—**faudr**
pleuvoir—**pleuvr**	pouvoir—**pourr**	recevoir—**recevr**
savoir—**saur**	venir—**viendr**	voir—**verr**
vouloir—**voudr**		

Future Tense after *quand*

quand + future	future

Future or Conditional Tense with *si*

si	+	present	future
si	+	imperfect	conditional
si	+	pluperfect	past conditional

Subjunctive of Regular Verbs

	tenter	**finir**	**attendre**
que je (j')	tente	finisse	attende
que tu	tentes	finisses	attendes
qu'il/elle	tente	finisse	attende
que nous	tentions	finissions	attendions
que vous	tentiez	finissiez	attendiez
qu'ils/elles	tentent	finissent	attendent

Subjunctive of Irregular Verbs

	aller	**avoir**	**boire**	**croire**	**devoir**
que je (j')	aille	aie	boive	croie	doive
que tu	ailles	aies	boives	croies	doives
qu'il/elle	aille	ait	boive	croie	doive
que nous	allions	ayons	buvions	croyions	devions
que vous	alliez	ayez	buviez	croyiez	deviez
qu'ils/elles	aillent	aient	boivent	croient	doivent

	être	**faire**	**pouvoir**	**prendre**	**recevoir**
que je (j')	soie	fasse	puisse	prenne	reçoive
que tu	soies	fasses	puisses	prennes	reçoives
qu'il/elle	soit	fasse	puisse	prenne	reçoive
que nous	soyons	fassions	puissions	prenions	recevions
que vous	soyez	fassiez	puissiez	preniez	receviez
qu'ils/elles	soient	fassent	puissent	prennent	reçoivent

	savoir	**venir**	**voir**	**vouloir**
que je (j')	sache	vienne	voie	veuille
que tu	saches	viennes	voies	veuilles
qu'il/elle	sache	vienne	voit	veuille
que nous	sachions	venions	voyions	voulions
que vous	sachiez	veniez	voyiez	vouliez
qu'ils/elles	sachent	viennent	voient	veuillent

The Subjunctive after Impersonal Expressions

il est bon que	*it is necessary that*
il est essentiel que	*it is essential that*
il faut que	*it is necessary that*
il est important que	*it is important that*
il est impossible que	*it is impossible that*
il est indispensable que	*it is indispensable that*
il est nécessaire que	*it is necessary that*
il est possible que	*it is possible that*
il est surprenant que	*it is surprising that*
il est utile que	*it is useful that*
il se pourrait que	*it is possible that*
il vaut mieux que	*it is better that*

Other Expressions Requiring the Use of the Subjunctive

Expressions of Wish, Will, or Desire	Expressions of Emotions	
aimer que *to like, to love*	**être content(e) que** *to be happy that*	**avoir peur que** *to be afraid that*
desirer que *to want*	**être heureux/heureuse que** *to be happy that*	**regretter que** *to regret that*
exiger que *to require*	**être triste que** *to be sad that*	**s'inquiéter que** *to be worried that*
préférer que *to prefer*	**être désolé(e) que** *to be sorry that*	**Ça me surprend que…** *It surprises me that…*
souhaiter que *to wish, to hope*	**être fâché(e) que** *to be angry that*	**Ça m'embête que…** *It bothers me that…*
vouloir que *to want*	**être étonné(e) que** *to be surprised that*	**C'est dommage que…** *It's too bad that…*

Expressions of Doubt or Uncertainty		
(ne pas) penser que *to not think that*	Je **ne** pense **pas** qu'il **soit** français. *I don't think that he is French.*	**Penses-tu que** nous **ayons** assez d'argent? *Do you think we have enough money?*
(ne pas) croire que *to not believe that*	Elle **ne** croit **pas** que vous **partiez**. *She doesn't believe that you are leaving.*	**Croyez-vous qu**'il **fasse** beau demain? *Do you believe it will be nice tomorrow?*
(ne pas) être sûr que *to not be sure that*	Je **ne** suis **pas** sûr que ce **soit** vrai. *I am not sure this is true.*	**Êtes-vous sûr que** ce **soient** des chats? *Are you sure these are cats?*
(ne pas) être vrai que *to not be true that*	**Ce n'est pas vrai que** Mel **comprenne**. *It is not true that Mel understands.*	**Est-il vrai que** tes cousins **partent**? *Is it true that your cousins are leaving?*
(ne pas) être évident que *to not be obvious that*	**Il n'est pas évident que** nous **restions**. *It is not obvious that we'll stay.*	**Est-il évident que** nous **soyons** jumeaux? *Is it obvious that we are twins?*

Subjunctive after *pour que*

pour que + subjunctive   Je nourris les chevaux **pour qu'**ils **soient** forts. *I feed the horses so they be strong.*

Verbs + Infinitives

aimer	aller	désirer
devoir	falloir	pouvoir
préférer	venir	vouloir

Nous préférons faire du ski.

Verbs + *à* + Infinitives

aider	s'amuser	apprendre
commencer	continuer	s'engager
hésiter	s'intéresser	inviter
se préparer	réussir	

Verbs + *de* + Infinitives

accepter	arrêter	choisir
conseiller	décider	demander
se dépêcher	dire	essayer
finir	offrir	oublier
promettre	rêver	

Past Infinitive

après	+	**avoir** **être**	+	past participle

Vocabulaire

Vocabulary terms from Level 1 and Level 2 of *T'es branché?* are included but do not have a unit number. Vocabulary terms from Level 3 include the unit number in which the term is introduced.

Français-Anglais

A **à** at; in; on; to; *à bicyclette* on a bicycle; *À bientôt.* See you soon.; *à bord* on board; *à carreaux* plaid 9; *à cause de* because of 2; *à côté (de)* beside, next to; *À demain.* See you tomorrow.; *à droite* on the right; *à gauche* on the left; *à la fois* at the same time; *à la page* in fashion 2; *à l'arrière-plan (m.)* in the background 7; *à la télé* on TV; *à l'heure* on time; *à l'horizon* on the horizon; *à mi-temps* half-time 8; *à mon avis* in my opinion; *à mon goût* for my taste 5; *à part* aside from 9; *à pied* on foot; *à plein temps* full-time 8; *à pois* polka dots 9; *à propos de* about 2; *à rayures* striped 9; *à roulettes* on wheels; *à sa place* in its place 2; *à table* at the (dinner) table 2; *à vélo* by bike

abandonner to abandon 4
absolument absolutely 1
abstrait(e) abstract
accablé(e) overwhelmed 9
accéder to access 8
un **accélérateur** accelerator
un **accent** accent
accepter to accept
un **accessoire** accessory
un **accident** accident
un **accompagnateur, une accompagnatrice** home health worker
accompagner to accompany
un **accord** agreement 1; *mettre d'accord* to get people to agree 1
accorder to grant 8
un **accra de morue** cod fritter
accrocher to hang 3
un **accueil** welcome; *un centre d'accueil* reception center, shelter
accueil home page 5
accueillir to welcome 2
un **achat** purchase
acheter to buy
acquis(e) acquired 8
un **acteur, une actrice** actor
une **action** action 5; *l'action (f.)* action; *l'Action de grâce (f.)* Thanksgiving; *un film d'action* action movie
un(e) **actionnaire** stockholder 10
une **activité** activity
une **adaptation** adaptation 10
adapter to adapt, to adjust 10
s' **adapter (à)** to adapt (to) 10
l' **addition (f.)** bill
adieu farewell 8; *faire ses adieux* to bid farewell 8
administratif, administrative administrative 10
un(e) **adolescent(e)** teenager
adorer to adore
une **adresse** address; *un jeu d'adresse* game of skill

adressé (à) addressed (to) 5
s' **adresser (à)** to address (someone) 2
l' **aérobic (m.)** aerobics
un **aérogramme** air letter 6
aéronautique: le secteur aéronautique aviation industry
un **aéroport** airport
des **affaires (f.)** belongings, things; *les affaires (f.)* business 5; *affaires de ménage* house cleaning items; *affaires de toilette* toiletries; *un centre d'affaires* business center 5
affectueusement affectionately, with warm regards
une **affiche** poster
affolé(e) distraught 1; *être affolé(e)* to panic 1
affranchir to stamp 6
l' **affranchissement (m.)** postage 6
africain(e) African 9
l' **Afrique (f.)** Africa
agacer to annoy; *Tu m'agaces!* You're getting on my nerves!
l' **âge (m.)** age; *Tu as quel âge?* How old are you?
un(e) **agent(e)** agent; *agent de police* police officer
agir to act
s' **agir (de): il s'agit de** it's about
un **agneau** lamb
agréable pleasant 5
l' **agriculture (f.)** agriculture
agroalimentaire food-processing 10; *le secteur agroalimentaire* food industry
ah oh
l' **aide (f.)** assistance
aider to help
un(e) **aïeul(e)** ancestor 3
aimer to like, to love
l' **air (m.)** air; *avoir l'air* to look; *avoir l'air de* to seem like 1; *en plein air* outdoors

ajouter to add 10
un **album** album; *album concept* concept album 7
l' **alcoolisme (m.)** alcoholism
algérien(ne) Algerian
alimentaire food 10; *un produit alimentaire* food product 10
l' **Allemagne (f.)** Germany
l' **allemand (m.)** German *[language]*
allemand(e) German
aller to go; *je m'en vais* I'm going 2; *Tu trouves que... me va bien?* Does this... look good on me?; *Vas-y!* Go for it!
une **alliance** wedding ring 1
allô hello *[on telephone]*
alors so, then
l' **Alsace (f.)** Alsace region
alsacien(ne) from, of Alsace region
l' **aluminium (m.)** aluminum; *en aluminium* made of aluminum
une **amande** almond
une **ambiance** ambiance; atmosphere; *chaude ambiance* exciting/fun night
américain(e) American
amérindien(ne) Amerindian
l' **Amérique (f.): Amérique du Nord** North America; *Amérique du Sud* South America
un(e) **ami(e)** friend
l' **amour (m.)** love
un **amoureux, une amoureuse (de)** lover (of)
amoureux, amoureuse in love 6; *être amoureux/ amoureuse (de)* to be in love (with) 6
amusant(e) funny
amuser to amuse
s' **amuser** to have fun
un **an** year; *le Jour de l'an* New Year's Day
un **ananas** pineapple; *ananas montagne* mountain pineapple

un(e) **ancêtre** ancestor 3

ancien(ne) old 3

une **anecdote** anecdote 8

l' **anglais (m.)** English [language]

anglais(e) English

l' **Angleterre (f.)** England

anglophone English-speaking 10

un **animal** animal; *les animaux en voie de disparition* endangered species

un **animateur, une animatrice** TV host

animé(e): un dessin animé cartoon

une **année** year; *d'une cinquantaine d'années* in one's fifties 9; *d'une quarantaine d'années* in one's forties 9; *d'une trentaine d'années* in one's thirties 9; *d'une vingtaine d'années* in one's twenties 9; *en première année* in the first year

annexer to annex

un **anniversaire** birthday; *anniversaire de mariage* wedding anniversary

une **annonce** advertisement 8; *une petite annonce* want ad 8

annoncer to announce

un **anoli** anole

anonyme anonymous 10; *une Société Anonyme (SA)* public (incorporated) company 10

une **anthologie** anthology 6

les **Antilles (f.)** West Indies

un **anti-moustique** insect repellent

des **antirétroviraux (m.)** antiretroviral drugs

l' **antisémitisme (m.)** anti-Semitism

août August

l' **apartheid (m.)** Apartheid

s' **apercevoir (de)** to notice 9

un **apéritif** drink and food offered before the meal 2

un **appareil** camera, device; machine 6

un **appartement** apartment

appeler to call

s' **appeler** to be called

une **appli (application)** app (application)

appliquer to apply 7

apporter to bring

apprécier to like 5

apprendre to learn; to teach

s' **approcher** to come closer 9

appuyer to push

après after

l' **après-midi (m.)** afternoon

l' **après-vente (m.): un service après-vente** post-sale support 10

un **aquaparc** water park 1

arabe Arab

l' **argent (m.)** money; silver; *argent liquide* cash 6; *en argent* made of silver

l' **argot (m.)** slang 9

un(e) **aristocrate** aristocrat 8

une **armoire** wardrobe

arrêter to stop; *se faire arrêter* to get arrested 9

s' **arrêter** to stop

une **arrière-grand-mère** great-grandmother 3

un **arrière-grand-père** great-grandfather 3

l' **arrière-pays (m.)** back country

un **arrière-plan** background 7; *à l'arrière-plan* in the background 7

une **arrivée** arrival

arriver to arrive; to happen 9; *arriver (à)* to be able to; *arriver à faire quelque chose* to bring oneself to do something 6

un **arrondissement** district, quarter 10

arroser to water

l' **art (m.)** art; *les arts plastiques (m.)* visual arts; *un objet d'art* art object

un **article** magazine, newspaper article

un(e) **artiste** artist

un **ascenseur** elevator 5

asiatique Asian 9

l' **Asie (f.)** Asia

un **aspirateur** vacuum cleaner; *passer l'aspirateur* to vacuum

s' **asseoir** to sit down

assez rather 6; *assez (de)* enough (of)

une **assiette** plate

assis(e) sitting

un(e) **assistant(e)** assistant 8

assister (à) to attend 1

une **assurance** insurance 8; *assurance maladie* health insurance 8

un **atelier** studio 7

un(e) **athlète** athlete

l' **athlétisme (m.)** athletics 2

attachant(e) likeable

attendre to expect (baby); to wait (for)

s' **attendre (à)** to expect (something) 4

Attention! Be careful!, Watch out!

atterrir to land

attractions: un parc d'attractions amusement park

attristé(e) sad 9

au in (the), on (the); to (the); with; *au bord de la mer* at the seaside; *au bout de* at the end of; *au chocolat* with chocolate;

au contraire on the contrary 8; *au cours de* during, in the course of 8; *au-dessus de* above; *au fait* by the way; *au fond de* at the end of; *au moins* at least; *au premier plan* in the foreground; *Au revoir.* Good-bye.; *au secours* help; *au sucre* with sugar; *être au courant* to be informed, to know

l' **aube (f.)** dawn 7

une **auberge de jeunesse** youth hostel

une **aubergine** eggplant

aucun(e) any, none, no one 4; *aucun de nous ne (+ verb)* none of us (+ verb) 4; *ne (n')... aucun(e)* no, none, not any, not one 4; *sans aucun doute* without a doubt 4

un **auditeur, une auditrice libre** auditor of a class 10

aujourd'hui today

auparavant before 9

auquel, auquelle to which 5

aussi also, too; as; *aussi (+ adverb) que* as... as

aussitôt que as soon as 1

l' **Australie (f.)** Australia

un **auteur** author 7

une **autobiographie** autobiography 6

une **auto (automobile)** car; *auto tamponneuse* bumper car; *un constructeur, une constructrice automobile* car manufacturer 10; *un(e) designer automobile* automotive designer

un **autobus** bus; *en autobus* by bus

un(e) **autochtone** native

l' **automne (m.)** autumn

un **autoportrait** auto-portrait

une **autorisation** permit 6

autour de around 2

autre other; *l'un(e)... l'autre* the one... the other 9

autrefois formerly, in the past

autrement otherwise

aux at (the), in (the), to (the)

avance: en avance early

avancer: pour t'avancer to help you 2

s' **avancer (vers)** to move (toward)

avant before

avec with

l' **avenir (m.)** future

une **aventure** adventure; *le tourisme d'aventure* adventure tourism; *un film d'aventures* adventure movie

une **avenue** avenue

un **aveu** confession 7

un **avion** plane; *en avion* by plane

un **avis** opinion; *à mon avis* in my opinion

un(e) **avocat(e)** lawyer; *un cabinet d'avocats* law firm 1

avoir to have; *avoir... an(s)* to be... year(s) old; *avoir beau [inform.]* to do (something) in vain 8; *avoir besoin de* to need; *avoir bonne mine* to look healthy; *avoir chaud* to be hot; *avoir confiance* to trust; *avoir de la chance* to be lucky; *avoir droit à* to be entitled to 8; *avoir envie de* to feel like, to want; *avoir faim* to be hungry; *avoir froid* to be cold; *avoir hâte de* to be eager; *avoir horreur de* to hate; *avoir la chance (de)* to have the opportunity (to) 2; *avoir l'air* to look; *avoir l'air de* to seem like 1; *avoir l'embarras du choix* to have too many choices 10; *avoir les moyens* to be able to afford, to have the means 8; *avoir lieu* to take place; *avoir l'impression (de)* to have the impression (of) 6; *avoir l'occasion (de)* to have the opportunity (to) 4; *avoir mal (à...)* to be hurt, to have a/an... ache; *avoir mal au cœur* to feel nauseous; *avoir mauvaise mine* to look sick; *avoir peur (de)* to be afraid (of); *avoir peur du vide* to be afraid of heights; *avoir quel âge* to be how old; *avoir raison* to be right; *avoir soif* to be thirsty; *avoir tort* to be wrong 8; *avoir un petit air du pays* to look like (something from) my country

avril April

azur: la côte d'Azur French Riviera

B

un **B.A.** Bachelor of Arts degree 10

un **bac (baccalauréat)** exam taken to obtain high school diploma 9

le **bacon** bacon

un **bagage** piece of luggage; *faire enregistrer les bagages* to check one's luggage; *un compartiment à bagages* luggage compartment

une **bagarre** fight 9

une **bague** ring; *bague de diamants* diamond ring; *bague de*

fiançailles engagement ring 1

une **baguette** long thin loaf of bread

baigner to bathe

une **baignoire** bathtub

un **bain** bath; *bain à remous* whirlpool bath 5; *un peignoir de bain* bathrobe

baisser to decrease 2

une **balade** ride, walk

un **balisier** botanical canna

une **ballade** ballad 3

un **ballon (de foot)** (soccer) ball

banal(e) banal

une **banane** banana

un **banc** bench

bancaire: une carte bancaire debit card 6

une **bande** group of friends 1

une **bande-annonce** film trailer 5

une **bande dessinée (BD)** comic strip

une **banlieue** suburb

une **banque** bank

un **banquier, une banquière** banker 6

le **bas** bottom

le **basket (basketball)** basketball

un **bassin** fountain, pond, pool

un **bateau** boat; *en bateau* by boat

un **bâton de ski** ski pole 4

une **batterie** drum set

une **bavard(e)** talkative

béarnaise(e): une sauce béarnaise Béarnaise sauce 5

beau, bel, belle beautiful, handsome; *avoir beau [inform.]* to do (something) in vain 8

beaucoup a lot, very much; *beaucoup de* a lot of

un **beau-frère** stepbrother

un **beau-père** stepfather

la **beauté** beauty

les **beaux-arts (m.)** fine arts 7

un **bébé** baby 1

béchamel: une sauce béchamel béchamel sauce 5

beige beige

belge Belgian

la **Belgique** Belgium

une **belle-mère** stepmother

une **belle-sœur** stepsister

ben well

le **bénévolat** volunteer work 4

le **Bénin** Benin

béninois(e) Beninese

berbère Berber

un **besoin** need 8

un **best-seller** best seller

bête unintelligent

le **beurre** butter

une **bicyclette** bicycle; *à bicyclette* on a bicycle

bien really, well; *bien entendu* of course 5; *bien sûr* of course; *c'est bien* it's/that's exactly 10; *ça tombe bien* that works out well 2; *en y réfléchissant bien* on second thought 4

bientôt soon; *à bientôt* see you soon

bienvenue welcome

une **bière** beer 10

un **bijou** piece of jewelry

bilingue bilingual 10

une **bille** marble 1; *jouer aux billes* to play marbles 1

un **billet** bill [money]; ticket

la **biochimie** biochemistry 6

une **biographie** biography 6

la **biologie** biology

biologique organic

blanc, blanche white; *le blanc des yeux* eye to eye 9; *une sauce blanche* white sauce 5

la **blanchisserie** laundry 5; *un service blanchisserie* laundry service 5

blasé(e) blasé 5

un **blason** team logo

bleu(e) blue

un **blogue** blog

un **blogueur, une blogeuse** blogger 2

blond(e) blond

un **blouson** jacket

le **bœuf** beef; *bœuf bourguignon* beef burgundy

boire to drink

le **bois** wood 2; *en bois* wooden 2

une **boisson** drink

une **boîte** box 6; nightclub; *boîte (de)* can (of); *boîte aux lettres* mailbox 6; *boîte cartonnée* cardboard box 6; *en boîte* at/to the club

un **bol** bowl

bon(ne) good; *Bon Appétit!* Enjoy your meal!; *bon courage* good luck; *bon marché* cheap; *Bonne route!* Have a good trip!; *Bon voyage!* Have a good trip!; *le bon vieux temps* the good old days

bon so

bonjour hello

un **bonnet** hat; *bonnet en laine* wool hat

le **bord** edge, side; *au bord de la mer* by the seaside; *bord de mer* seaside; *monter à bord* to board

une **borne-fontaine** water hydrant

une **borne libre-service** self-service kiosk

un **bosquet** grove

bosser *[inform.]* to work 9

des **bottes** (f.) boots

la **bouche** mouth; *une bouche du métro* subway entrance

un **boucher, une bouchère** butcher

une **boucherie** butcher shop

bouclé(e) wavy (hair) 9

une **boucle d'oreille** earring

bouger to move

un **boulanger, une boulangère** baker

une **boulangerie** bakery

une **boule de neige** snowball 2

un **boulot** *[inform.]* job 8

un **bouquin** *[inform.]* book 6

la **Bourgogne** Burgundy 5

bourguignon(ne) from, of Burgundy 5

bousculer to shove 9; *se faire bousculer* to get knocked into 9

le **bout** end; *au bout de* at the end of

une **bouteille (de)** bottle (of)

une **boutique** shop

un **bracelet** bracelet

le **bras** arm

une **brasserie** café-restaurant

bref in short 9

la **Bretagne** Brittany region

breton(ne) from, of Brittany region

le **bricolage** do-it-yourself (DIY) projects 3

bricoler to do DIY projects 3

une **brochette** skewer

bronzer to tan

une **brosse: brosse à cheveux** hairbrush; *brosse à dents* toothbrush

se **brosser: se brosser les cheveux** to brush one's hair; *se brosser les dents* to brush one's teeth

le **brouillard** mist 7

brouillé(e): des œufs (m.) brouillés scrambled eggs

brun(e) brown, dark (hair)

brut(e): le Produit National Brut (PNB) GNP (Gross National Product) 2

une **bûche de Noël** yule log 2

un **buffet** buffet

un **bulletin météo(rologique)** weather forecast

un **bureau** desk, office; *bureau de change* foreign exchange counter 6; *bureau de tabac* news store that sells tobacco, stamps, lottery tickets; *bureau du proviseur* principal's office

le **Burkina Faso** Burkina Faso

burkinabè from, of Burkina Faso

un **bus** city bus; *en bus* by city bus

un **but** goal

un **buzz** buzz 9

C

c'est it is, that is, this is; *c'est bien* it's/that's exactly 10; *C'est ça.* That's right.; *c'est comme ça que...* that's how... 1; *C'est décidé.* It's settled.; *c'est dommage que...* it's too bad that... 5; *c'est pareil* it's the same; *C'est parti!* Here we go!; *c'est pour ça que* this/that is why; *c'est promis* it's a promise 6; *c'est sûr* that's for sure

ça it, this; that; *Ça fait combien?* How much is it?; *ça fait longtemps que* it's been a long time since; *ça m'est égal* it's all the same to me; *ça ne se fait pas* you shouldn't do that; *ça promet* it sounds promising 5; *ça tombe bien* that works out well 2; *Ça va?* How are things going?; *ça va se savoir* it will be revealed (known); *ça vaut* it's worth; *c'est pour ça que* that/this is why; *c'est comme ça que...* that's how... 1; *comme ça* like this, thus; *Rien que ça?* Is that all?

une **cabine d'essayage** dressing room

un **cabinet** office; *cabinet d'avocats* law firm 1; *cabinet dentaire* dentist's office; *cabinet du médecin* doctor's office

câblé(e): une chaîne câblée cable channel 5

le **cache-cache: jouer à cache-cache** to play hide-and-seek 1

cacher to conceal, to hide 7

se **cacher** to hide 7

un **cadeau** gift

un **cadre** setting

un **café** café; coffee; *café au lait* coffee with milk

un **cahier** notebook

un **caissier, une caissière** bank teller 6

un **calendrier** calendar

se **calmer** to calm oneself down

un(e) **camarade de classe** classmate

le **Cambodge** Cambodia 10

le **camembert** camembert cheese

une **caméra** camera

le **Cameroun** Cameroon

camerounais(e) Cameroonian

un **camion** truck

la **campagne** country(side)

le **camping** camping; *faire du camping* to go camping; *un terrain de camping* campground

le **Canada** Canada

canadien(ne) Canadian

la **canalisation** pipe(line)

un **canapé** sofa

un **canard** duck; *un magret de canard* duck breast 2

un **candidat** candidate 2

une **candidature** application 8; *une lettre de candidature* application letter 8

une **canne à pêche** fishing pole

un **canoë** canoe; *en canoë* by canoe; *faire du canoë* to go canoeing

une **cantine** school cafeteria

une **capitale** capital

un **capot** hood *[car]*

le **caramel** caramel; *une crème caramel* caramel custard

une **caravane** camper

une **caricature** caricature 7

un **carnaval** carnival

une **carotte** carrot

un **carré** square; *en carrés* in squares

carré(e) square 2

un **carreau: à carreaux** plaid 9

une **carte** card; map; menu; *carte bancaire* debit card 6; *carte cadeau* gift card; *carte de crédit* credit card; *carte d'embarquement* boarding pass; *carte postale* postcard; *carte SIM* SIM card

cartonné(e) (made out of) cardboard 6; *une boîte cartonnée* cardboard box 6

un **cas** case; *en tout cas* in any case

une **cascade** waterfall

une **casquette** cap

se **casser** to break 4; *se casser le poignet* to break one's wrist 4

une **casserole** saucepan

le **casting** casting 5

un **catalogue** catalog 6

une **catastrophe** catastrophe 5

une **cathédrale** cathedral

une **cause** cause; *à cause de* because of 2

causer to cause

une **caverne** cave

un **CD** CD

ce it; this; *ce, cet, cette, ces* that, these, this, those; *ce que* what; *ce qui* what; *ce mot-là* this (very) word

un **cédérom** CD

une **ceinture** belt; *ceinture de sécurité* seatbelt

cela it 3; that, this

célèbre famous

celui, celle that/this one, the one 6

cent (one) hundred

un **centre** center; *centre commercial* mall, shopping center; *centre d'accueil* reception center, shelter; *centre d'affaires* business center 5; *centre de remise en forme* fitness center 5

cependant however 8

des **céréales (f.)** cereal

un **cercle** circle, group 3

une **cerise** cherry

certain(e) certain, sure 5; *être certain que* to be certain that 5

un **certificat** certificate 6

ceux the ones, these, those 6

chacun(e) each (one) 5

une **chaîne** channel; *chaîne câblée* cable channel 5

une **chaise** chair

une **chaise-longue** chaise lounge

une **chambre** bedroom; hotel room; *un service de chambre* room service 5

un **champ** field; field of vision

le **champagne** champagne 10

champêtre rural, rustic 7; *une fête champêtre* garden party 7

un **champignon** mushroom

un **championnat** championship 2

la **chance: avoir de la chance** to be lucky; *avoir la chance (de)* to have the opportunity (to) 2; *tenter sa chance* to try one's luck 3

un **change** exchange 6; *un bureau de change* foreign exchange counter 6

changer to change

une **chanson** song; *chanson réaliste* chanson réaliste 7

un **chansonnier, une chansonnière** cabaret artist/singer

chanter to sing

un **chanteur, une chanteuse** singer

un **chapeau** hat

une **chapelle** chapel

chaque each

un **char** float

une **charcuterie** delicatessen

un **charcutier, une charcutière** deli owner

chargé(e): être chargé(e) (de) to be in charge (of)

charmant(e) charming

le **charme** charm

un **chat** cat

un **château** castle

chaud(e) hot; *chaude ambiance* exciting/fun night; *avoir*

chaud to be hot; *il fait chaud* it's hot; *un chocolat chaud* hot chocolate

chauffer to heat (up) 2

une **chaussette** sock

une **chaussure** shoe; *chaussure de ski* ski boot 4

chauve bald 9

une **chauve-souris** bat

chef sir

un **chef, une cheffe** manager 8; *chef, cheffe d'entreprise* president 10; *chef d'orchestre* conductor 5; *chef du personnel* personnel manager 8

un **chef-d'œuvre** masterpiece

un **chemin** path, way

une **chemise** shirt

un **chemisier** blouse 9

un **chèque** check 6; *chèque de voyage* traveler's check 6

un **chéquier** checkbook 6

cher, chère dear; expensive

chercher to look for

un **chercheur, une chercheuse** researcher

chéri(e) honey

un **cheval** horse; *faire du cheval* to go horseback riding

les **cheveux (m.)** hair; *une brosse à cheveux* hairbrush; *se brosser les cheveux* to brush one's hair

la **cheville** ankle 4; *se fouler la cheville* to sprain an ankle 4

une **chèvre** goat

le **chevreuil** venison 2; *une côte de chevreuil* venison chop 2

chez at/to the house (home) of; *chez le kiné* at/to the physical therapy office 8; *chez moi* at/to my house

chic chic

un **chien** dog

un **chiffre** figure, number 8

la **chimie** chemistry

chimique chemical

Chine China 10

un **chinois** conical strainer 2

le **chocolat** chocolate; *au chocolat* with chocolate; *un chocolat chaud* hot chocolate; *une mousse au chocolat* chocolate mousse

le **chœur** choir 9

choisir to choose; to decide

un **choix** choice; *avoir l'embarras du choix* to have too many choices 10

le **chômage** unemployment

choqué(e) shocked 9

une **chose** thing; *Tu en sais des choses.* You sure know a lot about it.

la **choucroute** sauerkraut; *choucroute garnie* sauerkraut with potatoes, sausages, smoked pork

chouette great

chut shh

une **chute** fall 8; *une chute d'eau* waterfall

cibler to target 10

un **ciné (cinéma)** movie theatre; *le cinéma* movies

un **ciné-club** film club 1

cinq five

une **cinquantaine** about fifty 9; *d'une cinquantaine d'années* in one's fifties 9

cinquante fifty

cinquième fifth

circuler to drive, to get around

cirer to polish 3

une **citation** quote 8

une **cité universitaire** university dormitory

un **citoyen, une citoyenne** citizen 8

un **citron** lemon; *un thé au citron* tea with lemon

civil(e) civil 6; *le génie civil* civil engineering 6

clair(e) clear

une **clarinette** clarinet

une **classe** class; *classe de neige* ski class 4

un **classique** classic 5

classique classical; *la musique classique* classical music

un **clavier** keyboard

une **clé** (ignition) key; *clé USB* USB key

un **clergé** clergy 8

un(e) **client(e)** guest 5

un **clignotant** blinker

la **climatisation** air conditioning

un **clip** video clip

cliquer to click

un **clou** nail 3; *enfoncer un clou* to hammer a nail 3

un **club** club 2

un **coca** cola

un **cochon** pig

le **cœur** heart; *avoir mal au cœur* to feel nauseous

un **coffre-fort** safe 5

un **coiffeur, une coiffeuse** hair stylist

une **coiffure** hairstyle; *un salon de coiffure* hair salon

le **coin** corner; *du coin* on the corner

un **colibri** hummingbird

un **colis** package 6

collé(e) glued, stuck
une **collection** collection
collectionner to collect 1
la **collectivité** community, society 8
un **collier** necklace; *collier de/en perles* pearl necklace
une **colline** hill
la **colonisation** colonization
combattre to fight
combien how much; *Ça fait combien?* How much is it?; *C'est combien le kilo?* How much per kilo?; *depuis combien de temps* how long; *Il coûte combien?* How much does it cost?
une **comédie** comedy; *comédie romantique* romantic comedy
un **comité** group 2; *en petit comité* with a few friends 2
commander to order
comme for; like; since; *comme ça* like this, thus; *comme ci, comme ça* so-so; *c'est comme ça que...* that's how... 1
commencer to begin; *pour commencer* for starters
comment how, what; *Comment allez-vous?* [form.] How are you?; *Comment est...?* What is... like?
des **commérages (m.)** gossip 9
un(e) **commerçant(e)** business, shopping; *un(e) petit(e) commerçant(e)* shopkeeper
un **commissariat** police station 9
une **compagnie** company 8
un **compartiment à bagages** baggage compartment
une **compétence** skill 5
complémentaire supplementary 8
complètement completely 9
un **complexe** center; *complexe sportif* sports center 1
la **complicité** connection 1
compliqué(e) complicated
composé(e) (de) made up (of) 5
un **compositeur, une compositrice** composer, songwriter
une **composition** composition
composter to validate (a ticket)
un **composteur** ticket-stamping machine
comprendre to include 5; to understand
compris(e) included
la **comptabilité** accounting 10
un(e) **comptable** accountant 10
un **compte** account 6; *se rendre compte (de)* to realize 9
compter to plan to do something

un **comptoir** (ticket) counter
un **concept** concept 7; *un album concept* concept album 7
un **concepteur de web** web designer
un **concert** concert; *concert R'n'B* R&B concert
un(e) **concierge** concierge 5
un **concombre** cucumber
condamné(e) condemned 8; *être condamné(e)* to be condemned 8
un **conducteur, une conductrice** driver
conduire to drive; *un permis (de conduire)* driver's license 8
le **confort** comfort 5
la **confiance: avoir confiance** to trust
la **confiture** jam
congolais(e) Congolese 6
conique cone-shaped 2
les **connaissances (f.)** knowledge 8
connaître to be familiar with (person, place, thing), to meet; to know; *faire connaître (à)* to introduce to someone
se **connaître** to know each other
une **connexion** connection 5; *connexion Wifi* wireless internet connection 5
un **conquérant** conqueror
conseiller to advise; to recommend 3
une **conserverie** canning company 3
consommer to consume
un **constructeur, une constructrice automobile** car manufacturer 10
un **consulat** consulate 4
un(e) **consultant(e)** consultant
une **consultation** consultation
consulter to consult 5
le **contact: garder le contact** to keep in touch 3
un **conte** tale; *conte de fées* fairy tale 3
contemporain(e) contemporary
content(e) happy; *être content(e) (de)* to be happy (about) 6
un **continent** continent
continuer to continue
le **contraire** opposite 8; *au contraire* on the contrary 8
un **contrat** contract 8
contre against, versus; *par contre* however, on the other hand 8
un **contrebandier, une contrebandière** smuggler
un **contrôle** test; *contrôle de sécurité* security checkpoint
un **contrôleur, une contrôleuse** ticket collector

convenir (à) to please; to suit; *si cela vous convient* if you'd like
convenu(e) conventional 10
une **conversation** conversation
convoqué(e) (à) called (in) 8; *être convoqué(e) (à)* to be called (in) 8
un **copain, une copine** (boy/girl) friend
un **coq** rooster; *le coq au vin* chicken cooked in wine
un **coquelicot** poppy 7
un **coquillage** seashell 1
une **coquille St-Jacques** scallop
un **corbeau** crow 7
une **corde** rope 1; *sauter à la corde* to jump rope 1
la **Corée du Sud** South Korea 10
une **corniche** cliff road
le **corps** body
correctement correctly 4
un(e) **correspondant(e)** pen pal 10
une **corvée** chore
costaud(e) stocky 9
un **costume** costume
une **côte** chop 2; coast; *côte de chevreuil* venison chop 2; *la côte d'Azur* French Riviera; *la Côte-d'Ivoire* Ivory Coast
un **côté** side; *à côté (de)* beside, next to; *de votre côté* as for you 2
le **coton** cotton; *en coton* made of cotton
le **cou** neck
couché(e) in bed
se **coucher** to go to bed
une **couleur** color; *De quelle(s) couleur(s)?* In what color(s)?
un **couloir** hallway
un **coup: coup de main** (helping) hand 2; *faire le coup (à quelqu'un)* to play a trick (on someone) 4; *jeter un coup d'œil (à)* to glance (at) 5; *tout d'un coup* all of a sudden 9
coupable guilty 6
couper to cut
un **couple** couple
le **courage: bon courage** good luck
courant: être au courant to be informed, to know
une **courgette** zucchini
courir to run 1
un **courrier** mail
un **cours** class, course; *cours particulier* private class 1; *au cours de* during, in the course of 8
court(e) short (hair) 9
le **couscous** couscous

un(e) **cousin(e)** cousin; *cousin(e) germain(e)* first cousin 3

un **coussin** pillow

un **couteau** knife; *couteau suisse* Swiss army knife

coûter to cost

la **couture** fashion design 10; *la haute couture* high fashion 10

une **couturière** dress-maker

le **couvert** table setting; *mettre le couvert* to set the table

un **crabe** crab

craindre to fear; *Je crains que non.* I'm afraid not. 2

craquer to lose it 9

un **crayon** pencil

le **crédit: une carte de crédit** credit card

créer to create

une **crème** cream, lotion 10; *crème caramel* caramel custard; *crème solaire* sunscreen

une **crémerie** dairy store

le **créole** Creole [language]

créole Creole

une **crêpe** crêpe; *un stand de crêpes* crêpe stand

une **crêperie** crêpe restaurant

une **crevette** shrimp

un **cri** cry; *pousser un cri* to scream

une **crise** crisis 3; *la grande crise* Great Depression 3

un(e) **critique** critic 5; *une critique* review 5

croire to believe, to think

un **croissant** croissant

un **croque-monsieur** grilled ham and cheese sandwich

des **crudités (f.)** raw vegetables

cubique cubical 2

cueillir to pick 7

une **cuiller** spoon

une **cuiller à mesurer** measuring spoon 2

le **cuir** leather; *en cuir* made of leather

cuire to cook 2

la **cuisine** cooking; kitchen

un **cuisinier, une cuisinière** chef, cook

une **cuisinière** stove

culturel, culturelle cultural

une **cure** spa treatment

un **CV** CV (Curriculum vitae) 8

cylindrique cylindrical 2

D

d'abord first of all

d'accord OK

d'habitude usually

d'ailleurs moreover 8

---

une **dame** lady

danois(e) from, of Denmark

dans in

un **danseur, une danseuse** dancer

une **date** date

davantage more

de any, some; by, made of; from, of; *de diamants* made of diamonds; *de lin* made of linen; *de neuf* new; *de perles* made of pearls; *de plus en plus* more and more 7; *de toute façon* in any case 4; *De quelle(s) couleur(s)?* In what color(s)?

débarasser la table to clear the table

un **débat** debate 8

un **déboulé [Mart.]** parade

debout standing

se **débrouiller** to get by 6; to take care of things 8

un **début** beginning

une **décapotable** convertible

décembre December

se **déchaîner** to get wild 9

décider to decide; *C'est décidé.* It's settled.

se **décider** to make up one's mind 6

une **décision** decision 10; *prendre une décision* to make a decision 10

une **déclaration** declaration, statement 9; *déclaration de vol* report of a theft 9

décoller to take off [airplane]

décontracté(e) relaxed

découpé(e) (en) cut up (in) 10

découragé(e) discouraged 9

une **découverte** discovery

découvrir to discover; *faire découvrir (à)* to introduce to someone

décrire to describe

un **défi** challenge 9

un **défilé** parade

un **degré** degree

se **déguiser** to disguise oneself, to dress up

déjà already

le **déjeuner** lunch

déjouer un tour to undo a spell 3

délavé(e) washed out 9

délicieux, délicieuse delicious

demain tomorrow; *À demain.* See you tomorrow.

demander to ask (for); *demander le chemin* to ask for directions; *demander un service* to ask for a favor

démarrer to start

un **déménagement** move (house)

---

déménager to move 1

demeurer to live 7

demi(e) half; *et demie* half past

un **demi-frère** half-brother

une **demi-sœur** half-sister

une **démocratie** democracy 2

une **demoiselle d'honneur** bridesmaid 1

une **dénomination** denomination 5

une **dent** tooth; *une brosse à dents* toothbrush; *se brosser les dents* to brush one's teeth

dentaire: un cabinet dentaire dentist's office

le **dentifrice** toothpaste

un(e) **dentiste** dentist

un **départ** departure; *des préparatifs (m.) de départ* travel preparations 4

un **département** department

se **dépêcher (de)** to hurry

se **dépendre (de)** to depend (on) 2

se **déplacer** to get around

déposer to deposit 6

depuis for; since; *depuis combien de temps* how long; *Depuis le temps!* At last!; *depuis quand* since when

un **député** deputy 8

déranger to bother 2

dernier, dernière last; *le dernier, la dernière* the latest 6

derrière behind

des any; from (the), of (the); some

désagréable unpleasant

descendre to get off, to go down

une **descente** descent

une **description** description 5

se **déshabiller** to get undressed

un(e) **designer automobile** automotive designer

désirer to want

désolé(e) sorry

le **désordre** disorder

dès que as soon as

un **dessert** dessert

un **dessin** drawing; *dessin animé* cartoon

dessiner to draw

dessus on, over (it); *au-dessus de* above

le **destin** destiny

une **destination** destination

un **détail** detail

se **détendre** to relax

détester to detest 1

détruit(e) destroyed

deux two

deuxième second

deuxièmement secondly 8

devant in front of

un **développement** development; *développement durable* sustainable development; *le secteur de développement durable* sustainable development industry

devenir to become

deviner to guess

une **devise** motto

devoir to have to; to owe 7

un **devoir** assignment; *les devoirs (m.)* homework

un **diabolo menthe** lemon-lime soda with mint syrup

un **dialogue** dialogue 5

un **diamont** diamond; *une bague de diamants* diamond ring

un **dictature** dictatorship 2

un **dictionnaire** dictionary

un **dieu: mon Dieu** my god 5

différemment differently 4

différent(e) different

difficile difficult

une **difficulté** difficulty 8

dijonnais(e) from, of Dijon 5

diligent(e) diligent

dimanche Sunday

une **dimension** dimension 6

la **dinde** turkey 2; *dinde aux marrons* turkey with chestnuts 2

un **dindon** turkey

dîner to have dinner

le **dîner** dinner

le **dioxyde de carbone** carbon dioxide

la **diplomatie** diplomacy; *user de diplomatie* to use diplomacy

dire to say, to tell; *joliment dit* nicely said; *(noun) te dit?* How do you feel about (noun)? 4; *vouloir dire* to mean

se **dire** to say to oneself

direct(e): en direct de live from

un **directeur, une directrice** director 5; *directeur, directrice des ressources humaines (DRH)* director of human resources 10; *directeur financier, directrice financière* C.F.O. 10; *un président directeur général (PDG)* C.E.O. 10

une **direction** direction

dis say; *dis donc* well

une **discographie** discography

une **discothèque** nightclub 1

un **discours** speech 8; *faire un discours* to make a speech 8

une **discussion** discussion

discuter (de) to discuss

disparaître to disappear

disponible free

disposé(e) laid out

disputer: se faire disputer (par) to get in trouble (with) 3

se **disputer** to argue

dissimuler to hide

une **distance** distance

un **distributeur (automatique)** ATM 6

le **divertissement** entertainment; *l'industrie (f.) du divertissement* entertainment industry

divorcé(e) divorced

dix ten

dix-huit eighteen

dixième tenth

dix-neuf nineteen

dix-sept seventeen

un **documentaire** documentary

le **doigt** finger; *doigt de pied* toe

un **domaine** field, sector; property 4; *domaine de la santé* health sector; *domaine des sciences et techniques* science and technology sector

dommage pity, shame 5; *c'est dommage que...* it's too bad that... 5

un **don: faire un don (de)** to give

donc so, therefore; *dis donc* well

donner to give; *donner lieu à* to give rise to 7

dont about which/whom, of which/whom 6; whose

dormir to sleep

un **dortoir** dormitory

le **dos** back

le **doublage** dubbing 5

doublé(e) dubbed 5

une **douceur** gentleness; *douceur de vivre* relaxed style of life

une **douche** shower

doué(e) talented 10

un **doute** doubt 4; *sans aucun doute* without a doubt 4

douter to doubt 5

douze twelve

dramatique dramatic 2

un(e) **dramaturge** playwright 7

un **drame** drama

un **drap** sheet

un **drapeau** flag

la **drogue** drugs

un **droit** right 2; *le droit* law 6; *les droits de l'homme* human rights 2; *avoir droit à* to be entitled to 8

la **droite: à droite** to the right; *à droite de* to (on) the right of;

tout droit straight ahead

drôle funny

du about (the); any; from (the); of (the); on (the); some; *du coin* on the corner

dur(e) difficult

durable: le développement durable sustainable development; *le secteur de développement durable* sustainable development industry

une **durée** duration, length 5

duquel, duquelle from which 5

un **DVD** DVD

dynamique dynamic

E

l' **eau (f.)** water; *eau minérale* mineral water; *une chute d'eau* waterfall; *une grande eau* fountain; *une masse d'eau* body of water; *une source d'eau* spring

une **écharpe** scarf

un **éclair** eclair

une **école** school

une **économie** economy 2

économique economic; *la gestion économique d'entreprise* economic business management 6

économiser to save (up)

l' **écoute (f.): en écoute libre** listening trial

écouter to listen (to); *écouter de la musique* to listen to music; *écouter mon lecteur MP3* to listen to my MP3 player; *écoute... look...* 2

un **écran** monitor, screen

écrire to write

un **écrivain** writer

une **éducation** education; *éducation physique et sportive (EPS)* gym class

un **effet** effect; *l'effet de serre* greenhouse effect

efficacement efficiently

s' **effondrer** to collapse 9; *s'effondrer de fatigue* to collapse from exhaustion 9

égal(e) equal 10; *ça m'est égal* it's all the same to me

une **église** church

égoïste selfish

eh bien well

une **élastique: faire du saut à l'élastique** to bungee jump 4 une **élection** election 2; *élection présidentielle* presidential elections 2

électrique electric

électronique electronic 5

l' **électro pop (m.)** Electro pop music

un(e) **élève** student

éliminer to eliminate

elle her; it; she

elles them (f.); they (f.)

éloigné(e) distant 3

s' **éloigner (de)** to distance oneself (from) 7; to get away (from) 10

l' **embarquement (m.)** boarding; *une carte d'embarquement* boarding pass; *une porte d'embarquement* boarding gate

l' **embarras (m.): avoir l'embarras du choix** to have too many choices 10

embaucher to hire 8

embêter to annoy 2

embrasser to kiss

une **émission** television program; TV show; *émission de musique* music show; *émission de télé-réalité* reality TV show

emmener to bring (person)

une **émotion** emotion 5

s' **empêcher (de)** to refrain (from) 2; *ne pas pouvoir s'empêcher (de)* cannot help (but) 2

un **emploi** job

un(e) **employé(e)** employee 3

emporter to take (away) 4

emprunter to borrow

emprisonner to imprison 2

en any, about it/them, from it/ them, of it/them, some; at; by; in; made of; of [*pronoun*]; on; upon, while 4; *en aluminium, plastique* made of aluminum, plastic; *en argent* made of silver; *en autobus* by bus; *en avance* early; *en avion* by plane; *en bateau* by boat; *en bois* wooden 2; *en boîte* at/to the club; *en bus* by city bus; *en canoë* by canoe; *en ce moment* at the moment 6; *en coton* made of cotton; *en cuir* made of leather; *en direct de* live from; *en écoute libre* listening trial; *en face de* across from; *en famille* with family; *en forme de poire* pear-shaped 2; *en gros plan* in a close-up 7; *en guerre* at war 2; *en haut* at the top; *en laine* made of wool; *en ligne* online; *en métal* made of metal

2; *en métro* by subway; *en or* made of gold; *en ordre* in order; *en panne* broken down; *en perles* made of pearls; *en petit comité* with a few friends 2; *en pirogue* by pirogue; *en plein air* outdoors; *en plus* in addition to; *en première année* in the first year; *en R.E.R.* by R.E.R.; *en retard* late; *en route* on the way; *en scooter* by scooter; *en skiant* while skiing 4; *en soie* made of silk; *en solde* on sale; *en taxi* by taxi; *en tournée* on tour 7; *en tout cas* in any case; *en train* by train; *en velours* made of velvet; *en ville* downtown; *en voiture* by car; *en voiture électrique* by electric car; *en voiture hybride* by hybrid car; *en un sens* in a way; *en y réfléchissant bien* on second thought 4; *en y regardant de plus près* on a closer look 4; *je m'en vais* I'm going 2; *Tu en sais des choses.* You sure know a lot about it.

encaisser to cash 6

enchanté(e) delighted

encore more; still

encouragé(e) encouraged 9

encourager to encourage 2

un **endettement** debt 2

un **endroit** place

l' **énergie (f.)** energy; *énergie nucléaire* nuclear energy; *énergie solaire* solar energy

énergique energetic

l' **enfance (f.)** childhood 1

un **enfant** child; *garder un enfant* to babysit 3

enfantin(e) childish 1

enfin come on; finally; well

enfoncer un clou to hammer a nail 3

un **engagement** engagement

s' **engager** to be committed to, to commit to

l' **engrais (m.)** fertilizer

des **ennuis (m.)** trouble 9

s' **ennuyer** to get bored 4

une **enquête** survey

enregistrer: faire enregistrer les bagages to check one's luggage

enseigner to teach

ensemble together

un **ensemble** outfit

ensuite next

entendre to hear; *bien entendu* of course 5

s' **entendre** to get along

enthousiaste enthusiastic

entièrement completely, entirely 8

s' **entraîner** to practice (sports) 2

entre between

une **entrée** appetizer

une **entreprise** business, company 1; *la gestion économique d'entreprise* economic business management 6; *un chef, une cheffe d'entreprise* president 10; *une petite et moyenne entreprise (PME)* small business 1

entrer to come in, to enter; *entrer à l'université* to go to college

un **entretien** interview 8

envahi(e) invaded 2

une **enveloppe** envelope

l' **environnement (m.)** environment

l' **envoi (m.)** send button

un **envoûtement** spell

envoyer to send; *envoyer des textos* to send text messages

une **éolienne** wind turbine

l' **épaule (f.)** shoulder

épicé(e) spicy

une **épicerie** grocery store

un **épicier, une épicière** grocery store owner

une **éponge** sponge 10

une **époque** era, period

éprouver to feel 5

l' **EPS (f.)** gym class

équestre: faire une randonnée équestre to go on a trail ride 4

une **équipe** team

équipé(e) equipped 5

un **érable** maple tree; *le sirop d'érable* maple syrup

un **e-reader** e-reader

l' **escalade (f.): faire de l'escalade** to rock climb 4

un **escargot** snail

un **espace** area

l' **Espagne (f.)** Spain

l' **espagnol (m.)** Spanish [*language*]

espagnol(e) Spanish

espérer to hope

un **essai** essay

essayer to try (on)

l' **essence (f.)** gasoline

essentiel, essentielle essential 4

un **essuie-glace** windshield wiper

l' **est (m.)** east

est-ce que [*phrase introducing a question*]

l' **estomac (m.)** stomach

et and; *et demie* half past; *et quart* quarter past

un **étage** floor, story; *le premier étage* the second floor

un **étang** pond

un **état** state 8

les **États-Unis (m.)** United States

l' **été (m.)** summer

ethnique ethnic, multicultural 10

une **étoile** star 5

étonné(e) surprised 5; *être étonné que* to be surprised that 5

étonner to surprise

être to be; *être à* to belong to 8; *être affolé(e)* to panic 1; *être amoureux/ amoureuse (de)* to be in love (with) 6; *être au courant* to be informed, to know; *être certain que* to be certain that 5; *être chargé(e) (de)* to be in charge (of); *être condamné(e)* to be condemned 8; *être content(e) (de)* to be happy (about) 6; *être convoqué(e) (à)* to be called (in) 8; *être d'accord* to agree; *être de retour* to be back; *être d'origine (+ adjective)* to come from (+ country) 3; *être en (bonne, mauvaise) forme* to be in (good, bad) shape; *être en train de (+ infinitive)* to be (busy) doing something; *être étonné que* to be surprised that 5; *être évident que* to be obvious that 5; *être fâché(e)* to be angry 1; *être libre* to be free; *être obligé(e) (de)* to be obligated (to) 8; *être occupé* to be busy; *être perso [inform.]* to be egotistical 8; *être situé(e)* to be located; *être sur place* to be there; *être vert* to be environmentally friendly; *ce n'est pas la peine* it's not worth it 1; *je ne suis pas trop d'humeur pour* I'm not in the mood for 5; *Il était une fois....* Once upon a time (there was).... 3; *Nous sommes le (+ date).* It's the (+ date).

étroit(e) narrow 2

des **études (f.)** studies

un(e) **étudiant(e)** student

étudier to study

euh um

un **euro** euro

l' **Europe (f.)** Europe

eux them

évidemment obviously

évident(e) obvious 5; *être évident que* to be obvious that 5

un **évier** sink

éviter to avoid

exactement exactly

exagérer to exaggerate

une **excursion** trip; *faire une excursion* to take a trip

exiger to require 5

exister to exist

une **expérience** experience

expliqué(e) explained

expliquer to explain

un **exposé** presentation

une **exposition** exhibit

l' **expressionnisme (m.)** expressionism 7

expressionniste expressionist 7

extraordinaire extraordinary

F

une **fable** fable 3

fabriqué(e) (au, aux, en) made (in) 10

fabuleux, fabuleuse fabulous

une **fac (faculté)** college

face: face à faced with 9; *en face de* across from

fâché(e) angry 1; *être fâché(e)* to be angry 1

facile easy

une **façon** way 4; *la façon* in the manner of 9; *de toute façon* in any case 4

un **facteur, une factrice** mailman, mailwoman 6

une **facture** bill 8

la **faïence** earthenware 10

la **faim** hunger; *avoir faim* to be hungry

faire to do, to make; *faire connaître (à)* to introduce to someone; *faire découvrir (à)* to introduce to someone; *faire de la gym (gymnastique)* to do gymnastics; *faire de la luge* to go sledding 4; *faire de la planche à voile* to wind surf 4; *faire de la plongée sous-marine* to go scuba diving; *faire de la raquette à neige* to go snowshoeing 4; *faire de la voile* to go sailing; *faire de l'escalade* to rock climb 4; *faire des sauts à ski* to go off ski jumps 4; *faire du camping* to go camping; *faire du canoë* to go canoeing; *faire du cheval* to go horseback riding; *faire du footing* to go running; *faire du kayak* to go kayaking; *faire du parachutisme ascensionnel* to go parasailing; *faire du patinage (artistique)* to (figure) skate; *faire du roller* to in-line skate; *faire du saut à l'élastique* to bungee jump 4; *faire du scooter des mers* to jet ski; *faire du shopping* to go shopping; *faire du ski (alpin)* to (downhill) ski; *faire du ski de fond* to cross-country ski 4; *faire du ski joering* to skijor 4; *faire du ski nautique* to go water-skiing; *faire du snowboard* to snowboard 4; *faire du speed riding* to speed ride 4; *faire du sport* to play sports; *faire du taxi-ski* to take a ski-taxi ride 4; *faire du télémark* to telemark ski 4; *faire du vélo* to bike; *faire enregistrer les bagages* to check one's luggage; *faire grève* to go on strike 2; *faire griller* to barbecue; *faire la connaissance (de)* to meet; *faire la cuisine* to cook; *faire la lessive* to wash clothes; *faire la vaisselle* to wash the dishes; *faire le coup (à quelqu'un)* to play a trick (on someone) 4; *faire le ménage* to do housework; *faire le plein* to fill up the gas tank; *faire les courses* to go grocery shopping; *faire le tour* to explore all the possibilities 10; *faire le touriste* to be a tourist; *faire marcher* to make (something) work; *faire mes devoirs* to do my homework; *faire partie (de)* to belong (to); *faire sa valise* to pack 4; *faire sécher le linge* to dry clothes; *faire semblant (de)* to pretend (to) 1; *faire ses adieux* to bid farewell 8; *faire un don (de)* to give; *faire une excursion* to take a trip; *faire une intervention* to organize an intervention; *faire une liste* to make a list; *faire une nuit blanche* to stay up all night; *faire une promenade* to go for a walk; *faire une promesse* to make a promise; *faire une randonnée à pied* to hike; *faire une randonnée équestre* to go on a trail ride 4; *faire une visite guidée* to go on a guided tour; *faire un discours* to make a speech 8; *faire un séjour* to stay 4; *faire un stage* to intern 8; *faire un tour* to go on a ride; to go on a tour; *faire un tour de grande roue* to go on a Ferris wheel ride; *faire un tour de manège* to go on a carnival ride; *faire un tour de montagnes russes* to go on a roller coaster ride; *faire un voyage* to go on a trip; *arriver à faire quelque chose* to bring oneself to do something 6

se faire: se faire arrêter to get arrested 9; *se faire bousculer* to get knocked into 9; *se faire disputer (par)* to get in trouble (with) 3; *se faire muter* to get reassigned 1; *se faire soigner* to seek (medical) treatment 8; *se faire vacciner* to get a shot 4; *ça ne se fait pas* you shouldn't do that

le **faisan** pheasant 5

fait: au fait by the way; *Ça fait combien?* How much is it?; *il fait beau* it's beautiful out; *il fait chaud* it's hot; *il fait du soleil* it's sunny; *il fait du vent* it's windy; *il fait frais* it's cool; *il fait froid* it's cold; *il fait mauvais* the weather's bad; *on te fait* they (one) make(s) you 8; *Quel temps fait-il?* What's the weather like?; *tout à fait* completely

une **falaise** cliff

falloir to be necessary, to have to; *il faut* it is necessary, one has to/must, we/you have to/must

une **famille** family; *famille monoparentale* single-parent family 1; *famille nucléaire* nuclear family 1; *famille recomposée* blended family 1; *en famille* with family

la **fantaisie** fantasy

farci(e) stuffed

la **fatigue** fatigue 9; *s'effondrer de fatigue* to collapse from exhaustion 9

fatigué(e) tired

la **faune** fauna, wildlife

faut: il me faut I need

un **fauteuil** armchair

un **fax** fax 5

une **fée** fairy 3; *un conte de fées* fairy tale 3

une **femme** wife; woman; *femme d'affaires* businesswoman; *femme poète* poet 7; *femme politique* female politician

une **fenêtre** window

un **fer à repasser** (clothes) iron

une **ferme** farm

fermenté(e) fermented 5

fermer to close

un **fermier, une fermière** farmer

un **festival** festival 1

une **fête** holiday; party; *fête champêtre* garden party 7; *fête foraine* carnival; *fête nationale* national holiday

fêter to celebrate

un **feu: feu d'artifice** firework; *feu de joie* bonfire

une **feuille de papier** sheet of paper

un **feuilleton** TV soap opera

février February

les **fiançailles (f.)** engagement 1; *une bague de fiançailles* engagement ring 1

se **ficher: s'en ficher** to not care 1

un **fichier multimédia** multimedia file

fier, fière proud 9

la **fièvre** fever

une **figure** figure 7; *la figure* face

une **figurine** figurine 10

filer *[inform.]* to run

une **filiale** branch, subsidiary 10

une **fille** daughter; girl

un **film** film; *film d'action* action movie; *film d'aventures* adventure movie; *film d'horreur* horror movie; *film de science-fiction* science fiction movie; *film musical* musical; *film policier* detective movie; *tourner un film* to shoot a movie 5

filmer to film 9

un **fils** son

filtrer to filter 2

fin(e) fine

un **final** finale 5

finalement in the end 3

les **finances (f.)** finances 6

financier, financière financial 10; *un directeur financier, une directrice financière* C.F.O. 10

finir to finish

un **fitness** gym, health club

un(e) **fleuriste** florist

un **fleuve** river

flirter to flirt 9

la **flore** flora

une **flûte** flute

le **foie gras** goose liver pâté 2

une **fois** occasion, time; *à la fois* at the same time; *Il était une fois….* Once upon a time (there was)…. 3

folklorique: la musique folklorique folk music

le **fond: au fond (de)** at the end (of); *faire du ski de fond* to cross-country ski 4; *le ski de fond* cross-country skiing 4

le **foot** soccer

un **footballeur, une footballeuse** soccer player

le **footing** running

une **force** strength

forestier, forestière with mushrooms

une **forêt** forest

un **forfait de ski** ski pass 4

un **forgeron** blacksmith

une **formation** education, training 8

une **forme** shape 2; *en forme de poire* pear-shaped 2; *être en (bonne, mauvaise) forme* to be in (good, bad) shape; *un centre de remise en forme* fitness center 5

formidable awesome

fort(e) strong

un **fou, une folle** crazy person

un **foulard** scarf

une **foule** crowd

se **fouler** to sprain 4; *se fouler la cheville* to sprain an ankle 4

un **four** oven

une **fourchette** fork

un **fourre-tout** carry-all

frais, fraîche cool; fresh; *il fait frais* it's cool

une **fraise** strawberry

le **français** French [language]

français(e) French

francanadien(ne) from, of French-speaking Canada

la **France** France

francophone French-speaking

la **Francophonie** French-speaking world 3

un **frein** brake

fréquenter to frequent, to hang out

un **frère** brother

un **frigo** refrigerator

frisé(e) curly (hair) 9

des **frissons (m.)** chills; shakes

frit(e) deep-fried

des **frites (f.)** French fries

froid(e) cold; *avoir froid* to be cold; *il fait froid* it's cold

le **fromage** cheese

un **fruit** fruit; *les fruits de mer (m.)* seafood; *une tarte aux fruits* fruit tart

frustré(e) frustrated 9

fumé(e) smoked 2; *le saumon fumé* smoked salmon 2

le **funk** funk music

un **fuseau de ski** ski pants 4

futur(e) future 6

G

le **Gabon** Gabon

gabonais(e) Gabonese

gagner to win; *gagner du temps* to save time

une **galerie** gallery; *galerie des miroirs déformants* fun house

une **galette** buckwheat crêpe

un **gant** glove 4; *gant de toilette* washcloth

un **garage** auto shop

garanti(e) guaranteed

garantir to guarantee 5

un **garçon** boy; *garçon d'honneur* best man 1

garder to keep, to take care of 3; *garder le contact* to keep in touch 3; *garder un enfant* to babysit 3

une **gare** train station

garni(e): la choucroute garnie sauerkraut with potatoes, sausages, smoked pork

la **Gascogne** Gascony region

gascon(ne) from, of Gascony region

la **gastronomie** gastronomy 5

un **gâteau** cake

gauche: à gauche on the left; *à gauche de* on/to the left of

géant(e) giant

généalogique genealogical 3; *des recherches (f.) généalogiques* genealogical research 3

général(e) general 8; *un président directeur général (PDG)* CEO 10

une **génération** generation 3

généreux, généreuse generous

génial(e) fantastic, great, terrific

le **génie** engineering 6; *génie civil* civil engineering 6

le **génocide** genocide

le **genou** knee

un **genre** type

des **gens (m.)** people

gentil, gentille nice

germain(e): un(e) cousin(e) germain(e) first cousin 3

la **gestion** management 6; *gestion économique d'entreprise* economic business management 6

une **glace** ice cream; mirror; *glace à la vanille* vanilla ice cream; *glace au chocolat* chocolate ice cream

une **glacière** cooler

la **gorge** throat

un **gorille** gorilla; *gorille des montagnes* mountain gorilla

le **gospel** gospel 9

gourmand(e) fond of food

un **goût** taste 5; *à mon goût* for my taste 5

goûter to taste

le **goûter** snack

gouverné(e) ruled 8

un **gouvernement** government

des **graffiti (m.)** graffiti 3

un **gramme (de)** a gram (of)

grand(e) big, large, tall; *la grande crise* Great Depression 3; *la grande roue* Ferris wheel; *faire un tour de grande roue* to go on a Ferris wheel ride; *une grande eau* fountain

grandir to grow; to grow up 3

une **grand-mère** grandmother

un **grand-oncle** great uncle 3

un **grand-père** grandfather

les **grands-parents (m.)** grandparents

une **grand-tante** great aunt 3

une **grange** barn

graphique graphic 6

un(e) **graphiste** graphic designer

gras greasy, oily 2; *le foie gras* goose liver pâté 2

gratuit(e) free

grave serious

gravé(e) engraved

la **grêle** hail 9

une **grève** strike 2; *faire grève* to go on strike 2

grillé(e) grilled; *le pain grillé* toast

griller to grill; *faire griller* to barbecue

la **grippe** flu

gris(e) grey

une **grive** thrush

gros, grosse big, fat, large; *en gros plan* in a close-up 7

grossir to gain weight

un **groupe** group

un(e) **groupie** fan 9

la **Guadeloupe** Guadeloupe

une **guerre** war; *en guerre* at war 2

guéri(e) healed 8

un **guichet** ticket booth

un **guide** guide; guidebook; *guide touristique* tourist guide; *le guide Michelin* Michelin guidebook

guidé(e) guided; *une visite guidée* guided tour; *faire une visite guidée* to go on a guided tour

guillotiner to decapitate 8

une **guitare** guitar

la **Guyane (française)** French Guyana

la **gym (gymnastique)** gymnastics; *faire de la gym (gymnastique)* to do gymnastics

H

s' **habiller** to get dressed

un(e) **habitant(e)** inhabitant, resident

habiter to live

haïtien(ne) Haitian

un **hall** lobby 5

un **hamac** hammock

un **hamburger** hamburger

un **hameau** hamlet

hanté(e): une maison hantée haunted house

des **haricots verts (m.)** green beans

le **hasard** fate, luck 10

la **hâte: avoir hâte de** to be eager

une **hausse** increase 2

le **haut** top

haut(e) high; *en haut* at the top

la **haute couture** high fashion 10

une **herbe** herb 2

un **héros, une héroïne** hero, heroine

hésiter to hesitate

l' **heure (f.)** hour, o'clock, time; *à l'heure* on time; *Quelle heure est-il?* What time is it?

heureusement fortunately

heureux, heureuse happy; *Très heureux/heureuse.* Pleased to meet you. 3

un **hibiscus** hibiscus

hier yesterday

le **hip-hop** hip-hop

une **histoire** story 3; *l'histoire (f.)* history

un **hit [inform.]** hit 2

l' **hiver (m.)** winter

un **HLM** subsidized housing 3

hollandais(e): une sauce hollandaise hollandaise sauce 5

un **homme** man; *homme d'affaires* businessman; *homme de ménage* janitor 5; *homme politique* male politician; *les droits (m.) de l'homme* human rights 2

le **Honduras** Honduras 10

l' **honneur (m.)** honor 1; *une demoiselle d'honneur* bridesmaid 1; *un garçon d'honneur* best man 1

honteux, honteuse ashamed 9

un **hôpital** hospital 8

l' **horizon (m.)** horizon; *à l'horizon* on the horizon

l' **horreur (f.)** horror; *avoir horreur de* to detest, to hate; *un film d'horreur* horror movie

horrible awful, horrible

un **hors-d'œuvre** appetizer 2

un **hors-piste** off-piste skiing 4

l' **hospitalité (f.)** hospitality

un **hôtel** hotel; *hôtel de ville* city hall

une **hôtesse de l'air** female flight attendant

l' **huile (f.)** oil [car]
huit eight
huitième eighth
une **huître** oyster 2
humain(e) human 10; *les ressources (f.) humaines* human resources 10; *un directeur, une directrice des ressources humaines (DRH)* director of human resources 10
humanitaire humanitarian
une **humeur** humor, mood 5; *je ne suis pas trop d'humeur pour* I'm not in the mood for 5
humide humid 4
hybride hybrid

I

ici here
une **icône** icon
l' **idéalisme (m.)** idealism 2
une **idée** idea; *Bonne idée!* Good idea!
une **identité** identity 4; *une pièce d'identité* piece of identification 4
il he; it; *il se pourrait que* it's possible that 4; *il vaut mieux que* it's better that 4; *il y a* there are/is; *il y a (+ time)* (time) ago
une **île** island 4
illustrer to illustrate 8
ils they (m.)
une **image** image, picture
l' **imaginaire (m.)** fantasy 6
une **imagination** imagination 10
imaginer to imagine
immense immense 7
un **immeuble** apartment building
l' **important (neutr.)** what's important
important(e) important 4
impossible impossible
imprécis(e) vague 5
imprenable unobstructed 5
une **impression** impression 5; *avoir l'impression (de)* to have the impression (of) 6
l' **impressionnisme (m.)** Impressionism 7
un(e) **impressionniste** Impressionist 7
impressionniste Impressionist
une **imprimante** printer
imprimer to print
improviser to improvise 2
incapable incapable 9
incroyable incredible
l' **Inde (f.)** India 10
les **indigènes (m.)** native people

indiquer to indicate, to point out/to
indispensable indispensable 4
un **individu** individual 10
individuel, individuelle individual 3; *une maison individuelle* single-family house 3
l' **Indonésie (f.)** Indonesia 10
une **industrie** industry; *industrie du divertissement* entertainment industry
un **infirmier, une infirmière** nurse
une **inflation** inflation 2; *un taux d'inflation* inflation rate 2
influencer to influence 8
l' **infographie (f.)** computer graphics 6
les **informations (infos) (f.)** news
l' **informatique (f.)** computer science; information technology; *le secteur de l'informatique* information technology industry
informer to inform
un **ingénieur** engineer
l' **initiative (f.): un syndicat d'initiative** tourist information office
inquiet, inquiète worried
s' **inquiéter** to worry 1
une **inquiétude** worry
s' **inscrire** to register; *s'inscrire en letters* to declare a major in Humanities
un **insecte** insect
insister (sur) to insist (on)
installer to install
s' **installer** to get settled
un **instant** moment; *pour l'instant* for the moment
un **instituteur, une institutrice** elementary school teacher
un **instrument** musical instrument
s' **intégrer (à)** to integrate (into) 6
intelligent(e) intelligent
intense intense 5
intéressant(e) interesting
intéressé(e) interested 1
intéresser to interest
s' **intéresser (à)** to be interested (in)
une **interface** interface
l' **intérieur (m.)** inside
international(e) international
(l') **Internet (m.)** Internet
un **interprète** performer 7
une **intervention: faire une intervention** to organize an intervention
une **interview** interview 10

interviewer to interview 9
intimiste intimate 7
introduire to introduce 8
l' **inutile (m.)** what is useless
une **invention** invention 7
une **invitation** invitation 2
un(e) **invité(e)** guest
inviter to invite
l' **Italie (f.)** Italy
italien(ne) Italian
un **itinéraire** itinerary
ivoirien(ne) from, of the Ivory Coast

J

la **jambe** leg
le **jambon** ham; *jambon persillé* ham and pork dish made with chopped parsley 5
janvier January
le **Japon** Japan 10
japonais(e) Japanese
la **joaillerie** fine jewelry 10
un **jardin** garden, park
le **jasmin** jasmine
jaune yellow
le **jazz** jazz music
je/j' I
un **jean** jeans
jeter to throw 5; *jeter un coup d'œil (à)* to glance (at) 5; *N'en jette plus! [inform.]* Enough! Stop it! 8
un **jet ski** jet ski
un **jeu: jeu d'adresse** game of skill; *jeu télévisé* (TV) game show; *jeu vidéo* video game; *les Jeux Olympiques (m.)* Olympic Games
jeudi Thursday
jeune young
un(e) **jeune** young man/woman
la **jeunesse** youth 2
joering: faire du ski joering to skijor 4
joindre to attach
joli(e) pretty
joliment dit nicely said
la **Jordanie** Jordan 10
jouer to play; *jouer à cache-ache* to play hide-and-seek 1; *jouer à la marelle* to play hopscotch 1; *jouer à la poupée* to play with dolls 1; *jouer au basket (basketball)* to play basketball; *jouer au foot (football)* to play soccer; *jouer au hockey sur glace* to play ice hockey; *jouer aux billes* to play marbles 1; *jouer aux jeux*

vidéo to play video games; *jouer aux petites voitures* to play with toy cars 1; *jouer de (+ instrument)* to play (instrument); *jouer un rôle* to play a role; *jouer un tour* to place a spell on 3

un **jour** day; one day, someday; *le Jour de l'an* New Year's Day

un **journal** newspaper

une **journée** day

juillet July

juin June

jumeau, jumelle twin; *un lit jumeau* twin-sized bed

des **jumelles (f.)** binoculars

junior junior 8

une **jupe** skirt

un **jus** juice; *jus d'orange* orange juice; *jus de pamplemousse* grapefruit juice; *jus de pomme* apple juice

jusqu'à until

juste fair; just 3; only

justement fittingly 3

K

un **kayak: faire du kayak** to go kayaking

le **ketchup** ketchup

kiffer *[inform.]* to like

un **kilo (de)** kilogram (of)

un **kilomètre** kilometer

un(e) **kiné (kinésithérapeute)** physical therapist 8; *chez le kiné* at/to the physical therapy office 8

un **kiosque** stand; *kiosque à journaux* newsstand

un **klaxon** horn

L

là there

là-bas over there

un **labo (laboratoire)** science lab; *laboratoire de recherches* research laboratory 1

un **lac** lake

un **lâcheur, une lâcheuse** *[inform.]* flake 9

laid(e) ugly

la **laine** wool; *en laine* made of wool; *un bonnet en laine* wool hat

laisser to leave, to let; *Laisse-moi finir!* Let me finish!

le **lait** milk

un **lambi** lambis

une **lampe** lamp; *lampe de poche* flashlight

lancer to launch 10

une **langouste** spiny lobster

une **langue** language

un **lapin** rabbit

large wide 2

une **largeur** width; *régler la largeur du champ* to adjust the zoom

laitier, laitière dairy 10; *un produit laitier* dairy product 10

laver: une machine à laver washing machine

se **laver** to wash (oneself)

un **lave-vaisselle** dishwasher

le, la, l' it *[object pronoun]*; the

un **leader** leader 10; *leader mondial* world leader 10

un **lecteur: lecteur de DVD** DVD player; *lecteur de MP3* MP3 player

la **lecture** reading

une **légende** legend

un **légume** vegetable

le **lendemain** next day

les the; them

la **lessive: faire la lessive** to wash clothes

une **lettre** letter; *lettre de candidature* application letter 8; *lettre de motivation* cover letter 8; *une boîte aux lettres* mailbox 6

les **lettres (f.)** Humanities; *s'inscrire en lettres* to declare a major in Humanities

le, la **leur** theirs 9

leur their; to them

leurs their

lever: Lève la tête! Look up!

se **lever** to get up

la **lèvre:** *un rouge à lèvres* lipstick

une **librairie** bookstore

libre free; *en écoute libre* listening trial; *un auditeur, une auditrice libre* auditor of a class 10; *une borne libre-service* self-service kiosk

une **licorne** unicorn

un **lien** link

un **lieu** place 5; *avoir lieu* to take place; *donner lieu à* to give rise to 7

une **ligne** line 7; *la ligne* figure; *en ligne* online

une **limonade** lemon-lime soda

le **lin** linen; *de lin* made of linen; *un mouchoir de lin* linen handkerchief

le **linge: faire sécher le linge** to dry clothes

une **liquette** shirt 9

une **liquide** liquid 6; *l'argent (m.) liquide* cash 6

lire to read

une **liste** list; *faire une liste* to make a list

un **lit** bed; *lit jumeau* twin-sized bed; *lits superposés* bunk beds

un **litre (de)** liter (of)

un **livre** book; *livre de poche* paperback 6

une **livre** pound

un **lobby** lobby 5

local(e) local 10

un(e) **locataire** tenant 3

un **lockscreen** lock screen

un **logement** housing 3

un **logiciel** software

loin (de) far (from)

long, longue long; *un long métrage* feature film 5

le **long de** alongside

longtemps: ça fait longtemps que it's been a long time since

une **longueur** length 2

un **look** look 2; *look tradi* traditional look 2

lorsque when 1

louer to rent

la **luge: faire de la luge** to go sledding 4

lui to her/him

une **lumière** light

un **lump** lumpfish 2; *des œufs (m.) de lump* lumpfish roe 2

lundi Monday

des **lunettes (f.)** glasses; *lunettes de soleil* sunglasses

lutter to fight

le **luxe** luxury 10

le **Luxembourg** Luxembourg

luxembourgeois(e) from, of Luxembourg

le **Lyonnais** Lyon region

lyonnais(e) from, of Lyon

le **lyrisme** lyricism 7

M

un **machin** thing 2

une **machine** machine; *machine à laver* washing machine

madame (Mme) Ma'am, Mrs., Ms.

mademoiselle (Mlle) Miss, Ms.

un **magasin** store

un **magazine** magazine

maghrébin(e) from, of the Maghreb

un(e) **magicien(ne)** magician 3

magique magical

un **magret de canard** duck breast 2

mai May

maigre skinny 9

maigrir to lose weight

un **maillot** jersey; *maillot de bain* bathing suit

la **main** hand; *la main dans la main* hand in hand; *un coup de main* (helping) hand 2

maintenant now

maints many 5

le **maire, madame le maire** mayor

mais but

une **maison** home, house; *maison de rêve* dream house; *maison hantée* haunted house; *maison individuelle* single-family house 3; *maison mitoyenne* row house 3

un **maître, une maîtresse** master, mistress 3

une **maîtrise** Master's degree 10

mal badly; *avoir mal (à...)* to be hurt, to have a/an... ache; *Ça va mal.* Things are going badly.; *le plus mal* the worst; *plus mal* worse

un(e) **malade** sick person

malade sick

une **maladie** illness; *une assurance maladie* health insurance 8

la **Malaisie** Malaysia 10

le **Mali** Mali

malien(ne) Malian

Mamy grandma

la **Manche** English Channel

une **mandarine** mandarin orange 2

un **manège: faire un tour de manège** to go on a carnival ride

un **manga** manga 6

manger to eat

une **mangouste** mongoose

une **mangrove** mangrove

une **manière** way 3

une **manif (manifestation)** street demonstration

un **mannequin** model

manquer to lack

un **manteau** coat

le **maquillage** make-up

se **maquiller** to put on make-up

un(e) **marchand(e)** merchant

un **marché** outdoor market; *le marché* market *[financial]*; *marché aux puces* flea market

marcher to walk; to work; *faire marcher* to make (something) work

mardi Tuesday

une **marée** tide; *marée noire* oil slick

la **marelle: jouer à la marelle** to play hopscotch 1

un **mari** husband

un **mariage** wedding; *un anniversaire de mariage* wedding anniversary

un **marié** groom

une **mariée** bride; *une robe de mariée* wedding dress

se **marier** to get married

marin(e): une tortue marine sea turtle

marinier, marinière: une sauce marinière white wine sauce 5

le **marketing** marketing 10

la **maroquinerie** leather goods 10

une **marque** brand 10

marqué(e) brand name 10

marquer to score

une **marraine** godmother 1

un **marron** chestnut 2; *la dinde aux marrons* turkey with chestnuts 2

marron brown

mars March

un **marteau** hammer 3

martiniquais(e) from, of Martinique

la **Martinique** Martinique

un **mas** *[Mart.]* mask

le **mascara** mascara

un **masque** mask; *masque de ski* ski goggles 4

une **masse d'eau** body of water

un **massif** mountain range

un **match** game

un **matelas pneumatique** inflatable water mattress

les **maths (f.)** math

une **matière** class subject

le **matin** morning

la **matinée** morning

mauvais(e) bad; *il fait mauvais* the weather is bad

la **mayonnaise** mayo

me (m') me; to me

un(e) **mécanicien(ne)** mechanic

la **mécanique** mechanics 3

méchant(e) mean

une **médaille** medal 2

un **médecin** doctor; *un cabinet de médecin* doctor's office

la **médecine** medicine 6

les **médias (m.)** media 2

une **médiathèque** media center

médical(e) medical 8

médicalisé(e) medicalized 8

méditerranéen(ne) Mediterranean 9

se **méfier (de)** to be wary (of) 3

les **meilleurs (m.)** the best

la **mélancolie** melancholy 7

mélanger to mix 2

une **mélodie** melody 7

un **melon** melon

même even; same; *même que [inform.]* that 3; *quand même* after all, regardless 2

le **ménage** household, housework; *des affaires (f.) de ménage* house cleaning items; *faire le ménage* to do housework; *un homme de ménage* janitor 5

la **menthe** mint; *un diabolo menthe* lemon-lime soda with mint syrup

mentir to lie 7

un **menu fixe** fixed menu

une **mer** sea; *mer des Caraïbes* Caribbean Sea; *mer Méditerranée* Mediterranean Sea; *mer du Nord* North Sea; *au bord de la mer* by the seaside; *le bord de mer* seaside; *les fruits de mer (m.)* seafood

merci thank you

mercredi Wednesday

une **mère** mother

merveilleux, merveilleuse marvelous

mesdemoiselles (f.) plural of "mademoiselle"

un **message** message

une **messagerie** messaging

mesurer to measure 2

mesureur: un verre mesureur measuring cup 2

un **métal** metal 2; *en métal* made of metal 2

la **météo** weather; weather forecast; *un bulletin météo(rologique)* weather forecast

une **méthode** method 7

un **métier** job

un **métrage: long métrage** feature film 5

le **métro** subway; *en métro* by subway

un **metteur en scène** director

mettre to put (on), to set; *mettre d'accord* to get people to agree 1; *mettre en pratique* to put into practice 8; *mettre en valeur* to accentuate; *mettre le couvert* to set the table

se **mettre: se mettre en mode photo** to go into photo mode; *mets-toi devant l'écran* place yourself in front of the TV

un **meuble** piece of furniture

meunier, meunière rolled in flour and sautéed

le **Mexique** Mexico 10

un **micro-onde** microwave

midi noon

le **mien, la mienne** mine 9

mieux better; *mieux que* better than; *il vaut mieux que* it's better that 4; *le mieux* the best; *se porter mieux* to feel/do better

mille thousand

un **millefeuille** layered custard pastry

un **million** million

mi-long, mi-longue shoulder-length (hair) 9

mince thin 9

mince darn, shoot

une **mine** appearance, expression

minuit midnight

une **minute** minute

un **miroir** mirror; *une galerie des miroirs déformants* fun house

une **mission** mission

la **mi-temps: à mi-temps** half-time 8

mitoyen(ne) adjoining 3; *une maison mitoyenne* row house 3

un **mixer** blender 2

une **MJC** community center 1

moche ugly

la **mode** fashion 2

un **mode: se mettre en mode photo** to go into photo mode

moderne modern

moderniser to modernize

moi me

moins less; *moins le quart* quarter to; *moins (+ adverb) + que* less... than; *au moins* at least; *le moins* the least

un **mois** month

un **moment** moment; *en ce moment* at the moment 6

mon, ma, mes my; *mon Dieu* my god 5

le **monde** everyone, world; *tout le monde* everybody

mondial(e) world 10; *un leader mondial* world leader 10

la **mondialisation** globalization 10

monégasque from, of Monaco 5

un **moniteur, une monitrice** instructor 4; *un moniteur* monitor

la **monnaie** cash 6

monoparental(e): une famille monoparentale single-parent family 1

un **monospace** minivan

monsieur (M.) Mr., sir

une **montagne** mountain; *un ananas montagne* mountain pineapple; *faire un tour de montagnes russes* to go on a roller coaster ride

monter to get in/on, to go up; *monter à bord* to board

une **montre** watch

montrer to show

un **monument** monument

se **moquer (de)** to make fun (of)

la **moquette** carpeting 3

une **morale** moral 7

un **morceau (de)** piece (of)

la **mort** death 5; *une trompette de la mort* trumpet of the dead mushroom 5

mort(e) dead

une **morue** cod; *un accra de morue* cod fritter

une **mosquée** mosque

un **mot** word; *ce mot-là* this (very) word

la **motivation** motivation 8; *une lettre de motivation* cover letter 8

un **mouchoir** handkerchief; *mouchoir de lin* linen handkerchief

mourir to die 8

une **mousse au chocolat** chocolate mousse

la **moutarde** mustard

un **mouton** sheep

un **mouvement** movement

un **moyen** means; *moyen de transport* means of transportation; *avoir les moyens* to be able to afford, to have the means 8

moyen(ne) medium; *une petite et moyenne entreprise (PME)* small business 1

multinational(e) multinational 10

un **multiplexe** multiplex cinema 5

la **multiplication** multiplication 8; *une table de multiplication* multiplication table 8

un **mur** wall 3

mûr(e) ripe

musclé(e) muscular 9

un **musée** museum

musical(e) musical; *un film musical* musical

un **music-hall** music hall

la **musique** music; *musique alternative* alternative music; *musique classique* classical music; *musique folklorique* folk music; *musique pop* pop music; *une émission de musique* music show

muter to transfer 1; *se faire muter* to get reassigned 1

un **mystère** mystery 6

N

n'est-ce pas isn't that so

n'importe: n'importe quel, quelle just any 9; *n'importe qui* anyone 9

nager to swim

un **nanar** flop 5

les **nanotechnologies (f.)** nanotechnology 1

une **nappe** tablecloth

une **nation** nation 2

national(e) national; *le Produit National Brut (PNB)* GNP (Gross National Product) 2; *une fête nationale* national holiday

la **nature** nature; *nature morte* still life

naviguer to browse

un **nay** ney *[instrument]*

ne: ne (n')... aucun(e) no, none, not any, not one 4; *ne (n')... jamais* never; *ne (n')... ni... ni* neither... nor 4; *ne (n')... pas* not; *ne (n')... pas encore* not yet; *ne (n')... personne* nobody, no one, not anyone; *ne (n')... plus* no longer, not anymore; *ne (n')... que* only 4; *ne (n')... rien* nothing; *N'en jette plus!* *[inform.]* Enough! Stop it! 8

néanmoins nevertheless 8

nécessaire necessary

la **neige** snow 2; *faire de la raquette à neige* to go snowshoeing 4; *une boule de neige* snowball 2; *une classe de neige* ski class 4

neiger to snow; *il neige* it's snowing

le **néo-classicisme** neoclassicism 7

néoclassique neo-classic 7

le **néo-impressionnisme** Neo-impressionism 7

nettoyer to clean

neuf nine

neuf, neuve new; *de neuf* new; *Quoi de neuf?* What's new?

neuvième ninth

le **nez** nose

ni neither, nor 4; *ne (n')... ni... ni* neither... nor 4

niçois(e): une salade niçoise tuna salad

un **niveau** level

les **noces (f.): un voyage de noces** honeymoon 1

Noël Christmas; *le réveillon de Noël* Christmas Eve celebration 2; *une bûche de Noël* yule log 2; *un sapin de Noël* Christmas tree 2

noir(e) black

un **nom** name

un **nombre** number

non no; *non plus* neither; *Je crains que non.* I'm afraid not. 2

le **nord** north; *l'Amérique du Nord (f.)* North America

normand(e) from, of Normandy region

la **Normandie** Normandy region

une **note** grade

le, la **nôtre** ours 9

notre, nos our

nourrir to feed

la **nourriture** food

nous to us; us; we; *aucun de nous ne (+ verb)* none of us (+ verb) 4

nouveau new; *nouvel, nouvelle* new

le **Nouveau-Brunswick** New Brunswick

une **nouveauté** new release 5

une **nouvelle** short story 6

novembre November

nucléaire nuclear; *une famille nucléaire* nuclear family 1

la **nuit** night; *faire une nuit blanche* to stay up all night

nul, nulle bad

un **numéro** number; *numéro de téléphone* phone number

le **Nutella** spread made of hazelnut and chocolate

O

un **objet** object; *objet d'art* art object

obligatoire mandatory

obligé(e) (de) obligated (to) 8; *être obligé(e) (de)* to be obligated (to) 8

observer to observe

obtenir to obtain 4

une **occasion** chance, occasion 4; *avoir l'occasion (de)* to have the opportunity (to) 4

occupé(e) busy; *être occupé(e)* to be busy

occuper to occupy

s' **occuper (de)** to take care (of)

un **océan** ocean; *océan Atlantique* Atlantic Ocean; *océan Indien* Indian Ocean; *océan Pacifique* Pacific Ocean

octobre October

l' **œil (m.)** eye; *jeter un coup d'œil (à)* to glance (at) 5

un **œuf** egg; *œufs brouillés* scrambled eggs; *œufs de lump (m.)* lumpfish roe 2; *œufs sur le plat* eggs sunny side up

une **œuvre** work; *un hors-d'œuvre* appetizer 2

un **office** office 4; *office de tourisme* tourist office 4

officiel, officielle official

offrir to give, to offer

oh oh; *oh là là* oh dear, oh no, wow

un **oignon** onion

un **oiseau** bird

une **olive** olive

une **omelette** omelette

on one, they, we; *on te fait* they (one) make(s) you 8

un **oncle** uncle

une **ONG (organisation non gouvernementale)** NGO (non-governmental organization)

onze eleven

l' **or (m.)** gold; *en or* made of gold

une **orange** orange

orange orange

une **orangerie** orangery

un **orchestre** orchestra 5; *un chef d'orchestre* conductor 5

une **orchidée** orchid; *orchidée suspendue* tropical orchid

un **ordre** order; *en ordre* in order

un **ordinateur** computer; *ordinateur portable* laptop computer

l' **oreille (f.)** ear; *une boucle d'oreille* earring

organisé(e) organized 4

original(e) original 5; *une version originale (V.O.)* original version 5

une **origine** origin 3; *être d'origine (+ adjective)* to come from (+ country) 3

ou or

où when; where

oublier to forget

un **oud** oud [instrument]

l' **ouest (m.)** west

oui yes

ouille ouch

un **ours** bear; *ours polaire* polar bear

une **ouverture** opening 8

ouvrir to open

P

une **page: à la page** in fashion 2

le **pain** bread; *pain grillé* toast; *pain perdu* French toast

la **paix** peace 2

pâle pale 7

une **pamplemousse** grapefruit; *un jus de pamplemousse* grapefruit juice

un **panda** panda; *panda géant* giant panda

paniqué(e) panicky 9

une **panne: en panne** broken down

un **panneau** panel

un **pantalon** pants

le **papier** paper; *papier peint* wallpaper 3; *papier toilette* toilet paper 10; *une feuille de papier* sheet of paper

un **papillon** butterfly

Papy grandpa

un **paquet** package; *paquet (de)* packet (of)

par through, via; with; *par contre* however, on the other hand 8; *par la suite* consequently 9

le **parachutisme ascensionnel: faire du parachutisme ascensionnel** to go parasailing

paraître to appear, to seem 5

un **parasol** (beach) umbrella

un **parc** park; *parc d'attractions* amusement park

parce que because

pardi of course [regional]

pardon pardon me

un **pare-brise** windshield

pareil, pareille the same; *c'est pareil* it's the same

les **parents (m.)** parents

paresseux, paresseuse lazy

parfait(e) perfect 5

parfaitement perfectly

parfois sometimes

un **parfum** perfume, scent

parisien(ne) from, of Paris

parlementaire parliamentary

parler to speak, to talk; *parler de* to be about 6; *sans parler de* not to mention 10

se **parler** to talk to each other/one another

parles: tu parles yeah right

des **paroles (f.)** lyrics

le **parquet** hardwood flooring 3

part: à part aside from 9

partager to share 5

un **parti** party 2; *parti politique* political party 2; *le parti politique socialiste* socialist political party 2

particulier, particulière personal 1; *un cours particulier* private class 1

une **partie** part 7; *faire partie (de)* to belong (to)

partir to leave; *partir en voyage* to take a journey 8; *C'est parti!* Here we go!

partout everywhere

pas not; *pas du tout* not at all; *pas la tête à* not the type to 9; *pas mal* not bad; *pas très bien* not very well; *ne (n')... pas* not

un **passager, une passagère** passenger

un(e) **passant(e)** passer-by 3

le **passé** past 4

un **passeport** passport 4

passer to go through; to move over (something), to pass; to play 2; to spend (time); *passer à la radio* to play on the radio 2; *passer de... à* to move from... to 7; *passer l'aspirateur* to vacuum; *on passe... ...* is playing (at the movies) 2

se **passer** to happen 8

un **passe-temps** pastime

une **passion** passion

passionnant(e) fascinating

passionné(e) (de) passionate (about)

passionnément passionately 2

une **passoire** colander 2

une **pastèque** watermelon

le **pâté** pâté

des **pâtes (f.)** pasta

le **patinage (artistique)** (figure) skating

une **pâtisserie** bakery, pastry shop

une **pause** pause 5

pauvre poor

la **pauvreté** poverty

payer to pay

un **payeur, une payeuse** someone who pays

un **pays** country

un **paysage** landscape

la **peau** skin 10

une **pêche** peach; *la pêche* fishing; *une canne à pêche* fishing pole

pêcher to fish

un **pêcheur, une pêcheuse** fisherman, fisherwoman 3

un **peigne** comb

se **peigner** to comb one's hair

un **peignoir de bain** bathrobe

peindre to paint 3

une **peine: ce n'est pas la peine** it's not worth it 1

peint(e): le papier peint wallpaper 3

un(e) **peintre** painter

une **peinture** painting; *la peinture* painting 7

une **pelouse** lawn

pendant during; for; *pendant que* while 3; *pendant que tu y es* while you're at it

une **pendule** clock

penser to think

perdre to lose

perdu(e) lost; *le pain perdu* French toast

un **père** father

une **perle** pearl; *un collier de/en perles* pearl necklace

un **permis (de conduire)** driver's license 8

une **perruque** wig 8

persillé(e): le jambon persillé ham and porc dish made with chopped parsley 5

perso [inform.] egotistical 8; *être perso [inform.]* to be egotistical 8

une **personnalité** celebrity

une **personne** person; *ne (n')... personne* no one, nobody, not anyone

un **personnel** personnel, staff 8; *un chef du personnel* personnel manager 8

personnel, personnelle personal 2

personnellement personally 5

une **perspective** perspective

persuadé(e) convinced 4; persuaded

peser to weigh 6

petit, petite little, short, small; *en petit comité* with a few friends 2; *jouer aux petites voitures* to play with toy cars 1; *une petite annonce* want ad 8; *une petite voiture* toy car 1

un(e) **petit(e) commerçant(e)** shopkeeper

le **petit déjeuner** breakfast

une **petite et moyenne entreprise (PME)** small business 1

des **petits pois (m.)** peas

le **pétrole** petroleum

(un) **peu** (a) little; *un peu de* a little of

un **peuple** people 8

la **peur: avoir peur (de)** to be afraid (of); *avoir peur du vide* to be afraid of heights

peut-être maybe

une **pharmacie** drugstore

les **Philippines (f.)** Philippines 10

une **photo** photo; *prendre (quelque chose) en photo* to take a picture (of something); *re-photo* another photo

photogénique photogenic 9

la **physique** physics

un(e) **pianiste** pianist

un **piano** piano

une **pièce** play; room; *pièce (de monnaie)* coin 6; *pièce d'identité* piece of identification 4; *pièce de théâtre* play 6

le **pied** foot; *à pied* on foot; *faire une randonnée à pied* to hike

un(e) **pilote** pilot

un **pinceau** paintbrush 7

piqueniquer to picnic

un **piranha** piranha

un **pirate** pirate

pire worse; *le pire* the worst

une **pirogue** pirogue; *en pirogue* by pirogue

une **piscine** swimming pool

une **pizza** pizza

un **placard** closet

une **place** place 2; square; *à sa place* in its place 2; *sur place* on the premises 4

une **plage** beach; *une serviette de plage* beach towel

se **plaindre** to complain

une **plaine** plain

une **plainte** complaint 7

plaire (à) to please 7

un **plaisir** pleasure

un **plan** city map; shot 7; *en gros plan* in a close-up 7; *le premier plan* foreground; *au premier plan* in the foreground

la **planche à voile: faire de la planche à voile** to wind surf 4

une **planète** planet

planifier to plan 4

une **plante** plant

la **plastique** plastic; *en plastique* made of plastic

un **plat** dish; *plat principal* main dish; *des œufs (m.) sur le plat* eggs sunny side up

plat(e) flat, lifeless 5

un **plateau** platter

plein(e) full; *plein (de)* a lot (of) 8; *à plein temps* full-time 8; *en plein air* outdoors; *faire le plein* to fill up the gas tank

pleurer to cry

pleuvoir to rain; *il pleut* it's raining

la **plongée sous-marine: faire de la plongée sous-marine** to go scuba diving

plonger to dive

la **plupart de** most 9

plus more; *plus mal* worse; *plus (+ adverb) + que* more... than; *plus de (+ noun)* more; *de plus en plus* more and more 7; *en plus* in addition to; *en y regardant de plus près* on a closer look 4; *le/la/les plus (+adjectif)* the most (+ adjective); *le plus* the most; *le plus mal* the worst; *ne (n')... plus* no longer, not anymore; *non plus* neither

plusieurs several

plutôt instead; quite 5; rather

un **pneu** tire

pneumatique: un matelas pneumatique inflatable water mattress

une **poche** pocket; *une lampe de poche* flashlight; *un livre de poche* paperback 6

une **poêle** frying pan

un **poème** poem

la **poésie** poetry 6

un **poète, une femme poète** poet 7

poétique poetic 7

le **poignet** wrist 4; *se casser le poignet* to break one's wrist 4

un **point de vue** viewpoint

une **poire** pear; *en forme de poire* pear-shaped 2

un **pois** polka dot 9; *à pois* polka dots 9

un **poisson (rouge)** (gold)fish

la **poitrine** chest

le **poivre** pepper

un **poivron** bell pepper

policier, policière detective; *un film policier* detective movie

la **politique** politics 2

politique political; *le parti politique socialiste* socialist political party 2; *les sciences (f.) politiques (sciences po)* political science 6; *une femme politique* female politician; *un homme politique* male politician; *un parti politique* political party 2

polluant polluting

pollué(e) polluted

polluer to pollute

un **pollueur, une pollueuse** polluter

la **pollution** pollution

une **pomme** apple; *un jus de pomme* apple juice; *une tarte aux pommes* apple pie

un **pont** bridge

pop: la musique pop pop music

populaire popular 7

le **porc** pork

un **port** port; *port micro-USB* USB port

un **portable** cell phone

portable: une téléphone portable cell phone

une **porte** door; *porte d'embarquement* boarding gate

un **portefeuille** wallet

porter to wear

se **porter: se porter mieux** to feel/do better

un **portrait** portrait

posé(e) set down 2

poser to put down 2; to put up 3

une **position** position 7; *prendre position (sur)* to take a position (on) 7

le **positionnement** positioning 6

une **possibilité** possibility

possible possible

postal(e): une carte postale postcard

un **poste** job position 1

une **poste** post office

un **postier, une postière** postal worker 6

un **pot (de)** a jar (of)

un **potage** soup

une **poubelle** garbage can

une **poule** hen

le **poulet** chicken

une **poupée** doll 1; *jouer à la poupée* to play with dolls 1

pour for; *pour commencer* for starters; *pour que* so that 7; *pour t'avancer* to help you 2; *c'est pour ça que* that/this is why

pourquoi why

pousser un cri to scream

pouvoir to be able (to); *ne pas pouvoir s'empêcher (de)* cannot help (but) 2

se **pouvoir: il se pourrait que** it's possible that 4

un **pouvoir** power

une **pratique** practice 8; *mettre en pratique* to put into practice 8

pratique practical 5

précisément precisely

des **précisions (f.)** specific information 5

préféré(e) favorite

préférer to prefer

premier, première first; *au premier plan* in the foreground; *en première année* in the first year; *le premier plan* foreground; *les premiers secours (m.)* first-aid; *une trousse de premiers secours* first-aid kit

une **première** première (of movie) 6

premièrement firstly 8

prendre to have (food or drink), to take; *prendre des vacances* to take a vacation; *prendre (quelque chose) en photo* to take a picture (of something); *prendre position (sur)* to take a position (on) 7; *prendre une décision* to make a decision 10

un **prénom** first name

des **préparatifs (m.)** preparations 4; *préparatifs de départ* travel preparations 4

préparer to make; to prepare

se **préparer** to get (oneself) ready

une **préposition** preposition

près de near; *en y regardant de plus près* on a closer look 4

le **présent** present 8

un **présentateur, une présentatrice** news anchor

présenter (à) to introduce (to someone)

un(e) **président(e)** president 10; *président directeur général (PDG)* CEO 10

présidentiel, présidentielle presidential 2; *les élections (f.) présidentielles* presidential elections 2

presque almost; nearly

des **prestations (f.)** amenities 5

prêt(e) ready

le **prêt-à-porter** ready-to-wear 2

prêter to lend

les **prévisions (f.)** forecast

prévu(e) planned 2

une **princesse** princess 1

principal(e) main; *un plat principal* main dish

le **printemps** spring

un **priorité** priority 9

un **prisonnier, une prisonnière** prisoner 2

privé(e) private 8

un **problème** problem

prochain(e) next

une **production** production 10

un **produit** product 2; *produit alimentaire* food product 10; *produit laitier* dairy product 10; *le Produit National Brut (PNB)* GNP (Gross National Product) 2

un(e) **prof** teacher

une **profession** profession; *Quelle est votre profession?* What is your profession?

un **professionnel, une professionnelle** professional

un **profil** profile

profiter to take advantage of; *profiter de* to benefit from

un **programme** plan

le **progrès** progress

un **projet** project

projeter to plan

prolongé(e) extended

une **promenade** walk

se **promener** to go for a walk

une **promesse: faire une promesse** to make a promise

promettre to promise; *ça promet* it sounds promising 5

promis(e) promised 6; *c'est promis* it's a promise 6

une **promo** sale

un **propos: à propos de** about 2

proposer to offer 10; to suggest

propre clean 3

protéger to protect

provençal(e) from, of Provence

la **Provence** Provence

une **province** province

un **proviseur** principal

des **provisions (f.)** supplies

prudemment carefully

la **psychologie** psychology 6

puisque since 2

puissant(e) powerful

puis then

un **puits** well

un **pull** sweater

un **pyjama** pyjamas

Q

qu'est-ce que what; *Qu'est-ce qu'elle a?* What's wrong with her?; *Qu'est-ce que tu aimes faire?* What do you like to do?; *Qu'est-ce que tu fais?* What are you doing?

qu'est-ce qui what

un **quai** platform

une **qualité** quality 8

quand when; *quand même* after all, regardless 2; *depuis quand* since when

une **quarantaine** about forty 9; *d'une quarantaine d'années* in one's forties 9

quarante forty

un **quart** quarter; *et quart* quarter past; *moins le quart* quarter to

un **quartier** area, district

quatorze fourteen

quatre four

quatre-vingt-dix ninety

quatre-vingts eighty

quatrième fourth

que as, than; that; which; whom 2; *aussitôt que* as soon as 1; *dès que* as soon as; *même que [inform.]* that 3; *ne(n')... que* only 4; *pendant que* while 3; *pour que* so that 7

le **Québec** Quebec

québécois(e) from, of Quebec

quel, quelle what, which; *n'importe quel, quelle* just any 9

quelque a few, some 5

quelque chose something; *arriver à faire quelque chose* to bring oneself to do something 6

quelqu'un somebody, someone

une **question** question

qui that, who; which; *ce qui* what; *n'importe qui* anyone 9

une **quiche** quiche

quinze fifteen

quitter to leave

se **quitter** to leave one another 1

quoi what; you know what I mean; *Quoi de neuf?* What's new?

quotidien(ne) daily

R

le **racisme** racism

racler to scrape, to scrub 2

raconter to tell

la **radiation** radiation

une **radio** radio; *passer à la radio* to play on the radio 2

le **raï** Rai music

raide straight (hair) 9

un **raisin** grape

la **raison: avoir raison** to be right

ramasser to pick up 1

un **ramier** woodpigeon

une **randonnée** hike; *faire une randonnée à pied* to hike; *faire une randonnée équestre* to go on a trail ride 4

ranger to arrange, to pick up

le **rap** rap music

rapide fast

rapidement quickly 3

se **rappeler** to remember

un **rapport** relationship 2

rapporter to bring in 10

la **raquette à neige: faire de la raquette à neige** to go snowshoeing 4

se **raser** to shave

un **rasoir** razor

se **rassurer** to reassure (oneself); *rassure-toi* don't worry

la **ratatouille** ratatouille

raté(e) failed

rater to mess up 2

un **raton laveur** raccoon

une **rayure** stripe 9; *à rayures* striped 9

une **réaction** reaction 9

un **réalisateur, une réalisatrice** movie director 5

réalisé(e) (par) directed (by) 2

réaliser to direct (movie) 6; to realize

le **réalisme** realism 7

réaliste realistic; *une chanson réaliste* chanson réaliste 7

la **réalité** reality 6

une **réception** reception 1; *la réception* reception desk

un(e) **réceptionniste** hotel clerk

une **recette** recipe

recevoir to get, to host, to receive

un **réchaud** portable stove

réchauffer to heat up

la **recherche** research 1; *des recherches* research 3; *des recherches généalogiques* genealogical research 3; *un laboratoire de recherches* research laboratory 1

rechercher to look for/into 7

un **récit** account 9

une **récompense** award 2

recomposé(e): une famille recomposée blended family 1

reconnaître to recognize

se **reconnaître** to see oneself as 7

rectangulaire rectangular 2

un **recueil** collection 6

récupérer to recapture 2

recycler to recycle

une **rédaction** composition

rédiger to write 8

réduire to reduce 2

une **rééducation** physical therapy 8

réfléchir (à) to consider, to think over; *en y réfléchissant bien* on second thought 4

un **reflet** reflection 7

une **réflexion** thought

un **regard** look

regarder to watch; *en y regardant de plus près* on a closer look 4

se **regarder** to look at oneself

le **reggae** reggae music

un **régime** regime 8

une **région** region

régional(e) regional 10

un **réglage** adjustment

régler to adjust; to pay; *régler la largeur du champ* to adjust the zoom

un **regret** regret 1

regretter to be sorry 5

une **reine** queen

une **religieuse** cream puff pastry

remarquable remarkable

remarque look, well

remarquer to notice

rembourser to reimburse

un **remède** remedy, solution

remercie: je vous remercie (de) [form.] thank you (for)

remettre to put back

se **remettre (à)** to start something again; *on s'y remet* let's get back to it

une **remise: un centre de remise en forme** fitness center 5

un **remous: un bain à remous** whirlpool bath 5

remplacer to replace

remplir to fill out 9; to fill up

remuer to stir, to toss 2

un **renard** fox 7

se **rencontrer** to meet (someone)

un **rendez-vous** meeting

rendre to give back, to return; to turn in; *rendre un service (à quelqu'un)* to do (someone) a favor; *rendre visite à (+ person)* to visit (person)

se **rendre (à)** to go, to show up; *se rendre compte (de)* to realize 9

se **renseigner** to get information 4

la **rentrée** back to school/work after vacation

rentrer to come back, to come home, to return

réparer to repair

un **repas** meal

repasser to iron; *un fer à repasser* (clothes) iron

repeindre to repaint 3

re-photo another photo

répondre to respond 8

un **reportage** news report; *reportage sportif* sports coverage

se **reposer** to rest

un(e) **représentant(e)** representative

une **république** republic 8; *la République d'Haïti (Haïti)* Republic of Haiti

le **R.E.R.** express train from Paris to suburbs; *en R.E.R.* by R.E.R.

une **reservation** reservation

réserver to make a reservation; *réserver (pour quelqu'un)* to make especially (for someone) 10

une **résidence** residence 3; *une résidence secondaire* second home 3

une **résolution** resolution

respiratoire respiratory

respirer to breathe

une **responsabilité** responsibility 10

un(e) **responsable** director, manager 10

responsable responsible

ressembler (à) to resemble

ressentir to feel 9

une **ressource** resource 10; *ressources humaines* human resources 10;

un *directeur, une directrice des ressources humaines (DRH)* director of human resources 10

un **restaurant** restaurant; *tenir un restaurant* to own a restaurant 3

le **reste** rest 10

rester to be left; to remain, to stay

un **resto-U (restaurant universitaire)** university cafeteria

retirer to withdraw 6

un **retour** return; *être de retour* to be back

retourner to return

se **retrouver** to meet; *se retrouver (sur)* to appear (on) 9

un **rétroviseur** rear-view mirror

la **Réunion** Reunion 4

se **réunir** to meet

réussir (à) to pass (a test), to succeed

un **rêve** dream; *une maison de rêve* dream house

se **réveiller** to wake up

le **réveillon de Noël** Christmas Eve celebration 2

réveillonner to celebrate Christmas/New Year's Eve 2

revenir to come back; to return

des **revenus (m.)** income 2

rêver to dream

revoir to see again

une **révolution** revolution

le **rez-de-chaussée** ground floor

un **rhume** cold

une **riad** riad

riche rich, wealthy

rien nothing 9; *Rien que ça?* Is that all?; *ne (n')... rien* nothing

rigoler to laugh

rire to laugh

une **rive** river bank

une **rivière** river

une **robe** dress; *robe de mariée* wedding dress

le **rock** rock (music)

le **rococo** rococo style 7

rococo rococo 7

un **roi** king

un **rôle** role

le **roller** in-line skating

un(e) **Romain(e)** Roman 5

un **roman** novel

un **romancier, une romancière** novelist 7

romantique Romantic 7

le **romantisme** Romanticism 7

rond(e) round 2

une **rondelle** circular piece of food; *en rondelles* in circles

rose pink

une **roue: la grande roue** Ferris wheel; *faire un tour de grande roue* to go on a Ferris wheel ride

rouge red

un **rouge à lèvres** lipstick

un **rouget** goatfish

rougir to blush

un **rouleau** roll 10

une **roulette** wheel; *à roulettes* on wheels; *une valise à roulettes* suitcase with wheels

une **route** highway, road, route; *Bonne route!* Have a good trip!; *en route* on the way

une **routine** routine

roux, rousse red (hair)

une **rue** street

rusé(e) cunning 3

le **Rwanda** Rwanda

S

s'il vous plaît please

le **sable** sand 1

un **sac** bag; *sac à dos* backpack; *sac à main* purse; *sac de couchage* sleeping bag

la **Saint-Jean** national Quebec holiday

la **Saint-Valentin** Valentine's day

une **saison** season

une **salade** lettuce; salad; *salade niçoise* tuna salad

un **salaire** salary 8

sale dirty 3

salé(e) salty, savory

une **salle** room; *salle de classe* classroom; *salle à manger* dining room; *salle de bains* bathroom; *salle d'informatique* computer lab

un **salon** living room; *salon de coiffure* hair salon

la **salsa** salsa music 7

salut good-bye, hi

samedi Saturday

une **sanction** punishment

des **sandales (f.)** sandals

un **sandwich** sandwich; *sandwich au fromage* cheese sandwich; *sandwich au jambon* ham sandwich

sanitaire health, sanitary

sans without 4; *sans aucun doute* without a doubt 4; *sans parler de* not to mention 10

un **sans-abri** homeless person

la **santé** health; *le domaine de la santé* health sector

un **sapin** fir tree 2; *sapin de Noël*

Christmas tree 2

une **satire** satire 7

une **sauce** sauce 2; *sauce béarnaise* Béarnaise sauce 5; *sauce béchamel* béchamel sauce 5; *sauce blanche* white sauce 5; *sauce hollandaise* hollandaise sauce 5; *sauce marinière* white wine sauce 5

une **saucisse** sausage

le **saucisson** salami

sauf except

le **saumon** salmon; *saumon fumé* smoked salmon 2; *une terrine de saumon* salmon loaf

un **saut: faire des sauts à ski** to go off ski jumps 4; *faire du saut à l'élastique* to bungee jump 4; *un tremplin de saut à ski* ski jump 4

sauter to jump 1; *sauter à la corde* to jump rope 1

sauvage wild

sauvegarder to protect; to save

savoir to figure out, to know how; to know; *Tu en sais des choses.* You sure know a lot about it.

se **savoir** to be known; *ça va se savoir* it will be revealed (known)

un **savon** soap

un **saxophone** saxophone

scandinave Scandinavian 9

une **scène** scene; *sur scène* on-stage 7

les **sciences (f.)** science; *sciences politiques (sciences po)* political science 6 ; *le domaine des sciences et techniques* science and technology sector

la **science-fiction** science fiction; *un film de science-fiction* science fiction movie

schuss: tout schuss full throttle 4

un **scooter** scooter; *en scooter* by scooter; *faire du scooter des mers* to jet ski

scotché(e) (à) glued (to)

une **sculpture** sculpture

une **séance** film showing; session 8

un **sèche-cheveux** hairdryer

un **sèche-linge** clothes dryer

sécher to dry; to skip (class) 9; *faire sécher le linge* to dry clothes

secondaire secondary 3; *une résidence secondaire* second home 3

un **secours: au secours** help

un **secret** secret

un **secrétaire (administratif), une secrétaire (administrative)**

secretary 10

le **secrétariat** reception area 10

un **secteur** industry; *secteur aéronautique* aviation industry; *secteur agroalimentaire* food industry; *secteur de développement durable* sustainable development industry; *secteur de l'informatique* information technology industry

la **sécurité** security; *sécurité sociale (sécu)* French national health and pension insurance 8; *une ceinture de sécurité* seatbelt; *un contrôle de sécurité* security checkpoint

séduire to seduce 7

seize sixteen

un **séjour** living room; stay; *faire un séjour* to stay 4

le **sel** salt

selon according to

une **semaine** week

semblant(e): faire semblant (de) to pretend (to) 1

sembler to seem

le **Sénégal** Senegal

sénégalais(e) Senegalese

un **sens** sense, way; *en un sens* in a way

une **sensation** feeling, sensation

un **sentier** path

sentir to smell; *Ça sent quoi?* What does it smell like?

se **sentir** to feel 9

sept seven

septembre September

septième seventh

une **série** series; *toute une série (de)* whole series (of)

le **sérieux** seriousness

sérieux, sérieuse serious

un **serpent** snake

une **serpillière** mop 10

un **serveur, une serveuse** server

servi(e) served 5

un **service** department 10; favor; service 5; *service après-vente* post-sale support 10; *service blanchisserie* laundry service 5; *service de chambre* room service 5; *demander un service* to ask for a favor; *rendre un service (à quelqu'un)* to do (someone) a favor

une **serviette** napkin; towel; *serviette de plage* beach towel

servir to serve; *servir (à)* to be used (for) 2

se **servir (de)** to use

seul(e) alone, lonely 9

seulement only 4

un **shampooing** shampoo

le **shopping** shopping

un **short** shorts

un **show** show 9

si how about, if only, what if; if; so 2; yes [on the contrary]; *si cela vous convient* if you'd like

le **SIDA** AIDS

un **siège** seat; *siège social* headquarters 10

le **sien, la sienne** his, hers, one's 9

signaler to signal

signer to sign 6

SIM: une carte SIM SIM card

simple simple

simplement simply; *tout simplement* simply

le **sirop** syrup; *sirop d'érable* maple syrup

un **sitcom** sitcom

un **site** site; *site web* website

une **situation** situation

situé(e) located

six six

sixième sixth

un **skatepark** skateboard park 1

un **ski** ski 4; *le ski (alpin)* (downhilll) skiing; *le ski de fond* cross-country skiing 4; *faire des sauts à ski* to go off ski jumps 4; *faire du ski de fond* to cross-country ski 4; *faire du ski joering* to skijor 4; *faire du ski nautique* to go water-skiing; *un bâton de ski* ski pole 4; *une chaussure de ski* ski boot 4; *une station de ski* ski resort 4; *un forfait de ski* ski pass 4; *un fuseau de ski* ski pants 4; *un masque de ski* ski goggles 4; *un tremplin de saut à ski* ski jump 4

skier to ski 4; *en skiant* while skiing 4

un **skype** skype call

skyper to skype

un **smartphone** smartphone

un **smoking** tuxedo

un **SMS** text message

le **snowboard** snowboarding 4; *faire du snowboard* to snowboard 4

le **speed riding: faire du speed riding** to speed ride 4

social(e) social 8; *la sécurité sociale (sécu)* French national health and pension insurance 8; *un siège social* headquarters 10

socialiste socialist 2; *le parti politique socialiste* socialist political party 2

une **société** company; *Société Anonyme (SA)* public (incorporated) company 10

une **sœur** sister

la **soie** silk; *en soie* made of silk

la **soif: avoir soif** to be thirsty

soigner to treat 8; *se faire soigner* to seek (medical) treatment 8

des **soins (m.)** care, treatment 8

le **soir** evening; *tous les soirs* every night

une **soirée** evening; evening out 1

soixante sixty

soixante-dix seventy

solaire solar; *la crème solaire* sunscreen; *l'énergie (f.) solaire* solar energy; *un panneau solaire* solar panel

solde: en solde on sale

le **soleil** sun; *des lunettes (f.) de soleil* sunglasses; *il fait du soleil* it's sunny

la **solidarité** solidarity

une **solution** solution

sombre dark

un **sommet** peak 4

son, sa, ses her, his, one's, its

un **sonnet** sonnet 7

un **sorcier** wizard 7

une **sorte** kind, sort

une **sortie** exit; release 5

sortir to come out; to go out; to take out

se **sortir: s'en sortir** to overcome

un **souci** worry 2

souffrir to suffer 2

souhaiter to hope, to wish 5

la **soupe** soup

un **soupir** sigh 7

une **source d'eau** spring

sourire to smile 1

un **sourire** smile 1

une **souris** mouse

sous under

sous-titré(e) subtitled 5

un **sous-titre** subtitle 5

soutenir to support

se **souvenir (de)** to remember

un **souvenir** memory

souvent often

soviétique Soviet 5

une **spatule** spatula 2

se **spécialiser (en)** to major (in)

une **spécialité** specialty; *spécialité du jour* daily special

une **spectacle** show

sphérique spherical 2

splendide gorgeous

un **sport** sport; *une voiture de sport*

sports car

sportif, sportive athletic; *un complexe sportif* sports center 1; *un reportage sportif* sports coverage

un **spot publicitaire** commercial

le **Sri Lanka** Sri Lanka 10

un **stade** stadium

un **stage** internship 8; *faire un stage* to intern 8

un(e) **stagiaire** intern 8

un **stand de crêpes** crêpe stand

une **station** station; *station de ski* ski resort 4

une **station-service** gas station

une **statue** statue

un **steak-frites** steak with fries

le **step** step aerobics

une **stéréo** stereo

stéréotypé(e) stereotypical 5

un **steward** male flight attendant

une **stratégie** strategy 10

strict(e) strict

un **studio** studio apartment 3

un **style** style 5

un **stylo** pen

le **succès** success 7

le **sucre** sugar; *au sucre* with sugar

sucré(e) sweet

le **sud** south; *l'Amérique du Sud (f.)* South America; *la Corée du Sud* South Korea 10

suffire to be enough 3

la **Suisse** Switzerland

suisse Swiss; *un couteau suisse* Swiss army knife

la **suite** (the) rest 3; *par la suite* consequently 9; *tout de suite* right away

suivant(e) following 5

suivre to follow, to take (a class)

un **sujet** subject

super awesome; really, very

superbe excellent

un **super-héros** superhero 1

un **supermarché** supermarket

superposé(e): des lits (m.) superposés bunk beds

un **supplément** additional cost

sur about; of; on; *sur place* on the premises 4; *sur scène* on-stage 7; *être sur place* to be there

sûr(e) sure; *bien sûr* of course; *c'est sûr* that's for sure

surexcité(e) overexcited 9

surfer to surf; *surfer sur Internet* to surf the Web

surprenant(e) surprising 4

surprend: ça ne me surprend

pas it doesn't surprise me

surpris(e) surprised

une **surprise** surprise

le **surréalisme** surrealism 7

surtout especially; mostly

surveiller to keep an eye on 9

survivre to survive

le **swing** swing music 7

sympa nice

synchroniser to synchronize

un **syndicat d'initiative** tourist information office

un **synopsis** movie synopsis 5

un **synthé(tiseur)** synthesizer

un **système** system 8

T

t'appelles: Tu t'appelles comment? What's your name?

le **tabac: un bureau de tabac** news store that sells tobacco, stamps, lottery tickets

une **table** table; *table de multiplication* multiplication table 8; *à table* at the (dinner) table 2; *débarrasser la table* to clear the table

un **tableau** chalkboard; painting; *tableau des arrivées et des départs* arrival and departure timetable

une **tablette** tablet

une **tache** spot

un **taf** work

tahitien(ne) Tahitian

une **taille** size; *de taille moyenne* of average height; *Quelle taille faites-vous?* What size are you?

un **taille-crayon** pencil sharpener

un **tailleur** tailor

un **talent** talent 9

un **tambour** drum

tamponneuse: une auto tamponneuse bumper car

tant pis too bad

une **tante** aunt

taper to type

un **tapis** rug

tard late

une **tarte** pie; *tarte aux fruits* fruit tart; *tarte aux pommes* apple pie

une **tartine** bread with butter, jam

une **tasse** cup

un **taxi** taxi; *en taxi* by taxi

un **taxi-ski: faire du taxi-ski** to take a ski-taxi ride 4

un **taux** rate 2; *taux d'inflation* inflation rate 2

te (t') to you, you

un(e) **technicien(ne) de centrale solaire** solar plant technician

la **technique** technology; *le domaine des sciences et techniques* science and technology sector

la **techno** techno music

un **tee-shirt** T-shirt

un **tel, une telle** such a 9

une **télé (télévision)** television, TV; *télé câblée* cable TV; *à la télé* on TV

télécharger to download

une **télécommande** TV remote control

le **télémark: faire du télémark** to telemark ski 4

un **téléphone portable** cell phone

téléphoner to phone (someone), to make a call

la **téléréalité** reality TV; *une émission de télé-réalité* reality TV show

un **télésiège** ski lift 4

télévisé(e) televised; *un jeu télévisé* (TV) game show

tellement so much

la **température** temperature

le **temps** time; weather; *à plein temps* full-time 8; *depuis combien de temps* how long; *Depuis le temps!* At last!; *gagner du temps* to save time; *le bon vieux temps* the good old days; *Quel temps fait-il?* What's the weather like?; How's the weather?; *tout le temps* all the time

la **tendresse** tenderness 6

tenir: tenir un restaurant to own a restaurant 3

des **tennis (m.)** sneakers

une **tente** tent

tenter to tempt; *tenter sa chance* to try one's luck 3

un **terrain de camping** campground

une **terrasse** terrace

la **terre** land

une **terrine de saumon** salmon loaf

un **territoire** territory 2

le **terrorisme** terrorism

un **testeur de jeux vidéo** video game tester

tétanisé(e) paralyzed 9

une **tête** head; look 9; *Lève la tête!* Look up!; *pas la tête à* not the type to 9

une **teuf** party

un **texte** text 7

un **texto** text message

un **thé** tea; *thé au citron* tea with lemon

un **théâtre** theatre; *une pièce de théâtre* play 6

un **thème** theme 7; topic

thermal(e) hydrotherapeutic

le **thon** tuna

un **thriller** thriller

un **ticket** ticket

le **tien, la tienne** yours 9

tiens here; hey

un **tigre** tiger; *tigre de Sumatra* Sumatran tiger

un **timbre** stamp 1

timide shy

un **tissu** fabric

un **titre** title 6

un **toast** canapé 2

le **Togo** Togo

togolais(e) Togolese

toi you

une **toile** canvas 7

les **toilettes (f.)** toilet; *des affaires (f.) de toilette* toiletries; *le papier toilette* toilet paper 10; *un gant de toilette* washcloth

un **toit** roof

la **tolérance** tolerance

une **tomate** tomato

tomber to fall 8; *tomber en panne* to break down; *tomber sur* to discover accidentally 5; *ça tombe bien* that works out well 2

un **ton** tone 5

ton, ta your; *tes* your

une **tondeuse** lawn mower

tondre to mow

top awesome; *C'est le top!* That's awesome!

un **tort** wrongdoing 8; *avoir tort* to be wrong 8

une **tortue** turtle; *tortue marine* sea turtle

tôt early

total(e): Total vintage! It has a totally vintage look!; *la totale* the whole deal

une **touche** key [on keyboard]

toucher to touch

toujours always; still

un **tour** tour; *déjouer un tour* to undo a spell 3; *faire le tour* explore all the possibilities 10; *faire un tour* to go on a ride; to go on a tour; *faire un tour de grande roue* to go on a Ferris wheel ride; *faire un tour de manège* to go on a carnival ride; *faire un tour de montagnes russes* to go on a roller coaster ride; *jouer un tour* to place a spell on 3

une **tour** tower

la **Touraine** Touraine region

tourangeau, tourangelle from, of Touraine region

le **tourisme** tourism 4; *tourisme d'aventure* adventure tourism; *un office de tourisme* tourist office 4

un(e) **touriste** tourist; *faire le touriste* to be a tourist

touristique touristy 3

tourmenter to torment 9

tourné(e) filmed 2

une **tournée** tour 7; *en tournée* on tour 7

tourner to turn; *tourner (un film)* to shoot (a movie) 5

un **tournevis** screwdriver 3

la **Toussaint** All Saints Day

tout(e) all; every; everything 3; *tous les soirs* every night; *tout à fait* completely; *Tout ça!* All that!; *tout de suite* right away; *tout d'un coup* all of a sudden 9; *tout le monde* everybody; *tout le temps* all the time; *tout schuss* full throttle 4; *tout simplement* simply; *toute une série (de)* whole series (of); *de toute façon* in any case 4; *en tout cas* in any case; *tu n'y es pas du tout* you don't get it 4

une **trace** *[Mart.]* path

une **tradi(e)** traditional 2; *un look tradi* traditional look 2

traditionnel, traditionnelle traditional

un **train** train; *en train* by train

traîner to dawdle

traire to milk

un **traitement** treatment 8

une **tranche (de)** a slice (of)

tranquille calm, quiet 2

un **transport** transportation; *un moyen de transport* means of transportation

travailler to work

traverser to cross

trébucher to stumble 9

treize thirteen

un **tremblement de terre** earthquake

un **tremplin de saut à ski** ski jump 4

trente thirty

une **trentaine** about thirty 9; *d'une trentaine d'années* in one's thirties 9

très very; *Très heureux/heureuse.* Pleased to meet you. 3

un **trésor** treasure

triste sad
trois three
troisième third
un trombone trombone
une trompette trumpet; *trompette de la mort* trumpet of the dead mushroom 5
un trône throne 8
trop too; *trop de* too much of
une trousse pencil case; *trousse de premiers secours* first-aid kit
trouver to find
se trouver to be located
un truc thing
tu you; *tu n'y es pas du tout* you don't get it 4
tuer to kill 2
la Tunisie Tunisia
tunisien(ne) Tunisian
tutoyer to use the informal "tu" to address someone 10
un type type 1
typiquement typical of 10

U

un a, an; one
une a, an, one
l' un(e)... l'autre the one... the other 9
une uniformisation standardisation 10
l' Union européenne (f.) European Union
l' univers (m.) universe
universel, universelle universal 2
universitaire university; *une cité universitaire* university dormitory
une université university; *entrer à l'université* to go to college
un USB: un port micro-USB USB port
user de diplomatie to use diplomacy
une usine factory
un ustensile utensil 2
usurper to usurp 2
utile useful 4

V

des vacances (f.) vacation; *prendre des vacances* to take a vacation
un vacancier, une vacancière vacationer
vacciner (contre) to vaccinate (against) 4; *se faire vacciner* to get a shot 4
une vache cow
la vaisselle: faire la vaisselle to wash the dishes
une valeur worth 2

une valise suitcase; *valise à roulettes* suitcase with wheels; *faire sa valise* to pack 4
une vallée valley
valoir to be valued as/at 7; to be worth 4; *il vaut mieux que* it's better that 4
une variation variation 7
vas: Tu vas bien? Are things going well?
un vase vase 10
le veau veal 5
une vedette star 5
un vélo bike; *à vélo* by bike
le velours velvet; *en velours* made of velvet
un vendeur, une vendeuse salesperson
vendre to sell
vendredi Friday
venir to come; *venir de (+ infinitive)* to have just
le vent wind; *il fait du vent* it's windy
les ventes (f.) sales 10
le ventre stomach
vérifier to check
un verre glass; *verre mesureur* measuring cup 2
vers around; towards
verser to pour 2
une version version; *version originale (V.O.)* original version 5
vert(e) green
une veste jacket
des vêtements (m.) clothes
un(e) vétérinaire veterinarian
vêtu(e) de dressed in 9
veux: je veux bien I'd like that
la viande meat 5
le vide: avoir peur du vide to be afraid of heights
une vie life
la vieillesse old age 7
le Vietnam Vietnam 4
vieux, vieil, vieille old; *le bon vieux temps* the good old days
vif, vive vivid
une villa villa 3
un village village
une ville city; *en ville* downtown
la vinaigrette vinaigrette salad dressing
vingt twenty
une vingtaine about twenty 9; *d'une vingtaine d'années* in one's twenties 9
vintage vintage 9
la violence violence

violet, violette purple
un violon violin
un violoncelle cello
une vis screw 3
un visa visa 4
visible visible 9
une visite visit; *une visite guidée* guided tour; *faire une visite guidée* to go on a guided tour; *rendre visite à (+ person)* to visit (person)
visiter to visit
vite fast, quickly
vivre to live; *une douceur de vivre* relaxed style of life
voici here, here is
une voie path; train track; *les animaux en voie de disparition* endangered species
voilà here are/is
une voile: faire de la planche à voile to wind surf 4; *faire de la voile* to go sailing
un voilier sailboat
voir to see
se voir to see each other/one another
une voiture car; *voiture de sport* sports car; *voiture électrique* electric car; *voiture hybride* hybrid car; *en voiture* by car; *jouer aux petites voitures* to play with toy cars 1; *une petite voiture* toy car 1
un vol flight; theft 9; *une déclaration de vol* report of a theft 9
un volant steering wheel
un volcan volcano 4
voler to steal 9
un voleur thief 9
volontiers gladly
volumineux, volumineuse voluminous 7
voter to vote 2
le, la vôtre yours 9
votre, vos your; *de votre côté* as for you 2
vouloir to want; *vouloir dire* to mean
vous to you; you
un voyage trip; *voyage de noces* honeymoon 1; *faire un voyage* to go on a trip; *partir en voyage* to take a journey 8; *un chèque de voyage* traveler's check 6
voyager to travel
un voyageur, une voyageuse traveller

un(e) **voyant(e)** fortune teller
vrai(e) real 5; true
vraiment really
une **vue** view; *Quelle belle vue!* What a beautiful view!; *un point de vue* viewpoint

W

un **wagon-restaurant** dining car
wahou wow 8
les **W.C. (m.)** toilet

le **web: un concepteur de web** web designer
le **weekend** weekend
le **Wi-Fi** wireless internet 5; *une connexion Wi-Fi* wireless internet connection 5
la **world** world music

Y

y there *[pronoun]*; it *[pronoun]*
un **yaourt** yogurt

les **yeux (m.)** eyes; *le blanc des yeux* eye to eye 9
le **yoga** yoga

Z

zéro zero

Vocabulary

Vocabulary terms from Level 1 and Level 2 of *T'es branché?* are included but do not have a unit number. Vocabulary terms from Level 3 include the unit number in which the term is introduced.

English-French

A   **a** un; une; *a few* quelque 5; *(a) little* (un) peu; *a little of* un peu de; *a lot* beaucoup; *a lot (of)* plein (de) 8; *a lot of* beaucoup de; *You sure know a lot about it.* Tu en sais des choses.

to **abandon** abandonner 4
to be **able** arriver (à); pouvoir; *to be able to afford* avoir les moyens 8; *cannot help (but)* ne pas pouvoir s'empêcher (de) 2
 about à propos de 2; sur; *about (the)* du; *about fifty* une cinquantaine 9; *about forty* une quarantaine 9; *about it/them* en; *about thirty* une trentaine 9; *about twenty* une vingtaine 9; *about which/whom* dont 6; *it's about* il s'agit de; *to be about* parler de 6
 above au-dessus de
 absolutely absolument 1
 abstract abstrait(e)
 accelerator un accélérateur
 accent un accent
to **accentuate** mettre en valeur
to **accept** accepter
to **access** accéder 8
 accessory un accessoire
 accident un accident
 accidentally: to discover accidentally tomber sur 5
to **accompany** accompagner
 according to selon
 account un compte 6; un récit 9
 accountant un(e) comptable 10
 accounting la comptabilité 10
 ache: to have a/an... ache avoir mal (à)...
 acquired acquis(e) 8
 across from en face de
to **act** agir
 action l'action (f.); une action 5; *action movie* un film d'action
 activity une activité
 actor un acteur, une actrice
to **adapt** adapter 10; *to adapt (to)* s'adapter (à) 10
 adaptation une adaptation 10
to **add** ajouter 10
 addition: in addition to en plus
 additional cost un supplément
to **address (someone)** s'adresser (à) 2; *to use the informal "tu" to address someone* tutoyer 10
 address une adresse

 addressed (to) adressé (à) 5
 adjoining mitoyen(ne) 3
to **adjust** adapter 10; régler; *to adjust the zoom* régler la largeur du champ
 adjustment un réglage
 administrative administratif, administrative 10
to **adore** adorer
 adventure une aventure; *adventure movie* un film d'aventure; *adventure tourism* le tourisme d'aventure
 advertisement une annonce 8; *want ad* une petite annonce 8
to **advise** conseiller
 aerobics l'aérobic (m.); *step aerobics* le step
 affectionately affectueusement
to **afford: to be able to afford** avoir les moyens 8
to be **afraid (of)** avoir peur (de); *to be afraid of heights* avoir peur du vide; *I'm afraid not.* Je crains que non. 2
 Africa l'Afrique (f.)
 African africain(e) 9
 after après; *after all* quand meme 2
 afternoon l'après-midi (m.)
 again: to see again revoir; *to start something again* se remettre (à)
 against contre
 age l'âge (m.); *old age* la vieillesse 7
 agent un(e) agent(e)
 ago: (time) ago il y a (+ time)
to **agree** être d'accord; *to get people to agree* mettre d'accord 1
 agreement un accord 1
 agriculture l'agriculture (f.)
 AIDS le SIDA
 air l'air (m.); *air conditioning* la climatisation; *air letter* un aérogramme 6
 airplane un avion
 airport un aéroport
 album un album; *concept album* un album concept 7

 alcoholism l'alcoolisme (m.)
 Algerian algérien(ne)
 all tout(e), tous, toutes; *all of a sudden* tout d'un coup 9; *All that!* Tout ça!; *all the time* tout le temps; *after all* quand meme 2; *Is that all?* Rien que ça?; *to explore all the possibilities* faire le tour 10; *to stay up all night* faire une nuit blanche
 almond une amande
 almost presque
 alone seul(e) 9
 along: to get along s'entendre
 alongside le long de
 already déjà
 Alsace region l'Alsace (f.); *from, of Alsace region* alsacien(ne)
 also aussi
 aluminum l'aluminium (m.); *made of aluminum* en aluminium
 always toujours
 ambiance une ambiance
 amenities des prestations (f.) 5
 America: North America l'Amérique du Nord (f.); *South America* l'Amérique du Sud (f.)
 American américain(e)
 Amerindian amérindien(ne)
to **amuse** amuser
 amusement park un parc d'attractions
 ancestor un(e) aïeul(e) 3; un(e) ancêtre 3
 anchor: news anchor un présentateur, une présentatrice
 and et
 anecdote une anecdote 8
 angry fâché(e) 1; *to be angry* être fâché(e) 1
 animal un animal
 ankle la cheville 4; *to sprain an ankle* se fouler la cheville 4
to **annex** annexer
 anniversary: wedding anniversary un anniversaire de mariage
to **announce** annoncer
to **annoy** agacer; embêter 2

anole un anoli
anonymous anonyme 10
another: another photo re-photo; *to leave one another* se quitter 1
anthology une anthologie 6
antiretroviral drugs les antirétroviraux (m.)
anti-Semitism l'antisémitisme (m.)
any aucun(e) 4; d', de; des, du, en; *in any case* de toute façon 4; en tout cas; *just any* n'importe quel, quelle 9; *not any* ne (n')... aucun(e) 4
anyone n'importe qui 9
Apartheid l'apartheid (m.)
apartment un appartement; *apartment building* un immeuble; *studio apartment* un studio 3
app (application) une appli (application)
to **appear** paraître 5; *to appear (on)* se retrouver (sur) 9
appearance une mine
appetizer une entrée; un hors-d'œuvre 2
apple une pomme; *apple juice* un jus de pomme; *apple pie* une tarte aux pommes
application une candidature 8; *application letter* une lettre de candidature 8
to **apply** appliquer 7
April avril
Arab arabe
area un espace; un quartier; *reception area* le secrétariat 10
to **argue** se disputer
aristocrat un(e) aristocrate 8
arm le bras
armchair un fauteuil
around autour de 2; vers; *to get around* se déplacer
to **arrange** ranger
arrested: to get arrested se faire arrêter 9
arrival une arrivée; *arrival and departure timetable* un tableau des arrivées et départs
to **arrive** arriver
art l'art (m.); *art object* un objet d'art; *Bachelor of Arts degree* un B.A. 10; *fine arts* les beaux-arts (m.) 7
article: magazine article un article; *newspaper article* un article
artist un(e) artiste

as aussi, que; *as... as* aussi (+ adverb) que; *as for you* de votre côté 2; *as soon as* aussitôt que 1; dès que
ashamed honteux, honteuse 9
Asia l'Asie (f.)
Asian asiatique 9
aside from à part 9
ask (for) demander; *to ask for a favor* demander un service; *to ask for directions* demander le chemin
assignment un devoir
assistance l'aide (f.)
assistant un(e) assistant(e) 8
at à; en; *at (the)* au, aux; *At last!* Depuis le temps!; *at least* au moins; *at my house* chez moi; *at the end of* au bout de; au fond de; *at the house (home) of* chez; *at the moment* en ce moment 6; *at the same time* à la fois; *at the seaside* au bord de la mer; *at the (dinner) table* à table 2; *at the top* en haut; *at/to the club* en boîte; *at/to the physical therapy office* chez le kiné 8; *at war* en guerre 2
athlete un(e) athlète
athletic sportif, sportive
athletics l'athlétisme (m.) 2
ATM un distributeur (automatique) 6
atmosphere une ambiance
to **attach** joindre
to **attend** assister (à) 1
auditor of a class un auditeur, une auditrice libre 10
August août
aunt une tante; *great aunt* une grand-tante 3
Australia l'Australie (f.)
author un auteur 7
autobiography une autobiographie 6
automotive designer un(e) designer automobile
auto-portrait un autoportrait
auto shop un garage
autumn l'automne (m.)
avenue une avenue
aviation: aviation industry le secteur aéronautique
to **avoid** éviter
award une récompense 2
away: right away tout de suite; *to get away (from)* s'éloigner (de) 10
awesome formidable; super; top; *That's awesome!* C'est le top!

awful horrible

B

baby un bébé 1
to **babysit** garder un enfant 3
Bachelor of Arts degree un B.A. 10
back le dos; *back country* l'arrière-pays (m.); *back to school/work after vacation* la rentrée; *let's get back to it* on s'y remet; *to be back* être de retour; *to give back* rendre; *to put back* remettre
background un arrière-plan 7; *in the background* à l'arrière-plan 7
backpack un sac à dos
bacon le bacon
bad mal; mauvais; nul, nulle; *it's too bad that...* c'est dommage que... 5; *the weather is bad* il fait mauvais
badly mal; *Things are going badly.* Ça va mal.
bag un sac; *sleeping bag* un sac de couchage
baker un boulanger, une boulangère
bakery une boulangerie, une pâtisserie
bald chauve 9
ballad une ballade 3
banal banal(e)
banana une banane
bank une banque; *bank teller* un caissier, une caissière 6; *river bank* une rive
banker un banquier, une banquière 6
to **barbecue** faire griller
barn une grange
basketball le basket (basketball)
bat une chauve-souris
bath un bain; *whirlpool bath* un bain à remous 5
to **bathe** baigner
bathing suit un maillot de bain
bathrobe un peignoir de bain
bathroom une salle de bains
bathtub une baignoire
to **be** être; *to be able (to)* pouvoir; arriver (à); *to be about* parler de 6; *to be afraid (of)* avoir peur (de); *to be afraid of heights* avoir peur du vide; *to be angry* être fâché(e) 1; *to be a tourist* faire le touriste; *to be back* être de retour; *to be busy* être occupé(e); *to be*

(busy) doing something être en train de (+ infinitive); *to be called* s'appeler; *to be called (in)* être convoqué(e) (à) 8; *to be certain that* être certain que 5; *to be cold* avoir froid; *to be committed to* s'engager; *to be condemned* être condamné(e) 8; *to be eager* avoir hâte de; *to be egotistical* être perso [inform.] 8; *to be enough* suffire 3; *to be entitled to* avoir droit à 8; *to be environmentally friendly* être vert; *to be familiar with (person, place, thing)* connaître; *to be free* être libre; *to be happy (about)* être content(e) (de) 6; *to be hot* avoir chaud; *to be how old* avoir quel âge; *to be hungry* avoir faim; *to be hurt* avoir mal (à...); *to be in charge (of)* être chargé(e) (de); *to be informed* être au courant; *to be in love (with)* être amoureux/ amoureuse (de) 6; *to be in (good, bad) shape* être en (bonne, mauvaise) forme; *to be interested (in)* s'intéresser (à); *to be left* rester; *to be located* être situé(e), se trouver; *to be lucky* avoir de la chance; *to be necessary* falloir; *to be obligated (to)* être obligé(e) (de) 8; *to be obvious that* être évident que 5; *to be right* avoir raison; *to be sorry* regretter 5; *to be surprised that* être étonné que 5; *to be there* être sur place; *to be thirsty* avoir soif; *to be used (for)* servir (à) 2; *to be valued as/at* valoir 7; *to be wary (of)* se méfier (de) 3; *to be worth* valoir 4; *to be wrong* avoir tort 8; *to be... year(s) old* avoir... an(s); *I'm not in the mood for* je ne suis pas trop d'humeur pour 5

beach une plage; *beach towel* une serviette de plage

bear un ours; *polar bear* un ours polaire

Béarnaise sauce une sauce béarnaise 5

beautiful beau, bel, belle; *It's beautiful out.* Il fait beau.

beauty la beauté

because parce que; *because of* à cause de 2

béchamel sauce une sauce béchamel 5

become devenir

bed un lit; *bunk beds* des lits superposés; *in bed* couché(e); *to go to bed* se coucher; *twin-sized bed* un lit jumeau

bedroom une chambre

beef le bœuf; *beef burgundy* le bœuf bourguignon

beer une bière 10

before auparavant 9; avant; *drink and food offered before the meal* un apéritif 2

to **begin** commencer

beginning un début

behind derrière

beige beige

Belgian belge

Belgium la Belgique

to **believe** croire

to **belong (to)** être à 8; faire partie (de)

belongings des affaires (f.)

belt une ceinture

bench un banc

to **benefit from** profiter de

Benin le Bénin

Beninese béninois(e)

Berber berbère

beside à côté de

best: best man un garçon d'honneur 1; *the best* les meilleurs (m.); le mieux

best seller un best-seller

better mieux; *better than* mieux que; *it's better that* il vaut mieux que 4; *to do/feel better* se porter mieux

between entre

bicycle une bicyclette; *on a bicycle* à bicyclette

to **bid farewell** faire ses adieux (m.) 8

big grand(e); gros, grosse

to **bike** faire du vélo; *by bike* à vélo

bike un vélo

bilingual bilingue 10

bill l'addition (f.); une facture 8; *bill [money]* un billet

binoculars des jumelles (f.)

biochemistry la biochimie 6

biography une biographie 6

biology la biologie

bird un oiseau

birthday un anniversaire

black noir(e)

blacksmith un forgeron

blasé blasé(e) 5

blended: blended family une famille recomposée 1

blender un mixer 2

blinker un clignotant

blog un blogue

blogger un blogueur, une blogeuse 2

blond blond(e)

blouse un chemisier 9

blue bleu(e)

to **blush** rougir

to **board** monter à bord

boarding l'embarquement (m.); *boarding gate* une porte d'embarquement; *boarding pass* une carte d'embarquement

boat un bateau; *by boat* en bateau

body le corps; *body of water* une masse d'eau

bonfire un feu de joie

book un bouquin [inform.] 6; un livre

bookstore une librairie

boot une botte; *ski boot* une chaussure de ski 4

bored: to get bored s'ennuyer 4

to **borrow** emprunter

botanical canna un balisier

to **bother** déranger 2

bottle (of) une bouteille (de)

bottom le bas

bowl un bol

box une boîte 6; *cardboard box* une boîte cartonnée 6

boy un garçon

bracelet un bracelet

brake un frein

branch une filiale 10

brand une marque 10; *brand name* marqué(e) 10

bread le pain; *long thin loaf of bread* une baguette; *bread with butter, jam* une tartine

to **break** se casser 4; *to break down* tomber en panne; *to break one's wrist* se casser le poignet 4

breakfast le petit déjeuner

breast: duck breast un magret de canard 2

to **breathe** respirer

bride une mariée

bridesmaid une demoiselle d'honneur 1

bridge un pont

to **bring** apporter; *to bring (person)* emmener; *to bring in* rapporter 10; *to bring oneself to do something* arriver à faire quelque chose 6

Brittany region la Bretagne; *from, of Brittany region* breton(ne)

broken down en panne

brother un frère; *half-brother* un demi-frère; *stepbrother* un beau-frère

brown marron; *brown (hair)* brun(e)

to **browse** naviguer

to **brush: to brush one's hair** se brosser les cheveux; *to brush one's teeth* se brosser les dents

buckwheat crêpe une galette

buffet un buffet

building: apartment building un immeuble

bumper car une auto tamponneuse

to **bungee jump** faire du saut à l'élastique 4

bunk beds des lits (m.) superposés

Burgundy la Bourgogne 5; *from, of Burgundy* bourguignon(ne) 5

Burkina Faso le Burkina Faso; *from, of Burkina Faso* burkinabè

bus un autobus; *by bus* en autobus

business les affaires (f.) 5; une entreprise 1; *business center* un centre d'affaires 5; *economic business management* la gestion économique d'entreprise 6; *small business* une petite et moyenne entreprise (PME) 1

business commerçant(e)

businessman un homme d'affaires

businesswoman une femme d'affaires

busy occupé(e)

to be **busy** être occupé(e); *to be (busy) doing something* être en train de (+ infinitive)

but mais

butcher un boucher, une bouchère; *butcher shop* une boucherie

butter le beurre

butterfly un papillon

button: send button l'envoi (m.)

to **buy** acheter

buzz un buzz 9

by à; de; en; *by bike* à vélo; *by boat* en bateau; *by bus* en autobus; *by canoe* en canoë; *by car* en voiture; *by city bus* en bus; *by electric car* en voiture électrique; *by hybrid car* en voiture hybride; *by pirogue* en pirogue; *by plane* en avion; *by R.E.R.* en R.E.R.; *by scooter* en scooter; *by subway* en métro; *by taxi* en taxi; *by the way* au fait; *by train* en train; *to get by* se débrouiller 6

C

cabaret artist/singer un chansonnier, une chansonnière

cable channel une chaîne câblée 5

café un café

café-restaurant une brasserie

cafeteria: school cafeteria une cantine; *university cafeteria* un resto-U (restaurant universitaire)

cake un gâteau

calendar un calendrier

to **call** appeler

to be **called** s'appeler; *to be called (in)* être convoqué(e) (à) 8

called: called (in) convoqué(e) (à) 8

to **calm oneself down** se calmer

calm tranquille 2

Cambodia le Cambodge 10

camembert cheese le camembert

camera un appareil, une caméra

Cameroon le Cameroun

Cameroonian camerounais(e)

camper une caravane

campground un terrain de camping

camping le camping; *to go camping* faire du camping

can (of) une boîte (de); *garbage can* une poubelle

Canada le Canada

Canadian canadien(ne)

canapé un toast 2

candidate un candidat 2

canning company une conserverie 3

canoe un canoë; *by canoe* en canoë; *to go canoeing* faire du canoë

canvas une toile 7

cap une casquette

capital une capitale

car une auto (automobile); une voiture; *car manufacturer* un constructeur, une constructrice automobile 10; *bumper car* une auto tamponneuse; *by car* en voiture; *dining car* un wagon-restaurant; *electric car* une voiture électrique; *hybrid car* une voiture hybride; *sports car* une voiture de sport; *toy car* une petite voiture 1; *to play with toy cars* jouer aux petites voitures 1

caramel le caramel; *caramel custard* une crème caramel

carbon dioxyde le dioxyde de carbone

card une carte; *credit card* une carte de crédit; *debit card* une carte bancaire 6; *SIM card* une carte SIM

cardboard: (made out of) cardboard cartonné(e) 6; *cardboard box* une boîte cartonnée 6

to **care: to not care** s'en ficher 1;

care des soins (m.) 8; *to take care of* garder 3; s'occuper (de); *to take care of things* se débrouiller 8

careful: Be careful! Attention!

carefully prudemment

caricature une caricature 7

carnival un carnaval; une fête foraine; *to go on a carnival ride* faire un tour de manège

carpeting la moquette 3

carrot une carotte

carry-all un fourre-tout

cartoon un dessin animé

case un cas; *in any case* de toute façon 4; en tout cas

to **cash** encaisser 6

cash l'argent (m.) liquid, la monnaie 6

casting le casting 5

castle un château

cat un chat

catalog un catalogue 6

catastrophe une catastrophe 5

cathedral une cathédrale

to **cause** causer

cause une cause

cave une caverne

CD un CD; un cédérom

to **celebrate** fêter; *to celebrate Christmas/New Year's Eve* réveillonner 2

celebration: Christmas Eve celebration le réveillon de Noël 2

celebrity une personnalité

cello un violoncelle

cell phone un portable; une téléphone portable

center un centre; un complexe; *business center* un centre d'affaires 5; *community center* une MJC 1; *fitness center* un centre de remise en forme 5; *reception center* un centre d'accueil; *shopping center* un centre commercial; *sports center* un complexe sportif 1

C.E.O. un président directeur général (PDG) 10

cereal des céréales (f.)

certain certain(e) 5; *to be certain that* être certain que 5

certificate un certificat 6

C.F.O. un directeur financier, une directrice financière 10

chair une chaise

chaise lounge une chaise-longue

chalkboard un tableau

challenge un défi 9

champagne le champagne 10

championship un championnat 2

chance une occasion 4

to **change** changer

channel une chaîne; *cable channel* une chaîne câblée 5

chanson réaliste une chanson réaliste 7

chapel une chapelle

charge: to be in charge (of) être chargé(e) (de)

charm le charme

charming charmant(e)

cheap bon marché(e)

to **check** vérifier; *to check one's/ luggage* faire enregistrer les bagages

check un chèque 6; *traveler's check* un chèque de voyage 6

checkbook un chéquier 6

checkpoint: security checkpoint un contrôle de sécurité

cheese le fromage; *camembert cheese* le camembert; *cheese sandwich* un sandwich au fromage

chef un cuisinier, une cuisinière

chemical chimique

chemistry la chimie

cherry une cerise

chest la poitrine

chestnut un marron 2; *turkey with chestnuts* la dinde aux marrons 2

chic chic

chicken le poulet; *chicken cooked in wine* le coq au vin

child un enfant

childhood l'enfance (f.) 1

childish enfantin(e) 1

chills des frissons (m.)

China la Chine 10

chocolate le chocolat; *chocolate mousse* une mousse au chocolat; *hot chocolate* un

chocolat chaud; *spread made of hazelnut and chocolate* le Nutella; *with chocolate* au chocolat

choice un choix; *to have too many choices* avoir l'embarras du choix 10

choir un chœur 9

choose choisir

chop une côte 2; *venison chop* une côte de chevreuil 2

chopped: ham and pork dish made with chopped parsley le jambon persillé 5

chore une corvée

Christmas Noël; *Christmas Eve celebration* le réveillon de Noël 2; *Christmas tree* un sapin de Noël 2; *to celebrate Christmas/New Year's Eve* réveillonner 2

church une église

cinema: multiplex cinema un multiplexe 5

circle un cercle 3

circular: circular piece of food or object une rondelle

citizen un(e) citoyen(ne), 8

city une ville; *city bus* un bus; *by city bus* en bus; *city hall* un hôtel de ville

civil civil(e) 6; *civil engineering* le génie civil 6

clarinet une clarinette

class une classe; un cours; *class subject* la matière; *auditor of a class* un auditeur, une auditrice libre 10; *gym class* l'éducation physique et sportive (EPS) (f.); *private class* un cours particulier 1; *ski class* une classe de neige 4

classic un classique 5

classical classique; *classical music* la musique classique

classmate un(e) camarade de classe

classroom la salle de classe

to **clean** nettoyer

clean propre 3

clear: to clear the table débarasser la table

clear clair(e)

clergy un clergé 8

to **click** cliquer

cliff une falaise; *cliff road* une corniche

climb: to rock climb faire de l'escalade 4

clip: video clip un clip

clock une pendule

to **close** fermer

closer: on a closer look en y regardant de plus près 4; *to come closer* s'approcher 9

closet un placard

close-up: in a close-up en gros plan 7

clothes des vêtements (m.); *clothes dryer* un sèche-linge; *to dry clothes* faire sécher le linge; *to wash clothes* faire la lessive

club un club 2; *at/to the club* en boîte; *film club* un ciné-club 1

coast une côte

coat un manteau

cod une morue; *cod fritter* un accra de morue

coffee un café; *coffee with milk* un café au lait

coin une pièce (de monnaie) 6

cola un coca

colander une passoire 2

cold un rhume

cold froid; *it's cold* il fait froid; *to be cold* avoir froid

to **collapse** s'effondrer 9; *to collapse from exhaustion* s'effondrer de fatigue 9

to **collect** collectionner 1

collection une collection; un recueil 6

college une fac (faculté); *to go to college* entrer à l'université

colonization la colonisation

color une couleur; *In what colors?* De quelle(s) couleur(s)?

to **comb one's hair** se peigner

comb un peigne

to **come** venir; *to come back* rentrer; revenir; *to come closer* s'approcher 9; *to come from (+ country)* être d'origine (+ adjective) 3; *to come home* rentrer; *to come in* entrer; *to come out* sortir; *come on* enfin

comedy une comédie; *romantic comedy* une comédie romantique

comfort le confort 5

comic strip une bande dessinée (BD)

commercial un spot publicitaire

to **commit** to s'engager

to be **committed** to s'engager

community la collectivité 8; *community center* une MJC 1

company une compagnie 8; une entreprise 1; une

société; *canning company* une conserverie 3; *public (incorporated) company* une Société Anonyme (SA) 10

compartment: baggage compartment un compartiment à bagages

to **complain** se plaindre

complaint une plainte 7

completely complètement 9; entièrement 8; tout à fait

complex un complexe

complicated compliqué(e)

composer un compositeur, une compositrice

composition une composition; une rédaction

computer un ordinateur; *computer graphics* l'infographie (f.) 6; *computer lab* la salle d'informatique; *computer science* l'informatique (f.); *laptop computer* un ordinateur portable

to **conceal** cacher 7

concept un concept 7; *concept album* un album concept 7

concert un concert

concierge un(e) concierge 5

condemned condamné(e) 8; *to be condemned* être condamné(e) 8

conductor un chef d'orchestre 5

cone-shaped conique 2

confession un aveu 7

Congolese congolais(e) 6

conical strainer un chinois 2

connection la complicité 1; une connexion 5; *wireless internet connection* une connexion Wifi 5

conqueror un conquérant

consequently par la suite 9

to **consider** réfléchir (à)

consulate un consulat 4

to **consult** consulter 5

consultant un(e) consultant(e)

consultation une consultation

to **consume** consommer

contemporary contemporain(e)

continent un continent

to **continue** continuer

contract un contrat 8

contrary: on the contrary au contraire 8

conventional convenu(e) 10

conversation une conversation

convertible une décapotable

convinced persuadé(e) 4

to **cook** cuire 2; faire la cuisine

cooking la cuisine

cool frais, fraîche; *it's cool* il fait frais

cooler une glacière

corner le coin; *on the corner* du coin

correctly correctement 4

cost coûter

cost: additional cost un supplément

costume un costume

cotton le coton; *made of cotton* en coton

counter: foreign exchange counter un bureau de change 6

to **count** on compter

counter (ticket) un comptoir

country un pays; *country(side)* la campagne; *back country* l'arrière-pays (m.)

couple un couple

course un cours

course: in the course of au cours de 8; *of course* bien entendu 5; bien sûr

couscous le couscous

cousin un(e) cousin(e); *first cousin* un(e) cousin(e) germain(e) 3

coverage: sports coverage reportage sportif

cover letter une lettre de motivation 8

cow une vache

crab un crabe

crazy person un fou, une folle

cream une crème 10; *cream puff pastry* une religieuse

to **create** créer

credit card une carte de crédit

Creole [language] le créole

Creole créole

crêpe une crêpe; *buckwheat crêpe* une galette; *crêpe restaurant* une crêperie; *crêpe stand* un stand de crêpes

crisis une crise 3

critic un(e) critique 5

croissant un croissant

to **cross** traverser

cross-country skiing le ski de fond 4; *to cross-country ski* faire du ski de fond 4

crow un corbeau 7

crowd une foule

to **cry** pleurer

cry un cri

cubical cubique 2

cucumber un concombre

cultural culturel, culturelle

cunning rusé(e) 3

cup une tasse; *measuring cup* un verre mesureur 2

curly (hair) frisé(e) 9

custard: caramel custard une crème caramel

to **cut** couper

cut up (in) découpé(e) (en) 10

CV (Curriculum vitae) un CV 8

cylindrical cylindrique 2

D

daily quotidien(ne); *daily special* une spécialité du jour

dairy store une crémerie

dancer un danseur, une danseuse

dark sombre; *dark (hair)* brun(e)

darn mince

date une date

daughter une fille

to **dawdle** traîner

dawn l'aube (f.) 7

dairy latier, latière 10; *dairy product* un produit laitier 10

day un jour; une journée; *New Year's Day* le Jour de l'an; *next day* le lendemain; *one day, someday* un jour; *the good old days* le bon vieux temps; *Valentine's day* la Saint-Valentin

dead mort(e); *trumpet of the dead mushroom* une trompette de la mort 5

dear cher, chère

death la mort 5

debate un débat 8

debit card une carte bancaire 6

debt un endettement 2

to **decapitate** guillotiner 8

December décembre

to **decide** choisir; décider

decision une décision 10; *to make a decision* prendre une décision 10

declaration une déclaration 9

to **declare a major in Humanities** s'inscrire en letters

to **decrease** baisser 2

deep-fried frit(e)

degree un degré; *Bachelor of Arts degree* un B.A. 10; *Master's degree* une maîtrise 10

delicatessen une charcuterie

delicious délicieux, délicieuse

delighted enchanté(e)

deli owner un charcutier, une charcutière

democracy une démocratie 2

demonstration: street demonstration une manif (manifestation)

Denmark: from, of Denmark danois(e)

denomination une dénomination 5

to **dentist** un(e) dentiste; *dentist's office* un cabinet dentaire

department un department; un service 10

departure un départ

to **depend (on)** dépendre (de) 2

to **deposit** déposer 6

depression: Great Depression la grande crise 3

deputy un député 8

descent une descente

to **describe** décrire

description une description 5

design: fashion design la couture 10

designer; *automotive designer* un(e) designer automobile; *web designer* un concepteur de web

desk un bureau; *reception desk* la réception

dessert un dessert

destination une destination

destiny le destin

destroyed détruit(e)

detail un détail

detective policier, policière; *detective movie* un film policier

to **detest** avoir horreur de; détester 1

development un développement; *sustainable development* le développement durable; *sustainable development industry* le secteur de développement durable

device un appareil

dialogue une dialogue 5

diamond un diamont; *diamond ring* une bague de diamants

dictatorship une dictature 2

dictionary un dictionnaire

to **die** mourir 8

different différent(e)

differently différemment 4

difficult difficile; dur(e)

difficulty une difficulté 8

Dijon: from, of Dijon dijonnais(e) 5

diligent diligent(e)

dimension une dimension 6

dining: dining car un wagon-restaurant; *dining room* la salle à manger

to have **dinner** dîner

dinner le dîner

diploma: exam taken to obtain high school diploma un bac (baccalauréat) 9

diplomacy la diplomatie; *to use diplomacy* user de diplomatie

to **direct (movie)** réaliser 6

directed (by) réalisé(e) (par) 2

direction une direction

director un directeur, une directrice 5; un metteur en scène; un(e) responsable 10; *director of human resources* un directeur, une directrice des ressources humaines (DRH) 10; *movie director* un réalisateur, une réalisatrice 5

dirty sale 3

to **disappear** disparaître

discography une discographie

discouraged découragé(e) 9

to **discover** découvrir; *to discover accidentally* tomber sur 5

discovery une découverte

to **discuss** discuter (de)

discussion une discussion

to **disguise oneself** se déguiser

dish un plat; *ham and pork dish made with chopped parsley* le jambon persillé 5; *main dish* un plat principal; *to wash the dishes* faire la vaisselle

dishwasher un lave-vaisselle

disorder le désordre

to **distance: to distance oneself (from)** s'éloigner (de) 7

distance une distance

distant éloigné(e) 3

distraught affolé(e) 1

district un arrondissement 10; un quartier

to **dive** plonger

divorced divorcé(e)(s)

to **do** faire; *to do (someone) a favor* rendre un service (à quelqu'un); *to do DIY projects* bricoler 3; *to do (something) in vain* avoir beau [inform.] 8; *to do gymnastics* faire de la gym (gymnastique); *to do housework* faire le ménage; *to do my homework* faire mes devoirs; *to bring oneself to do something* arriver à faire quelque chose 6; *you shouldn't do that* ça ne se fait pas

doctor un médecin; *doctor's office* un cabinet de médecin

documentary un documentaire

dog un chien

do-it-yourself (DIY) projects le bricolage 3; *to do DIY projects* bricoler 3

doll une poupée 1; *to play with dolls* jouer à la poupée 1

don't worry rassure-toi

door une porte

dormitory un dortoir; *university dormitory* une cité universitaire

dot: polka dot un pois 9; *polka dots* à pois 9

doubt un doute 4; *without a doubt* sans aucun doute 4

down: broken down en panne; *set down* posé(e) 2; *to break down* tomber en panne; *to put down* poser 2

to **download** télécharger

downtown en ville

drama un drame

to **draw** dessiner

drawing un dessin

to **dream** rêver

dream un rêve; *dream house* une maison de rêve

dress une robe; *wedding dress* une robe de mariée

dressed: dressed in vêtu(e) de 9; *to get dressed* s'habiller

dressing room une cabine d'essayage

dress-maker une couturière

to **dress up** se déguiser

to **drink** boire

drink une boisson; *drink and food offered before the meal* un apéritif 2

to **drive** circuler; conduire

driver un conducteur, une conductrice; *driver's license* un permis (de conduire) 8

drugs la drogue

drugstore une pharmacie

drum un tambour; *drum set* une batterie

to **dry** sécher; *to dry clothes* faire sécher le linge

dryer: clothes dryer un sèche-linge

dubbed doublé(e) 5

dubbing le doublage 5

duck un canard; *duck breast* un magret de canard 2

duration une durée 5

during au cours de 8; pendant

DVD un DVD; *DVD player* un lecteur de DVD

dynamic dynamique

E

each chaque; *each (one)* chacun(e) 5

to be **eager** avoir hâte de

ear l'oreille (f.)
early en avance; tôt
earring une boucle d'oreille
earthenware la faïence 10
earthquake un tremblement de terre
east l'est (m.)
easy facile
to **eat** manger
eclair un éclair
economic économique; *economic business management* la gestion économique d'entreprise 6
economy une économie 2
edge le bord
education une education; une formation 8
effect un effet; *greenhouse effect* l'effet de serre
efficiently efficacement
egg un œuf; *scrambled eggs* des œufs brouillés; *eggs sunny side up* des œufs sur le plat
eggplant une aubergine
egotistical perso [*inform.*] 8; *to be egotistical* être perso [*inform.*] 8
eight huit
eighteen dix-huit
eighth huitième
eighty quatre-vingts
election une élection 2; *presidential election* une élection présidentielle 2
electric électrique
electronic électronique 5
Electro pop music l'électro pop (m.)
elementary school teacher un instituteur, une institutrice
elevator un ascenseur 5
eleven onze
to **eliminate** éliminer
emotion une émotion 5
employee un(e) employé(e) 3
to **encourage** encourager 2
encouraged encouragé(e) 9
end le bout; *at the end (of)* au bout (de); au fond (de); *in the end* finalement 3
endangered species les animaux (m.) en voie de disparition
energetic énergique
energy l'énergie (f.); *nuclear energy* l'énergie nucléaire; *solar energy* l'énergie solaire
engagement les fiançailles (f.) 1; un engagement; *engagement ring* une bague de fiançailles 1

engineer un ingénieur
engineering le genie 6; *civil engineering* le génie civil 6
England l'Angleterre (f.)
English *[language]* l'anglais (m.)
English anglais(e) *English Channel* la Manche
English-speaking anglophone 10
engraved gravé(e)
enjoy: Enjoy your meal! Bon Appétit!
enough (of) assez (de); *Enough! Stop it!* N'en jette plus! [*inform.*] 8; *to be enough* suffire 3
to **enter** entrer
entertainment le divertissement; *entertainment industry* l'industrie (f.) du divertissement
enthusiastic enthousiaste
entirely entièrement 8
entitled: to be entitled to avoir droit à 8
envelope une enveloppe
environment l'environnement (m.)
equal égal(e) 10
equipped équipé(e) 5
era une époque
e-reader un e-reader
especially surtout; *to make especially (for someone)* réserver (pour quelqu'un) 10
essay un essai
essential essentiel, essentielle 4
ethnic ethnique 10
euro un euro
Europe l'Europe (f.)
European Union l'Union (f.) européenne
eve: Christmas Eve celebration le réveillon de Noël 2; *to celebrate Christmas/New Year's Eve* réveillonner 2
even même
evening le soir; une soirée; *evening out* une soirée 1
every tout(e); *every night* tous les soirs
everybody tout le monde
everyone le monde
everything tout(e) 3
everywhere partout
exactly exactement; *it's/that's exactly* c'est bien 10
to **exaggerate** exagérer
exam taken to obtain high school diploma un bac (baccalauréat) 9

excellent superbe
except sauf
exchange un change 6; *foreign exchange counter* un bureau de change 6
exhaustion: to collapse from exhaustion s'effondrer de fatigue 9
exhibit une exposition
exciting/fun night chaude ambiance
to **exist** exister
to **exit** une sortie
to **expect: expect (baby)** attendre; *to expect (something)* s'attendre (à) 4
expensive cher, chère
experience une expérience
to **explain** expliquer
explained expliqué(e)
to **explore all the possibilities** faire le tour 10
expression une mine
expressionism l'expressionnisme (m.) 7
expressionist expressionniste 7
express train from Paris to suburbs le R.E.R.
extended prolongé(e)
extraordinary extraordinaire
eye l'œil (m.); *eyes* les yeux (m.) *eye to eye* le blanc des yeux 9; *to keep an eye on* surveiller 9

F

fable une fable 3
fabric un tissu
fabulous fabuleux, fabuleuse
face la figure
faced with face à 9
factory une usine
failed raté(e)
fair juste
fairy une fée 3; *fairy tale* un conte de fées 3
to **fall** tomber 8
fall une chute 8
to be **familiar with (person, place, thing)** connaître
family une famille; *blended family* une famille recomposée 1; *nuclear family* une famille nucléaire 1; *single-parent family* une famille monoparentale 1; *with family* en famille
famous célèbre
fan un(e) groupie 9
fantastic génial(e)
fantasy la fantaisie; l'imaginaire (m.) 6

far (from) loin (de)

farewell adieu 8; *to bid farewell* faire ses adieux (m.) 8

farm une ferme

farmer un fermier, une fermière

fascinating passionnant(e)

fashion la mode 2; *fashion design* la couture 10; *high fashion* la haute couture 10; *in fashion* à la page 2

fast rapide; vite

fat gros, grosse

fate le hasard 10

father un père; *stepfather* un beau-père

fatigue la fatigue 9

fauna la faune

favor un service; *to ask for a favor* demander un service; *to do (someone) a favor* rendre un service (à quelqu'un)

favorite préféré(e)

fax un fax 5

to **fear** craindre

feature film un long métrage 5

February février

to **feed** nourrir

to **feel** éprouver 5; ressentir 9; se sentir 9; *to feel/do better* se porter mieux; *to feel like* avoir envie de; *to feel nauseous* avoir mal au cœur; *How do you feel about (noun)?* (noun) te dit? 4

feeling une sensation

female politician une femme politique

fermented fermenté(e) 5

Ferris wheel la grande roue; *to go on a Ferris wheel ride* faire un tour de grande roue

fertilizer l'engrais (m.)

festival un festival 1

fever la fièvre

few: a few quelque 5; *with a few friends* en petit comité 2

field un champ; un domaine; *field of vision* un champ

fifteen quinze

fifth cinquième

fifty cinquante; *about fifty* une cinquantaine 9; *in one's fifties* d'une cinquantaine d'années 9

to **fight** combattre; lutter

fight une bagarre 9

figure la ligne; un chiffre 8; une figure 7

to **figure out** savoir

to **fill: to fill out** remplir 9; *to fill up* remplir; *to fill up the gas tank* faire le plein

film filmer 9

film un film; *film club* un ciné-club 1; *film showing* une séance; *film trailer* une bande-annonce 5; *feature film* un long métrage 5

filmed tourné(e) 2

to **filter** filtrer 2

finale un final 5

finally enfin

finances les finances (f.) 6

financial financier, financière 10

to **find** trouver

fine fin(e); *fine arts* les beaux-arts (m.) 7; *fine jewelry* la joaillerie 10

to **finish** finir

finger le doigt

firework un feu d'artifice

firm: law firm un cabinet d'avocats 1

first premier, première; *first cousin* un(e) cousin(e) germain(e) 3; *first name* un prénom; *first of all* d'abord; *in the first year* en première année

first-aid les premiers secours (m.); *first-aid kit* une trousse de premiers secours

firstly premièrement 8

fir tree un sapin 2

to **fish** pêcher

fish un poisson; *goldfish* un poisson rouge

fisherman, fisherwoman un pêcheur, une pêcheuse 3

fishing la pêche; *fishing pole* une canne à pêche

fitness center un centre de remise en forme 5

fittingly justement 3

five cinq

fixed menu un menu fixe

flag un drapeau

flake un lâcheur, une lâcheuse [inform.] 9

flashlight une lampe de poche

flat plat(e) 5

flight un vol; *female flight attendant* une hôtesse de l'air; *male flight attendant* un steward

to **flirt** flirter 9

float un char

floor un étage; *the ground floor* le rez-de-chaussée; *the second floor* le premier étage

flooring: hardwood flooring le parquet 3

flop un nanar 5

flora la flore

florist un(e) fleuriste

flour: rolled in flour and sautéed meunier; meunière

flu la grippe

flute une flûte

folk music la musique folklorique

to **follow** suivre

following suivant(e) 5

fond of food gourmand(e)

food la nourriture; *food industry* le secteur agroalimentaire; *food product* un produit alimentaire 10; *drink and food offered before the meal* un apéritif 2

food-processing agroalimentaire 10

foot le pied; *on foot* à pied

for comme; depuis; pendant; pour; *for my taste* à mon goût 5; *for starters* pour commencer; *as for you* de votre côté 2

forecast les prévisions (f.); *weather forecast* la météo; un bulletin météo(rologique)

foreground le premier plan; *in the foreground* au premier plan

foreign exchange counter un bureau de change 6

forest une forêt

to **forget** oublier

fork une fourchette

formerly autrefois

fortunately heureusement

fortune teller un(e) voyant(e)

forty quarante; *about forty* une quarantaine 9; *in one's forties* d'une quarantaine d'années 9

fountain un bassin, une grande eau

four quatre

fourteen quatorze

fourth quatrième

fox un renard 7

France la France

free disponible; gratuit(e); libre; *to be free* être libre

French [language] le français; *French Guyana* la Guyane (française)

French français(e); *French fries* des frites (f.); *French national health and pension insurance* la sécurité sociale (sécu) 8; *French Riviera* la côte d'Azur; *French toast* le pain perdu

French-speaking francophone; *French-speaking world* la Francophonie 3; *from, of French-speaking Canada* francanadien(ne)

to **frequent** fréquenter
fresh frais, fraîche
Friday vendredi
friend un(e) ami(e); *(boy/girl) friend* un copain, une copine; *group of friends* une bande 1; *with a few friends* en petit comité 2
friendly: to be environmentally friendly être vert
fritter: cod fritter un accra de morue
from d', de; *from (the)* des, du; en *[pronoun]*; *from it/them* en; *from which* duquel, duquelle 5; *aside from* à part 9; *live from* en direct de; *to come from (+ country)* être d'origine (+ adjective) 3
front: in front of devant
fruit un fruit; *fruit tart* une tarte aux fruits
frustrated frustré(e) 9
frying pan une poêle
full plein(e); *full throttle* tout schuss 4
full-time à plein temps 8
fun: fun house une galerie des miroirs déformants; *to have fun* s'amuser; *to make fun (of)* se moquer (de)
to **function** marcher
funk music le funk
funny amusant(e); drôle
furniture: piece of furniture un meuble
future l'avenir (m.)
future futur(e) 6

G

Gabon le Gabon
Gabonese gabonais(e)
to **gain weight** grossir
gallery une galerie
game un match; *game of skill* un jeu d'adresse; *(TV) game show* un jeu télévisé
garbage can une poubelle
garden un jardin; *garden party* une fête champêtre 7
gas: gas station une station-service; *to fill up the gas tank* faire le plein
Gascony region la Gascogne; *from, of Gascony region* gascon(ne)
gasoline l'essence (f.)
gastronomy la gastronomie 5
gate: boarding gate une porte d'embarquement

genealogical généalogique 3; *genealogical research* des recherches (f.) généalogiques 3
general général(e) 8
generation une génération 3
generous généreux, généreuse
genocide le génocide
gentleness une douceur
German *[language]* l'allemand (m.)
German allemand(e)
Germany l'Allemagne (f.)
to **get** recevoir; *to get along* s'entendre; *to get around* circuler; se déplacer; *to get arrested* se faire arrêter 9; *to get a shot* se faire vacciner 4; *to get away (from)* s'éloigner (de) 10; *to get bored* s'ennuyer 4; *to get by* se débrouiller 6; *to get dressed* s'habiller; *to get information* se renseigner 4; *to get in/on* monter; *to get in trouble (with)* se faire disputer (par) 3; *to get knocked into* se faire bousculer 9; *to get married* se marier; *to get off* descendre; *to get people to agree* mettre d'accord 1; *to get (oneself) ready* se préparer; *to get reassigned* se faire muter 1; *to get settled* s'installer; *to get undressed* se déshabiller; *to get up* se lever; *to get wild* se déchaîner 9; *let's get back to it* on s'y remet; *you don't get it* tu n'y es pas du tout 4
giant géant(e)
gift un cadeau; *gift card* une carte cadeau
girl une fille
to **give** donner; faire un don (de); offrir; *to give back* rendre; *to give rise to* donner lieu à 7
gladly volontiers
to **glance (at)** jeter un coup d'œil (à) 5
glass un verre
glasses des lunettes (f.)
globalization la mondialisation 10
glove un gant 4
glued collé(e); *glued to* scotché(e) à
GNP (Gross National Product) le Produit National Brut (PNB) 2
to **go** aller; se rendre (à); *to go camping* faire du camping; *to go canoeing* faire du canoë; *to go down* descendre; *to go for*

a walk faire une promenade; se promener; *to go grocery shopping* faire les courses; *to go horseback riding* faire du cheval; *to go into photo mode* se mettre en mode photo; *to go kayaking* faire du kayak; *to go off ski jumps* faire des sauts à ski 4; *to go on a carnival ride* faire un tour de manège; *to go on a Ferris wheel ride* faire un tour de grande roue; *to go on a guided tour* faire une visite guidée; *to go on a ride* faire un tour; *to go on a roller coaster ride* faire un tour de montagnes russes; *to go on a tour* faire un tour; *to go on a trail ride* faire une randonnée équestre 4; *to go on a trip* faire un voyage; *to go on strike* faire grève 2; *to go out* sortir; *to go parasailing* faire du parachutisme ascensionnel; *to go running* faire du footing; *to go sailing* faire de la voile; *to go scuba diving* faire de la plongée sous-marine; *to go shopping* faire du shopping; *to go sledding* faire de la luge 4; *to go snowshoeing* faire de la raquette à neige 4; *to go through* passer; *to go to bed* se coucher; *to go to college* entrer à l'université; *to go up* monter; *to go water-skiing* faire du ski nautique; *Go for it!* Vas-y!; *Here we go!* C'est parti!; *I'm going* je m'en vais 2
goal un but
goat une chèvre
goatfish un rouget
god: my god mon Dieu 5
godmother une marraine 1
goggles: ski goggles un masque de ski 4
gold l'or (m.); *made of gold* en or
good bon(ne); *good-bye* au revoir, salut; *Good idea!* Bonne idée!; *good luck* bon courage; *the good old days* le bon vieux temps; *Have a good trip!* Bonne route!; Bon voyage!
goods: leather goods la maroquinerie 10
goose liver pâté le foie gras 2
gorgeous splendide
gorilla un gorille; *mountain gorilla* un gorille des montagnes
gospel le gospel 9

gossip des commérages (m.) 9
government un gouvernement
grade une note
graffiti des graffiti (m.) 3
gram (of) un gramme (de)
to **grant** accorder 8
grandfather un grand-père
grandma Mamy
grandmother une grand-mère
grandpa Papy
grandparents les grands-parents (m.)
grape un raisin
grapefruit un pamplemousse; *grapefruit juice* un jus de pamplemousse
graphic: computer graphics l'infographie (f.) 6
graphic graphique 6; *graphic designer* un(e) graphiste
greasy gras 2
great chouette; génial(e); *great aunt* une grand-tante 3; *Great Depression* la grande crise 3; *great uncle* un grand-oncle 3
great-grandfather un arrière-grand-père 3
great-grandmother une arrière-grand-mère 3
green vert(e); *green beans* des haricots verts (m.)
grey gris(e)
to **grill** griller
grilled grillé(e)
grocery store une épicerie; *grocery store owner* un épicier, une épicière
groom un marié
ground floor le rez-de-chaussée
group un cercle 3; un comité 2; un groupe; *group of friends* une bande 1
grove un bosquet
to **grow** grandir; *to grow up* grandir 3
Guadeloupe la Guadeloupe
to **guarantee** garantir 5
guaranteed garanti(e)
to **guess** deviner
guest un(e) client(e) 5; un(e) invité(e)
guide un guide
guidebook un guide; *Michelin guidebook* le guide Michelin
guided guidé(e); *guided tour* une visite guidée; *to go on a guided tour* faire une visite guidée
guilty coupable 6
guitar une guitare
gym un fitness; *gym class* l'éducation physique et sportive

(l'EPS) (f.)
gymnastics la gym (gymnastique)

H

hail la grêle 9
hair les cheveux (m.); *hair salon* un salon de coiffure; *hair stylist* un coiffeur, une coiffeuse; *to brush one's hair* se brosser les cheveux; *hairbrush* une brosse à cheveux; *hairstyle* une coiffure
hairdryer un sèche-cheveux
Haitian haïtien(ne)
half demi(e); *half past* et demi(e)
half-brother un demi-frère
half-sister une demi-sœur
half-time à mi-temps 8
hallway un couloir
ham le jambon; *ham and pork dish made with chopped parsley* le jambon persillé 5; *ham sandwich* un sandwich au jambon
hamburger un hamburger
hamlet un hameau
to **hammer a nail** enfoncer un clou 3
hammer un marteau 3
hammock un hamac
hand la main; *(helping) hand* un coup de main 2; *hand in hand* la main dans la main; *on the other hand* par contre 8
handkerchief un mouchoir; *linen handkerchief* un mouchoir de lin
handsome beau, bel, belle
to **hang** accrocher 3; *to hang out* fréquenter
to **happen** arriver 9; se passer 8
happy content(e), heureux, heureuse; *to be happy (about)* être content(e) (de) 6
hardwood flooring le parquet 3
hat un bonnet; un chapeau; *wool hat* un bonnet en laine
to **hate** avoir horreur de
haunted house une maison hantée
to **have** avoir; *(food or drink)* prendre; *to have a/an... ache* avoir mal (à...); *to have dinner* dîner; *to have fun* s'amuser; *to have just* venir de (+ infinitive); *to have the impression (of)* avoir l'impression (de) 6; *to have the means* avoir les moyens 8; *to have the opportunity (to)* avoir la chance (de) 2; avoir

l'occasion (de) 4; *to have to* devoir; falloir; *to have too many choices* avoir l'embarras du choix 10; *Have a good trip!* Bonne route!; Bon voyage!;
hazelnut: spread made of hazelnut and chocolate le Nutella
he il
head la tête
headquarters un siège social 10
healed guéri(e) 8
health la santé; *health club* un fitness; *health sector* le domaine de la santé; *French national health and pension insurance* la sécurité sociale (sécu) 8; *health insurance* une assurance maladie 8
health sanitaire;
to **hear** entendre
to **heart** le cœur
to **heat (up)** chauffer 2; réchauffer
heights: to be afraid of heights avoir peur du vide
hello bonjour; *[on the telephone]* allô
to **help** aider; *to help you* pour t'avancer 2; *cannot help (but)* ne pas pouvoir s'empêcher (de) 2
help au secours
hen une poule
her elle; sa, ses, son
herb une herbe 2
here ici; tiens; voici; *here are/is* voilà; *here is* voici; *Here we go!* C'est parti!
hero, heroine un héros, une héroïne
hers le, la sien(ne) 9
to **hesitate** hésiter
hey tiens
hi salut
hibiscus un hibiscus
to **hide** cacher, se cacher 7; dissimuler
hide-and-seek: to play hide-and-seek jouer à cache-cache 1
high haut(e); *high fashion* la haute couture 10
high school un lycée; *exam taken to obtain high school diploma* un bac (baccalauréat) 9
highway une route
to **hike** faire une randonnée à pied
hike une randonnée
hill une colline
hip-hop le hip-hop
to **hire** embaucher 8

his le, la sien(ne), 9; sa, ses, son

history l'histoire (f.)

hit un hit [inform.] 2

holiday une fête; *national holiday* une fête nationale; *national Quebec holiday* la Saint-Jean

hollandaise sauce une sauce hollandaise 5

home une maison; *home health worker* un accompagnateur, une accompagnatrice; *home page* accueil 5; *second home* une résidence secondaire 3

homeless person un sans-abri

homework les devoirs (m.)

honey chéri(e)3

honeymoon un voyage de noces 1

honor l'honneur (m.) 1

Honduras le Honduras 10

hood [car] un capot

to **hope** espérer; souhaiter 5

hopscotch: to play hopscotch jouer à la marelle 1

horizon l'horizon (m.); *on the horizon* à l'horizon

horn un klaxon

horrible horrible

horror l'horreur (f.); *horror movie* un film d'horreur

horse un cheval

horseback: to go horseback riding faire du cheval

hospital un hôpital 8

hospitality l'hospitalité (f.)

to **host** recevoir

host: TV host un animateur, une animatrice

hot chaud(e); *hot chocolate* un chocolat chaud; *to be hot* avoir chaud; *it's hot* il fait chaud

hotel un hôtel; *hotel clerk* un(e) réceptionniste; *hotel room* une chambre

hour une heure

house une maison; *house cleaning items* des affaires (f.) de ménage; *dream house* une maison de rêve; *fun house* une galerie des miroirs déformants; *haunted house* une maison hantée; *row house* une maison mitoyenne 3; *single-family house* une maison individuelle 3

household le ménage

housework le ménage; *to do housework* faire le ménage

housing un logement 3; *subsidized housing* un HLM 3

how comment; *how about* si; *How are things going?* Ça va?; *How are you?* Comment allez-vous? [form.]; *How do you feel about (noun)?* (noun) te dit? 4; *how long* depuis combien de temps; *how much* combien; *How much is it?* Ça fait combien?; *How much per kilo?* C'est combien le kilo?; *How old are you?* Tu as quel âge?; *How's the weather?* Quel temps fait-il?; *that's how...* c'est comme ça que... 1

however cependant, par contre 8

human humain(e) 10; *human resources* les ressources (f.) humaines 10; *human rights* les droits (m.) de l'homme 2; *director of human resources* un directeur, une directrice des ressources humaines (DRH) 10

humanitarian humanitaire

Humanities les lettres (f.); *to declare a major in Humanities* s'inscrire en lettres

humid humide 4

hummingbird un colibri

humor une humeur 5

hundred: (one) hundred cent

hunger la faim

to be **hungry** avoir faim

to **hurry** se dépêcher (de)

to be **hurt** avoir mal (à...)

husband un mari

hybrid hybride

hydrant: water hydrant une borne-fontaine

hydrotherapeutic thermal(e)

I j'/je

ice cream une glace; *chocolate ice cream* une glace au chocolat; *vanilla ice cream* une glace à la vanille

ice-skating (figure skating) le patinage (artistique)

icon une icône

idea une idée

idealism l'idéalisme (m.) 2

identity une identité 4

identification: piece of identification une pièce d'identité 4

if si; *if only* si; *if you'd like* si cela vous convient

illness une maladie

to **illustrate** illustrer 8

image une image

to **imagine** imaginer

imagination une imagination 10

immense immense 7

important important(e) 4; *what's important* l'important (neutr.)

impossible impossible

impression une impression 5; *to/have the impression (of)* avoir l'impression (de) 6

Impressionism l'impressionnisme (m.) 7

Impressionist un(e) impressionniste 7

Impressionist impressionniste

to **imprison** emprisonner 2

to **improvise** improviser 2

in à; dans, en; *in a close-up* en gros plan 7; *in addition to* en plus; *in any case* de toute façon 4; en tout cas; *in a way* en un sens; *in circles* en rondelles; *in fashion* à la page 2; *in front of* devant; *in its place* à sa place 2; *in love* amoureux, amoureuse 6; *in my opinion* à mon avis; *in one's fifties* d'une cinquantaine d'années 9; *in one's forties* d'une quarantaine d'années 9; *in one's thirties* d'une trentaine d'années 9; *in one's twenties* d'une vingtaine d'années 9; *in order* en ordre; *in short* bref 9; *in the* au, aux; *in the background* à l'arrière-plan 7; *in the course of* au cours de 8; *in the end* finalement 3; *in the first year* en première année; *in the foreground* au premier plan; *in the manner of* la façon 9; *in the past* autrefois; *in the spring* au printemps; *In what colors?* De quelle(s) couleur(s)?; *in winter* en hiver

incapable incapable 9

to **include** comprendre 5

included compris(e)

income des revenus (m.) 2

increase une hausse 2

incredible incroyable

India l'Inde (f.) 10

to **indicate** indiquer

indispensable indispensable 4

individual un individu 10

individual individuel, individuelle 3

Indonesia l'Indonésie (f.) 10

industry une industrie; un secteur; *aviation industry* le secteur aéronautique; *entertainment industry* l'industrie du divertissement; *food industry* le secteur agroalimentaire; *information technology industry* le secteur de l'informatique; *sustainable development industry* le secteur de développement durable

inflatable water mattress un matelas pneumatique

inflation une inflation 2; *inflation rate* un taux d'inflation 2

to **influence** influencer 8

to **inform** informer

informal: to use the informal "tu" to address someone tutoyer 10

information: information technology l'informatique (f.); *information technology industry* le secteur de l'informatique; *specific information* des précisions (f.) 5; *to get information* se renseigner 4

to be **informed** être au courant

inhabitant un(e) habitant(e)

in-line skating le roller

insect un insecte; *insect repellent* un anti-moustique

inside l'intérieur (m.)

to **insist (on)** insister (sur)

to **install** installer

instructor un moniteur, une monitrice 4

insurance une assurance 8; *French national health and pension insurance* la sécurité sociale (sécu) 8; *health insurance* une assurance maladie 8

instrument: musical instrument un instrument

to **integrate (into)** s'intégrer (à) 6

intelligent intelligent(e)

intense intense 5

to **interest** intéresser

to be **interested (in)** s'intéresser (à)

interested intéressé(e) 1

interesting intéressant(e)

interface une interface

international international(e)

Internet l'Internet (m.); *wireless Internet connection* une connexion Wifi 5

to **intern** faire un stage 8

intern un(e) stagiaire 8

internship un stage 8

intervention: to organize an intervention faire une intervention

to **interview** interviewer 9

interview un entretien 8; une interview 10

intimate intimiste 7

to **introduce** introduire 8; *to introduce (to someone)* présenter (à); *to introduce to someone* faire connaître (à), faire découvrir (à)

invaded envahi(e) 2

invention une invention 7

invitation une invitation 2

to **invite** inviter

to **iron** repasser

iron [clothes] un fer à repasser

is: isn't that so n'est-ce pas

island une île 4

it ça, ce; cela 3; elle, il; l', la, le [*object pronoun*]; y [*pronoun*]; *it doesn't surprise me* ça ne me surprend pas; *It has a totally vintage look!* Total vintage!; *it is* c'est; *it is necessary* il faut; *it/that means* ça veut dire; *it will be revealed (known)* ça va se savoir; *it's all the same to me* ça m'est égal; *it's a promise* c'est promis 6; *It's beautiful out.* Il fait beau.; *it's been a long time since* ça fait longtemps que; *it's better that* il vaut mieux que 4; *it's cold* il fait froid; *it's cool* il fait frais; *it's hot* il fait chaud; *it's not worth it* ce n'est pas la peine 1; *it sounds promising* ça promet 5; *it's possible that* il se pourrait que 4; *it's raining* il pleut; *It's settled.* C'est décidé.; *it's snowing* il neige; *it's sunny* il fait du soleil; *it's/that's exactly* c'est bien 10; *It's the (+ date).* Nous sommes le (+ date).; *it's the same* c'est pareil; *it's too bad that...* c'est dommage que... 5; *it's windy* il fait du vent; *You sure know a lot about it.* Tu en sais des choses.

its sa, ses, son

Italian italien(ne)

Italy l'Italie (f.)

items: house cleaning items des affaires (f.) de ménage

itinerary un itinéraire

Ivory Coast la Côte-d'Ivoire; *from, of the Ivory Coast* ivorien(ne)

J

jacket un blouson; une veste

jam la confiture

janitor un homme de ménage 5

January janvier

Japan le Japon 10

Japonese japonais(e)

jar (of) un pot (de)

jasmine le jasmin

jazz music le jazz

jeans un jean

jersey un maillot

to **jet ski** faire du scooter des mers

jet ski un jet ski

jewelry: fine jewelry la joaillerie 10; *piece of jewelry* un bijou

job un boulot [*inform.*] 8; un emploi; un métier; *job position* un poste 1

Jordan la Jordanie 10

journey: to take a journey partir en voyage 8

juice un jus; *apple juice* un jus de pomme; *grapefruit juice* un jus de pamplemousse; *orange juice* jus d'orange

July juillet

to **jump** sauter 1; *to jump rope* sauter à la corde 1; *to bungee jump* faire du saut à l'élastique 4

jump: ski jump un tremplin de saut à ski 4; *to go off ski jumps* faire des sauts à ski 4

June juin

junior junior 8

just juste 3; *just any* n'importe quel, quelle 9; *to have just* venir de (+ infinitive)

K

kayaking: to go kayaking faire du kayak

to **keep** garder 3; *to keep an eye on* surveiller 9; *to keep in touch* garder le contact 3

ketchup le ketchup

key [ignition] une clé; *[on keyboard]* une touche

keyboard un clavier

to **kill** tuer 2

kilogram (of) un kilo (de)

kilometer un kilomètre

kind une sorte

king un roi

kiosk: self-service kiosk une borne libre-service

to **kiss** embrasser

kit: first-aid kit une trousse de premiers secours

kitchen la cuisine
knee le genou
knife un couteau; *Swiss army knife* un couteau suisse
knocked: to get knocked into se faire bousculer 9
to **know** connaître; être au courant; savoir; *to know how* savoir; *to know each other* se connaître; *You sure know a lot about it.* Tu en sais des choses.
knowledge les connaissances (f.) 8
to be **known** se savoir
Korea: South Korea la Corée du Sud 10

L

laboratory: computer lab une salle d'informatique; *research laboratory* un laboratoire de recherches 1; *science lab* un labo (laboratoire)
to **lack** manquer
lady une dame
laid out disposé(e)
lake un lac
lamb un agneau
lambis un lambi
lamp une lampe
to **land** atterrir
land la terre
landscape un paysage
language une langue
large grand(e); gros, grosse
last dernier, dernière; *At last! Depuis le temps!*
late en retard; tard
latest: the latest le dernier, la dernière 6
to **laugh** rigoler; rire
to **launch** lancer 10
laundry la blanchisserie 5; *laundry service* un service blanchisserie 5
law le droit 6; *law firm* un cabinet d'avocats 1
lawn une pelouse; *lawn mower* une tondeuse
lawyer un(e) avocat(e)
lazy paresseux, paresseuse
leader un leader 10; *world leader* un leader mondial 10
to **learn** apprendre
least: at least au moins; *the least* le moins
leather le cuir; *leather goods* la maroquinerie 10; *made of leather* en cuir
to **leave** laisser; partir; quitter; *to leave one another* se quitter 1

left: on the left à gauche; *on/to the left of* à gauche de; *to be left* rester
leg la jambe
legend une légende
lemon un citron; *tea with lemon* un thé au citron
lemon-lime soda with mint syrup un diabolo menthe
to **lend** prêter
length une durée 5; une longueur 2
less moins; *less... than* moins (+ adverb) + que
to **let** laisser; *Let me finish!* Laisse-moi finir!
letter une lettre; *air letter* un aérogramme 6; *application letter* une lettre de candidature 8; *cover letter* une lettre de motivation 8
lettuce une salade
level un niveau
license: driver's license un permis (de conduire) 8
to **lie** mentir 7
life une vie; *relaxed style of life* une douceur de vivre
lifeless plat(e) 5
lift: ski lift un télésiège 4
light une lumière
to **like** aimer; apprécier 5; kiffer *[inform.]*; *if you'd like* si cela vous convient; *like this* comme ça
like: to seem like avoir l'air de 1
likeable attachant(e)
line une ligne 7
linen le lin; *linen handkerchief* un mouchoir de lin; *made of linen* de lin
link un lien
lip la lèvre
lipstick un rouge à lèvres
liquid une liquide 6
list une liste; *to make a list* faire une liste
to **listen (to)** écouter; *to listen to music* écouter de la musique; *to listen to my MP3 player* écouter mon lecteur MP3
listening trial en écoute libre
liter (of) un litre (de)
little petit(e); *(a) little* (un) peu; *a little of* un peu de
to **live** demeurer 7; habiter; vivre
live from en direct de
liver: goose liver pâté le foie gras 2
living room un salon, un séjour

loaf: salmon loaf une terrine de saumon
lobby un hall, un lobby 5
lobster: spiny lobster une langouste
local local(e) 10
located situé(e); *to be located* être situé(e); se trouver
lock screen un lockscreen
log: yule log une bûche de Noël 2
logo: team logo un blason
lonely seul(e) 9
long long, longue; *how long* depuis combien de temps; *it's been a long time since* ça fait longtemps que
to **look** avoir l'air; *to look at oneself* se regarder; *to look for* chercher; *to look for/into* rechercher 7; *to look healthy* avoir bonne mine; *to look like (something from) my country* avoir un petit air du pays; *to look sick* avoir mauvaise mine; *Does this... look good on me?* Tu trouves que... me va bien?; *Look up!* Lève la tête!
look un look 2; une tête 9; *on a closer look* en y regardant de plus près 4; *traditional look* un look tradi 2
look remarque; un regard; *look... écoute...* 2
to **lose** perdre; *to lose it* craquer 9; *to lose weight* maigrir
lost perdu(e)
lot: a lot beaucoup; *a lot (of)* plein (de) 8; *a lot of* beaucoup de
lotion une crème 1
to **love** aimer
love l'amour (m.); *in love* amoureux, amoureuse 6; *to be in love (with)* être amoureux/amoureuse (de) 6
lover (of) un amoureux, une amoureuse (de)
luck le hasard 10; *good luck* bon courage; *to try one's luck* tenter sa chance 3
to be **lucky** avoir de la chance
luggage: piece of luggage un bagage; *luggage compartment* un compartiment à bagages; *to check one's luggage* faire enregistrer les bagages
lumpfish un lump 2; *lumpfish roe* des œufs (m.) de lump 2
lunch le déjeuner

Luxembourg le Luxembourg; *from, of Luxembourg* luxembourgeois(e)

luxury le luxe 10

Lyon region le Lyonnais; *from, of Lyon* lyonnais(e)

lyricism le lyrisme 7

lyrics des paroles (f.)

M

Ma'am madame (Mme)

machine un appareil 6; *washing machine* une machine à laver

made: made (in) fabriqué(e) (au, aux, en) 10; *made of* de, en; *made of aluminum* en aluminium; *made of cotton* en coton; *made of diamonds* de diamants; *made of gold* en or; *made of leather* en cuir; *made of linen* de lin; *made of metal* en métal 2; *made of pearls* de/ en perles; *made of plastic* en plastique; *made of silk* en soie; *made of silver* en argent; *made of velvet* en velours; *made of wool* en laine; *made up (of)* composé(e) (de) 5

magazine un magazine; *magazine article* un article

Maghreb: from, of the Maghreb maghrébin(e)

magical magique

magician un(e) magicien(ne) 3

mail un courrier

mailbox une boîte aux lettres 6

mailman, mailwoman un facteur, une factrice 6

main principal(e); *main dish* un plat principal

to **major (in)** se spécialiser (en)

to **make** faire; préparer; *to make a call* téléphoner; *to make a decision* prendre une décision 10; *to make a list* faire une liste; *to make a promise* faire une promesse; *to make a reservation* réserver; *to make a speech* faire un discours 8; *to make especially (for someone)* réserver (pour quelqu'un) 10; *to make fun (of)* se moquer (de); *to make up one's mind* se décider 6; *to make (something) work* faire marcher; *they (one) make(s) you* on te fait 8

make-up le maquillage; *to put on make-up* se maquiller

Malaysia la Malaisie 10

male politician un homme politique

Mali le Mali

Malian malien(ne)

mall un centre commercial

man un homme; *best man* un garçon d'honneur 1

management la gestion 6; *economic business management* la gestion économique d'entreprise 6

manager un chef, une cheffe 8; un(e) responsable 10; *personnel manager* un chef du personnel 8

mandarin orange une mandarine 2

mandatory obligatoire

manga un manga 6

mangrove une mangrove

manner: in the manner of la façon 9

manufacturer: car manufacturer un constructeur, une constructrice automobile 10

many maints 5; *to have too many choices* avoir l'embarras du choix 10

map une carte; *city map* un plan

maple: maple tree un érable; *maple syrup* le sirop d'érable

marble une bille 1; *to play marbles* jouer aux billes 1

market *[financial]* le marché; *flea market* un marché aux puces; *outdoor market* un marché

marketing le marketing 10

married: to get married se marier

Martinique la Martinique; *from, of Martinique* martiniquais(e)

marvelous merveilleux, merveilleuse

mascara le mascara

mask un mas [*Mart.*], un masque

master: master, mistress un maître, une maîtresse 3; *Master's degree* une maîtrise 10

masterpiece un chef-d'œuvre

math les maths (f.)

mattress: inflatable water mattress un matelas pneumatique

May mai

may: May I help you? Je peux vous aider?

maybe peut-être

mayo la mayonnaise

mayor le maire, madame le maire

me m', moi; me; *to me* me

meal un repas; *drink and food offered before the meal* un apéritif 2

to **mean** vouloir dire; *it/that means* ça veut dire

mean méchant(e)

means un moyen; *means of transportation* un moyen de transport; *to have the means* avoir les moyens 8

to **measure** mesurer 2

measuring: measuring cup un verre mesureur 2; *measuring spoon* une cuiller à mesurer 2

meat la viande 5

mechanic un(e) mécanicien(ne)

mechanics la mécanique 3

medal une médaille 2

media les médias (m.) 2; *media center* une médiathèque

medical médical(e) 8

medicalized médicalisé(e) 8

medicine la médecine 6

Mediterranean méditerranéen(ne) 9

medium moyen(ne)

to **meet** connaître; faire la connaissance (de); se retrouver; se réunir; *to meet (someone)* se rencontrer; *Pleased to meet you.* Très heureux/heureuse. 3

meeting un rendez-vous

melancholy la mélancolie 7

melody une mélodie 7

melon un melon

memory un souvenir

mention: not to mention sans parler de 10

menu une carte

merchant un(e) marchand(e)

message un message

messaging une messagerie

to **mess up** rater 2

metal un métal 2; *made of metal* en métal 2

method une méthode 7

Mexico le Mexique 10

microwave un micro-onde

midnight minuit

to **milk** traire

milk le lait

million un million

mind: to make up one's mind se décider 6

mine le, la mien(ne) 9

mineral water une eau minéral

minivan un monospace

mint la menthe; *lemon-lime soda with mint syrup* un diabolo menthe

minute une minute

mirror une glace; un miroir; *rear-view mirror* un rétroviseur

Miss mademoiselle (Mlle)

mission une mission

mist le brouillard 7

to **mix** mélanger 2

mode: to go into photo mode se mettre en mode photo

model un mannequin

modern moderne

to **modernize** moderniser

moment un instant; un moment; *at the moment* en ce moment 6; *for the moment* pour l'instant

Monaco: from, of Monaco monégasque 5

Monday lundi

money l'argent (m.)

mongoose une mangouste

monitor un écran; un moniteur

month un mois

monument un monument

mood une humeur 5; *I'm not in the mood for* je ne suis pas trop d'humeur pour 5

mop une serpillière 10

moral une morale 7

more davantage; encore; plus; plus de (+ noun); *more and more* de plus en plus 7; *more... than* plus (+ adverb) + que

moreover d'ailleurs 8

morning la matinée; le matin

most la plupart de 9; *the most* le plus; *the most (+ adjective)* le/la/les plus (+ adjectif)

mostly surtout

mother une mère; *stepmother* une belle-mère

motivation la motivation 8

motto une devise

mountain une montagne; *mountain pineapple* un ananas montagne; *mountain range* un massif

mouse une souris

mousse: chocolate mousse une mousse au chocolat

mouth la bouche

to **move** bouger; déménager 1; *to move from... to* passer de... à 7; *to move over (something)* passer; *to move (toward)* s'avancer (vers)

move (house) un déménagement

movement un mouvement

movie: movie director un réalisateur, une réalisatrice 5; *movies* le cinéma; *action movie* un film d'action; *adventure movie* un film d'aventure; *detective movie* un film policier; *horror movie* un film d'horreur; *movie theatre* un ciné (cinéma); *science fiction movie* un film de science-fiction; *to shoot a movie* tourner un film 5

to **mow** tondre

MP3 player un lecteur de MP3

Mr. monsieur (M.)

Mrs. madame (Mme)

Ms. madame (Mme), mademoiselle (Mlle)

much: so much tellement; *very much* beaucoup; *How much is it?* Ça fait combien?

multicultural ethnique 10

multimedia file un fichier multimédia

multinational multinational(e) 10

multiplex cinema un multiplexe 5

multiplication la multiplication 8; *multiplication table* une table de multiplication 8

muscular musclé(e) 9

museum un musée

mushroom un champignon; *trumpet of the dead mushroom* une trompette de la mort 5; *with mushrooms* forestier, forestière

music la musique; *music show* une émission de musique; *alternative music* la musique alternative; *classical music* la musique classique; *Electro pop music* l'électro pop (m.); *folk music* la musique folklorique; *funk music* le funk; *jazz music* le jazz; *pop music* la musique pop; *Rai music* le raï; *rap music* le rap; *reggae music* le reggae; *salsa music* la salsa 7; *swing music* le swing 7; *techno music* la techno

musical un film musical; *musical instrument* un instrument

music-hall un music-hall

mustard la moutarde

my ma, mes, mon; *my god* mon Dieu 5

mystery un mystère 6

N

nail un clou 3; *to hammer a nail* enfoncer un clou 3

name un nom; *brand name* marqué(e) 10; *first name* un prénom; *What's your name?* Tu t'appelles comment?

nanotechnology les nanotechnologies (f.) 1

napkin une serviette

narrow étroit(e) 2

nation une nation 2

national national(e); *national holiday* une fête nationale; *national Quebec holiday* la Saint-Jean; *French national health and pension insurance* la sécurité sociale (sécu) 8; *GNP (Gross National Product)* le Produit National Brut (PNB) 2

native un(e) autochtone; *native people* les indigènes (m.)

nature la nature

nauseous: to feel nauseous avoir mal au cœur

near près de

nearly presque

necessary nécessaire; *to be necessary* falloir

neck le cou

necklace un collier; *pearl necklace* un collier de/en perles

to **need** avoir besoin de; *I need* il me faut

need un besoin 8

neither ni 4; non plus; *neither... nor* ne (n')... ni... ni 4

neo-classic néoclassique 7

neoclassicism le néo-classicisme 7

Neo-impressionism le néo-impressionnisme 7

nerves: You're getting on my nerves! Tu m'agaces!

never ne (n')... jamais

nevertheless néanmoins 8

new de neuf, neuf, neuve; nouveau, nouvel; nouvelle; *New Brunswick* le Nouveau-Brunswick; *new release* une nouveauté 5; *New Year's Day* le Jour de l'an; *to celebrate Christmas/New Year's Eve* réveillonner 2; *What's new?* Quoi de neuf?

news les informations (infos) (f.); *news anchor* un présentateur, une présentatrice; *news report* un reportage; *news store that sells tobacco, stamps, lottery tickets* un bureau de tabac

newspaper un journal; *newspaper article* un article

newsstand un kiosque à journaux

next ensuite; prochain(e); *next day* le lendemain; *next to* à côté (de)

ney *[instrument]* un nay

NGO (non-governmental organization) une ONG (organisation non gouvernementale)

nice gentil, gentille; sympa

nicely said joliment dit

night la nuit; *every night* tous les soirs; *exciting/fun night* chaude ambiance; *to stay up all night* faire une nuit blanche

nightclub une boîte; une discothèque 1

nine neuf

nineteen dix-neuf

ninety quatre-vingt-dix

ninth neuvième

no ne (n')... aucun(e) 4; non; *no longer* ne (n')... plus; *no one* aucun(e) 4; ne (n')... personne

nobody ne (n')... personne

none aucun(e) 4; ne (n')... aucun(e) 4; *none of us (+ verb)* aucun de nous ne (+ verb) 4

noon midi

nor ni 4; *neither... nor* ne (n')... ni... ni 4

Normandy region la Normandie; *from, of Normandy region* normand(e)

north le nord; *North America* l'Amérique du Nord (f.)

nose le nez

not ne (n')... pas, pas; *not any* ne (n')... aucun(e) 4; *not anymore* ne (n')... plus; *not anyone* ne (n')... personne; *not at all* pas du tout; *not bad* pas mal; *not one* ne (n')... aucun(e) 4; *not the type to* pas la tête à 9; *not to mention* sans parler de 10; *not well* pas très bien; *not yet* ne (n')... pas encore; *I'm afraid not.* Je crains que non. 2

notebook un cahier

nothing ne (n')... rien; rien 9

to **notice** remarquer; s'apercevoir (de) 9

novel un roman

novelist un romancier, une romancière 7

November novembre

now maintenant

nuclear nucléaire; *nuclear family* une famille nucléaire 1

number un chiffre 8; un nombre, un numéro; *phone number* un numéro de téléphone

nurse un infirmier, une infirmière

O

obligated (to) obligé(e) (de) 8; *to be obligated (to)* être obligé(e) (de) 8

to **obtain** obtenir 4

obvious evident(e) 5; *to be obvious that* être évident que 5

occasion une occasion 4

o'clock l'heure (f.)

object un objet; *art object* un objet d'art

to **observe** observer

obviously évidemment

occasion une fois

to **occupy** occuper

ocean un océan; *Atlantic Ocean* l'océan Atlantique; *Indian Ocean* l'océan Indien; *Pacific Ocean* l'océan Pacifique

October octobre

of de/d'; en; sur; *of (the)* des; du; *of average height* de taille moyenne; *of course* bien entendu 5; bien sûr; pardi *[regional]*; *of it/them* en; *of which/whom* dont 6; *because of* à cause de 2

to **offer** offrir; proposer 10

office un bureau; un office 4; *at/ to the physical therapy office* chez le kiné 8; *dentist's office* un cabinet dentaire; *doctor's office* un cabinet du médecin; *principal's office* le bureau du proviseur; *tourist information office* un syndicat d'initiative; *tourist office* un office de tourisme 4

official officiel, officielle

off-piste skiing un hors-piste 4

often souvent

oh ah, oh; *oh dear* oh là là; *oh no* oh là là

oil *[car]* l'huile (f.); *oil slick* une marée noire

oily gras 2

OK d'accord

old ancien(ne) 3; vieux, vieil, vieille; *old age* la vieillesse 7; *the good old days* le bon vieux temps

on à, en; dessus; sur; *on a bicycle* à bicyclette; *on a closer look* en y regardant de plus près 4; *on board* à bord;

on foot à pied; *on sale* en solde; *on second thought* en y réfléchissant bien 4; *on the* au, du; *on the contrary* au contraire 8; *on the corner* du coin; *on the horizon* à l'horizon; *on the left* à gauche; *on the other hand* par contre 8; *on the premises* sur place 4; *on the right* à droite; *on the way* en route; *on time* à l'heure; *on tour* en tournée 7; *on TV* à la télé; *on wheels* à roulettes; *come on* enfin

Once upon a time (there was).... Il était une fois.... 3

one on; un; une; *one's* le, la sien(ne) 9; sa, ses, son; *no one* aucun(e) 4; *not one* ne (n')... aucun(e) 4; *that/this one* celui, celle 6; *the one* celui, celle 6; *the ones* ceux 6; *the one... the other* l'un(e)... l'autre 9

oneself: to distance oneself (from) s'éloigner (de) 7; *to say to oneself* se dire; *to see oneself as* se reconnaître 7

onion un oignon

online en ligne

only juste; ne (n')... que, seulement 4

on-stage sur scène 7

to **open** ouvrir

opening une ouverture 8

opinion un avis; *in my opinion* à mon avis

opportunity: to have the opportunity (to) avoir la chance (de) 2; avoir l'occasion (de) 4

opposite le contraire 8

or ou

orange une orange; *orange juice* un jus d'orange; *mandarin orange* une mandarine 2

orange orange

orangery une orangerie

orchestra un orchestre 5

orchid une orchidée; *tropical orchid* une orchidée suspendue

to **order** commander

order un ordre; *in order* en ordre

organic biologique

to **organize an intervention** faire une intervention

organized organisé(e) 4

origin une origine 3

original original(e) 5; *original version* une version originale (V.O.) 5

other autre; *on the other hand* par contre 8; *the one... the other* l'un(e)... l'autre 9

otherwise autrement

ouch ouille

oud *[instrument]* un oud

our nos, notre

ours le, la nôtre 9

out: evening out une soirée 1; *washed out* délavé(e) 9

outdoors en plein air

outfit un ensemble

oven un four

over (it) dessus; *over there* là-bas

to **overcome** s'en sortir

overexcited surexcité(e) 9

overwhelmed accablé(e) 9

to **owe** devoir 7

to **own a restaurant** tenir un restaurant 3

owner: grocery store owner un épicier, une épicière

oyster une huître 2

P

to **pack** faire sa valise 4

package un colis 6; un paquet

packet (of) un paquet (de)

page: home page accueil 5

to **paint** peindre 3

paintbrush un pinceau 7

painter un(e) peintre

painting la peinture 7; une peinture; un tableau

pal: pen pal un(e) correspondant(e) 10

pale pâle 7

pan: frying pan une poêle

panda un panda; *giant panda* un panda géant

panel un panneau

to **panic** être affolé(e) 1

panicky paniqué(e) 9

pants un pantalon; *ski pants* un fuseau de ski 4

paper le papier; *sheet of paper* une feuille de papier; *toilet paper* le papier toilette 10

paperback un livre de poche 6

parade un déboulé *[Mart.]*, un défilé

paralyzed tétanisé(e) 9

parasailing: to go parasailing faire du parachutisme ascensionnel

pardon me pardon

parents les parents (m.)

Paris: from, of Paris parisien(ne)

park un jardin; un parc; *amusement park* un parc d'attractions; *skateboard park* un skatepark 1; *water park* un aquaparc 1

parliamentary parlementaire

parsley: ham and pork dish made with chopped parsley le jambon persillé 5

part une partie 7

party une fête, une teuf; un parti 2; *garden party* une fête champêtre 7; *political party* un parti politique 2; *socialist political party* le parti politique socialiste 2

to **pass** passer; *to pass (a test)* réussir (à)

pass: boarding pass une carte d'embarquement; *ski pass* un forfait de ski 4

passenger un passager, une passagère

passer-by un(e) passant(e) 3

passion une passion

passionate (about) passionné(e (de)

passionately passionnément 2

passport un passeport 4

past le passé 4

pasta des pâtes (f.)

pastime un passe-temps

pastry: pastry shop une patisserie; *cream puff pastry* une religieuse; *layered custard pastry* un millefeuille

pâté le pâté; *goose liver pâté* le foie gras 2

path un chemin; un sentier; une trace *[Mart.]*; une voie

pause une pause 5

to **pay** payer; régler; *someone who pays* un payeur, une payeuse

peace la paix 2

peach une pêche

peak un sommet 4

pear une poire

pear-shaped en forme de poire 2

pearl une perle; *pearl necklace* un collier de/en perles

peas des petits-pois (m.)

pen un stylo; *pen pal* un(e) correspondant(e) 10

pencil un crayon; *pencil case* une trousse; *pencil sharpener* un taille-crayon

pension: French national health and pension insurance la sécurité sociale (sécu) 8

people des gens (m.); un peuple 8; *native people* les indigènes (m.); *to get people to agree* mettre d'accord 1

pepper le poivre; *bell pepper* un poivron

perfect parfait(e) 5

perfectly parfaitement

performer un interprète 7

perfume un parfum

period une époque

permit une autorisation 6

person une personne; *crazy person* un fou, une folle; *homeless person* un sans-abri

personal particulier, particulière 1; personnel, personnelle 2

personally personnellement 5

personnel un personnel 8; *personnel manager* un chef du personnel 8

perspective une perspective

persuaded persuadé(e)

petroleum le pétrole

pheasant le faisan 5

Philippines les Philippines (f.) 10

to **phone (someone)** téléphoner

phone: cell phone un téléphone portable

photo une photo; *another photo* re-photo; *to go into photo mode* se mettre en mode photo

photogenic photogénique 9

physical: physical therapist un(e) kiné (kinésithérapeute) 8; *physical therapy* une rééducation 8; *at/to the physical therapy* office chez le kiné 8

physics la physique

pianist un(e) pianiste

piano un piano

to **pick** cueillir 7; *to pick up* ramasser 1; ranger

to **picnic** piqueniquer

picture une image; *to take a picture (of something)* prendre (quelque chose) en photo

pie une tarte; *apple pie* une tarte aux pommes

piece (of) un morceau (de); *piece of furniture* un meuble; *piece of identification* une pièce d'identité 4; *piece of jewelry* un bijou; *piece of luggage* un bagage

pig un cochon

pillow un coussin

pilot un(e) pilote

pineapple un ananas; *mountain pineapple* un ananas montagne

pink rose

pipe(line) la canalisation

piranha un piranha

pirate un pirate

pirogue une pirogue; *by pirogue* en pirogue

pity dommage 5

pizza une pizza

to **place: to place a spell on** jouer un tour 3

place un endroit; un lieu 5; une place 2; *in its place* à sa place 2; *place yourself in front of the TV* mets-toi devant l'écran; *to take place* avoir lieu

plaid à carreaux 9

plain une plaine

to **plan** planifier 4; projeter; *to plan to do something* compter

plan un programme

plane un avion; *by plane* en avion

planet une planète

planned prévu(e) 2

plant une plante

plastic la plastique; *made of plastic* en plastique

plate une assiette

platform un quai

platter un plateau

to **play** jouer; passer 2; *to play (instrument)* jouer de (+ instrument); *to play a role* jouer un rôle; *to play a trick (on someone)* faire le coup (à quelqu'un) 4; *to play basketball* jouer au basket (basketball); *to play hide-and-seek* jouer à cache-cache 1; *to play hopscotch* jouer à la marelle 1; *to play ice hockey* jouer au hockey sur glace; *to play marbles* jouer aux billes 1; *to play on the radio* passer à la radio 2; *to play soccer* jouer au foot (football); *to play sports* faire du sport; *to play video games* jouer aux jeux video; *to play with dolls* jouer à la poupée 1; *to play with toy cars* jouer aux petites voitures 1; *... is playing (at the movies)* on passe... 2

play une pièce; une pièce de théâtre 6

pleasant agréable 5

to **please** convenir (à); plaire (à) 7

please s'il vous plaît

pleased: Pleased to meet you. Très heureux/heureuse. 3

pleasure un plaisir

pocket une poche

poem un poème

poet un poète, une femme poète 7

poetic poétique 7

poetry la poésie 6

to **point out/to** indiquer

pole: fishing pole une canne à pêche; *ski pole* un bâton de ski 4

police: police officer un agent de police; *police station* un commissariat 9

to **polish** cirer 3

political politique; *political party* un parti politique 2; *political science* les sciences (f.) politiques (sciences po) 6; *socialist political party* le parti politique socialiste 2

politician: female politician une femme politique; *male politician* un homme politique

politics la politique 2

polka dot un pois 9; *polka dots* à pois 9

to **pollute** polluer

polluted pollué(e)

polluter un pollueur, une pollueuse

polluting polluant

pollution la pollution

pond un bassin; un étang

pool un bassin

poor pauvre

pop music la musique pop

poppy un coquelicot 7

popular populaire 7

pork le porc; *ham and pork dish made with chopped parsley* le jambon persillé 5

port un port; *USB port* un port micro-USB

portable stove un réchaud

portrait un portrait

position une position 7; *job position* un poste 1; *to take a position (on)* prendre position (sur) 7

positioning le positionnement 6

possibility une possibilité; *to explore all the possibilities* faire le tour 10

possible possible; *it's possible that* il se pourrait que 4

postage l'affranchissement (m.) 6

postal worker un postier, une postière 6

postcard une carte postale

poster une affiche

post office une poste

post-sale support un service après-vente 10

potato une pomme de terre

pound une livre

to **pour** verser 2

poverty la pauvreté

power un pouvoir

powerful puissant(e)

practical pratique 5

to **practice (sports)** s'entraîner 2

practice une pratique 8; *to put into practice* mettre en pratique 8

precisely précisément

to **prefer** préférer

première (of movie) une première 6

premises: on the premises sur place 4

preparations des préparatifs (m.) 4; *travel preparations* des préparatifs (m.) de départ 4

to **prepare** préparer

preposition une préposition

present le présent 8

presentation un exposé

president un chef, une cheffe d'entreprise, un(e) president(e) 10

presidential présidentiel, présidentielle 2; *presidential election* une élection présidentielle 2

to **pretend (to)** faire semblant (de) 1

pretty joli(e)

princess une princesse 1

principal un proviseur

to **print** imprimer

printer une imprimante

priority un priorité 9

prisoner un prisonnier, une prisonnière 2

private privé(e) 8; *private class* un cours particulier 1

problem un problème

product un produit 2; *dairy product* un produit laitier 10; *food product* un produit alimentaire 10; *GNP (Gross National Product)* le Produit National Brut (PNB) 2

production une production 10

profession une profession

professional un professionnel, une professionnelle

profile un profil

program: television program une émission

progress le progrès

project un projet; *do-it-yourself (DIY) projects* le bricolage 3; *to do DIY projects* bricoler 3

to promise promettre
promise une promesse; *to make a promise* faire une promesse; *it's a promise* c'est promis 6
promised promis(e) 6
promising: it sounds promising ça promet 5
property un domaine 4
to protect protéger, sauvegarder
proud fier, fière 9
Provence la Provence; *from, of Provence* provençal(e)
Province une province
psychology la psychologie 6
public: public (incorporated) company une Société Anonyme (SA) 10
punishment une sanction
purchase un achat
purple violet, violette
purse un sac à main
to push appuyer
to put (on) mettre; *to put back* remettre; *to put down* poser 2; *to put into practice* mettre en pratique 8; *to put on make-up* se maquiller; *to put up* poser 3
pyjamas un pyjama

Q

quality une qualité 8
quarter un arrondissement 10; un quart; *quarter past* et quart; *quarter to* moins le quart
Quebec le Québec; *from, of Quebec* québécois(e)
queen une reine
question une question
quiche une quiche
quickly rapidement 3; vite
quiet tranquille 2
quite plutôt 5
quote une citation 8

R

rabbit un lapin
raccoon un raton laveur
racism le racisme
radiation la radiation
radio une radio; *to play on the radio* passer à la radio 2
Rai music le raï
to rain pleuvoir; *it's raining* il pleut
range: mountain range un massif
rap music le rap
ratatouille la ratatouille
rate un taux 2; *inflation rate* un taux d'inflation 2
rather assez 6; plutôt

raw vegetables des crudités (f.)
razor un rasoir
R&B concert un concert R'n'B
reaction une réaction 9
to read lire
reading la lecture
ready prêt(e); *to get (oneself) ready* se préparer
ready-to-wear le prêt-à-porter 2
real vrai(e) 5
realism le réalisme 7
réaliste: chanson réaliste une chanson réaliste 7
realistic réaliste
reality la réalité 6; *reality TV* la téléréalité; *reality TV show* une émission de télé-réalité
to realize réaliser; se rendre compte (de) 9
really bien; super; vraiment
rear-view mirror un rétroviseur
reassigned: to get reassigned se faire muter 1
to reassure (oneself) se rassurer
to recapture récupérer 2
to receive recevoir
reception une réception 1; *reception area* le secrétariat 10; *reception center* un centre d'accueil; *reception desk* la réception
recipe une recette
to recognize reconnaître
to recommend conseiller 3
rectangular rectangulaire 2
to recycle recycler
red rouge; *red (hair)* roux, rousse
to reduce réduire 2
reflection un reflet 7
to refrain (from) s'empêcher (de) 2
refrigerator un frigo
regardless quand même 2
regards: with warm regards affectueusement
reggae music le reggae
regime un régime 8
region une région
regional régional(e) 10
to register s'inscrire
regret un regret 1
to reimburse rembourser
relationship un rapport 2
to relax se détendre
relaxed décontracté(e); *relaxed style of life* une douceur de vivre
release une sortie 5; *new release* une nouveauté 5
to remain rester
remarkable remarquable

remedy un remède
to remember se rappeler, se souvenir (de)
to rent louer
to repaint repeindre 3
to repair réparer
repellent: insect repellent un anti-moustique
to replace remplacer
report: report of a theft une déclaration de vol 9; *news report* un reportage
representative un(e) représentant(e)
republic une république 8; *Republic of Haiti* la République d'Haïti (Haïti)
to require exiger 5
R.E.R.: by R.E.R. en R.E.R.
research des recherches 3 la recherche 1; *research laboratory* un laboratoire de recherches 1; *genealogical research* des recherches (f.) généalogiques 3
researcher un chercheur, une chercheuse
to resemble ressembler (à)
reservation une reservation; *to make a reservation* réserver
residence une résidence 3
resident un(e) habitant(e)
resolution une résolution
resort: ski resort une station de ski 4
resource une ressource 10; *human resources* les ressources humaines 10; *director of human resources* un directeur, une directrice des ressources humaines (DRH) 10
respiratory respiratoire
to respond répondre 8
responsibility une responsabilité 10
responsible responsable
to rest se reposer
rest le reste 10; *(the) rest* la suite 3
restaurant un restaurant; *to own a restaurant* tenir un restaurant 3
to return rendre; rentrer, retourner, revenir
return un retour
Reunion la Réunion 4
revealed: it will be revealed (known) ça va se savoir
review une critique 5
revolution une révolution

riad une riad

rich riche

to **ride: to speed ride** faire du speed riding 4

ride une balade; *to go on a carnival ride* faire un tour de manège; *to go on a Ferris wheel ride* faire un tour de grande roue; *to go on a ride* faire un tour; *to go on a trail ride* faire une randonnée équestre 4; *to take a ski-taxi ride* faire du taxi-ski 4

right un droit 2; *right away* tout de suite; *human rights* les droits (m.) de l'homme 2; *That's right.* C'est ça.; *to be right* avoir raison; *to the right* à droite; *to (on) the right of* à droite de; *yeah right* tu parles

ring une bague; *diamond ring* une bague de diamants; *engagement ring* une bague de fiançailles 1; *wedding ring* une alliance 1

ripe mûr(e)

rise: to give rise to donner lieu à 7

river un fleuve; une rivière; *river bank* une rive

riviera: French Riviera la côte d'Azur

road une route; *cliff road* une corniche

rock (music) le rock

to **rock climb** faire de l'escalade 4

rococo rococo 7

rococo style le rococo 7

roe: lumpfish roe des œufs (m.) de lump 2

role un rôle

roll un rouleau 10

rolled in flour and sautéed meunier, meunière

roller coaster: to go on a roller coaster ride faire un tour de montagnes russes

Roman un(e) Romain(e) 5

Romantic romantique 7

Romanticism le romantisme 7

roof un toit

room une pièce; une salle; *room service* un service de chambre 5; *bathroom* une salle de bains; *classroom* une salle de classe; *dining room* une salle à manger; *hotel room* une chambre; *living room* un salon

rooster un coq

rope une corde 1; *to jump rope* sauter à la corde 1

round rond(e) 2

route une route

rug un tapis

ruled gouverné(e) 8

to **run** courir 1; filer *[inform.]*

running le footing

rural champêtre 7

rustic champêtre 7

Rwanda le Rwanda

S

sad attristé(e) 9; triste

safe un coffre-fort 5

sailboat un voilier

sailing: to go sailing faire de la voile

saint: All Saints Day la Toussaint

salad une salade; *tuna salad* une salade niçoise

salami le saucisson

salary un salaire 8

sale une promo; *on sale* en solde

sales les ventes (f.) 10

salesperson un vendeur, une vendeuse

salmon le saumon; *salmon loaf* une terrine de saumon; *smoked salmon* le saumon fumé 2

salon: hair salon un salon de coiffure

salsa music la salsa 7

salt le sel

salty salé(e)

same même; *at the same time* à la fois; *it's all the same to me* ça m'est égal; *it's the same* c'est pareil; *the same* pareil, pareille

sand le sable 1

sandals des sandales (f.)

sandwich un sandwich; *cheese sandwich* un sandwich au fromage; *ham sandwich* un sandwich au jambon; *grilled ham and cheese sandwich* un croque-monsieur

sanitary sanitaire

satire une satire 7

Saturday samedi

sauce une sauce 2; *Béarnaise sauce* une sauce béarnaise 5; *béchamel sauce* une sauce béchamel 5; *hollandaise sauce* une sauce hollandaise 5; *white sauce* une sauce blanche 5; *white wine sauce* une sauce marinière 5

saucepan une casserole

sauerkraut la choucroute; *sauerkraut with potatoes, sausages, smoked pork* la choucroute garnie

sausage une saucisse

sautéed: rolled in flour and sautéed meunier, meunière

to **save** sauvegarder; *to save (up)* économiser; *to save time* gagner du temps

savory salé(e)

saxophone un saxophone

to **say** dire; *to say to oneself* se dire; *nicely said* joliment dit

scallop une coquille St-Jacques

Scandinavian scandinave 9

scarf une écharpe; un foulard

scene une scène

scent un parfum

school une école; *school cafeteria* une cantine

science la science; les sciences; *science and technology sector* le domaine des sciences et techniques; *science fiction* la science-fiction; *science fiction movie* un film de science-fiction; *science lab* un labo (laboratoire); *political science* les sciences politiques (sciences po) 6

scooter un scooter; *by scooter* en scooter

to **score** marquer

scrambled eggs des œufs (m.) brouillés

to **scrape** racler 2

to **scream** pousser un cri

screen un écran

screw une vis 3

screwdriver un tournevis 3

to **scrub** racler 2

scuba diving: to go scuba diving faire de la plongée sous-marine

sculpture une sculpture

sea une mer; *sea turtle* une tortue marine; *Caribbean Sea* la mer des Caraïbes; *Mediterranean Sea* la mer Méditerranée; *North Sea* la mer du Nord

seafood les fruits de mer (m.)

seashell un coquillage 1

seaside le bord de mer; *by the seaside* au bord de la mer

season une saison

seat un siège

seatbelt une ceinture de sécurité

second deuxième; *second home* une résidence secondaire 3; *on second thought* en y réfléchissant bien 4

secondary secondaire 3

secondly deuxièmement 8

secret un secret
secretary un secrétaire (administratif), une secrétaire (administrative) 10
sector un domaine; *health sector* le domaine de la santé; *science and technology sector* le domaine des sciences et techniques
security la sécurité; *security checkpoint* un contrôle de sécurité
to **seduce** séduire 7
to **see** voir; *to see again* revoir; *to see each other/one another* se voir; *to see oneself as* se reconnaître 7; *See you soon.* À bientôt.; *See you tomorrow.* À demain.
to **seek (medical) treatment** se faire soigner 8
to **seem** paraître 5; sembler; *to seem like* avoir l'air de 1
selfish égoïste
self-service kiosk une borne libre-service
to **sell** vendre
to **send** envoyer; *to send text messages* envoyer des textos (m.)
send button l'envoi (m.)
Senegal le Sénégal
Senegalese sénégalais(e)
sensation une sensation
sense un sens
September septembre
series une série; *whole series (of)* toute une série (de)
serious grave; sérieux, sérieuse
seriousness le sérieux
to **serve** servir
served servi(e) 5
server un serveur, une serveuse
service un service 5; *laundry service* un service blanchisserie 5; *post-sale support* un service après-vente 10; *room service* un service de chambre 5
session une séance 8
to **set** mettre; *to set the table* mettre le couvert; *to set oneself down* se mettre
set down posé(e) 2
setting un cadre
settled: It's settled C'est décidé; *to get settled* s'installer
seven sept
seventeen dix-sept
seventh septième
seventy soixante-dix
several plusieurs

shakes des frissons (m.)
shame dommage 5
shampoo un shampooing
shape une forme 2
to **shave** se raser
she elle
sheet un drap; *sheet of paper* une feuille de papier
sheep un mouton
shelter un centre d'accueil
shh chut
shirt une chemise; une liquette 9
shoe une chaussur
shocked choqué(e) 9
to **shoot (a movie)** tourner (un film) 5
shoot mince
shop une boutique; *butcher shop* une boucherie
shopkeeper un(e) petit(e) commerçant(e)
shopping commerçant(e); le shopping; *shopping center* un centre commercial
short petit(e); *short (hair)* court(e) 9; *short story* une nouvelle 6; *in short* bref 9
shorts un short
shot un plan 7; *to get a shot* se faire vacciner 4
shoulder l'épaule (f.)
shoulder-length (hair) mi-long, mi-longue 9
to **shove** bousculer 9
to **show** montrer; *to show up* se rendre (à)
show une spectacle; un show 9; *(TV) game show* un jeu télévisé; *music show* une émission de musique; *reality TV show* une émission de télé-réalité; *TV show* une émission
shower une douche
shrimp une crevette
shy timide
sick malade; *sick person* un(e) malade
side le bord; un côté
sigh un soupir 7
to **sign** signer 6
to **signal** signaler
silk la soie; *made of silk* en soie
silver l'argent (m.); *made of silver* en argent
SIM card une carte SIM
simple simple
simply simplement; tout simplement
since comme; depuis; puisque 2; *since when* depuis quand

to **sing** chanter
singer un chanteur, une chanteuse
single: single-parent family une famille monoparentale 1
sink un évier
sir chef; monsieur (M.)
sister une sœur; *half-sister* une demi-sœur; *stepsister* une belle-sœur
sitcom un sitcom
to **sit down** s'asseoir
site un site
sitting assis(e)
situation une situation
six six
sixteen seize
sixth sixième
sixty soixante
size une taille
to **skate: to (figure) skate** faire du patinage (artistique); *to in-line skate* faire du roller
skateboard park un skatepark 1
skating: (figure) skating le patinage artistique
skewer une brochette
to **ski** skier 4; *to (downhill) ski* faire du ski (alpin); *to cross-country ski* faire du ski de fond 4; *to telemark ski* faire du télémark 4
ski un ski 4
ski: ski boot une chaussure de ski 4; *ski class* une classe de neige 4; *ski goggles* un masque de ski 4; *ski jump* un tremplin de saut à ski 4; *ski lift* un télésiège 4; *ski pants* un fuseau de ski 4; *ski pass* un forfait de ski 4; *ski pole* un bâton de ski 4; *ski resort* une station de ski 4; *to go off ski jumps* faire des sauts à ski 4
skiing: skiing (downhill) le ski (alpin); *cross-country skiing* le ski de fond 4; *off-piste skiing* un hors-piste 4; *while skiing* en skiant 4
to **skijor** faire du ski joering 4
skill une compétence 5; *game of skill* un jeu d'adresse
skin la peau 10
skinny maigre 9
to **skip (class)** sécher 9
skirt une jupe
ski-taxi: to take a ski-taxi ride faire du taxi-ski 4
to **skype** skyper
skype call un skype
slang l'argot (m.) 9

sledding: to go sledding faire de la luge 4

to **sleep** dormir

slice (of) une tranche (de)

small petit(e); *small business* une petite et moyenne entreprise (PME) 1

smartphone un smartphone

to **smell** sentir; *What does it smell like?* Ça sent quoi?

to **smile** sourire 1

smile un sourire 1

smoked fumé(e) 2; *smoked salmon* le saumon fumé 2

smuggler un contrebandier, une contrebandière

snack le goûter

snail un escargot

snake un serpent

sneakers des tennis (m.)

snow la neige 2

snowball une boule de neige 2

to **snowboard** faire du snowboard 4

snowboarding le snowboard 4

snowing: it's snowing il neige

snowshoeing: to go snowshoeing faire de la raquette à neige 4

so alors; bon; donc; si 2; *so much* tellement; *so-so* comme ci, comme ça; *so that* pour que 7

soap un savon

soap opera: TV soap opera un feuilleton

soccer le foot; *soccer ball* un ballon de foot; *soccer player* un footballeur, une footballeuse

social social(e) 8

socialist socialiste 2; *socialist political party* le parti politique socialiste 2

society la collectivité 8

sock une chaussette

soda: lemon-lime soda une limonade; *lemon-lime soda with mint syrup* diabolo menthe

sofa un canapé

software un logiciel

solar solaire; *solar energy* l'énergie (f.) solaire; *solar panel* un panneau solaire

solidarity la solidarité

solution un remède; une solution

some d', de, des, du; en; quelque 5

somebody quelqu'un

someday un jour

someone quelqu'un; *to introduce to someone* faire connaître (à), faire découvrir (à); *to use the informal "tu" to address someone* tutoyer 10

something quelque chose; *to bring oneself to do something* arriver à faire quelque chose 6

sometimes parfois

son un fils

song une chanson

songwriter un compositeur, une compositrice

sonnet un sonnet 7

soon bientôt; *as soon as* aussitôt que 1; dès que

to be **sorry** regretter 5

sorry désolé(e)

sort une sorte

to **sound: it sounds promising** ça promet 5

soup la soupe; un potage

south le sud; *South America* l'Amérique du Sud (f.); *South Korea* la Corée du Sud 10

Soviet soviétique 5

Spain l'Espagne (f.)

Spanish [language] l'espagnol (m.)

Spanish espagnol(e)

spa treatment une cure

spatula une spatule 2

to **speak** parler

specialty une spécialité

species: endangered species les animaux (m.) en voie de disparition

specific information des précisions (f.) 5

speech un discours 8; *to make a speech* faire un discours 8

speed: to speed ride faire du speed riding 4

spell un envoûtement; *to place a spell on* jouer un tour 3; *to undo a spell* déjouer un tour 3

to **spend (time)** passer

spherical sphérique 2

spicy épicé(e)

spiny lobster une langouste

sponge une éponge 10

spoon une cuiller; *measuring spoon* une cuillère-mesure 2

sport un sport; *sports car* une voiture de sport; *sports center* un complexe sportif 1; *sports coverage* un reportage sportif

spot une tache

to **sprain** se fouler 4; *to sprain an ankle* se fouler la cheville 4

spread made of hazelnut and chocolate le Nutella

spring le printemps; une source d'eau; *in the spring* au printemps

square un carré; une place; *in squares* en carrés

square carré(e) 2

Sri Lanka le Sri Lanka 10

stadium un stade

staff un personnel 8

to **stamp** affranchir 6

stamp un timbre 1

stand un kiosque; *crêpe stand* un stand de crêpes

standardisation une uniformisation 10

standing debout

star une étoile, une vedette 5

to **start** démarrer; *to start something again* se remettre (à)

starters: for starters pour commencer

state un état 8

statement une déclaration 9

station une station; *gas station* une station-service; *police station* un commissariat 9

statue une statue

to **stay** faire un séjour 4; rester; *to stay up all night* faire une nuit blanche

stay un séjour

steak with fries un steak-frites

to **steal** voler 9

steering wheel un volant

step: step aerobics le step; *stepbrother* un beau-frère; *stepfather* un beau-père; *stepmother* une belle-mère; *stepsister* une belle-sœur

stereo une stéréo

stereotypical stéréotypé(e) 5

still encore; toujours; *still life* une nature morte

to **stir** remuer 2

stockholder un(e) actionnaire 10

stocky costaud(e) 9

stomach l'estomac (m.), le ventre

to **stop** arrêter; s'arrêter; *Enough! Stop it!* N'en jette plus! *[inform.]* 8

store un magasin; *dairy store* une crémerie; *grocery store* une épicerie

story une histoire 3; un étage; *short story* une nouvelle 6

stove une cuisinière; *portable stove* un réchaud

straight: straight (hair) raide 9; *straight ahead* tout droit

strainer: conical strainer un chinois 2

strategy une stratégie 10

strawberry une fraise

street une rue; *street demonstration* une manif (manifestation)

strength une force
strict strict(e)
strike une grève 2; *to go on strike* faire grève 2
stripe une rayure 9; *striped* à rayures 9
strong fort(e)
stuck collé(e)
student un(e) élève; un(e) étudiant(e)
studies des études (f.)
studio un atelier 7; *studio apartment* un studio 3
to **study** étudier
stuffed farci(e)
to **stumble** trébucher 9
style un style 5
stylist: hair stylist un coiffeur, une coiffeuse
subject un sujet
subsidiary une filiale 10
subsidized housing un HLM 3
subtitle un sous-titre 5
subtitled sous-titré(e) 5
suburb une banlieue
subway le metro; *subway entrance* une bouche du métro; *by subway* en métro
to **succeed** réussir (à)
success le succès 7
such a un tel, une telle 9
sudden: all of a sudden tout d'un coup 9
to **suffer** souffrir 2
sugar le sucre; *with sugar* au sucre
to **suggest** proposer
to **suit** convenir (à)
suitcase une valise; *suitcase with wheels* une valise à roulettes
summer l'été (m.)
Sunday dimanche
sunglasses des lunettes (f.) de soleil
sunny: eggs sunny side up des œufs (m.) sur le plat; *it's sunny* il fait du soleil
sunscreen la crème solaire
superhero un super-héros 1
supermarket un supermarché
supplementary complémentaire 8
supplies des provisions (f.)
to **support** soutenir
sure certain(e) 5; sûr(e); *that's for sure* c'est sûr
to **surf** surfer; *to surf the Web* surfer sur Internet; *to wind surf* faire de la planche à voile 4
to **surprise** étonner; *it doesn't surprise me* ça ne me surprend pas

surprise une surprise
surprised étonné(e) 5; surpris(e); *to be surprised that* être étonné que 5
surprising surprenant(e) 4
surrealism le surréalisme 7
survey une enquête
to **survive** survivre
sustainable: sustainable development le développement durable; *sustainable development industry* le secteur de développement durable
sweater un pull
sweet sucré(e)
to **swim** nager
swimming pool une piscine
swing music le swing 7
Swiss suisse; *Swiss army knife* un couteau suisse
Switzerland la Suisse
to **synchronize** synchroniser
synopsis: movie synopsis un synopsis 1
synthesizer un synthé(tiseur)
syrup le sirop; *maple syrup* le sirop d'érable
system un système 8

T

table une table; *table setting* le couvert; *at the (dinner) table* à table 2; *multiplication table* une table de multiplication 8; *to clear the table* débarrasser la table
tablecloth une nappe
Tahitian tahitien(ne)
tailor un tailleur
to **take** prendre; *to take (a class)* suivre; *to take (away)* emporter 4; *to take advantage of* profiter; *to take a journey* partir en voyage 8; *to take a picture (of something)* prendre (quelque chose) en photo; *to take a position (on)* prendre position (sur) 7; *to take a ski-taxi ride* faire du taxi-ski 4; *to take a trip* faire une excursion; *to take a vacation* prendre des vacances; *to take care (of)* s'occuper (de); *to take care of* garder 3; *to take care of things* se débrouiller 8; *to take off [airplane]* décoller; *to take out* sortir; *to take place* avoir lieu
tale un conte; *fairy tale* un conte de fées 3
talent un talent 9

talented doué(e) 10
to **talk** parler; *to talk to each other/ one another* se parler
talkative bavard(e)
tall grand(e)
to **tan** bronzer
to **target** cibler 10
tart: fruit tart une tarte aux fruits
to **taste** goûter
taste un gout 5; *for my taste* à mon goût 5
taxi un taxi; *by taxi* en taxi
tea un thé; *tea with lemon* un thé au citron
to **teach** apprendre; enseigner
teacher un(e) prof; *elementary school teacher* un instituteur, une institutrice
team une équipe; *team logo* un blason
technician un(e) technicien(ne); *solar plant technician* un(e) technicien(ne) de centrale solaire
technology la technique; *science and technology sector* le domaine des sciences et techniques
techno music la techno
teenager un(e) adolescent(e)
teeth: to brush one's teeth se brosser les dents
telemark: to telemark ski faire du télémark 4
televised télévisé(e)
television une télé (télévision); *television program* une émission
to **tell** dire; raconter
teller: bank teller un caissier, une caissière 6
temperature la température
to **tempt** tenter
ten dix
tenant un(e) locataire 3
tenderness la tendresse 6
tent une tente
tenth dixième
terrace une terrasse
terrific génial(e)
territory un territoire 2
terrorism le terrorisme
test un contrôle
text un texte 7; *text message* un SMS; un texto
than que
Thanksgiving l'Action de grâce (f.)
thank you merci; *thank you (for)* je vous remercie (de) [form.]

that ça; ce, cet, cette, ces; cela; même que [inform.] 3; que; qui; *that is* c'est; *that's for sure* c'est sûr; *that's how…* c'est comme ça que… 1; *That's right.* C'est ça.; *that/this one* celui, celle 6; *that works out well* ça tombe bien 2; *Is that all?* Rien que ça?; *so that* pour que 7; to *you shouldn't do that* ça ne se fait pas

the le, la, l'; les; *the most (+ adjectif)* le/la/les plus (+ adjective); *the one* celui, celle 6; *the ones* ceux 6

theatre un théâtre

theft un vol 9; *report of a theft* une déclaration de vol 9

thief un voleur 9

their leur, leurs

theirs le, la; leur 9

them elles; eux; les; *to them* leur

theme un thème 7

then alors, puis

therapist: physical therapist un(e) kiné (kinésithérapeute) 8

therapy: at/to the physical therapy office chez le kiné 8; *physical therapy* une rééducation 8

there là; y [pronoun]; *Are we going (there)?* On y va?; *over there* là-bas; *to be there* être sur place

therefore donc

these ce, cet, cette, ces; ceux 6

they on; *they (f.)* elles; *they (m.)* ils; *they (one) make(s) you* on te fait 8

thin mince 9

thing une chose; un machin 2; un truc; *things* des affaires (f.); *to take care of things* se débrouiller 8

to **think** croire; penser; *to think over* réfléchir (à)

third troisième

to be **thirsty** avoir soif

thirteen treize

thirty trente; *about thirty* une trentaine 9; *in one's thirties* d'une trentaine d'années 9

this ce, cet, cette, ces; cela; *this is* c'est; *that/this is why* c'est pour ça que; *this (very) word* ce mot-là; *like this* comme ça

those ce, cet, cette, ces; ceux 6

thought une réflexion; *on second thought* en y réfléchissant bien 4

thousand mille

three trois

thriller un thriller

throat la gorge

throne un trône 8

throttle: full throttle tout schuss 4

to **through** par

to **throw** jeter 5

to **thrush** une grive

Thursday jeudi

thus comme ça

ticket un billet; un ticket; *ticket booth* un guichet; *ticket collector* un contrôleur, une contrôleuse

ticket-stamping machine un composteur

tide une marée

tiger un tigre; *Sumatran tiger* un tigre de Sumatra

time l'heure (f.); le temps; une fois; *all the time* tout le temps; *at the same time* à la fois; *it's been a long time since* ça fait longtemps que; *on time* à l'heure; *to save time* gagner du temps; *What time is it?* Quelle heure est-il?

tire un pneu

tired fatigué(e)

title un titre 6

to **to** à; *to him* lui; *to her* lui; *to me* moi; *to my house* chez moi; *to the* au; aux; *to which* auquel, auquelle 5; *to you* te; vous; *eye to eye* le blanc des yeux 9

toast le pain grillé; *French toast* le pain perdu

tobacco: news store that sells tobacco, stamps, lottery tickets un bureau de tabac

today aujourd'hui

toe le doigt de pied

together ensemble

Togo le Togo

Togolese togolais(e)

toilet les toilettes (f.), les W.C. (m.); *toilet paper* le papier toilette 10

toiletries des affaires (f.) de toilette

tolerance la tolérance

tomato une tomate

tomorrow demain; *See you tomorrow.* À demain.

tone un ton 5

too aussi; trop; *too bad* tant pis; *too much of* trop de; *it's too bad that…* c'est dommage que… 5; *to have too many choices* avoir l'embarras du choix 10

tooth une dent

toothbrush une brosse à dents

toothpaste le dentifrice

top le haut; *at the top* en haut

topic un thème

to **torment** tourmenter 9

to **toss** remuer 2

to **touch** toucher

touch: to keep in touch garder le contact 3

tour une tournée 7; un tour; *guided tour* une visite guidée; *on tour* en tournée 7; *to go on a guided tour* faire une visite guidée; *to go on a tour* faire un tour

Touraine region la Touraine; *from, of Touraine region* tourangeau, tourangelle

tourism le tourisme 4; *adventure tourism* le tourisme d'aventure

tourist un(e) touriste; *tourist guide* un guide touristique; *tourist information office* un syndicat d'initiative; *tourist office* un office de tourisme 4; *to be a tourist* faire le touriste

touristy touristique 3

towards vers

towel une serviette; *beach towel* une serviette de plage

tower une tour

toy: toy car une petite voiture 1; *to play with toy cars* jouer aux petites voitures 1

traditional tradi(e) 2; traditionnel, traditionnelle; *traditional look* un look tradi 2

trail: to go on a trail ride faire une randonnée équestre 4

trailer: film trailer une bande-annonce 5

train un train; *train station* une gare; *train track* une voie; *by train* en train; *express train from Paris to suburbs* le R.E.R.

training une formation 8

to **transfer** muter 1

transportation un transport; *means of transportation* un moyen de transport

to **travel** voyager

travel preparations des préparatifs (m.) de départ 4

traveler's check un chèque de voyage 6

traveller un voyageur, une voyageuse

tray un plateau

treasure un trésor

to **treat** soigner 8

treatment des soins (m.) 8; un traitement 8; *to seek (medical) treatment* se faire soigner 8

tree: Christmas tree un sapin de Noël 2; *fir tree* un sapin 2; *maple tree* un érable

trial: listening trial en écoute libre

trick un coup 4; *to play a trick (on someone)* faire le coup (à quelqu'un) 4

trip une excursion; un voyage; *Have a good trip!* Bonne route!; *to go on a trip* faire un voyage; *to take a trip* faire une excursion

trombone un trombone

trouble des ennuis (m.) 9; *to get in trouble (with)* se faire disputer (par) 3

truck un camion

true vrai(e)

trumpet une trompette; *trumpet of the dead mushroom* une trompette de la mort 5

to **trust** avoir confiance

to **try: to try (on)** essayer; *to try one's luck* tenter sa chance 3

T-shirt un tee-shirt

Tuesday mardi

tuna le thon; *tuna salad* une salade niçoise

Tunisia la Tunisie

Tunisian tunisien(ne)

turkey la dinde 2; un dindon; *turkey with chestnuts* la dinde aux marrons 2

to **turn** tourner; *to turn in* rendre

turtle une tortue; *sea turtle* une tortue marine

tuxedo un smoking

TV une télé (télévision); *TV host* un animateur, une animatrice; *TV remote control* une télécommande; *TV show* une émission; *TV soap opera* un feuilleton; *cable TV* une télé câblée; *on TV* à la télé; *reality TV* la téléréalité; *reality TV show* une émission de télé-réalité

twelve douze

twenty vingt; *about twenty* une vingtaine 9; *in one's twenties* d'une vingtaine d'années 9

twin jumeau, jumelle; *twin-sized bed* un lit jumeau

two deux

to **type** taper

type un genre; un type 1; *not the type to* pas la tête à 9

typical of typiquement 10

U

ugly laid(e); moche

um euh

umbrella (beach) un parasol

uncle un oncle; *great uncle* un grand-oncle 3

under sous

to **understand** comprendre

to **undo a spell** déjouer un tour 3

undressed: to get undressed se déshabiller

unemployment le chômage

unicorn une licorne

unintelligent bête

United States les États-Unis (m.)

universal universel, universelle 2

universe l'univers (m.)

university une université; *university cafeteria* un resto-U (restaurant universitaire); *university dormitory* une cité universitaire

university universitaire

unobstructed imprenable 5

unpleasant désagréable

until jusqu'à

up: cut up (in) découpé(e) (en) 10; *Look up!* Lève la tête!; *to get up* se lever; *to grow up* grandir 3; *to make up one's mind* se décider 6; *to pick up* ramasser 1; *to put up* poser 3; *to wake up* se réveiller

upon en 4; *Once upon a time (there was)....* Il était une fois.... 3

us nous; *none of us (+ verb)* aucune nous ne (+ verb) 4; *to us* nous

USB: USB key une clé USB; *USB port* un port micro-USB

to **use** se servir (de); *to use diplomacy* user de diplomatie; *to use the informal "tu" to address someone* tutoyer 10

used: to be used (for) servir (à) 2

useful utile 4

useless: what is useless l'inutile (m.)

usually d'habitude

to **usurp** usurper 2

utensil un ustensile 2

V

vacation des vacances (f.); *back to school/work after vacation* la rentrée; *to take a vacation* prendre des vacances

vacationer un vacancier, une vacancière

to **vaccinate (against)** vaccine (contre) 4

to **vacuum** passer l'aspirateur

vacuum cleaner un aspirateur

vague imprécis(e) 5

vain: to do (something) in vain avoir beau [*inform.*] 8

Valentine's day la Saint-Valentin

to **validate (a ticket)** composter

valley une vallée

valued: to be valued as/at valoir 7

variation une variation 7

vase un vase 10

veal le veau 5

vegetable un légume; *raw vegetables* des crudités (f.)

velvet le velours; *made of velvet* en velours

venison le chevreuil 2; *venison chop* une côte de chevreuil 2

version une version; *original version* une version originale (V.O.) 5

versus contre

very super; très

veterinarian un(e) vétérinaire

via par

video: video clip un clip; *video games* les jeux vidéo (m.); *video game tester* un testeur de jeux vidéo

Vietnam le Vietnam 4

view une vue; *What a beautiful view!* Quelle belle vue!

viewpoint un point de vue

villa une villa 3

village un village

vinaigrette salad dressing la vinaigrette

vintage vintage 9

violence la violence

violin un violon

visa un visa 4

visible visible 9

to **visit** visiter; *to visit (person)* rendre visite à (+ person)

visual arts les arts plastiques (m.)

vivid vif, vive

volcano un volcan 4

voluminous volumineux, volumineuse 7

volunteer work le bénévolat 4

to **vote** voter 2

W

to **wait (for)** attendre

to **wake up** se réveiller

to **walk** marcher

walk une balade; une promenade; *to go for a walk* se promener

wall un mur 3

wallet un portefeuille

wallpaper le papier peint 3

to **want** avoir envie de; désirer; vouloir

want ad une petite annonce 8

war une guerre; *at war* en guerre 2

wardrobe une armoire

wary: to be wary (of) se méfier (de) 3

to **wash: to wash (oneself)** se laver; *to wash clothes* faire la lessive; *to wash the dishes* faire la vaisselle

washcloth un gant de toilette

washed out délavé(e) 9

washing machine une machine à laver

to **watch** regarder; *Watch out!* Attention!

watch une montre

to **water** arroser

water l'eau (f.); *water hydrant* une borne-fontaine; *water park* un aquaparc 1; *body of water* une masse d'eau

waterfall une cascade; une chute d'eau

watermelon une pastèque

water-skiing: to go water-skiing faire du ski nautique

wavy (hair) bouclé(e) 9

way un chemin; une façon 4; une manière 3; un sens; *by the way* au fait; *in a way* en un sens; *on the way* en route

we on; nous

wealthy riche

to **wear** porter

weather la météo; le temps; *weather forecast* la météo; un bulletin météo(rologique); *the weather's bad* il fait mauvais

web designer un concepteur de web

website un site web

wedding un mariage; *wedding anniversary* un anniversaire de mariage; *wedding dress* une robe de mariée; *wedding ring*

une alliance 1

Wednesday mercredi

week une semaine

weekend le weekend

to **weigh** peser 6

to **welcome** accueillir 2

welcome un accueil

welcome bienvenue

well un puits

well ben; bien, eh bien; dis donc; enfin; remarque; *Are things going well?* Tu vas bien?; *that works out well* ça tombe bien 2

west l'ouest (m.); *West Indies* les Antilles (f.)

what ce que; ce qui; comment; quel, quelle; qu'est-ce que; qu'est-ce qui; quoi, *What a beautiful view!* Quelle belle vue!; *What are you doing?* Qu'est-ce que tu fais?; *What do you like to do?* Qu'est-ce que tu aimes faire?; *What does it smell like?* Ça sent quoi?; *what if* si; *what is useless* l'inutile (m.); *What is your profession?* Quelle est votre profession?; *What size are you?* Quelle taille faites-vous?; *What's the weather like?* Quel temps fait-il?; *what's important* l'important (neutr.); *What's new?* Quoi de neuf?; *What's wrong with her?* Qu'est-ce qu'elle a?; *What's your name?* Tu t'appelles comment?; *you know what I mean* quoi

wheel une roulette; *Ferris wheel* la grande roue; *on wheels* à roulettes; *steering wheel* un volant; *suitcase with wheels* une valise à roulettes; *to go on a Ferris wheel ride* faire un tour de grande roue

when lorsque 1; où; quand; *since when* depuis quand

where où

which que; quel, quelle; qui; *about which/whom* dont 6; *from which* duquel, duquelle 5; *of which/whom* dont 6; *to which* auquel, auquelle 5

while en 4; pendant que 3; *while skiing* en skiant 4; *while you're at it* pendant que tu y es

whirlpool bath un bain à remous 5

white blanc, blanche; *white sauce* une sauce blanche 5; *white wine sauce* une sauce marinière 5

who qui

whole: whole series (of) toute une série (de); *the whole deal* la totale

whom que 2

whose dont

why pourquoi

wide large 2

width une largeur

wife une femme

wig une perruque 8

wild sauvage; *to get wild* se déchaîner 9

wildlife la faune

to **win** gagner

to **wind surf** faire de la planche à voile 4

wind turbine une éolienne

window une fenêtre

windshield un pare-brise; *windshield wiper* un essuie-glace

windy: it's windy il fait du vent

wine: chicken cooked in wine le coq au vin; *white wine sauce* une sauce marinière 5

winter l'hiver (m.)

wireless internet le Wi-Fi 5; *wireless internet connection* une connexion Wifi 5

to **wish** souhaiter 5

with au; avec; par; *with a few friends* en petit comité 2; *with chocolate* au chocolat; *with family* en famille; *with mushrooms* forestier, forestière; *with sugar* au sucre; *with warm regards* affectueusement

to **withdraw** retirer 6

without sans 4; *without a doubt* sans aucun doute 4

wizard un sorcier 7

woman une femme

wood le bois 2

wooden en bois 2

woodpigeon un ramier

wool la laine; *wool hat* un bonnet en laine; *made of wool* en laine

word un mot; *this (very) word* ce mot-là

to **work** bosser *[inform.]* 9; marcher; travailler; *that works out well* ça tombe bien 2

work une œuvre; un taf; *volunteer work* le bénévolat 4

worker: postal worker un postier, une postière 6

world le monde; *world music* la world; *French-speaking world* la Francophonie 3

world mondial(e) 10; *world leader* un leader mondial 10
worried inquiet, inquiète
to **worry** s'inquiéter 1
worry une inquiétude; un souci 2; *don't worry* rassure-toi
worse pire, plus mal
worst: the worst le pire, le plus mal
to be **worth** valoir 4; *it's not worth it* ce n'est pas la peine 1
worth une valeur 2
wow oh là là; wahou 8
wrist le poignet 4; *to break one's wrist* se casser le poignet 4
to **write** écrire; rédiger 8
writer un écrivain

to be **wrong** avoir tort 8
wrongdoing un tort 8

Y

yeah right tu parles
year un an, une année; *New Year's Day* le Jour de l'an; *in the first year* en première année; *to celebrate Christmas/New Year's Eve* réveillonner 2
yellow jaune
yes oui; *yes [on the contrary]* si
yesterday hier
yoga le yoga
yogurt le yaourt
you te/t', toi, tu, vous; *as for you* de votre côté 2; *to help you*

Z

pour t'avancer 2; *you don't get it* tu n'y es pas du tout 4
young jeune
young man/woman un(e) jeune
your ton, ta; tes, votre, vos
yours le, la tien(ne), le, la vôtre 9
youth la jeunesse 2; *youth hostel* une auberge de jeunesse
yule log une bûche de Noël 2

zero zéro
zoom: to adjust the zoom régler la largeur du champ
zucchini une courgette

Grammar Index

Credits

Photo Credits

Cover: iStockphoto/Famous pavilion by the pool in Jardin Menara, Marrakesh, (Morocco). © Magdalena Jankowska

@laurent/iStockphoto: ix (b); 573 (*maroquinerie*)
4x6/iStockphoto: 524 (raides)
4FR – Photography(Nils Kahle)/iStockphoto: 176
Ababsolutum/iStockphoto: 109
Arcurs, Yuri/Fotolia.com: 524 (chauve)
Adaszku/iStockphoto: 418 (t)
Admedia/SIPA Press: 101
AF Studio/iStockphoto: 325 (*gestion*)
AGfoto/iStockphoto: 084 (b)
Albrektsen, Peter/iStockphoto: 107 (#1)
Alejandro Photography/iStockphoto: 402
AlexMax/iStockphoto: 411 (Modèle (b))
Alija/iStockphoto: 111 (t); 378
Alix William/SIPA Press: 367
Alliance Française Minneapolis/St-Paul: 147
Alpamayo Software, Inc./iStockphoto: 520 (#C)
Ames, Christopher/iStockphoto: 569 (tr)
Anastasia_art/Fotolia.com: 420 (t)
Anderson, Leslie: vi (tl); vii (bl); ix (t); 019; 023 (*collectionner des coquillages*); 019; 025 (*Modèle*); 042 (#3, #7); 048 (*demoiselle d'honneur; baguede fiançailles; gâteau de mariage*); 054; 094 (wooden spoon, strainer); 095 (*Modèle, #6*); 096 (Activity 3: *Modèle, #1, #2, #6*; Activity 4: *Modèle*); 103 (*Modèle, strainer, #7, #11*); 107 (#2, #5); 140 (mother); 176 (*une maison mitoyenne*); 177 (*enfoncer un clou, propre*); 290; 304 (b); 324 (*banquière*); 324 (*un chéquier*); 327; 362 (#7 l, #7 r); 384; 386; 396 (br); 405; 411 (#5, #6, #7); 425 (l); 443 (b); 457 (#5); 477; 514 (b); 573 (*parfums, produits de beauté,champagne*); 575(t); 576(b); 589; 607
Andrea Zanchi Photography/iStockphoto: 506
Andresr/Fotolia.com:545 (b)
Andrew Lever Photography/iStockphoto: 140 (*le cousin germain*)
Andrey/iStockphoto: 372 (r)
Andronov, Leonid/Fotolia.com: 466
Anna k./Fotolia.com: 107 (#3)
Antonino, Matthew/iStockphoto: 097 (t)
Apesteguy/SIPA Press: 257 (b); 273 (b)
Araraadt/Fotolia.com: 076 (*huîtres*)
Archideaphoto/iStockphoto: 177 (living room)
Arcurs, Yuri/Fotolia.com: 303; 595 (*gestion, chef de groupe*)
Arnau, Xavier/iStockphoto: 063 (b) 118
Arsenik Studios Inc./iStockphoto: 276; 288 (t)
Art12321/iStockphoto: 325 (*infographie*)
Asenova, Eli/iStockphoto: 096 (Activity 4: #6)
Ashukian, Susan/iStockphoto: 025 (#2)
Atahac/Fotolia.com: 167 (b)
Auremar/Fotolia.com: vi (mailbox)
Auruskevicius, Marijus/iStockphoto: 103 (#3)
Avatar/iStockphoto: 278 (# GA); 457 (#4)
B/iStockphoto: 177 (*installer la moquette, sale*)
Baker, Matt/iStockphoto: 095 (#3)
Baltel/SIPA Press: 192; 323 (b)
Barbacetto, Guy/Fotolia.com: x (bl)
Bareta, Valery/Fotolia.com: 273 (t)
Beboy/Fotolia.com: 570
Becchetti, Simone/iStockphoto: 318; 488 (#1)
Becker, Brooke Elizabeth/iStockphoto: 096 (Activity 4: #4)
Bedo/iStockphoto: 268 (*chaînes cablées*)
Benamalice/Fotolia.com: 042 (#1)
Benaroch/SIPA Press: 605
Berg, Sanne/iStockphoto: 467
Bergquist, Sonee: 117
Beyond Images/iStockphoto: 531 (b)
Biafore, Joe/iStockphoto: 283 (#11)
Bianchini, Fabio/iStockphoto: 103 (#9)
Biffspandex.com/iStockphoto: 595 (*ressources humaines*)
Bikeriderlondon/Shutterstock.com: 048 (t)
Bing/iStockphoto: 148 (r)
Blackwaterimages/iStockphoto: 543 (*accablée*)
Blue Cutler/iStockphoto: 545 (#3)
Blue Moon/Fotolia.com: 388 (b); 420 (b)
Bokach, Natallia/iStockphoto: 411 (#8)
Bonnie J Graphic Design/iStockphoto: 009
Borghi, Pierre/Fotolia.com: 137 (b)
Box photography/iStockphoto: 362 (#4 b)
Boumen&Japet/iStockphoto: 411 (#2)
Bowdenimages/iStockphoto: 548
Braun, Svetlana/iStockphoto: 545 (#5)

Brave-carp/iStockphoto: 232 (t)
Brian Scantlebury Photos/iStockphoto: 345
Brittak/iStockphoto: 031
Brkovic, Ugurhan Betin/iStockphoto: 268 (*une connexion wifi*)
Brown, Ken/iStockphoto: 381 (*salle expressionniste*); 406 (t); 415 (*un poète*)
Brundin, Gustaf/iStockphoto: 094 (frying pan)
Bryson, Jani/iStockphoto: 111 (b)
Bryukhanova, Anna/iStockphoto: 610 (t)
Bst2012/Fotolia.com: v (bc)
Buzbuzzer/iStockphoto: v (bl); x (tl); 148 (l)
C-Foto.dk/iStockphoto: 520 (#E)
Çaglav, Hakan/iStockphoto: 004 (*aquaparc*)
Caimacanul/iStockphoto: 573 (montres)
Candy Box Images/iStockphoto: 130 (r); 590
Captura/iStockphoto: 073 (tl); 301
Capture the Moment
Cat London Photography/iStockphoto: 546 (t)
Photography, LLC/iStockphoto: 525 (*à carreaux*)
Carillet, Joel/iStockphoto: 452
Casacci, Robert/Fotolia.com: 032 (b)
Casey, Cheryl/Fotolia.com: 048 (*voyage de noces*)
Caucino, Roberto/iStockphoto: 232 (b)
Chagin-art/iStockphoto: 209
Chantal S./Fotolia.com: 076 (*magret de canard*); 143 (Etienne, Marguerite); 169
Charleton, Brett/iStockphoto: v (br)
Cherokeedxb/iStockphoto: 278 (# B)
Chevalier, Denise: x (br); 211 (r)
Chezvik/Fotolia.com: 573 (*faïence*)
Chic Type/iStockphoto: 362 (#5 l)
Chris32m/iStockphoto: 097 (b)
Chris Bernard Photography/iStockphoto: 525 (*à rayures*)
Chris Gramly Photography/iStockphoto: viii (b)
Clearandtransparent/iStockphoto: 075 (t); 84 (t)
Clicknique/=iStockphoto: 543 (*surexcitée*)
Closs, Sébastien/Fotolia.com: 272 (b)
Collet, Guillaume/SIPA Press: 298 (t)
Cordier, Jean-Jacques/Fotolia.com: 288 (b)
Côte, Sébastien/iStockphoto: x (tr)
Cowan, Paul/iStockphoto: 281 (*le veau*)
Cr-Management GmbH & Co. KG/iStockphoto: 525 (*faible*)
Creativeye99/iStockphoto: 283 (#6, #8, #9)
Creative Shot/iStockphoto: 457 (*Modèle l*)
Cristalconcept/Fotolia.com: vii (cr)
Cudic, Damir/iStockphoto: 137 (tl); 253; 403
Cvetanovski/Fotolia.com: 042 (*Modèle*)
Dag, Durrich/iStockphoto: 457 (tl)
Dagphoto/iStockphoto: 206 (#8)
Damjanac, Svetlana/iStockphoto: iii (tl); 595 (*service des ventes*)
De Bruyne, Hendrik/iStockphoto: 185
Dean Mitchell Photography/iStockphoto: 270; 448
Deejpilot/iStockphoto: 266
Denis, Christophe/Fotolia.com: 001 (tr); 053 (t)
Deniztuyel/iStockphoto: 411 (#3)
De Sazo, Serge/Gamma-Rapho/Getty Images: 498
Desscouleurs, Marco/Fotolia.com: 176 (*une maison individuelle*)
Deva/iStockphoto: 575(b)
Devanne, Philippe/iStockphoto: 287 (t); 457 (#1)
DeWeese-Frank, Michael/iStockphoto: 096 (Activity 4: #5)
Dexter_s/iStockphoto: 080 (r)
Diederich, Diane/iStockphoto.com: 077 (*Il les emmène...*)
Dietl, Jeanette/Fotolia.com: iv (br)
Diez-artwork/Fotolia.com: 307 (b)
Digihelion photostudio/iStockphoto: iv (cl)
Digital planet design/iStockphoto: 155; 441 (b)
Digital Skillet/iStockphoto: 130 (l)
Dixon, Matthew/iStockphoto: 344
Dolgikh, George/iStockphoto: 500
Doug Berry Images/iStockphoto: 224 (*un moniteur/une monitrice*)
Draghici, Alexandra/iStockphoto: 103 (#8)
DRB Images/iStockphoto: 004 (*détester; être fâché(e); s'affoler; réfléchir*); 525 (*maigre*); 543 (Abdoul)
Drillon, Jean-Claude/Fotolia.com: 048 (*alliances*); 055
Drivepix/Fotolia.com: 507 (b); 514 (t)
Duncan1890/iStockphoto: 381 (*salle néo-classique*); 441 (tl)
Duris, Guillaume/Fotolia.com: vi (man at ATM)
Dutourdumonde/Fotolia.com: 450 (b)
DWP/Fotolia.com: 004 (*discothèque*)
EasyBuy4u/iStockphoto: xi (l)
Eclypse78/Fotolia.com: 143 (Pierre)
Edstock/iStockphoto: 265 (tl); 306; 379 (t); 404; 406 (b); 483; 540; 579 (b)
Edward Shaw Photography/iStockphoto: 201 (b)
Elenathewise/iStockphoto: 457 (tr)

Éléonore H/Fotolia.com: 025 (#3)
Elnur/iStockphoto: 206 (#2)
EMC Publishing, LLC: ix (c); 023 (*jouer aux billes*); 094 (kitchen); 095 (#5); 096 (Activity 4: #2); 103 (#5); 140 (*l'arrière-grand-mère; le grand-oncle; la grand-tante*; grandpa; grandma); 206 (#1); 234; 281 (*marinière*); 283 (#7); 325 (*droit*); 325 (*médecine*); 325 (*langues*); 362 (#1 l, #1 r, #2 r, #5 r); 447; 457 (#8); 488 (#3); 595 (*secrétariat, service après-vente, DRH, chef de service*);
Emergent Designs/iStockphoto: 350
Emilie/Fotolia.com: 213
Eric Foltz Photography/iStockphoto: 206 (#5)
Eric's Photo Lab/iStockphoto: 525 (*à pois*)
Estionx/Fotolia.com: 355 (#1 t)
Ewg3D/iStockphoto: 107 (*Modèle*)
Eyecrave LLC/iStockphoto: 524 (frisés)
Eye Design Photo Team/iStockphoto: 518
Felker, Inna, Inc./iStockphoto: 037 (t)
Ffolas/iStockphoto: 457 (#2)
FiremanYU/iStockphoto: 158 (bl)
Floortjee/iStockphoto: 389 (l)
FOOD-pictures/Fotolia.com: 076 (*dinde aux marrons*)
Foreman, Richard/iStockphoto: 595 (*secrétaire*)
Forestpath/Fotolia.com: 023 (*famille nucléaire*)
Fotoclick/iStockphoto: 017 (#5)
Fotostorm/iStockphoto: 158 (br)
Franklin, David/iStockphoto: 411 (*Modèle* (t)); 457 (#3)
Frischhut, Thomas/Tellus Vision Production AB, Lund, Sweden: 008; 028; 051; 081; 98; 112; 145 (t); 165; 181; 208; 228; 236; 246; 271; 285; 302; 328; 343; 357; 464; 481; 511 (tl, cl); 519; 529; 547; 576(t); 586; 599
Fromer, Jill/iStockphoto: 095 (#2)
Fstop123/iStockphoto: 510 (#3)
Ftwitty/iStockphoto: 269 (le concierge)
Gajik, Miodrag/iStockphoto: 166
Galushko, Sergey/iStockphoto: 096 (Activity 4: #1)
Garbet, Peter/iStockphoto: 583 (*Venise Verte*)
Gary/Fotolia.com: 202
Gaspr13/iStockphoto: 206 (#9)
Gavran333/iStockphoto: 103 (*Modèle*, colander)
Gbh007/iStockphoto: 023 (*courir*)
Gblue.com/iStockphoto: 573 (*joaillerie*)
Geoff/Fotolia.com: 191 (l)
Georgeclerk/iStockphoto: 227
GeorgiosArt/iStockphoto: 492
Gezzeg/Fotolia.com: 356
Giacobbe, Marzia/Fotolia.com: 281 (*béchamel*)
Gillow, Mark/iStockphoto: 283 (*Modèle*)
Gina191/Fotolia.com: 176 (*une villa*)
Gold, Marina/iStockphoto: 458
Goldberg, Beryl: 001 (tl)
GoodOlga/iStockphoto: 206 (#4)
Goodluz/Fotolia.com: 309
Graffizone/iStockphoto: 602 (t)
Grafissimo/iStockphoto: 415 (satire)
Gremlin/iStockphoto: 517 (t)
Green Machine/iStockphoto: 488 (Modèle l)
Greig, Johnny/iStockphoto: 524 (mi-longs)
Gruau, J./Fotolia.com: 183
Guilane-Nachez,Erica/Fotolia.com: vii (tr)
Guillaumecd/Fotolia.com: 201 (tr)
Gvozdikov, Anton/Fotolia.com: 215
Hadyniak, Bartosz/iStockphoto: 468 (t)
Hakusan/iStockphoto: 520 (#F)
Hancu, Adrian/iStockphoto: 278 (# F)
Hayes Photos/iStockphoto: 463 (b)
Helenedevun/Fotolia.com: 184 (b)
Herreid, Allison/iStockphoto: 095 (#7)
HLPhoto/Fotolia.com: 281 (*le bœuf*)
HooRoo Graphics/iStockphoto: 524 (longs)
Hoppe, Sven/iStockphoto: 441 (tr)
Horstklinker/iStockphoto: 381 (*salle rococo*); 442
Hosteller, Loresta/iStockphoto: 077 (Les Lombard...)
Hrabar, Vitaliy/iStockphoto.com: 077 (Mme Lombard...)
Hronos7/iStockphoto: 238
HultonArchive/iStockphoto: 425 (r)
Iaartist/iStockphoto: 286
Ildi_Papp/iStockphoto: 281 (*hollandaise*)
Illini, Davide/iStockphoto: 281 (*béarnaise*)
Ilustrez-vous/Fotolia.com: 076 (*foie gras*); 573 (*produits alimentaires*)
Images by Barbara/iStockphoto: 143 (Jean-Luc)
Iofoto/iStockphoto: 143 (Rose)
lostinbids/iStockphoto.com: 289; 484 (t)
Iropa/iStockphoto: 362 (#3 l)
Izusek/iStockphoto: 543 (*frustrée*)
JackF/iStockphoto: 206 (#6)
Jag_cz/Fotolia.com: 415 (*fable*)
Jamie Carroll, LLC/iStockphoto: 566
Jani Bryson Studios, Inc./iStockphoto: 036
Jansen, Silvia/iStockphoto: 164
Jasmina/iStockphoto: 520 (#B)

JavierGil1000/iStockphoto: 396 (bl)
Jcarillet/iStockphoto: 167 (t)
Jeka/Shutterstock.com: 476
Jhorrocks/iStockphoto: 543 (*surprise*); 546 (b)
Jim Vallee Photography/iStockphoto: 143 (b)
JJAVA/Fotolia.com: 115 (b)
Jlmatt/iStockphoto: 557
Jmorse2000/iStockphoto: 145 (b)
Joshua Hodge Photography/iStockphoto: 510 (#4)
JPC-PROD/Fotolia.com: 550
Juanmonino/iStockphoto: 528
Justin Ward Photography/iStockphoto: 438; 517 (b)
Kablonk Micro/Fotolia.com: 023 (*jouer à la marelle*)
Kali Nine LLC/iStockphoto: 023 (*jouer à cache-cache; sauter à la corde*); 119; 342 (t)
Karandaev, Evgeny/iStockphoto: 094 (measuring glass); 103 (#4r)
Kaspi - Kilikpela's Aperture Studio Photography Inc./iStockphoto: iv (tl); viii (cr)
Kativ/iStockphoto: 429
Keating, Courtney/iStockphoto: 082; 595 (*comptabilité, comptable*)
Keres, Jasminka/Fotolia.com: 231
Kgtoh/iStockphoto: 268 (*un service de chambre*); 278 (# H)
Kirilart/iStockphoto: 381 (*salle romantique*)
Kishan, Sergey/iStockphoto: 365 (b)
Klubovy/iStockphoto: 190
Knape/iStockphoto: 023 (*jouer à la poupée*)
Knight, Michael/iStockphoto: 095 (#4)
Kohlhuber, Robert/iStockphoto: 305 (t)
Kollidas, Georgios/Fotolia.com: 449; 513
Kontrast-fotodesign/iStockphoto: 153
Kozachenko, Andrey/iStockphoto: 103 (#10)
Kravchenko, Andriy/iStockphoto: 095 (#1)
Kun, Emilia/iStockphoto: 103 (#6)
Kupicoo/iStockphoto: 545 (#1); 585
Kurhan/Fotolia.com: 034
Kyogoyugo/iStockphoto: 283 (#2)
Kzenon/iStockphoto: 100
Laflor Photography/iStockphoto: 023 (*faire des châteaux de sable*); 279 (tr); 545 (*Modèle*)
Iakov Kalinin/iStockphoto: 025 (#1)
Larionova, Anna/iStockphoto: 096 (3:#3)
Laughingmango/iStockphoto: 268 (*un centre de remise en forme*)
Launois, Thomas/Fotolia.com: 044
Lauri/iStockphoto: 017 (#3)
L. Bouvier/Fotolia.com: 247 (b)
LEBON/GAMMA. *Publicité pour Longchamp*. 2006: 608
Leezsnow/iStockphoto: 450 (t)
Lempérière, Francis/Fotolia.com: 025 (#5)
Leontura/iStockphoto: 329
Lido/Sipa Press: 122; 313; 433
Life on White/iStockphoto: 538 (b)
Light Touch/iStockphoto: 571 (b); 588
Lindquist, Mary: 321 (tl); 321 (b); 322; 358 (t); 377 (tl, tr)
Ling Jonathan/iStockphoto: 292 (r)
Lisa Howard Photography/iStockphoto: 207
LLC Photography/Fotolia.com: 023 (*jouer aux petites voitures*)
LM/iStockphoto: 362 (#2 l)
Lobanov, Dmitry/Fotolia.com: 074
Loonger/iStockphoto: 394
Losevsky, Pavel/Fotolia.com: 324 (*banque*)
Loskutnikov, Maxim/Fotolia.com: 176 (*une ancienne ferme*)
LuminaStock/iStockphoto: 524 (courts)
Luncentius/iStockphoto: 424
Lye, Johnny/iStockphoto: 107 (#6)
M&H Sheppard/iStockphoto: iii (tr)
Maceo/Fotolia.com: 076 (*côtes de chevreuil*); 281 (*le chevreuil*)
Machine Headz/iStockphoto: 545 (#2)
Makenoodle/iStockphoto: 569 (tl)
Mammut Vision/Fotolia.com: 004 (*ciné-club*)
Mangostock/iStockphoto: 524 (tr)
Manley, Andrew/iStockphoto: 284; 549
Marcus Clackson Photography/iStockphoto: 600
Margouillat photo/Fotolia.com: 076 (*saumon fumé*)
Mariait/iStockphoto: 216
Marin, Tomas/iStockphoto: 457 (Modèle r)
Markovka/Shutterstock.com: 096 (3: #5)
Marta P./Fotolia.com: 099
Mayer, Marco/iStockphoto: 073 (tr); 283 (#10)
Maxphotography/iStockphoto: 201 (tl)
McComber, Nicolas/iStockphoto: 407; 510 (*Modèle*)
McKinnon, Peter/iStockphoto: 278 (# E); 337 (l)
Mediaphotos/iStockphoto: 490
MellyB/iStockphoto: 179
Meryll/Fotolia.com: 324 (*On retire de l'argent...*)
Messina, Sandro/iStockphoto: 073 (b); 573 (*mode*)
Mgay photo/iStockphoto: 324 (*chèques de voyage*)
Michaeljung/Fotolia.com: 143 (Thibault); 485; 525 (*gros*); 598
Michael C/iStockphoto: 396 (t)
Micromonkey/Fotolia.com: 083
Mika/iStockphoto: 195
Mimon/Fotolia.com: vii (tl); viii (br)

Tupungato/iStockphoto: 321 (tr); 323 (t); 583 (*BNP*); 610 (b)
Ulga/iStockphoto: 283 (#5)
Unclesam/Fotolia.com: 096 (Activity 3: #4); 129
Vankad/Fotolia.com: 143 (Sylvie)
Vasiliki/iStockphoto: 177 (*accrocher des tableaux*)
Venturini-Autieri, Marco/iStockphoto: vi (bl)
VichoT/iStockphoto: 251
Vikram Raghuvanshi Photography/iStockphoto: 509 (tl)
Vidady/Fotolia.com: 094 (colander)
Videographer/iStockphoto: 410
Villard/Niviere/SIPA Press: 267 (b); 274
Villesèche, Florian/Fotolia.com: 139 (t); 168
Volschenkh/iStockphoto: 324(*le bureau de change*)
Wacquier, Alain/Fotolia.com: 076 (*bûche*)
Wdstock/iStockphoto: 571 (t); 579 (t)
Webb, Diane/iStockphoto: 115 (t)
Weibell, Trista/iStockphoto: 269 (*Le réceptionniste...*)
Whitemay/iStockphoto: 145 (c)
Wicki58/iStockphoto: 177 (*cirer le parquet*)
Wiedemann, Ken/iStockphoto: 230 (b)
Windu/Fotolia.com: 362 (#6 t)
Winhorse/iStockphoto: 583 (*Air France*)
Wilson, Matthias/iStockphoto: 342 (b)
Witthaya/Fotolia.com: 107 (#4)
Woodcock, Carolyn/iStockphoto: 094 (measuring spoons)
Yakovenko, Pavel/iStockphoto: 537 (t)
Yemelyanov, Maksym/Fotolia.com: 325 (*genie-civil*)
Yeulet, Catherine/iStockphoto: 113
YinYang/iStockphoto: vi (cl); 278 (# c); 324 (*caissière*); 337 (r); 366 (l)
Yuhirao/iStockphoto: 023 (*famille recomposée*)
Yula-designs/iStockphoto: 291; 295
Yulkapopkova/iStockphoto: 224 (bl)
Yvann K/Fotolia.com: 272 (t)
Zarubina, Elena/Fotolia.com: 149
Zbruch/iStockphoto: 325 (*lettres*)
Zerbor/iStockphoto: 488 (#5)
Zhan, Tian/iStockphoto: 377 (b)
Zilli/iStockphoto: 525 (women portrait)
Zirkel, Kenneth C./iStockphoto: 094 (blender)
Ziutograf/iStockphoto: xi (tl)
ZU_09/iStockphoto: 415 (*un dramaturge*)

Reading Credits

Guitry, Sacha, "Deux couverts," Librairie Théâtrale, 1914. (comedy): 123–127
Prevert, Jacques, "Familiale," in *Paroles*, @Editions GALLIMARD. (poetry): 434
Raynaud, Fernand, "Les croissants." (comedy): 314
Satrapi, Marjane, *Persepolis* (comics), *Tome 3*, Coll. Ciboulettes, 2002: 368–369

Art Credits

Akg-images. Walter Limot. History. World War II.-A French sentry on a railway track.-Photo (multiple exposure), 1939. Handwritten descr.: "Avant la defaite". 1939
Anonymous. Hugo, Victor; French poet; 1802–1885. Works: Les Misérables (Novel, 1862); "Jean Valjean - épisode des chande-liers". Wood engraving, anon. From: V. Hugo, Les Misérables, 5 volumes, Paris (Eugène Hugues) 1879–1882. Photo: akg-images: 561
Cailleux, Christian. *Le restaurant.* 2011: 315 (b)
Chéri Samba. *Le Nid dans le nid*, 1996. Acrylic on canvas, sequins and glued mixed medium 53 x 79 inches 135 x 203 cm. Courtesy CAAC - The Pigozzi Collection, Geneva© Chéri Samba: 389 (br)
Cousin le Jeune, Jean (1522–1594). *Portrait de Joachim du Bellay*/Bibliothèque Nationale de Paris: 255
Delorme, Cécile. *Retour du marché.*2005: 193
Édouard, Albert/Rmn. CNAC/MNAM/Dist. Réunion des Musées Nationaux/Art Resource, NY: *Immeuble, rue Croulebarbe, Paris*: 067
The Bridgeman Art Library International: *Portrait of Marcel Renoux aged about 13 or 14* (oil on canvas) by Renoux, Jules Ernest (1863–1932) Private Collection/Giraudon: 128; *Ulysse découvre Astyanax caché dans le tombeau d'Hector*, c. 1654–1656. Sébastien Bourdon. Collection privée./Photo © Agnew's, London, UK: 257; *The Town*, 1912 (gouache on paper), Rouault, Georges (1871-1958) / Private Collection : 315 ; *The Loing Canal*, 1892 (oil on canvas), Sisley, Alfred (1839–99)/Musée d'Orsay, Paris, France/Giraudon: 383; *Sunday Afternoon on the Island of La Grande Jatte*, 1884–86 (oil on canvas), Seurat, Georges Pierre (1859–91)/The Art Institute of Chicago, IL, USA: 385 (t); *Cafe Terrace, Place du Forum, Arles, 1888* (oil on canvas), Gogh, Vincent van (1853–90)/Rijksmuseum Kroller Muller, Otterlo, Netherlands: 385 (b); *Mother and child* (pastel on paper), Cassatt, Mary Stevenson (1844–1926)/Private Collection/Giraudon: 387 (t); *Impression: Sunrise*, 1872 (oil on canvas), Monet, Claude (1840–1926)/Musée Marmottan Monet, Paris, France/Giraudon: 387 (b); *The Pine Tree at St. Tropez*, 1909 (oil on canvas), Signac, Paul (1863–1935)/Pushkin Museum, Moscow, Russia: 388 (t); *Opening of the Estates General at Versailles on 5th May 1789*, 1839 (oil on canvas), Couder, Louis Charles Auguste (1790–1873)/Chateau de Versailles, France/Giraudon: 444 (t); *Farewell to Louis XVI by his Family in the Temple*, 20th January 1793, Hauer, Jean-Jacques (1751–1829)/Musee de la Ville de Paris, Musee Carnavalet, Paris, France/Giraudon: 444 (bl); 'I Die Innocent, I

Pardon My Enemies', plate from 'The Story of France', by Mary MacGregor, 1920 (coloured lithograph), Rainey, William (1852–1936) (after)/Private Collection/The Stapleton Collection: 444 (bl)
Samba, Chéri. *Le Nid dans le nid*, 1996. CAAC (Contemporary African Art Collection by Jean Pigozzi): 389

Realia Credits

4Temps&CNIT: 580
Académie Goncourt: 427
ancestry.fr: 146 (b)
CLD de l'Île d'Orléans: 150, 151
Connaissance des Arts : Auteur : Virginie Huet, Source : www.connaissancedesarts.com, ©SFPA – Connaissance des Arts 2013: 391
Crédit Mutuel: 332
L'Atelier des chefs: 289 (www.atelierdeschefs.fr/fr/live; This site offers information on French cuisine and cooking classes)
La Poste: 360
Le Cordon Bleu, Paris: 101
Les enfoirés: 408
Festival de Cannes: 307
francebillet.com: 551
France Volontaires: 249
Guide des stations Savoie/Mont-Blanc ((www.savoie-mont-blanc.com): 231
Hugues CHAN-NG-YOK, www.liledelareunion.com: 213
James Noël: 424
Judo Club de Sorgues: 116
McDonald d'Orléans: 602
metrofrance.com: Courrier du cœur: 012
Mairie d'Évry: 495
Ministère de la Culture et de la Sauvegarde du Patrimoine de Tunisie: 170
Ministère de l'Éducation Nationale@eduscol.education.fr — MEN — droits réservés: 515
Ministère de l'Intérieur et de la Sécurité Publique/Commissariat de Voie Publique, Paris: 539
Monaco Monte-Carlo: 275
Opodo.fr: 185
Poésie en liberté (www.poesie-en-liberte.com): 426
Quizbiz.com: 470
SNE: 347
St Paul de Vence.com. Crédit photographique: Jacques Gomot—Office de Tourisme de Saint-Paul de Vence (tl, br): 033
Théâtre du Chatelet/T. Chaine: 392

We have attempted to locate owners of copyright materials used in this book. If an error or omission has occurred, EMC Publishing, LLC will acknowledge the contribution in subsequent printings.